C000151047

Itamar Orlev est né en 1975 à Jérusalem et vit aujourd'hui à Berlin. Auteur d'une pièce de théâtre récompensée au festival Beit Lessin Theatre Open stage, il a également publié des nouvelles dans divers magazines.

Voyou a été couronné en 2016 par le prix Sapir du meilleur premier roman en Israël.

Itamar Orlev

VOYOU

ROMAN

*Traduit de l'hébreu
par Laurence Sendrowicz*

OUVRAGE TRADUIT AVEC LE CONCOURS
DU CENTRE NATIONAL DU LIVRE

Éditions du Seuil

TITRE ORIGINAL
בנדיט

ÉDITEUR ORIGINAL
Am Oved Publishers Ltd.
© Am Oved Publishers Ltd, Tel Aviv, 2015

ISBN 978-2-7578- 7603-9
(ISBN 978-2-02-136579-5, 1ʳᵉ publication)

© Éditions du Seuil, 2018, pour l'édition en langue française

Pour Leanne

« Comment l'un pourrait-il consoler l'autre ?
Comment un père qui a accroché
Ses deux bras au cou de son père
Pourrait-il étreindre son fils ? »

HANOKH LEVIN

PREMIÈRE PARTIE

Le bruit d'explosion qui vient de s'échapper du grand sommeil me heurte aussi violemment qu'un coup de poing en pleine figure et je me réveille. La respiration se coince dans ma gorge. J'ouvre les yeux. La pièce est plongée dans l'obscurité. Une silhouette sombre, aux contours flous, se faufile par la porte ouverte. J'ai le visage en feu. Le silence est trop absolu, de mauvais augure. Je me lève d'un bond, tire la barre de fer que je garde sous mon matelas et fonce dans la chambre du gosse.

J'entre en trombe, j'allume la lumière – le lit est vide, les draps ne sont pas défaits. Quelques jouets traînent par terre, la fenêtre est ouverte. Je grimpe sur le rebord, saute à l'extérieur et atterris dans le petit jardin où tout se tait dans le noir. Je distingue quand même la silhouette sombre qui disparaît, réapparaît, revient et s'évanouit de nouveau. Je me lance à sa poursuite en agitant ma barre de fer. J'ai les muscles crispés, douloureux, et pour évacuer un peu cette tension je me mets à frapper. Le sol, la table en bois, le muret en pierre. Je balance une chaise, renverse la brouette avec les plants qui sont dedans, je défonce des caisses, donne des coups dans tout ce que mes pieds rencontrent sur le sol – carcasses métalliques, débris de meubles, bûches.

Je rentre dans la maison à toute blinde et cours d'une pièce à l'autre. J'allume la lumière partout où je passe. Elle n'est pas là. La silhouette noire n'est pas là. La maison est vide. Normal, puisqu'elle est partie. Puisqu'elle a pris le gosse et s'est tirée. Dans le frigo, j'attrape une bouteille de bière que j'ouvre avec les dents parce que je tremble encore de tous mes membres et que mes doigts ne peuvent pas tenir le décapsuleur. J'avale la boisson en quelques gorgées et ça me calme un peu. Comme je déteste dormir !

J'allume une cigarette tout en jetant un coup d'œil à ma montre. Quatre heures du matin. Le soulagement. L'aube est suffisamment proche pour que je ne doive pas me recoucher. Je ressors dans le jardin, attends de retrouver une respiration régulière et commence à ranger le bordel que j'y ai foutu. Dans une heure, le jour montera et tracera à l'horizon sa fine ligne de clarté. Les premiers oiseaux pépieront et la douce lumière matinale me prendra dans ses bras, réconfortante.

1

Elle a dit : « J'en ai marre de cette vie de chien, je me crève le cul pour le gosse et pour toi, alors que toi, tu n'es ni un mari, ni un père. Tu nous enfermes dans ton rêve bancal et tu t'apitoies sur ton sort à longueur de journée.

– Tout de même, je fais la vaisselle, ai-je bredouillé pour ma défense. Et je m'occupe du jardin.

– C'est quand, la dernière fois que tu t'es occupé du jardin ? On dirait un dépotoir.

– Ce n'est pas la saison. J'attends le printemps.

– Et l'évier aussi, il attend le printemps ?

– Non, la nuit. Je fais la vaisselle la nuit.

– D'accord. Fais la vaisselle la nuit, attends le printemps. Sauf qu'à partir d'aujourd'hui, tu feras ça tout seul. Je refuse de porter à bout de bras un parasite qui glande et se laisse aller. Qui ne fait que rester assis à fumer, à boire et à accuser la terre entière de son impuissance.

– Tu sais bien qu'avec ce travail, c'est dur de gagner sa vie.

– Eh ben change de travail.

– Mais c'est mon métier.

– Eh ben change de métier.

– Je ne peux pas changer de métier maintenant.

– Alors accouche de quelque chose. Ça fait des années que tu te contentes de parler.

– J'essaye de gagner de l'argent, ça me bouffe tout mon temps.

– Même quand tu as le temps, tu n'écris pas, tu tires la gueule. Alors, oui, au moins, ramène de l'argent à la maison.

– Je fais ce que je peux. Tu veux quoi ? Que je devienne serveur dans un bar ?

– Moi, je ne veux plus rien de toi. »

Ces mots, elle les a prononcés tout bas, d'une voix rauque et profonde. Ensuite, elle a pris le gosse et elle est partie.

Je suis resté planté dans notre jardin à regarder le wadi et les toits rouges des maisons de ce quartier construit à flanc de coteau. J'ai suivi des yeux sa nouvelle voiture de fonction dernier modèle qui s'est éloignée sur le chemin de terre, a rejoint la route, s'est mêlée au trafic clairsemé et a fini par disparaître.

Je me suis encore attardé là un certain temps. Après, je suis allé dans la cuisine me faire un café et je suis ressorti dans le jardin. J'ai allumé une cigarette. Seul. Rien de différent des autres jours : elle allait au travail, lui à l'école ou chez la nounou. Ils ne revenaient qu'en fin d'après-midi, ensemble, et c'était elle qui s'occupait de lui, jouait avec lui, le faisait dîner, puis le bain et dodo. Moi, je continuais comme s'ils n'étaient pas là. Il m'arrivait tout de même de lui apporter un truc qu'elle me demandait, voire de lui préparer un thé. Il m'arrivait aussi de parler un peu, de blaguer avec le gamin, de lui lire une histoire. Les rares fois où j'essayais de participer à leurs jeux, elle me rabrouait sous prétexte que j'y introduisais automatiquement trop de violence et de brutalité, qu'on n'était pas dans le quartier déshérité de Pologne où j'avais grandi et que j'effrayais le petit. Il n'y avait que le samedi matin – quand elle traînait au lit avec les journaux du week-end – qu'on sortait ensemble, lui et moi, dans le jardin. On jouait au ballon, on jetait des cailloux sur les chats qui venaient piquer la nourriture jusque dans la gamelle du nôtre, on creusait la terre pour planter de nouvelles graines dans notre mini-potager qui ne donnait quasiment rien. Ensuite, elle se levait et l'emmenait chez des amis, ses sœurs ou sa mère. Je me retrouvais de nouveau seul – à mon grand soulagement.

Mais le silence qui envahissait à présent l'extérieur et l'intérieur de la maison n'était pas de cet ordre-là. Comme si leur présence à tous les deux avait été aspirée hors de ce lieu où nous avions vécu trop d'années ensemble. Le vide autour de moi s'est soudain rempli d'une douleur étonnante et d'une grande angoisse. Ce n'était pas de la nostalgie, pas encore, j'avais d'ailleurs longtemps attendu le jour où elle se déciderait à me quitter, mais je n'avais pas prévu qu'après son départ et celui du gamin, le silence qu'ils laisseraient m'étranglerait.

J'ai pris la voiture et je suis allé voir ma mère sans l'appeler au préalable.

« Qu'est-ce qui se passe ? m'a-t-elle tout de suite demandé.

– Comment tu sais qu'il se passe quelque chose ?

– Tu viens me voir de ton propre chef.

– Elle m'a quitté. Elle a pris le gosse et elle est partie.

– Si tu crois que ça m'étonne. Je pensais qu'elle le ferait beaucoup plus tôt. » Et d'ajouter après un instant de réflexion : « Le sexe entre vous ?

– Pas terrible.

– Alors c'est bien qu'elle soit partie. Si ça marche au lit, tout le reste finit par s'arranger, mais si là aussi ça déconne, c'est sans espoir. »

Je suis entré dans son salon où une toile, en travers de laquelle elle avait déjà donné d'épais coups de pinceau, était posée sur un chevalet. L'air était chargé de l'odeur caractéristique de la peinture à l'huile.

« Qu'est-ce que c'est ?

– Pas tes oignons ! a-t-elle crié de la cuisine. Je n'ai pas besoin de critiques.

– Je te dis la vérité, maman, c'est tout. Je t'ai dérangée en plein travail ?

– Oui. Assieds-toi, j'arrive. »

Je me suis assis. Et tout à coup, j'ai eu très envie qu'elle m'invite à dîner. Ça faisait des années, depuis que j'avais quitté la maison en fait, qu'elle n'avait pas cuisiné pour moi – ce qui, à vrai dire, ne m'avait jamais manqué. Parfois, quand on venait en famille, elle préparait quelque chose pour le petit, et le voir se battre avec une escalope panée dure comme de la pierre ou un morceau de viande essoré me rappelait chaque fois combien je détestais ce qu'elle nous avait, pendant tant d'années, obligés à avaler.

Ma mère est revenue dans le salon avec deux tasses de thé et quelques gâteaux secs sur un plateau. On a bu. À l'évidence, elle attendait que je me tire.

« Tu vas faire quoi ? m'a-t-elle demandé.

– Je ne sais pas. Je pense que je vais continuer pareil.

– Et le gamin, tu le verras ?

– Bien sûr. »

Elle a regardé sa montre, le chevalet, puis ses yeux se sont longuement arrêtés sur la fenêtre. Le soir assombrissait le firmament, nimbant la pièce d'une lumière bleutée, et son ventre a commencé à émettre quelques gargouillis. Je me suis pris à espérer qu'elle capitule et me propose de rester ; qu'elle me prépare ne serait-ce qu'un œuf à la coque, un toast, n'importe quoi pourvu que ce soit elle qui me le prépare, me l'apporte à table, qu'elle s'asseye ensuite à côté de moi, me regarde manger et peut-être, oui, peut-être, me demande si c'est bon. Au lieu de quoi elle a attrapé son téléphone, a appelé une copine et a discuté très bruyamment avec elle tout en me lançant des regards explicites qui indiquaient que, pour sa part, elle avait rempli sa mission – je pouvais m'en aller.

« Une omelette ? » ai-je fini par suggérer. Elle a hoché la tête sans pour autant raccrocher.

Je suis entré dans sa cuisine, j'ai coupé des tomates et des concombres en rondelles, ouvert son frigo, en ai sorti du fromage, du hareng, du saucisson polonais qui paraissait un peu vieux, et je nous ai concocté une grande omelette.

Ma mère a mangé en silence, lorgnant vers moi de temps en temps.

« Tu te sens vraiment très mal, a-t-elle remarqué. C'est bien la première fois, depuis que tu es gamin, que tu me prépares une omelette.

– Toi aussi, ça fait longtemps.

– Parce que tu sais le faire tout seul. »

On a fini notre assiette, chacun a allumé une cigarette et on a fumé ensemble.

« C'est bientôt ton anniversaire, ai-je dit.

– Quand ? a-t-elle demandé en prenant une mine affolée.

– Dans quelques jours.

– Oui. »

Elle n'a rien ajouté.

Ensuite, je suis parti. Chez moi me guettait une longue nuit, sombre et vide, si bien que je suis rentré avec beaucoup d'appréhension. Je me suis assis dans le jardin avec une bière et j'ai commencé à me languir de mon fils, de ses exclamations de joie, de ses fous rires qui montaient de la salle de bains quand ma femme le lavait, de ses larmes quand il était fatigué mais refusait d'aller se coucher, luttant contre le sommeil, à croire qu'il craignait, s'il s'y abandonnait, de ne jamais plus en revenir. Il tapait des pieds, criait, secouait la tête dans tous les sens tandis que l'engourdissement envahissait peu à peu son corps et dissolvait lentement sa conscience. À la fin, tel le condamné qui accepte sa mort imminente, il se laissait dominer, happer par le sommeil, et moi, jamais je n'ai essayé de le sauver. Chez ma femme, tout a toujours été clair et ordonné : il y a une heure pour se lever le matin, une heure pour déjeuner, une heure pour le bain et une heure pour aller au lit. Elle n'a jamais été impressionnée par ses jérémiades ni par ses hurlements de terreur, sourde aux cauchemars qui le réveillaient et menaçaient de revenir : le petit est fatigué, il doit dormir et ne sait simplement pas ce qui est bon pour lui. Mais moi aussi, je déteste dormir à cause d'horribles cauchemars que j'oublie au réveil.

Première nuit sans ma femme et le gosse. Un firmament noir m'est tombé dessus, comme si les étoiles s'étaient toutes éteintes. J'ai soudain eu très envie que quelqu'un vienne, n'importe qui d'inattendu. Que des phares émergent du wadi et illuminent le chemin de terre obscur, mais qui donc aurait pu débarquer ? Voilà bien longtemps que je me suis éloigné du peu d'amis que j'avais, les autres, ceux qu'on appelait « nos » amis, sûr qu'ils prendraient tous position pour elle. Quant à mon pote Artur, un comédien polonais, il était en tournée européenne avec sa troupe de théâtre ambulant. Mon frère et ma sœur habitaient de l'autre côté de l'océan, ma mère dormait, qui restait-il ? Personne. À part mon père. Mais de lui, je n'avais pas entendu parler depuis plus de vingt ans. D'ailleurs, je n'avais pas pensé à lui depuis si longtemps que même ce mot de « père » me paraissait incongru. L'expression de son absence s'était réduite à une sorte de bruit de fond monotone, il était devenu une entité insaisissable et lointaine, dépourvue de visage, et j'ai eu beau essayer, je ne suis pas arrivé à le reconstituer visuellement. Il était resté à Varsovie, gagnant en cela une vie éternelle puisque, dans nos esprits, il ressemblait toujours à celui que nous avions laissé là-bas, la quarantaine bien sonnée, et n'avait pas revêtu les traits du vieillard qu'il était certainement aujourd'hui. À moins qu'il soit mort, me suis-je soudain affolé. Non, pas ça. À ça, je n'étais pas encore préparé. Et puis tout de même, on nous aurait avertis s'il était mort, non ? Quoique…

Un jour, il m'avait dit : « Ne panique jamais et n'aie jamais peur. La peur est un piège fatal. J'ai vu des gens se faire tuer rien que parce qu'ils ont eu peur. »

Sa voix m'est revenue, mais pas son visage – une voix rauque pour cause de cigarettes, avec des mots dans un polonais un peu traînant pour cause de vodka.

Ensuite, c'est son odeur qui m'est revenue. Pas encore très définie : je suis petit, il me porte dans ses bras. Je sens l'âpreté de son manteau en laine contre ma joue.

J'aurais aimé lever les yeux vers lui pour observer son visage par en dessous mais je n'ai pas osé, peut-être par crainte de voir le souvenir éclater en ces fractions d'instants qui le composent. Des gouttes de sueur se sont mises à perler sur mes tempes, sur mon front aussi, me piquant les yeux. Je les ai essuyées avec mon tee-shirt, j'ai de nouveau regardé en arrière, cette fois à la recherche d'un moment précis, et j'ai réussi à retrouver mon père, debout au milieu du salon, grande silhouette bien droite en train de jouer du violon. Je ne me souvenais plus de ce qu'il jouait, mais déjà à l'époque, la musique qu'il tirait de cet instrument, si fragile entre ses bras si costauds, était en totale contradiction avec tout ce qu'il représentait.

J'avais découvert mon père en train de jouer du violon par une matinée où je m'étais réveillé tard. Les sons m'arrivaient, feutrés, à travers le plancher en bois de ma chambre. Je me revois sortir du lit et me dépêcher d'atteindre l'escalier, que je descends avec prudence, une marche après l'autre, tellement je suis petit – encore plus petit que mon fils aujourd'hui. À mesure que j'approche, la musique gagne en puissance et je le trouve, là, au rez-de-chaussée, qui joue, les yeux fermés, le corps ondulant avec les mouvements de l'archet. C'est la première fois que je le surprends ainsi. Les doigts si épais, si grossiers de ses grandes mains bougent avec dextérité sur les quatre cordes tendues le long du manche en bois et produisent une mélodie limpide qui s'achève par une longue note tenue. Il reste immobile quelques secondes, prend une grande inspiration et rouvre les yeux. Quand il me voit, il sourit, et sans rien dire met l'instrument de côté, me soulève de ses deux mains, me pose debout sur une chaise, reprend le violon et me place l'archet entre les doigts.

« Joue, Tadek », me dit-il. Au début, il tire et pousse mon bras droit, ensuite je me débrouille tout seul tandis qu'il appuie sur les cordes pour former les notes, et ainsi de mes mouvements monte une comptine que je reconnais. Mon père se tient tout près de moi, sa peau et son haleine exhalent la forte odeur de vodka qui l'enveloppe en permanence, sauf qu'à cette époque, c'était juste l'odeur de papa.

2

« Tu vois le type là-bas ? m'a demandé ma mère en pointant le doigt vers un homme assis à une table éloignée. Il n'arrête pas de me faire de l'œil.

– Franchement, maman, il pourrait être ton fils. »

Nous étions assis face à face dans le restaurant où, chose rare, elle avait décidé de m'inviter en l'honneur de son anniversaire.

« Peu importe, a-t-elle concédé non sans lancer un regard enjôleur et très suggestif vers l'inconnu. Pourquoi est-ce que tu t'es tout à coup souvenu de ton père ? À mon avis, il est mort et enterré.

– Tu le tues comme ça, sans problème ? On aurait certainement été prévenus.

– Je trouve déjà étonnant qu'il ne soit pas mort plus tôt, avec la quantité de vodka et de cigarettes qu'il s'est enfilée.

– Toi aussi, tu fumes.

– Beaucoup moins.

– D'accord, mais tu ne crois pas qu'on nous aurait prévenus ?

– S'il était mort ? Pas sûr. C'est quand, la dernière fois que tu as eu de ses nouvelles ? Il a sans doute crevé dans un bar quelconque. Je te garantis qu'il me bouffe des yeux.

25

– Qui ?

– Le type assis là-bas. Je viens de te le dire. »

J'ai tourné la tête et j'ai attentivement examiné le jeune homme en question. Il souffrait d'un léger strabisme qui le faisait loucher vers l'extérieur. Ce défaut de convergence pouvait donner l'impression qu'il regardait dans notre direction.

« Il louche, maman, c'est ce qui te fait croire qu'il te regarde.

– N'importe quoi. Tu devrais avoir honte de penser ça de ta mère. J'ai toujours eu beaucoup de succès. Même ton père… » Elle s'est interrompue puis a repris après un instant de réflexion, les yeux dans le vague. « S'il vit encore, il végète dans une maison de retraite pour vétérans à Varsovie. Ta sœur s'en est occupée il y a quelques années.

– Qui ? Ola ?

– Anka, la fois où elle est allée le voir. Du calme, du calme, je lui ai fait jurer de ne pas t'en parler. J'avais peur que ça te tente, toi aussi…

– Que quoi me tente ?

– Tu sais bien. D'y aller. Et alors, qu'est-ce qui se serait passé ? Il aurait tout fait pour te convaincre de rester avec lui, et toi, tu étais trop petit, tu n'as pas conservé suffisamment de mauvais souvenirs de là-bas.

– Justement si. Et beaucoup ! »

Elle a essayé de me réduire au silence par un « Ne crie pas ! » et a jeté un coup d'œil par-dessus mon épaule.

« Encore ton bigleux ?

– Tu sais quoi ? Je vais sortir, marcher un peu, et toi, tu observeras ce qu'il fait. Tu verras qu'il me suit du regard. »

J'ai accepté, elle s'est mise debout et, de la main, a lissé son chemisier puis sa jupe.

« Je sors un instant ! » a-t-elle déclaré d'une voix forte avant de se diriger en se dandinant vers une boutique située quelques mètres plus loin.

Par acquit de conscience, je me suis tourné vers le jeune homme : il était entièrement concentré sur la soupe que le serveur avait posée devant lui.

Incroyable qu'Anka ait rendu visite à notre père, elle qui en avait une peur bleue ! Il suffisait qu'il la regarde pour qu'elle éclate en sanglots, si bien qu'il ne prenait même pas la peine de la frapper. Je me suis demandé si mon autre sœur, l'aînée, ou mon grand frère étaient, eux aussi, entrés en contact avec lui. J'ai présumé que non : aussi têtue que le paternel, Ola n'avait jamais pu le supporter, quant à Robert, il prétendait que tous les coups qu'il avait reçus lui avaient bousillé la vie.

Nous avions immigré en Israël sans notre père. Les premières années, il m'envoyait encore des lettres. Au milieu des anecdotes qu'il y racontait, il pouvait soudain écrire : « Sais-tu que le réseau ferroviaire polonais est le meilleur du monde ? » ou bien : « Les réformes menées par notre premier secrétaire Gomułka sont un bien pour la révolution autant que pour le peuple. » Ensuite, il reprenait le cours de son récit comme si de rien n'était. La censure étatique lisait méticuleusement les lettres envoyées à l'Ouest, et mon père n'arrivait pas à se retenir, c'était plus fort que lui. Au fil du temps, ses missives s'étaient raréfiées puis avaient cessé et je n'avais plus eu de ses nouvelles.

« Alors ? m'a demandé ma mère.

– Alors quoi ?

– Il m'a suivie, oui ou non ?

– Il ne t'a pas quittée des yeux.

– Tu vois ! »

Elle s'est rassise et d'un geste plein d'autosatisfaction a allumé une cigarette.

« Au fait, tu as quel âge ? lui ai-je demandé.

– Vingt-quatre ans. Question idiote, surtout maintenant. » Elle a de nouveau jeté un œil vers son prétendant et a soupiré. « Le temps passe trop vite. Hier à peine, il y a exactement trente ans, j'avais ton âge.

– Soixante-six ans, c'est pas mal. 66, c'est même un nombre palindrome.

– Ne m'emmerde pas avec tes grands mots, garde-les pour la prochaine nana que tu essaieras d'impressionner. Soixante-six, ce n'est pas la joie. Tu veux qu'on échange ? De toute façon, tu passes tes journées en charentaises comme un retraité, alors que moi… j'ai la vie devant moi. »

J'ai souri et contemplé les rides qui ornaient son beau visage.

« Il ne t'a donné aucune nouvelle, toutes ces années ? ai-je repris.

– Qui ? Ton père ? Tu recommences avec ton père ? Pourquoi m'en aurait-il donné ? Il était furieux contre moi. Il devait nous rejoindre plus tard, mais je me suis arrangée pour qu'on ne le laisse pas entrer ici. À toi, j'ai raconté qu'il ne voulait pas venir, mais en vrai, quoi ? J'aurais dû le supporter ici aussi ? Il m'en avait suffisamment fait baver. Alors je me suis débrouillée pour produire un document. Que tes sœurs ont d'ailleurs signé. Si tu veux mon avis, il ne me l'a toujours pas pardonné. Uniquement par principe parce que, au fond, il n'avait pas envie d'immigrer. Il nous aurait peut-être suivis rien que pour nous emmerder, histoire de foutre le bordel et de se tirer ensuite, ça, c'était sa spécialité. Qu'est-ce qu'il aurait fait ici sans sa vodka, ses amis alcooliques et leurs bagarres de soûlards ?

Qu'est-ce qu'il aurait fait au milieu de tous ces Juifs ? Dans un pays où on ne boit pas et où on ne sait rien de la violence des *goys* polonais ? Tu as vu, ici, deux personnes s'exploser la gueule pour rien, en pleine rue, au milieu de la nuit ? Il se serait immédiatement retrouvé en prison. »

Je n'ai pas oublié le jour où nous avions quitté la Pologne. J'avais douze ans. Mon père nous a accompagnés à la gare, c'est lui qui portait nos sacs et nos valises, il en avait dans les mains et sur les épaules. Il a dit au revoir à ma mère, à mes sœurs, à mon frère et, en dernier, à moi. Il m'a pris dans ses bras et fait un gros câlin, chaleureux… mais une seconde plus tard, il nous pressait déjà de monter dans le train en lorgnant sa montre avec impatience. J'ai alors surpris une expression amusée sur son visage. Planté devant lui, je l'ai fixé droit dans les yeux : « Maintenant, tu es peut-être content qu'on s'en aille, mais à la fin, tu seras triste. »

Il m'a à peine regardé, n'a pas répondu et, rapidement, il s'est détourné de nous pour aller échanger quelques mots avec le contrôleur.

De retour chez moi, je me suis assis dans le jardin. La tiédeur du soir enveloppait le paysage. Pas un poil de vent dans l'air sec, le silence était troué par les bruits de la nuit qui montaient des rues du quartier : le ronronnement des voitures, la voix des gens, le tintement de la vaisselle, la musique douce en provenance du café d'en bas. Au-dessus de moi, les grillons stridulaient, envahissant la colline jusqu'au sommet, on entendait aussi, au loin, les lamentations des chacals et dans le grand caroubier résonnaient, comme chaque nuit, les hululements répétés du vieux hibou.

La nuit de notre emménagement dans cette maison, lorsqu'on s'était assis dans le jardin, ma femme et moi, m'étaient justement revenus les bruits nocturnes du village polonais, des bruits qui avaient accompagné mon enfance avant que la suie et la pollution urbaines ne se déposent sur mes poumons. On était là, installés sur le muret de pierres à contempler l'obscurité, une bouteille de vin entre nous. Comme on n'avait rien pour l'ouvrir, j'avais enfoncé le bouchon, et comme on n'avait pas de verre, on avait bu au goulot. C'était une autre époque, pleine d'espoir, même si notre intérieur ne comptait qu'une table, deux chaises et un matelas double, même si le jardin était envahi de mauvaises herbes. Je lui ai parlé de la maison dans laquelle nous habitions en Pologne, toute la famille, y compris la grand-mère paternelle, une paysanne qui avait vécu avec nous un certain temps pour aider ma mère. J'avais passé les premières années de ma vie, comme dans un rêve, dans cette villa à un étage sur les bords du fleuve, non loin de la grande exploitation où travaillait ma mère, ai-je expliqué à ma femme cette nuit-là.

« Ce n'était plus le régime communiste ? s'est-elle étonnée.

– Si, justement ! Le noble propriétaire n'était plus là, sans doute envoyé en prison par la police secrète ou simplement abattu d'une balle dans la tête. Après avoir été nationalisées, les terres ont été réorganisées en fermes agricoles d'État. Comme un kolkhoze soviétique. En Pologne, ça s'appelait des PGR. »

Ma femme m'a demandé de lui filer une cigarette. Fixant le vide, elle a pris une gorgée de vin, et moi, j'en ai profité pour admirer son profil.

« Tout le monde était censé labourer la terre de l'État et s'occuper des animaux domestiques de la République

30

populaire de Pologne, mais dans les faits, chacun inves-
tissait surtout dans sa parcelle privée. Nous aussi, on en
avait une. Petite. Sur laquelle on cultivait des choux et
des pommes de terre. Avec quelques poules au milieu.
Quand la grand-mère nous a rejoints, elle a même réussi
à nous dégoter une vache. On l'a appelée Erika. La
vieille la respectait parce qu'elle donnait beaucoup de
lait, ai-je précisé tout en regardant autour de moi dans
la pénombre. Là aussi, on pourrait planter des légumes
et élever des poules.

– On pourrait, comme tu dis, mais on a des choses
plus importantes à régler avant. Il n'y a rien ici, alors ce
n'est pas le boulot qui manque. Je vais faire une liste. »

Elle a esquissé un geste pour se lever. J'ai posé une
main sur sa cuisse : « Ça peut attendre. On est bien,
rien que nous deux, non ? »

Elle a souri, a déplacé la bouteille de vin qui nous
séparait et s'est blottie contre moi. J'ignorais, à l'époque,
combien la phrase que je venais de prononcer sans
vraiment y réfléchir disait vrai. J'ignorais, à l'époque,
que plus la maison se remplirait de chaises, de lits, de
tables, d'armoires, de canapés, de fauteuils, d'assiettes,
de verres, de couverts, de tire-bouchons, de produits
d'entretien, de boîtes de conserve, de vêtements, de
chaussures, de serviettes, de posters, de livres, de
disques, d'albums photos et de jouets, plus nous crou-
lerions sous leur poids. Cette nuit-là, on a tiré le matelas
dehors, on l'a étalé sur les ronces et on a sereinement
baisé dessus, en prenant notre temps, comme si rien
ne nous attendait nulle part. Ensuite on s'est reposés et
on a remis ça. Plusieurs fois. Et si la somnolence nous
gagnait, on était réveillés par des étreintes dont nos
corps avaient, seuls, pris l'initiative… jusqu'à ce qu'un
profond sommeil finisse par nous terrasser.

Période de nuits calmes où mes rêves aussi m'avaient laissé un peu de répit. Au matin, on ouvrait l'œil avec le soleil, on remettait le matelas dans le salon vide et on se rendormait dessus, profitant de la fraîcheur conservée par les épais murs en pierre de cette maison qui, à l'époque, était toute à nous.

3

J'ai appelé ma sœur Anka qui vit en Floride avec son mari et ses enfants, et je l'ai questionnée sur sa visite en Pologne. Elle a tout de suite commencé à se justifier de ne pas m'en avoir parlé et à inventer des tas de mauvaises raisons dont je me fichais. Je voulais juste savoir où il était. Par chance, elle a pu me fournir tous les renseignements que je lui demandais : papa habitait dans une maison de retraite pour vétérans et héros de guerre polonais, une place obtenue grâce à un ancien camarade de combat qu'elle avait sollicité, un général qui, à la différence de notre géniteur, était membre du Parti communiste polonais et avait atteint les hauts échelons de l'armée.

« C'est lui qui est intervenu, m'a-t-elle expliqué, cette maison de retraite a la réputation d'être un établissement de luxe, même si, comme tout là-bas, elle tombe en ruine.

– Tu y es allée quand ?

– Il y a quatre ans. En 84. Il a une bonne pension, parce que les autorités ont pris en compte la période où il était partisan et le temps qu'il a passé à Majdanek.

– Il va comment ?

– Pas terrible. Rongé par la vodka. Il ne voit plus très bien et il a du mal à marcher mais il continue de boire. Enfin, ça, c'était il y a quatre ans, je ne sais pas ce qu'il est devenu depuis.

– Il s'est comporté comment avec toi ? »

Anka n'a répondu qu'après un long silence : « Que te dire ? Il semble s'être adouci, mais il a toujours le même regard. Surtout quand il enlève ses lunettes aux verres en culs de bouteilles. Il a vieilli, tu sais. Je ne suis allée le voir que deux fois. La première, il était très ému, et c'est là que j'ai rencontré son ami le général. La seconde, il s'est saoulé avec un autre de ses copains et ils ont été tellement désagréables que je suis partie. Arrivée à l'hôtel, j'ai chialé pendant trois heures.

– Qu'il parvienne à te faire pleurer rien qu'en te regardant, ce n'est pas nouveau », ai-je essayé de plaisanter, mais ça ne l'a pas fait rire.

Elle a lâché un profond soupir, et même à travers le combiné j'ai réussi à percevoir qu'elle frémissait.

« C'est un beau salaud, notre père, a-t-elle fini par dire. Mais je ne pouvais pas le laisser moisir dans la rue ou dans un taudis. C'est quand même notre père. Alors j'ai revu le général et c'est lui qui s'est occupé de tout. »

Je l'ai entendue respirer lourdement.

« Tu te souviens que papa avait un violon ? lui ai-je demandé.

– Où ?

– Dans la villa.

– Ça fait longtemps. Comment veux-tu que je m'en souvienne ? Arrête ! Moi, je n'ai pas envie de tomber dans la nostalgie, et surtout pas au sujet de papa. »

J'ai arrêté. Au bout d'un long moment, elle m'a dit qu'elle devait raccrocher et m'a donné le nom, l'adresse et le numéro de téléphone de la maison de retraite.

« Tu as l'intention d'y aller ?

– Je ne sais pas. J'ai peur qu'il meure bientôt et maintenant que les frontières sont ouvertes, je me demande si ce n'est pas l'occasion… je me tâte. Tu l'as bien dit, c'est quand même notre père. Et puis, moi aussi, j'ai un fils. »

J'aurais voulu ajouter quelque chose sur les pères et les fils mais… à quoi bon ?

« Je ne crois pas que tu trouveras ce que tu cherches auprès de lui, m'a-t-elle répondu, mais tu as le droit d'essayer. Ce ne sera pas la première fois qu'il te décevra. Bon, assez ! Cette conversation va te coûter une fortune. » Elle m'a dit au revoir et a raccroché.

Anka a quitté Israël depuis longtemps. Tout comme Ola et Robert. Chacun pour des motifs différents et dans des circonstances différentes, mais ce n'est sans doute pas un hasard s'ils ont fait ce choix-là.

« Vous avez eu tort, m'a un jour reproché ma mère. Regardez-vous, chacun s'est tiré dans son coin. Vous auriez dû rester groupés, c'est là que résidait votre force. »

On est quatre enfants. Deux garçons et deux filles. Ola, l'aînée, après il y a eu Anka, après Robert et moi en dernier. Je suis, comme les autres, né à Varsovie, mais très vite on a déménagé dans la villa de l'exploitation agricole qui, en un autre temps, servait de maison de campagne à un ancien propriétaire terrien de la région. C'est cet endroit qui a donné à la plupart de mes souvenirs d'enfance les couleurs pastorales de l'été polonais et l'éclat de la réverbération de la lumière quand, par les claires journées d'hiver, une neige veloutée recouvre les champs, les pâturages, les forêts. La grand-mère est là aussi, vêtue de sa longue robe noire, la tête couverte d'un fichu, les mains sur les hanches. Elle veille sur nous, prépare à manger, fait la lessive, cultive notre lopin de terre, s'occupe de la vache et des poules.

C'était une paysanne bourrue, la grand-mère, qui n'avait peur de rien, sauf des fantômes. Même notre père et ses crises de rage ne lui faisaient aucun effet. En revanche, lui, il avait peur d'elle – alors qu'il n'avait peur de rien. La vieille en avait beaucoup vu et personne ne pouvait lui en conter. Elle vivait sans chichis et sans pitié, et c'est de cette manière qu'elle menait sa barque – y compris avec nous –, un arrangement très pratique, qui nous assurait la liberté à l'intérieur d'un cadre bien défini. À l'époque, nous ne nous doutions pas à quel point nous allions un jour regretter cette vie-là.

Elle ne s'est autorisée à forcer notre domaine – on s'était créé notre univers dans un coin du jardin – qu'une seule et unique fois, après que la chatte avait mis bas six petits à l'ombre d'un buisson. Quand on les a découverts, ils avaient déjà ouvert les yeux et commençaient à investiguer prudemment les environs. On a passé des jours et des jours à s'occuper d'eux tandis que la grand-mère s'était contentée d'une grimace silencieuse. Mais un après-midi, profitant de ce qu'on s'était un peu éloignés du jardin, elle avait fourré toute la portée dans une taie d'oreiller. Ola l'a ensuite vue marcher avec détermination jusqu'à la rivière et, sans la moindre hésitation, ouvrir la poche en tissu, jeter son contenu dans l'eau et rentrer à la maison.

On s'est précipités là-bas. Les faibles gémissements des chatons qui se noyaient étaient encore audibles à travers les joncs. Sans y réfléchir à deux fois, mon frère et mes sœurs ont sauté, même si aucun d'eux ne savait nager. Le flux était puissant. Comme ils n'avaient pas pied, on a formé une chaîne en se tenant par la main :

mon frère en premier, Ola derrière, ensuite Anka et moi en dernier, debout sur la berge.

Robert avait six ans, et pour atteindre l'endroit où gémissaient les petits noyés, il luttait contre un courant tellement fort qu'il avait du mal à rester agrippé à Ola. Moi, j'ignorais encore que la mort existait en ce monde, mais j'ai bien senti que quelque chose de terrible planait dans l'air.

« Par là ! Par là ! » ai-je crié. De la place où je me tenais, je voyais d'où provenaient les miaulements et même, par instants, j'apercevais les petits corps qui se débattaient. Mon frère a tendu le bras droit vers un chaton qui arrivait à garder la tête hors de l'eau, il a essayé de gagner quelques centimètres de plus, il y était presque… quand soudain sa main gauche a lâché. Les flots l'ont aussitôt entraîné, sa tête disparaissait et réapparaissait dans l'eau brunâtre, ses bras s'agitaient dans tous les sens. Ola a immédiatement plongé et Anka à sa suite. Robert était déjà en train de couler quand elles l'ont rattrapé. Ils ont réussi tous les trois à regagner la rive et à s'y hisser à plat ventre, suffoquant. Mon frère a toussé, vomi et enfin il a retrouvé une respiration régulière.

Le visage bleui, mort, d'un petit noyé, j'en verrais un quelques années plus tard, le jour où on repêcherait Piotr dans les marais qui bordaient le village de la grand-mère. Comme tous les enfants et malgré l'interdiction, Robert et moi allions nous baigner dans ces bassins glauques, le fond boueux nous happait dangereusement par endroits, mais dans la chaleur de l'été, quand la rivière n'était pas assez profonde pour qu'on puisse y nager, impossible de résister. Nous, on les appelait nos « étangs », l'eau était fraîche et les berges ombragées par les joncs nous permettaient de jouer ou de nous reposer agréablement.

Ce jour-là, quand Robert et moi sommes arrivés sur les lieux, nous avons vu des adultes qui plongeaient dans ces eaux troubles à la recherche de Piotr. Le garçon était venu nager depuis plus d'une heure, et personne ne l'avait revu – c'est ce que nous a expliqué le groupe d'enfants qui, du bord, suivaient les manœuvres.

« J'ai touché sa jambe ! » s'écria soudain quelqu'un.

Aussitôt, les autres s'approchèrent et, ensemble, ils sortirent le corps de Piotr hors de l'eau. Il avait le visage bleu et bouffi. À peine les adultes l'avaient-ils allongé sur l'herbe qu'apparut au loin une charrette qui se dirigeait vers nous, tirée par des chevaux lancés dans un galop effréné. Arrivé à notre niveau, le conducteur sauta à terre sans prendre soin d'arrêter son attelage, courut vers le corps de l'enfant, tomba à genoux, le prit dans ses bras, le serra contre lui et se mit à embrasser frénétiquement le visage sans vie.

« Relève-toi, relève-toi, relève-toi ! »

C'était son père. Alors qu'il faisait route vers la ville, il avait eu soudain, à mi-chemin, un sombre pressentiment. Il avait aussitôt fait demi-tour et lancé ses chevaux à toute vitesse pour regagner le village, lorsqu'il avait remarqué l'attroupement autour des marais.

« Relève-toi ! lança-t-il d'une voix rauque vers le ciel tandis qu'il se levait lui-même avec le corps de son fils dans les bras. Relève-toi ! Relève-toi ! »

Mon père me soulève de ses deux grandes mains. Il me soulève et me repose, me soulève et me repose, on dirait qu'il essaye de deviner mon poids. Il porte un tricot de corps, n'est pas rasé, une cigarette est fichée entre ses lèvres. Il me lance en l'air, recommence, me lance et me rattrape, me lance et me rattrape, rit la bouche fermée pour ne pas perdre son mégot.

« Je te l'envoie sur les genoux, maman ? » Il tente d'attirer l'attention de la grand-mère qui, assise dans le fauteuil, les jambes posées sur le tabouret, ne prend même pas la peine de se tourner vers lui.

Il m'installe alors sur ses épaules et nous voilà partis.

« On va voir ta mère », m'annonce-t-il.

Nous sortons, traversons le bosquet et, plus loin, passons sur l'étroit pont de bois au-dessus de la rivière.

Nous entrons dans la ferme d'État par un portail dont les montants sont ornés de deux grands lions en pierre assis face à face, bombant le torse. Le bâtiment central se trouve au fond d'une grande cour avec, tout autour, les maisons des paysans construites en U. Chaque fois qu'il y va, mon père foule le sol en propriétaire, salué par tous les gens qu'il croise. À l'époque, j'avais l'impression qu'il était très respecté, aujourd'hui je sais qu'il n'inspirait pas le respect mais la peur.

J'attends que nous soyons entrés et je lui dis que j'ai besoin de faire pipi.

« C'est maintenant que tu t'en aperçois ? soupire-t-il. Tu aurais pu pisser dehors. »

Il me conduit aux toilettes, où nous accueille une terrible odeur d'urine et d'excréments, vu que les canalisations sont bouchées. Il y a aussi un homme accroupi là, le pantalon sur les mollets, en train de chier à même le sol.

« Putain ! » s'écrie mon père dès qu'il le voit. Et ni une ni deux, il le soulève par le col sans lui laisser le temps de se rhabiller et lui assène deux coups de poing en pleine figure. L'homme s'écroule. Mon père lui crache dessus, me pousse à l'extérieur de la baraque et rugit, furieux : « Non mais tu l'as vu ? Faire ça par terre ? Comment il ose, ce merdeux ! Viens pisser dehors, par la fenêtre. »

Mais en général, il n'est pas là. Il part tôt le matin, rentre tard le soir, et apparaît très rarement en milieu de journée, sans prévenir. Dans ces cas-là, il nous rapporte tantôt du saucisson, tantôt du chocolat, tantôt des vêtements ou des bottes en caoutchouc, on a aussi eu droit à un violon, et un jour, il est revenu avec un grand poste de radio qu'il a posé dans le salon. Aussitôt ont résonné dans toutes les pièces de la maison de longs discours prononcés par d'éminents membres du Parti, des bulletins d'informations et surtout des morceaux de musique qui s'enchaînaient.

« Evinka ! » a-t-il lancé l'après-midi où on a entendu les premiers accords du *Beau Danube bleu* de Strauss.

Je le revois encore tendre la main gauche à ma mère, qui la prend dans un geste théâtral. Il lui enserre la taille de son bras droit et tous les deux commencent à tournoyer dans le salon en chantant – ils crient presque – avec la radio.

« Allez, allez, les enfants, dansez, vous aussi ! » nous enjoint-il.

On se met par couples, Ola avec Robert, Anka avec moi, et on essaye d'imiter maladroitement les pas de valse si aisés de nos parents.

La grand-mère, qui, pour sa part, préfère ignorer ces festivités, va dans la cuisine s'atteler à la vaisselle et nous laisse virevolter au rythme de plus en plus rapide de la musique. Papa conduit maman avec un enthousiasme presque brutal, ils se heurtent même aux quelques meubles de la pièce. Jusqu'à ce que soudain la valse s'interrompe et qu'un présentateur bouleversé annonce aux auditeurs que les tanks soviétiques sont entrés dans Budapest.

« Salopards de communistes ! s'écrie papa en crachant par terre.

– Stefan, enfin, pas devant les enfants ! » le sermonne aussitôt maman.

Sans le moindre égard, il la repousse violemment et elle valse, contre le mur cette fois.

« Tous des fils de pute ! s'énerve-t-il. Ils nous ont passé cette musique pour qu'on n'entende pas comment ils massacrent les Juifs ! » Sur ces mots, il sort de la maison en jurant.

C'est ce soir-là qu'il a disparu. J'ai entendu notre mère expliquer à mes sœurs qu'il était allé vendre les terres héritées de son père et qu'il reviendrait bientôt, mais il n'est pas revenu. Elle s'est mise à broyer du noir, est devenue irritable et ne cessait de se disputer avec la grand-mère, au point qu'un jour elle a fini par lui annoncer qu'elle n'avait plus besoin de son aide et l'a renvoyée dans son village. Au travail, elle se bagarrait avec ses supérieurs et ses collègues, ensuite elle rentrait, l'air désespéré, ne demandant qu'une chose : qu'on la laisse tranquille.

Mais nous, on voulait savoir pourquoi papa ne revenait pas. Elle nous a d'abord dit que la vente des terres prenait plus de temps que prévu, puis elle a prétexté qu'il avait du travail quelque part, puis qu'il était allé aider sa mère au village. Plus le temps passait, plus son humeur se dégradait et moins elle trouvait de justifications.

« Je ne sais pas où il est, a-t-elle fini par nous avouer. Peut-être qu'il ne reviendra jamais. Tant mieux. »

Il me manquait, à moi. Même si, lorsqu'il vivait avec nous, il n'avait jamais vraiment fait partie de ma vie. Apercevoir sa grande silhouette qui partait le matin, humer un instant l'odeur que son manteau laissait dans son sillage, ou le suivre des yeux par la fenêtre de la cuisine jusqu'à ce qu'il disparaisse dans le bosquet me suffisait. Je m'asseyais devant le poste qu'il nous avait laissé pour écouter les morceaux de musique diffusés à la radio, et derrière la grille du haut-parleur se dessinaient, tels de petits personnages, les musiciens de l'orchestre : des trompettistes, des pianistes, des accordéonistes, des clarinettistes, un chef d'orchestre. À l'avant-scène, le violon coincé sous le menton et les yeux fermés, mon père jouait, le corps ondulant à chaque coup d'archet.

Un jour, maman nous a annoncé qu'on déménageait pour une autre exploitation agricole parce qu'on lui avait trouvé un meilleur emploi là-bas.

« Papa aussi va venir avec nous ? ai-je demandé.

– Non », a-t-elle sèchement répondu, sans aucune autre explication.

Le jour dit, une camionnette s'est garée devant la villa et deux déménageurs y ont entassé toutes nos affaires. Nous, on s'est installés au milieu de ce bric-à-brac, et le véhicule a démarré.

J'ai regardé en arrière. La maison dans laquelle nous avions vécu, les berges de la rivière, le bosquet et tous mes premiers souvenirs s'éloignaient de plus en plus et ils ont fini par disparaître au tournant de la route.

4

Ma femme est venue récupérer une partie de ses affaires. Avec le gosse.

« Il faut qu'il passe du temps avec toi, a-t-elle déclaré. Figure-toi qu'il me demande souvent où tu es. »

Pendant qu'elle déambulait dans la maison et ramassait ce dont elle avait besoin pour l'appartement qu'elle venait de louer, je me suis assis avec lui dans le jardin et j'ai voulu savoir s'il était excité à l'idée d'entrer bientôt au CP, s'il s'amusait au centre aéré et ce qu'il pensait de son nouveau quartier. Jamais auparavant je ne lui avais posé autant de questions. Il m'a répondu laconiquement, comme si c'était la seule manière de dialoguer avec moi. Du coup, malgré mes velléités, j'ai arrêté de parler. J'aurais pu lui raconter des histoires de mon enfance, lui proposer de faire la course, lui et moi, de jouer à cache-cache, de grimper dans le caroubier du vieux hibou, d'allumer un feu, de descendre jusqu'à l'épicerie acheter des bonbons, de lui montrer comment fabriquer un lance-pierres ou un arc avec des flèches. J'aurais pu le prendre dans mes bras, lui dire qu'il me manquait, que j'étais désolé d'avoir été un père si nul et, dans un même élan, planifier de l'emmener au zoo, au restaurant, au cinéma. De nous payer une virée dans le désert, à la montagne, à la mer. Mais je n'ai rien dit. J'ai allumé une cigarette. On était là, assis, muets comme des carpes, à regarder droit devant nous.

« Tu sais, ai-je finalement repris, savoir se taire, c'est parfois plus important que de parler. Rester comme ça en silence sans se sentir mal, on ne peut y arriver qu'avec quelqu'un de très spécial. »

Il m'a regardé. Après, il m'a fait un vrai sourire, plein de reconnaissance. Je me suis détesté. Sale menteur, ai-je pensé, maintenant, lui aussi, tu l'embobines ? Par chance, sa mère est sortie de la maison juste à ce moment-là – ce qui m'a épargné de trop souffrir d'une si douce naïveté.

« Tu as l'air en forme, ai-je dit à mon ex-femme.

– Merci. Je ne le suis pas. Et toi ?

– La merde.

– Super, mais à part ça ?

– Rien. Je réfléchis beaucoup. Par exemple, tout à coup, je pense à mon père.

– C'est nouveau mais peut-être positif. Je ne savais pas qu'il était toujours vivant.

– Ce salopard s'est apparemment installé dans une maison de retraite à Varsovie et il me hante.

– Eh ben vas-y, a-t-elle dit, comme si elle lisait dans mes pensées.

– Tu crois ?

– Pourquoi pas ?

– Avec quel fric ?

– Je t'en donnerai.

– Je ne peux pas.

– Alors vends la bagnole.

– La moitié est à toi.

– J'ai une voiture de fonction. Et puis il y a des choses plus importantes dans la vie qu'une bagnole. »

Cette réponse m'a rappelé pourquoi j'étais tombé amoureux d'elle. Elle m'a demandé une cigarette, bien qu'elle ait arrêté de fumer depuis des années. J'en ai sorti deux, une pour elle et une pour moi. On s'est retrouvés assis dans le jardin, à fumer comme avant, comme au bon vieux temps.

« Bon, a-t-elle déclaré en écrasant sa clope après en avoir tiré quelques bouffées. On doit bouger. Tiens-moi au courant. » Elle s'est levée, a appelé le gosse qui m'a laissé le serrer dans mes bras et lui faire un bisou.

Ils ont descendu les marches en pierre qui mènent au parking. Avec ses vêtements propres et ses nouvelles baskets, le gamin ressemblait exactement à l'enfant que je n'ai pas la chance d'avoir été. Je l'ai envié un instant, parce qu'il avait pour mère cette femme, que j'avais certes cessé d'aimer, mais qui était en fin de compte une bonne mère. Assez autoritaire, mais capable de donner de l'amour, pas comme la mienne, qui ne nous avait jamais caressés, ni embrassés, ni complimentés. Quand j'étais petit, j'arrivais de temps en temps à me faufiler entre ses bras, j'essayais de me faire cajoler, de lui arracher quelques gestes tendres, un peu de douceur, des sourires affectueux, mais ces rares instants de grâce ne duraient jamais.

« Parfait, a dit ma mère.
– Quoi, parfait ?
– Que tu l'aies vendue.
– Ma voiture ?
– Oui, ta voiture. C'était une antiquité.
– Pas tant que ça. Elle roulait encore très bien. D'ailleurs, j'en ai tiré un bon prix. Et je ne vois pas pourquoi ça te satisfait tellement, tu sais ce que je vais faire de cet argent.

– Oui, a-t-elle soupiré tandis qu'elle cherchait quelque chose du regard. On ne peut plus fumer ici, n'est-ce pas ?

– Non, mais j'imagine qu'ils ont un coin réservé.

– Alors pourquoi il y a des cendriers ? Je ne vais quand même pas me lever pour aller fumer une cigarette ! On est devenus un peuple opprimé. Impossible de fumer dans le bus ou au cinéma, et bientôt on nous l'interdira au restaurant ! Pourtant, la puanteur de la cigarette est préférable à celle de ce centre de santé. »

Elle a été prise d'une longue quinte de toux bien grasse et a eu besoin de plusieurs respirations profondes avant d'arriver à reprendre son souffle.

« Je ne comprends pas pourquoi tu dois fumer maintenant.

– Une petite pneumonie ne m'a jamais empêchée d'en griller une et ce n'est pas aujourd'hui que ça va commencer, a-t-elle maugréé avant de jeter un coup d'œil à sa montre. On en a pour combien de temps ?

– Au moins une demi-heure. C'est comme ça quand on vient sans rendez-vous. »

De son sac, elle a tiré un paquet de cigarettes et s'est mise à le passer d'une main à l'autre.

« Tu ferais mieux d'utiliser cet argent à quelque chose de plus utile, a-t-elle soudain déclaré. Quelle idée de le gâcher pour lui !

– Je ne n'ai pas l'intention de reprendre cette discussion, maman.

– Ouvre un compte épargne pour le petit.

– Depuis quand tu t'intéresses aux comptes épargne ? On a été éduqués autrement, tu t'es embourgeoisée ou quoi ?

– Oh, franchement, tu sais bien que c'est parce que je n'en avais pas les moyens, je vous ai éduqués en fonction de ce qui faisait défaut, mais si tu y tiens, je peux t'ouvrir un compte tout de suite. Parce que toi, pour ce genre de choses, tu es resté un vrai gamin. Ce n'est pas de l'embourgeoisement, c'est juste un sens minimal des responsabilités, alors ne viens pas me faire la morale. Toi qui ne me laisses pas fumer ici, tu m'accuses de m'être embourgeoisée ? Depuis quand es-tu devenu si docile ? Ce n'est certainement pas comme ça que je t'ai élevé. » Elle a tiré une cigarette de son paquet, l'a glissée entre ses lèvres : « Ne t'inquiète pas, je ne l'allume pas », a-t-elle précisé en me regardant, puis elle a examiné les gens qui passaient dans le couloir et ceux qui étaient assis en face de nous.

« Je prendrai ma voiture pour t'accompagner à l'aéroport, a-t-elle déclaré tout à coup.

– Je préfère y aller en taxi.

– Tu es devenu millionnaire maintenant que tu as vendu ta poubelle, c'est ça ?

– Non. Mais je veux arriver à l'aéroport et pas à l'hôpital.

– Arrête, je conduis très bien. » Elle a toussé et de nouveau a eu besoin d'un long moment pour reprendre son souffle. « Tu peux bien m'accorder ça, non ? Puisque tu ne m'écoutes pas et que tu vas quand même le voir, laisse-moi au moins t'accompagner. C'est exactement comme toi, là, qui t'es soudain entêté à venir avec moi au centre de santé ! À croire que je ne me suis pas débrouillée sans toi toutes ces années. En plus, à cause de toi, je ne peux pas attendre en lisant tranquillement comme d'habitude, je suis obligée de te faire la conversation.

– Tu es malade, maman, tu as de la fièvre, tu tousses, tu as du mal à respirer. Je m'inquiète pour toi, c'est tout.

– Moi aussi, je m'inquiète pour toi. Je le connais. Il va te prendre ton âme. Et avec ton fric, il ira acheter de la vodka. »

D'un geste énervé elle a sorti un briquet, a allumé sa cigarette et a soufflé la fumée de tous les côtés. Quelques instants plus tard, une infirmière qui passait dans le couloir s'est approchée de nous et lui a dit de l'éteindre.

« J'ai une ordonnance du docteur, a-t-elle répondu sans la moindre hésitation. Entrez et demandez-lui. »

La porte du cabinet médical s'est ouverte et une jeune femme, très pâle, en est sortie. Profitant de l'occasion, ma mère m'a fait un clin d'œil, m'a chuchoté de la suivre et, très satisfaite de sa manœuvre, elle a jeté sa cigarette allumée dans une plante, s'est faufilée derrière l'infirmière et s'est assise en face du généraliste comme si c'était son tour. Assurément, personne n'oserait la déloger de là.

Si elle n'avait pas rencontré mon père, elle aurait sans doute eu une autre vie. Avec ses beaux traits marqués et sa propension au drame, peut-être aurait-elle pu devenir comédienne. Mais ce que la guerre n'avait pas réussi à détruire, c'est mon père qui s'en était chargé, et ses rêves de paillettes ont été ensevelis sous les épreuves du quotidien. Pourtant, lorsque parfois elle nous installait tous les quatre pour nous raconter une histoire, elle arrivait à créer en quelques secondes un one-woman-show dans lequel elle incarnait tous les personnages, un monde parallèle se construisait sous nos yeux hypnotisés et nous étions là à espérer que ça ne finisse jamais. De temps en temps, elle racontait aussi des histoires à mon fils, et lui qui ne comprenait pas un mot de polonais restait bouche bée devant ses mimiques et ses gestes, captivé par la musique qui se dégageait des phrases ondoyantes de sa grand-mère – la même musique et les mêmes mimiques, les mêmes gestes que ceux que j'avais gravés dans ma mémoire. Malheureusement, tout cela disparaissait à la fin du récit aussi vite que c'était apparu, et aussitôt elle retrouvait son indifférence et son pragmatisme habituels.

Sans compter certains jours, pénibles, qui réussissaient à ronger son visage et à changer son expression. Ils n'étaient pas nombreux, ces jours-là, car personne ne parvenait à décourager ma mère, pas même mon père, mais elle a tout de même eu quelques passages à vide. Comme le jour où nous avons roulé six heures en camionnette avant d'arriver à la nouvelle exploitation agricole. Ma mère fumait cigarette sur cigarette et contemplait le paysage qui défilait derrière la vitre. Elle n'a quasiment pas bougé de tout le trajet. Nous, on s'amusait à l'arrière, on se bagarrait, on s'est endormis, réveillés, rebagarrés, reamusés et rendormis. Elle est restée immobile, comme un bloc. Finalement, la camionnette s'est arrêtée devant le portail de notre nouvelle ferme et elle s'est dépêchée d'en descendre.

« Je cherche Janusz, a-t-elle dit à la femme qui venait à notre rencontre.

– Il n'est pas là.

– Mais il a dit que… » Elle s'est interrompue, a allumé une cigarette et j'ai bien cru qu'elle allait s'effondrer.

« Vous êtes Mme Zagourski ? Ne vous inquiétez pas, il sera de retour dans deux jours. Il nous a prévenus de votre arrivée et nous nous sommes chargés des préparatifs. »

J'ai vu ma mère, qui était toute crispée, se détendre enfin. À la demande de la femme, les paysans curieux qui s'étaient approchés de la camionnette se sont mis à décharger nos meubles et nos paquets. Ola, Anka et Robert ont sauté à terre, et moi je me suis entêté à descendre seul, mais c'était trop haut, alors un des hommes m'a attrapé, m'a lancé dans les airs puis m'a déposé sur le sol.

Notre nouvelle PGR ressemblait à l'ancienne, sauf que, derrière, il y avait un grand lac artificiel alimenté par une rivière qui serpentait entre des champs s'étendant à perte de vue. Dans le soleil couchant, une agréable atmosphère de fin de journée avait envahi la cour. Des bandes d'enfants jouaient là, au milieu des poules et des oies, il y avait aussi des charrettes garées dont certaines étaient encore attelées à des chevaux. Les paysannes papotaient, installées par petits groupes devant la porte des maisons construites en arc de cercle. Quant aux hommes, ils étaient là aussi, par deux ou par trois.

Maman a disparu dans le bâtiment principal et y est restée de longues minutes. La femme qui nous avait accueillis en est ressortie et elle a houspillé les paysans pour qu'ils portent nos maigres affaires à l'intérieur. Entre-temps, notre mère est venue nous chercher : « Allez, les enfants, on entre. »

Je n'en croyais pas mes yeux. Quelle chance ! On allait habiter dans le bâtiment principal lui-même ! Sauf qu'en gravissant les larges marches grinçantes, j'ai tout de suite déchanté : la ferme paraissait certes luxueuse de l'extérieur, mais elle était en ruine à l'intérieur. Le mobilier était en mauvais état, l'enduit se décollait de partout, les stucs s'effritaient, les carreaux étaient cassés et des morceaux de verre jonchaient le sol. De grandes peintures à l'huile étaient accrochées de guingois sur les murs, quelques-unes lacérées, d'autres dans un cadre abîmé. Elles représentaient toutes des portraits : hommes en uniforme le visage tourné vers l'horizon, vieilles femmes en noir dont les yeux accusateurs se plantaient sur moi, jeunes dames vêtues de robes colorées, un doux sourire aux lèvres, garçonnets très raides qui regardaient fièrement droit devant eux.

« C'est qui, ceux-là ? ai-je demandé au paysan qui montait l'escalier à côté de moi, portant un de nos ballots.

– Les fumiers qui habitaient ici avant.

– Ils sont où maintenant ?

– En enfer, a-t-il ricané. Où tu veux qu'ils soient ? »

On est montés au premier étage et on est entrés dans une grande pièce où trois matelas avaient été dépliés pour nous, avec, au fond, une cuisine improvisée. Le sol aussi était recouvert de plaques de peinture et d'enduit qui s'effritaient, mais les fenêtres étaient restées intactes.

On avait faim, vu qu'on n'avait rien mangé depuis le matin. Notre mère a allumé le réchaud à gaz, a posé dessus une casserole d'eau et y a versé du bouillon en poudre. La nuit était tombée et dans notre logis envahi par l'obscurité, il faisait de plus en plus sombre. On s'est assis tous les cinq autour de ce réchaud qui diffusait une faible lueur et on a attendu que ça bouille. C'était long, Robert a perdu patience, il s'est levé et a commencé à arpenter la pièce.

« Assieds-toi, lui a demandé maman. Assieds-toi ! » Elle a eu beau élever la voix, il ne l'a pas écoutée, a continué à aller et venir, de plus en plus vite, jusqu'à ce que, par inadvertance, son pied heurte le réchaud. La casserole s'est renversée et la soupe s'est répandue par terre. Notre mère a aussitôt attrapé mon frère et lui a flanqué une raclée. Je ne l'avais jamais vue frapper si fort. Quand elle l'a lâché, elle a éclaté en sanglots et il lui a fallu quelques minutes pour retrouver son calme.

51

« C'est tout ce que j'avais à vous donner à manger. Maintenant, je n'ai plus rien. Allez, les enfants, on va dormir. Demain, je me débrouillerai pour nous dégoter quelque chose. »

« Tu vois ! m'a-t-elle lancé, triomphante, en sortant du centre de santé. Rien du tout.

– Ce n'est pas rien du tout. C'est un virus.

– Bon, franchement, un virus ! Moi, je ne comprends pas d'où ils viennent, tous ces virus. À moins que ce soit une arme biologique que les Soviétiques introduisent lentement à l'Ouest, depuis longtemps. Quand j'étais jeune, personne ne parlait de virus. À l'époque, on respectait les maladies. Elles avaient toutes des noms. Et on en mourait, les gens tombaient comme des mouches. On en avait peur, mais on les respectait. Aujourd'hui ? Un virus. Contre lequel on ne peut rien faire.

– Tu dois te reposer, maman, c'est ce qu'a dit le médecin. Pour éviter les complications. Un virus dans les poumons, ce n'est pas à prendre à la légère.

– D'accord, d'accord, je vais me reposer. Parce que tu me crois si active que ça quand je suis en bonne santé ? Tu veux que je te dépose chez toi ?

– Non, merci, je vais prendre le bus. Toi, tu rentres à la maison te reposer.

– Arrête de faire ton Polonais inquiet ! Qu'est-ce qui t'arrive ? Depuis qu'elle t'a quitté, tu me colles au cul comme un gamin et tu n'arrêtes pas de m'enquiquiner. Je vais finir par regretter l'époque où je me languissais de toi parce que tu ne daignais jamais m'appeler, sauf quand elle t'y obligeait. »

On a frotté deux fois nos joues l'une contre l'autre, et on s'est embrassés dans le vide. Je l'ai suivie du regard tandis qu'elle s'éloignait le long de la rue, un peu voûtée, la démarche lourde, et j'ai vu, au sommet de son crâne, une tache grise qui apparaissait sous le noir de ses cheveux teints. Elle s'est soudain arrêtée à cause d'une nouvelle quinte de toux qui l'a secouée de part en part et a dû respirer profondément à plusieurs reprises avant de se remettre à marcher.

Cette nuit-là, je me suis réveillé, écrasé par une terrible sensation de solitude. La tristesse était si totale que je n'ai pas eu la force de me lever. Je n'ai pas allumé la lumière. Je suis resté allongé dans le noir et j'ai essayé de reconstituer mon rêve. En vain. Ces heures-là, en pleine nuit, sont toujours les pires, même les animaux nocturnes se taisent de fatigue et c'est le règne d'un silence absolu qui bouche complètement les oreilles et bloque la respiration.

J'aurais voulu mettre de la musique pour dissiper un peu cette lourdeur, des sons qui envahiraient l'espace et repousseraient le malaise derrière les fenêtres, mais je n'avais pas un seul disque sous la main. J'aurais pu me chanter quelque chose, allongé entre mes draps, dans le noir. Je n'ai pas osé, comme si ma voix allait révéler où je me trouvais et permettre ainsi à cette horrible sensation de me saisir à la gorge. J'avais du mal à respirer, mais je n'ai pas bougé. Il n'y avait dans cette chambre que moi et le silence. La peur d'être enseveli dessous m'a tout à coup étreint, comme si on m'avait jeté dans un trou qui se remplissait petit à petit de sable et allait me recouvrir lentement.

Au cours d'un été où nous passions nos vacances au village de la grand-mère, l'oncle s'était soudain arrêté et m'avait indiqué une zone de la forêt : « Ne t'approche jamais de là-bas, c'est bourré de Juifs.

– Mais les Juifs, c'était il y a longtemps… Quand ils ont tué Jésus, non ? » me suis-je étonné.

Il a souri et m'a expliqué que ces gens avaient continué à vivre bien après et qu'on les avait tués pendant la guerre.

« C'est là-bas qu'on les a regroupés. Tous les Juifs de la région. On les a obligés à creuser un grand trou, et ensuite on leur a tiré dessus et on les a enterrés dedans. Mais pendant trois jours, la terre a continué à bouger. Tu comprends ? Et elle continue à bouger, encore aujourd'hui. Je l'ai vu de mes propres yeux. Si tu t'approches trop, ils peuvent t'attraper par la jambe et t'entraîner au fond. »

À l'époque, quand j'étais gosse, je pensais que les adultes n'avaient peur de rien, et ça me rassurait. Or voilà que j'étais allongé, paniqué, dans notre lit qui était devenu mon lit. Le silence, qui phagocyte tout, s'attaquait à présent à moi.

5

Ne reste de l'usine bombardée pendant la guerre qu'une haute cheminée en briques. Droite comme la tour d'une forteresse, elle se dresse, intacte, au milieu d'un amas de ruines. C'est là qu'on a décidé d'aller, Robert et moi. Tout en haut, un couple de cigognes a bâti un grand nid auquel on pouvait accéder grâce aux échelons en métal scellés du bas jusqu'au sommet, mais aucun des enfants – même pas mon frère et ses copains – n'a jamais osé s'y aventurer : il est formellement interdit de toucher à ce nid. Tecklah, la paysanne qui, chez nous, s'occupait du ménage, me répétait souvent avec le plus grand sérieux : « Si tu touches au nid de la cigogne, il t'arrivera une catastrophe !

– Quoi, par exemple ?

– Elle peut aller chercher une branche en feu, la prendre dans son bec et venir la jeter sur le toit de ta maison qui sera entièrement détruite par les flammes ! »

Ce jour-là, lorsqu'on approche, mon frère et moi, on constate que la mère est dans son nid et on se planque derrière les buissons à toute vitesse pour qu'elle ne nous voie pas.

« T'as le courage de grimper ? me demande Robert.

– Oui, et toi ?

– Sûr.

– Chiche ! »

Il a un instant d'hésitation puis répond : « D'accord. »

Ne nous reste plus qu'à attendre en silence que la cigogne s'en aille.

« Bon, je monte », me lance mon frère, non sans appréhension.

Il prend une grande inspiration, court vers la haute cheminée et ajoute : « N'oublie pas de crier si elle revient. »

Le ciel est couvert de lourds nuages gris, pas le moindre volatile à l'horizon.

« C'est bon ? me demande-t-il avant de lever un pied et d'entamer l'ascension.

– Oui, c'est bon. »

Dès qu'il commence à grimper, un échelon se décroche et il tombe à terre. Je cours vers lui, mais il s'est déjà remis debout. On dirait qu'il est soulagé.

« Vas-y, toi, tu es plus léger, me dit-il. Mais surtout, arrivé là-haut, ne touche à rien. »

Je me hisse à mon tour, quand il manque un échelon je coince mon pied dans les interstices entre les briques. C'est ainsi que je grimpe jusqu'au sommet. Le nid est plus large que le trou de la cheminée et s'en dégage une violente odeur de fiente. Au moment où j'atteins le dernier barreau, mon visage effleure par mégarde quelques brindilles, mais je n'y accorde aucune importance et je me redresse. Deux poussins grassouillets, couverts d'un horrible duvet gris, braquent sur moi de grands yeux sombres. La pluie commence à tomber.

« Redescends, me crie soudain mon frère, elle arrive ! »

Je fais aussi vite que je peux, et chaque fois que je regarde sur le côté, je la vois qui s'approche par cercles concentriques. La pluie redouble et je glisse. J'essaye d'amortir ma chute avec mes mains et mes pieds. Robert m'attend en bas. La cigogne exécute encore un tour de cheminée, cette fois si proche qu'on voit ses yeux noirs, opaques. On se tire à toute blinde. Mais la pluie s'intensifie, elle nous fouette le visage, aussi drue qu'une cascade qui tomberait du ciel. Plus de doute : tout ça, ça vient du nid.

« Tu as touché à quelque chose là-haut ? » me demande Robert, et je lui mens en affirmant que non.

La pluie cesse brusquement.

Mon frère me lance un regard soupçonneux. Je fais semblant de ne pas comprendre. Il n'a pas le temps de me dire quoi que ce soit, parce que soudain se lève un vent si violent qu'on peine à avancer. On est obligés de se pencher, notre progression devient difficile, lente, contre des rafales de plus en plus fortes. Chargées d'eau boueuse qu'elles soulèvent dans les flaques, de feuilles et de morceaux de branches ramassées sur le sol, elles nous heurtent comme des claques.

Lorsque nous arrivons enfin à la ferme, nous sommes tout près de la porte de derrière mais le vent nous empêche d'avancer, il nous lance à la figure des planches, des tuiles, des plaques de tôle. On entend une vitre éclater. Robert, qui progresse plus vite que moi, atteint la rampe du perron, s'y agrippe, se tourne pour voir où je suis. À cet instant, un nouvel assaut me repousse et je roule en arrière.

« À plat ventre, Tadek ! me crie-t-il. Vas-y à plat ventre ! »

Je lui obéis et me jette au sol, dans la boue. Le vent hurle au-dessus de moi comme une locomotive. Mon frère me crie encore quelque chose que je n'entends pas. D'une main, il s'accroche à la rampe, me tend l'autre main, que j'essaye vainement d'attraper. Il se penche un peu plus, ses doigts saisissent les miens, il me tire à lui et un tourbillon nous propulse tous les deux contre la porte fermée.

Impossible de bouger. On doit attendre que le vent tourne pour enfin réussir à entrer, mais alors, cette maudite porte ne veut pas se refermer ! Les rafales s'engouffrent à l'intérieur, des feuilles de papier s'envolent. Un employé déboule du bureau voisin, s'approche et, en tirant de toutes ses forces, arrive à fermer le battant.

Tandis qu'on monte vers notre logement, Robert me lance de nouveau un regard accusateur.

« J'ai pas fait exprès ! »

Il me tapote l'épaule.

Cette nuit-là, impossible de dormir. Je ne cesse de voir la cigogne tournoyer autour de la ferme avec, dans son bec, un rameau en feu qu'elle s'apprête à jeter sur notre toit. Le lendemain, lorsque Tecklah arrive, je ne peux pas me retenir et lui raconte ce qui s'est passé, y compris l'eau, la boue et le vent que la cigogne nous a assurément envoyés. Très inquiet, je lui demande si elle va aussi mettre le feu à la maison.

Elle réfléchit un peu avant de répondre : « Non, vous avez déjà eu votre punition. »

« Et l'arbre ? a voulu savoir mon frère quand je l'ai appelé aux États-Unis.

– Quel arbre ?

– Le grand arbre derrière lequel, ce jour-là, on s'est réfugiés avant d'arriver à la porte de derrière. Le lendemain matin, l'orage s'était calmé et quand on est sortis, on a découvert que le vent l'avait déraciné. »

Effectivement, ce jour-là, l'arbre, en dépit de son magnifique feuillage et de son tronc épais, gisait à terre, racines en l'air.

« Il est quelle heure chez toi ? m'a-t-il encore demandé.

– Là, on est en pleine nuit.

– Tu ne dors pas ?

– Jamais. »

Il a repris après un instant de silence : « Tu te souviens de la malle où on a découvert des grenades militaires ?

– Bien sûr. Après le premier jet, vous n'avez plus voulu que j'en lance.

– Parce que tu étais trop petit et que tu n'avais pas la force de les envoyer assez loin. Tu nous aurais tous tués.

– De toute façon, elles n'explosaient pas.

– C'est vrai. Une chance. Après, on a rampé en file indienne jusqu'au champ de radis, tu t'en souviens ?

– Pas vraiment.

– Avec les copains, on a arraché des radis parce qu'on était persuadés que le paysan ne nous voyait pas.

– Ah oui ! Et tout à coup, il a déboulé avec un autre gars, un jeune, et ils se sont gratté la tête en se demandant quoi faire de nous. »

Après avoir hésité, le plus vieux des deux hommes nous ordonne de nous déculotter. On lui obéit et on se met en rang, pantalon sur les chevilles. Le jeune enlève sa ceinture et en donne deux violents coups sur les fesses de mon frère puis sur celles de ses copains.

« Bon, celui-là est trop petit, dit-il en arrivant à moi. On ne peut pas le frapper. » Il se contente de récupérer le radis que j'ai à la main – je m'y agrippe tant je suis affolé – et il s'en sert pour me taper légèrement sur la tête.

« Ensuite, on s'est tous précipités dans la forêt, on a attendu d'être suffisamment loin et là, toi et ta bande, vous avez de nouveau baissé votre pantalon, cette fois pour comparer qui avait la marque la plus rouge. Moi, je suis resté à l'écart, déçu, parce que je n'avais rien à exhiber. »

Robert a rigolé.

« Ça a été mes plus belles années, a-t-il dit.

– C'était ton enfance.

– À Wrocław aussi j'étais encore un enfant, mais rien à voir, ce n'était vraiment pas le pied.

– Tu as raison. Cette période-là, à la ferme, a été la plus chouette.

– D'autant qu'il n'était pas avec nous.

– Papa ?

– Évidemment, papa. Qui d'autre ? »

Silence.

« Je vais aller le voir. »

Silence, puis : « Quand ?

– Bientôt.

– Tu fais le voyage jusqu'à Varsovie ? Qu'est-ce que tu vas chercher là-bas ?

– Papa. »

Robert s'est de nouveau tu, ensuite il a marmonné quelque chose que je n'ai pas compris.

« Elle m'a quitté, l'ai-je informé. Elle a pris le gosse et elle est partie.

– Dommage. Elle était sympa, celle-là. » Et d'ajouter après réflexion : « Tu t'en remettras. Moi aussi, je m'en suis remis.

– Toi ? Depuis que Suzanne t'a quitté, tu n'es plus qu'une loque.

– Je l'étais avant, m'a-t-il répondu tout bas. Le truc, c'est qu'en plus, je ne suis pas en grande forme. Je n'ai pas encore quarante ans mais je souffre déjà de problèmes cardiaques. J'ai beaucoup de mal à faire baisser ma tension. Une vie de merde. Sans compter que l'assurance-maladie que j'ai prise, ici, en Amérique, ne vaut rien. Et toi, tu vas aller rendre visite à ce salopard ? Mais regarde-nous ! Moi, je pars en miettes, Ola est dépressive, Anka continue à avoir peur de son ombre, et toi… Dieu sait ce qui te prend, de vouloir retrouver un type qui a mis des enfants au monde uniquement pour foutre leur vie en l'air.

— C'est juste que c'est l'occasion. Rien de plus. Je suis tout à coup libre, les relations entre la Pologne et Israël se sont normalisées et j'ai un peu d'argent parce que j'ai vendu ma bagnole.

— Tu as vendu ta bagnole pour lui ?

— Pas pour lui. Pour moi. J'ai besoin de le revoir, ne serait-ce que pour lui dire en face qu'il est un beau salaud. Tu sais, il ne va pas vivre encore très longtemps.

— Fais comme tu le sens, m'a concédé Robert en chuchotant. Qu'est-ce que j'en ai à cirer, du temps qui lui reste ?

— Tu veux que je lui transmette un message de ta part ?

— Tu peux lui dire que je suis mort et enterré. Que le cœur qu'il a pris soin de bousiller a réussi à me tuer… » Il s'est interrompu et a soupiré. « Non, ne lui dis rien. Tout ce que j'avais à lui dire, je le lui ai écrit.

— Quand ?

— Il y a deux ans à peu près.

— Qui t'a donné son adresse ?

— Anka. Et ne commence pas à t'énerver. On m'a dit de ne pas t'en parler, alors je ne t'en ai pas parlé. À juste titre, je m'en rends compte maintenant. Regarde-toi ! Tu as vendu ta bagnole pour aller voir ce type. À ce rythme-là, il va réussir à te convaincre de rester avec lui ! »

Je n'ai pas répondu. On s'est dit au revoir, je lui ai promis qu'à mon retour je lui raconterais notre rencontre mais il a rétorqué que ça ne l'intéressait pas, qu'en ce qui le concernait, son père était mort depuis longtemps.

6

Mon fils debout, immobile au milieu du jardin, levait les yeux vers moi. Il affichait un sourire figé, mains enfoncées dans les poches de son pantalon. Il est menu, ce gosse, ses bras sont fins, ses jambes courtes, ses épaules étroites. À chaque fois, ce corps, si délicat, me noue les entrailles. J'ai scruté son visage. Me ressemblait-il ? Ressemblait-il à ma femme ? À moins qu'il ait quelque chose de mon père ? Ce qui est sûr, c'est qu'avec ses cheveux blonds et ses traits slaves, il n'a pas du tout l'air juif.

Évidemment, au moment où je pressais le bouton de l'appareil photo, ma femme est apparue juste derrière lui.

« Qu'est-ce que tu fous ? lui ai-je lancé, agacé.

– Tu ne vois pas le bric-à-brac qui l'entoure ? C'est l'image de nous que tu veux donner à ton père ?

– Crois bien qu'il s'en fiche comme de l'an quarante.

– Lui peut-être, mais pas moi. Puisque tu t'entêtes à nous photographier en famille heureuse, je refuse qu'on le fasse au milieu de ces épaves. Une famille heureuse ne vit pas comme ça. Allez, viens, aide-moi. »

Elle m'a obligé à dégager avec elle des caisses et des tuyaux que j'avais un jour – pourquoi ? – décidé de garder.

Notre fils s'est ensuite replacé devant l'appareil.

« Souris, mon chéri. Et sors les mains de tes poches. Super ! lui a lancé sa mère avant de me demander : Tu as pris la photo ?

– Oui.

– Fais-en plusieurs, au cas où. Tu as acheté combien de pellicules ?

– Deux. De trente-six poses.

– Alors ça va. Maintenant, c'est moi qui vais vous prendre tous les deux ensemble.

– On dirait que ça te fait plus plaisir qu'à moi ! » ai-je remarqué tandis que je me plaçais à côté de lui.

On a tous les deux affiché notre plus beau sourire.

« Tais-toi, parce que là, je te fais une fleur ! Quand tu m'as expliqué tes projets, j'ai failli tomber à la renverse. C'est quoi, ton idée de famille heureuse ? Quand ai-je été heureuse avec toi ?

– Tu l'as été.

– OK, je l'ai été. Mais ça fait longtemps. »

Soudain elle s'est tue et n'a plus bougé, les yeux cachés derrière le viseur.

« Dis donc, ça te prend combien de temps de faire le point ? »

Elle n'a pas répondu. Ses épaules se sont mises à trembler et j'ai vu des larmes couler sur ses joues.

J'ai décrété une pause dans la séance photos et ai envoyé mon fils ramasser l'écuelle et les jouets de Zeus, son chat.

« Mets une serviette sur le sol de sa cage, ai-je ajouté. Il faut qu'il se sente le plus à l'aise possible pour le trajet… même si, à mon avis, il pissera de peur. Les chats détestent voyager. »

Ma femme s'est assise sur le muret, a essuyé ses larmes. Je l'ai rejointe.

« Qu'est-ce qui se passe ?

– Rien, laisse tomber.

– Alors pourquoi tu pleures ?

– Parce que je vois la famille pas heureuse que nous sommes devenus. Voilà pourquoi je pleure. Je me désole pour notre fils qui n'a pas eu la chance de vivre dans une famille heureuse.

– Il a eu beaucoup de chance, crois-moi. Je sais de quoi je parle.

– Ne me ressors pas en permanence ton enfance difficile en Pologne. Ça n'a rien à voir. D'ailleurs, les petits Africains ont davantage souffert que toi. Pendant la Shoah aussi. Est-ce que ça suffit pour transformer ton enfance en enfance heureuse ?

– Elle a été heureuse, mon enfance, avec des moments pénibles, mais elle a été heureuse.

– D'accord. » Elle s'est essuyé une nouvelle fois les yeux. « Mais j'aurais tout de même préféré que ses parents s'entendent bien, qu'ils lui aient fait un petit frère ou une petite sœur, voire deux…

– Si c'est ça le problème, on peut lui en faire autant que tu veux. »

Elle a souri.

« Tu sais quoi, m'a-t-elle avoué, parfois, je me languis de toi.

– Par habitude.

– Arrête, s'il te plaît. Et ne t'inquiète pas, je n'ai pas l'intention de revenir. Seulement, de temps en temps, c'est chouette d'être ensemble, même si notre vie commune n'avait plus rien de très agréable. »

J'ai posé la main sur son épaule, j'ai caressé sa joue, son cou. Elle s'est blottie contre moi, j'ai passé un bras autour de ses épaules.

« Peut-être que quand tu rentreras et que les choses se seront apaisées, on pourra rester bons amis », a-t-elle dit.

Notre fils est revenu avec Zeus, qu'il serrait contre sa poitrine.

« Reprenons ! me suis-je écrié. Famille heureuse avec chat ! »

J'ai placé l'appareil photo sur le muret, fait le point, enclenché le retardateur et couru me positionner à côté de ma femme, de mon fils et de Zeus, devant quelques pots qui contenaient des restes de géranium et un bougainvillier qu'elle s'était entêtée à mettre en arrière-plan. Une première photo a été prise, puis encore quelques autres, mais c'est celle-là la meilleure : ma femme et moi sourions, j'ai passé un bras autour de ses épaules, notre fils est juste devant nous, il sourit lui aussi, regarde un peu de côté, et serre dans les bras le chat qui lève la tête vers lui et le dévisage.

C'est cette photo-là que j'ai choisi de prendre avec moi, plus cinq autres : une où mon fils est tout seul, debout, mains dans les poches, et sourit d'une manière naturelle, pas forcée ; sur la deuxième, on nous voit mon fils et moi, l'un à côté de l'autre ; sur la troisième, mon fils et ma femme posent, joue contre joue ; sur la quatrième, elle et moi sommes légèrement penchés et flous, je pointe un doigt en avant et j'ai la bouche ouverte parce que je suis en train d'expliquer à notre photographe en herbe comment régler l'objectif, tandis que ma femme me regarde, l'air content.

« Tu as appuyé ? lui ai-je demandé.

– Oui, a-t-il répondu.

– Alors maintenant, prends-en une autre. »

Il en a pris une autre, mais il a bougé. J'ai récupéré l'appareil et regardé le compteur : « J'ai l'impression qu'il reste une dernière photo. On prend quoi ?

– Zeus sur le muret », a-t-il proposé.

Il a placé le chat à l'endroit qui lui semblait le plus approprié, l'animal s'est étiré et installé confortablement. Je me suis accroupi derrière mon fils et j'ai regardé par-dessus son épaule. Au moment où j'ai posé les mains sur sa taille, son odeur familière a de nouveau éveillé en moi les sentiments contradictoires qui m'accompagnent depuis sa naissance : un grand réconfort, apaisé, et une angoisse insoutenable tant j'ai peur pour lui. J'ai ajouté la dernière photo, celle qu'il a prise, au lot destiné à mon père. On y voit Zeus allongé sur le muret, les yeux mi-clos, et derrière lui le wadi, les toits rouges des maisons construites à flanc de coteau puis, plus loin, des montagnes rocailleuses et les carrés d'arbres qui les rafistolent ici et là. J'ai glissé ma famille heureuse dans une enveloppe brune, l'ai rangée dans la valise préparée pour ce voyage. Ensuite, je suis sorti de ma chambre et j'ai dû affronter une maison vide.

Cette nuit-là encore, impossible de dormir. Pourtant j'en avais très envie, quitte à sombrer dans le gouffre de mes pires cauchemars, mais je n'ai pas réussi à trouver le sommeil. Je me suis relevé et j'ai pris une douche. J'ai revérifié ma valise, mon billet d'avion, mon passeport, mes dollars, ainsi que le visa que j'avais obtenu pour entrer en Pologne.

Je savais que je serais incapable d'aligner deux mots mais je me suis assis devant ma machine à écrire. C'est ce que je fais chaque fois que je ne sais pas quoi faire : je m'assieds devant ma machine à écrire. Ensuite, j'ai tiré de l'étagère une chemise en carton brun et j'ai survolé mes anciens textes, j'ai relu quelques passages sans intérêt. Si j'avais eu du courage, je serais sorti dans le jardin et j'aurais tout brûlé, mais même ça, j'en étais incapable. Qu'est-ce que je lui dirai quand il me demandera ce que je fais dans la vie ? Est-ce que je vais me présenter sous les traits d'un écrivain raté, qui n'a juste pas encore eu le temps de prouver à quel point ? Ou d'un écrivain qui ne s'est pas encore décidé à exploiter le potentiel que tout le monde lui reconnaît ? À moins que je lui dise que je suis un écrivain à succès, doublé d'un célèbre journaliste. Et pourquoi ne pas prétendre être avocat, médecin, businessman, zoologue ?

Je pouvais prendre l'identité qui me plaisait, sauf que je suis un piètre menteur.

Je me suis lancé. J'ai zappé l'avion, l'arrivée à l'aéroport, l'appartement où j'avais l'intention de louer une chambre et même la conversation téléphonique avec mon père. Je me suis tout de suite assis en face de lui, dans sa chambre, à la maison de retraite… mais je n'ai rien réussi à visualiser. Ni le lieu, ni les meubles, ni le paysage dans le cadre de la fenêtre, ni mon père. J'ai vu des lunettes en culs de bouteilles, parce que j'en avais entendu parler, je l'ai vu lui, assis, parce que je savais qu'il avait du mal à marcher et, devant lui, j'ai vu une bouteille de vodka. C'est tout. Bien sûr, je pouvais me remémorer le contact de ses mains, sentir son odeur, me souvenir avec précision des autres sensations qu'il éveillait en moi, mais y avait-il le moindre rapport entre tout ça et l'homme qu'il avait été pour de vrai ? Entre tout ça et le vieillard qu'il était devenu ?

Je me suis introduit dans sa chambre une deuxième fois et je n'ai rien vu de plus. J'ai fait une troisième tentative, mais je n'ai pas davantage réussi à imaginer ce qui se passerait. Pourtant, cette fois, pour bien me mettre en condition, je me suis d'abord forcé à marcher dans la rue. De là, je suis entré dans l'immeuble, ensuite l'escalier et le long couloir mais, arrivé à la chambre, il n'y avait personne.

Soudain, je me suis souvenu d'une photo qui m'était totalement sortie de la tête. J'ai ouvert un tiroir et n'ai rien trouvé entre les feuilles, j'en ai ouvert un autre et c'est là que je l'ai dénichée : une enveloppe plaquée contre le fond, et, dedans, une photo de mon père. Avant de quitter la Pologne, nous avions rendu une dernière fois visite à la grand-mère, au village, et j'en avais profité pour la voler dans son album. Ici, en Israël, ce cliché me consolait parfois, quand je me languissais trop de lui. Avec le temps, j'en ai moins eu besoin et j'ai fini par l'oublier. Mais il a suivi toutes mes pérégrinations et, dans un des cartons de déménagement, il a atterri avec moi dans cette maison. Du carton, il est passé au fond du tiroir, où il est resté couché dans son enveloppe.

On y voit mon père debout sur une plage, vêtu d'un maillot de bain de couleur sombre. Il bombe le torse, exhibe ses bras musclés et a posé avec arrogance ses grandes mains sur ses hanches. Il est jeune – plus jeune que quand je l'ai connu et plus jeune que moi aujourd'hui. Il fixe l'objectif d'un regard qui traverse le temps et jaillit hors du cadre. J'avais oublié la force qu'il avait dans les yeux.

Je ne sais pas qui l'a prise, cette photo, mais en la revoyant, j'ai eu l'impression de voler un moment d'intimité qui ne faisait pas partie de mon histoire. Je l'ai remise dans l'enveloppe et j'ai décidé de l'emporter, elle aussi. Je me suis allongé sur le dos mais n'ai pas davantage réussi à dormir. Je me suis tourné sur le côté, face à l'oreiller vide sur lequel, encore récemment, elle posait la tête. Elle me manquait. Pour la première fois depuis qu'elle m'avait quitté. Ses grands yeux, ses sourcils épais, son nez pointu, ses longs cheveux qu'elle attachait pendant la journée et qui encadraient doucement son visage pendant la nuit, lui couvrant parfois une joue, une moitié de front.

J'écarte les mèches qui couvrent son profil, je pose un instant la main sur sa joue. Ses yeux s'entrouvrent, ses lèvres s'étirent en un léger sourire, apaisé.

« Tu ne dors pas ? me demande-t-elle d'une voix profonde, une voix de nuit.

– Non.

– Quelque chose te tracasse ?

– Non, simplement je n'arrive pas à dormir.

– Viens », me chuchote-t-elle.

Je me tourne, lui offre mon dos, elle se plaque contre moi, m'enlace de ses bras et de ses jambes. Son souffle me caresse la nuque, ses mains passent délicatement sur mon visage, mon torse, mes épaules. Je cale ma respiration sur la sienne, je vide ma tête de toute pensée, ne me concentre que sur le contact, la chaleur de sa peau, le rythme de sa respiration.

La nuit, quand on dort ensemble, le cerveau se met en veille et n'impose plus à la chair un qui-vive inquiet et des gestes tranchants, il ne lutte plus, le cerveau, ne s'accroche plus à ses principes, se déleste de ses rancœurs, n'entraîne plus l'organisme à sa perte sous l'effet de pulsions autodestructrices. Le corps, dans sa quête et son besoin de chaleur, échappe à la tyrannie des neurones et trouve enfin, dans le silence, instinctivement, le corps de l'autre. Et le réconfort qui va avec.

Mais elle n'est pas là. Parce qu'elle m'a quitté.

7

La vieille guimbarde de ma mère devait s'accrocher, elle hoquetait en gravissant la montée terreuse qui menait à ma maison. Toussotement, accalmie, reculade, brusque coup de frein, puis, quelques instants plus tard, joyeux vroum de rallumage, grondement exagéré et enfin étrange bruit, comme si une courroie s'était détachée. Les pneus ont projeté de la poussière, la carlingue a trembloté, sautillé mais a finalement réussi à s'ébranler lentement. Il lui a fallu du temps, à cette voiture, pour atteindre le haut de la montée, et elle s'est arrêtée juste au moment où ses roues avant allaient tomber dans l'ornière qui sépare le chemin du précipice. Silence.

Vêtue d'une robe à fleurs et d'escarpins, ma mère en est sortie et s'est avancée vers moi. Elle était maquillée et sa coiffure était bizarre.

« Qu'est-ce qui est arrivé à tes cheveux ?

– J'ai décidé de changer un peu, pourquoi ? a-t-elle aussitôt rétorqué d'un air faussement candide en se tapotant la tête.

– Tu es invitée quelque part après ?

– Non, où veux-tu que je sois invitée ? Il y a un problème ?

– C'est que tu es drôlement chic pour quelqu'un qui va accompagner son fils à l'aéroport.

– Je m'habille classe quand je suis déprimée, d'accord ? C'est ma manière de me faire croire que tout va bien. Parce que tu m'as foutu le moral à zéro avec ta décision, je te le répète. »

Je ne sais pas pourquoi, mais je ne l'ai pas vraiment crue.

« Bon, allez, trêve de discussion, va chercher ta valise si tu ne veux pas louper l'avion.

– Tu es en avance. En plus, le vol a été retardé. Un café ?

– D'accord. Va pour un café. »

Elle s'est assise à la table du jardin. Je suis rentré dans la maison et quand j'en suis ressorti avec mes deux tasses de café, je l'ai vue qui examinait sa coiffure à l'aide d'un petit miroir qu'elle s'est hâtée de dissimuler dans son sac dès qu'elle m'a entendu approcher. Elle a reporté toute son attention sur la vallée comme si c'était la seule chose qui l'avait intéressée depuis le moment où je m'étais absenté.

« La vue est magnifique, a-t-elle dit. Dommage que le jardin ressemble à une déchetterie.

– Tu n'as qu'à te concentrer sur le paysage.

– Tu as de l'édulcorant ? » J'ai de nouveau filé dans la cuisine.

De là, je pouvais la voir par la fenêtre. Assise les jambes croisées légèrement en diagonale, elle a sorti une cigarette d'un geste très étudié et l'a allumée comme si elle était une héroïne de film muet. Elle a toujours eu de l'allure, ma mère, et semble entretenir un rapport de séduction permanent avec la terre entière. Chaque fois que notre père n'était pas dans les parages, elle attirait les prétendants comme des mouches. Il y a eu par exemple notre voisin Ryszek qui, parce qu'il était pompier, avait droit, pour aller au travail et en revenir, à un grand véhicule tiré par quatre puissants chevaux. L'attelage entrait au galop dans la cour de la ferme et s'arrêtait sous nos fenêtres. Chaque matin, quand il partait, sa fille Anna, qu'il élevait seul, se traînait derrière lui, en larmes. L'après-midi, bien avant qu'il ne rentre, elle se plantait devant la porte et, inquiète, guettait son retour.

Ryszek, un homme balourd au corps massif, venait s'asseoir chez nous sans y avoir été convié, buvait un thé qu'il réclamait à ma mère et lui racontait une multitude d'épisodes héroïques auxquels, à ses dires, il avait participé. Elle l'écoutait avec patience tout en souriant intérieurement.

Il y a aussi eu Janusz, dont j'avais entendu le nom pour la première fois le jour de notre arrivée. Ingénieur et célibataire, il avait fait la connaissance de ma mère dans notre précédente ferme et elle avait obtenu ce nouveau poste grâce à lui. Rien n'était plus à l'opposé de mon père que ce Janusz. Grand et mince, il portait des lunettes toutes fines, c'était un homme délicat, plutôt cultivé, qui parlait calmement, ne jurait pas, ne crachait pas, ne se saoulait pas, ne frappait pas. Il s'efforçait toujours d'être gentil avec nous, mais moi je ne l'aimais pas et, chaque fois qu'il venait chez nous, je trouvais n'importe quel prétexte pour décamper.

Un après-midi, il m'apporta un cadeau. C'était le premier cadeau que je recevais de ma vie, un grand camion en fer, et pendant un instant j'ai eu de l'affection pour lui. Je suis sorti dans la cour avec mon nouveau jouet, prêt à frimer un peu en l'exhibant, mais dehors je n'ai aperçu ni mon frère et sa bande, ni personne de mes amis à part Anna, debout sur le seuil à attendre le retour de son père.

Je suis allé jouer avec mon camion neuf sur les bords du lac, là où quelques grands faisaient naviguer les bateaux qu'ils construisaient avec des planches et des morceaux de tissu. La nuit venant, mon ventre a commencé à gargouiller. En rentrant à la maison, j'ai vu que la porte de la forge était grande ouverte et j'ai décidé de montrer au forgeron, que je considérais comme un ami, le cadeau que je venais de recevoir.

Cette forge se trouvait, avec les autres ateliers, dans la partie la plus reculée de la PGR. Y habitaient le forgeron – un bel homme, grand et élancé, impressionnant autant que taiseux – et sa femme, qui passait la majeure partie de son temps avec leur nouveau-né : le bébé n'arrêtait pas de pleurer.

L'homme m'accueillait toujours très gentiment. Il portait un tablier en cuir, je l'observais frapper le fer chauffé à blanc avec ses lourds marteaux, les muscles des avant-bras gonflés par l'effort, dans son dos brûlait le feu du fourneau et il ruisselait de sueur. Parfois, il me confiait un petit marteau, un tas de clous tordus et me demandait de les redresser. On travaillait alors côte à côte – lui serrant dans ses tenailles un fer à cheval incandescent et le frappant avec son gros outil, et moi tapant sur mes clous pour les redresser. Que de fois, en le regardant à la dérobée, ai-je imaginé que c'était lui, mon père !

Il m'arrivait de le suivre quand il devait fixer la roue d'une charrette qu'on lui avait commandée, ou clouer un fer sous le sabot d'un cheval. Le travail terminé, on rentrait chez lui, il posait deux petits verres sur la table, y versait de la vodka pour lui et de l'eau pour moi, on les levait face à face, on trinquait, et on les avalait d'un trait.

Ce jour-là, lorsque je me suis approché de la forge, j'ai vu par la porte restée ouverte le forgeron assis, torse nu, à la table de sa cuisine, qui serrait son bébé contre sa poitrine et lui donnait la tétée. Dehors la nuit était déjà tombée, il ne m'a pas remarqué. Je me suis avancé un peu plus et j'ai vu que je ne m'étais pas trompé : le bébé tétait le mamelon de son père. Un instant plus tard, la femme est arrivée, a posé devant lui une assiette avec son dîner, l'a regardé et a dit : « Assez avec tes bêtises », et a récupéré l'enfant.

Au lieu d'entrer, j'ai fait demi-tour et je suis retourné chez moi. Ma mère préparait le repas. J'aurais aimé lui demander si papa aussi m'avait donné la tétée, mais notre voisin, le pompier baratineur, était là et se vantait encore une fois de ses exploits bidon. J'ai vu qu'elle aussi perdait patience, ses gestes étaient devenus nerveux.

« Si j'essaie de faire tenir bout à bout dans une seule vie d'homme tous les événements que tu m'as racontés, a-t-elle fini par lui asséner d'un ton moqueur, eh bien, tu devrais avoir au moins quatre-vingt-dix-huit ans. »

Piqué au vif, Ryszek s'est levé et a quitté la pièce, furieux.

Cette nuit-là, on a été réveillés par les cris de quelqu'un qui appelait ma mère. Mon frère et moi nous sommes précipités à la fenêtre. C'était lui. Il était ivre, titubait en bas du bâtiment, répétait « Eva ! » en hurlant, donnait des coups de pied dans ce qui se trouvait sur son chemin et lançait des injures à tous venants.

Notre mère ne s'est pas approchée de la fenêtre, mais mon frère et moi, on s'est rués dehors avant qu'elle nous l'interdise. Quelques voisins s'étaient déjà rassemblés autour du pompier et essayaient de le calmer, mais il résistait, tentait de les frapper, les ratait, tombait, se relevait, pestait. Soudain, il a attrapé une cruche en porcelaine et l'a brisée en mille morceaux.

« Pour qui elle se prend ? s'est-il justifié devant les autres en marmonnant des paroles alourdies par l'alcool. Elle veut un ingénieur, c'est ça ? C'est ce youpin d'ingénieur qu'elle estime digne d'elle ? » Et puis il a de nouveau élevé la voix : « Un sale Juif, c'est ça que tu veux, Eva ? Qu'un sale Juif t'enfonce sa sale bite coupée ! »

La frêle Anna, debout à l'écart, contemplait son père avec horreur. J'ai vu sur son visage à quel point elle était effrayée, honteuse, totalement perdue. Elle tremblait des pieds à la tête, les yeux écarquillés de terreur. Jusqu'au moment où Ryszek s'est soudain libéré de l'emprise des paysans, s'est jeté contre la haie et a vomi. Anna a vomi avec lui.

Ma mère a éclaté de rire.

« J'avais oublié cette histoire ! Quelle époque !

– Tu en as gardé un bon souvenir ? »

Elle m'a dévisagé et a répondu : « Oui. Apparemment.

– Parce qu'il n'était pas là ?

– Qui ça ? Ton père ? Oui, c'est sans doute une des raisons. » Elle s'est interrompue pour regarder sa montre. « Tu ne crois pas qu'on devrait y aller ?

– Pas tout de suite. Un autre café ?

– Non, merci. Tu t'es dégoté une sacrée vue, a-t-elle répété en contemplant l'horizon. Tu aurais pu te débrouiller pour avoir une belle vie ici, mais tu as réussi à tout foutre en l'air. Pas grave. Qui suis-je pour te jeter la pierre, hein ? Justement, à cette époque-là, j'avais encore un petit espoir, idiot. Ton père s'était volatilisé. Deux ans sans donner de nouvelles. Je pensais qu'il nous avait oubliés, qu'il avait recommencé

76

ailleurs avec une autre femme et qu'il nous laisserait tranquilles. Et il y avait Janusz, l'ingénieur. Tu ne t'en souviens probablement pas.

– Le vermicelle à lunettes ? Bien sûr que je m'en souviens.

– C'est vrai, je t'accorde que j'ai rencontré des hommes plus attirants que lui... d'ailleurs, j'en paye encore le prix aujourd'hui. Mais lui, il était bon avec moi, il m'aimait, il m'admirait et il gagnait bien sa vie. Il était prêt à tout pour moi. Pour vous. Il avait accepté de vous adopter et de vous élever comme ses propres enfants.

– Tu crois que nous, on aurait accepté ?

– Tu crois qu'on vous aurait demandé votre avis ?

– Eh bien, qu'est-ce qui s'est passé ?

– J'ai écrit à ton père. C'était après l'épisode Ryszek et tout le bazar, j'en avais marre. Alors je lui ai écrit que je voulais divorcer, que j'avais rencontré quelqu'un et que j'avais décidé de me marier avec lui. La lettre, je l'ai envoyée à ta grand-mère pour qu'elle la lui transmette.

– Comment tu sais qu'elle l'a fait ?

– Parce que j'ai reçu une réponse.

– Et qu'est-ce qu'il t'écrivait ?

– "Si tu oses me quitter et épouser un autre homme, attends-toi à ce que je vienne vous tuer tous les deux." Voilà ce qu'il a écrit.

– Ça t'a fait peur ? »

Ma mère m'a regardé : « Tu sais quoi ? Il l'aurait fait. »

On n'a rien ajouté.

Une nuit, à la PGR, nous étions déjà tous au lit, ma mère avait terminé de faire sa toilette dans le baquet en tôle et avait enfilé sa chemise de nuit, une bougie brillait dans la chambre, elle s'est approchée de la fenêtre qui, dans la nuit noire, lui renvoyait son reflet comme un miroir. Elle en a profité pour se détailler de près. Elle s'est tranquillement essuyé les cheveux dans la serviette et était en train d'examiner la peau de ses joues quand tout à coup elle s'est figée. Puis elle a lâché un cri et lancé la serviette contre la vitre avant de reculer d'un pas. Dehors luisait un visage d'homme dont les yeux étaient braqués sur elle. Il avait grimpé aux barreaux de la fenêtre du rez-de-chaussée et s'était accroché à ceux de la nôtre. Effrayé par l'objet qu'elle venait de lancer dans sa direction, il lâcha prise et tomba.

Ma mère se précipita sur la porte qu'elle verrouilla avec le gros cadenas en fer, dont, jusqu'à cette nuit-là, on ne s'était jamais servis. Elle nous fit signe de rester silencieux et éteignit la bougie. La pièce se retrouva plongée dans l'obscurité. On pouvait entendre, dehors, l'homme pester. Ses pas lourds et traînants s'éloignèrent, et après un long silence ils montèrent lentement l'escalier de bois et s'arrêtèrent devant chez nous. Un instant plus tard, ce fut le bruit de ses poings qui tambourinaient, puis des coups de pied, quelques secondes d'accalmie, et soudain le fracas d'un corps lancé violemment contre la porte pour essayer de la défoncer. Un manège qui dura jusqu'à ce que l'individu s'écroule sur le sol.

Une main se posa sur mon épaule et me tira en arrière. C'était maman. Quand elle me prit dans ses bras, j'entendis sa respiration précipitée. Jamais je ne l'avais vue si effrayée. Elle serra aussi mon frère contre elle, tandis que mes deux sœurs se plaquaient contre son dos et nous enlaçaient par-derrière. Il y eut de nouveau une pause, suivie de gémissements parce qu'il était en train de se relever, et il remit ça, coups de poing, coups de pied et coups d'épaule contre la porte qui était secouée de tremblements, tout comme le sol et les murs. Les charnières grincèrent sur leurs gonds, le verrou métallique hoqueta mais le bois était épais, le cadenas massif et l'homme trop saoul pour les vaincre. Après une nouvelle tentative qui se solda par une nouvelle chute, le silence revint. On attendit sans rien dire je ne sais combien de temps, parce que dans le noir le temps s'étire et ne se ressemble plus. Finalement, l'homme se releva en soupirant bruyamment, resta ainsi debout contre la porte quelques instants – si près qu'on entendait sa respiration. Et puis il tourna les talons et se dirigea vers l'étage supérieur, écrasant de ses semelles les morceaux de verre qui n'avaient pas été nettoyés sur les marches. La porte de l'appartement au-dessus de nos têtes s'ouvrit dans un grincement, on entendit ses pas traîner sur le plafond, écraser d'autres morceaux de verre, s'éloigner puis s'arrêter devant une nouvelle porte qu'il essaya d'ouvrir mais qui, apparemment, était verrouillée. Il fit demi-tour, s'approcha des fenêtres, s'arrêta, revint vers la porte d'entrée puis se remit à marcher à l'intérieur de l'appartement. Tout ce temps, nous, on n'osait pas broncher, oreilles tendues dans le noir, à suivre en silence ses déambulations… qui s'arrêtèrent. Silence. Grincements non identifiés, de nouveau le silence… puis, soudain, de la musique. Des arpèges bizarres, effrayants, qui produisirent une mélodie bancale, des notes dénuées d'harmonie mais qui résonnèrent de plus en plus violemment, dissonantes et déchaînées comme de longs hurlements de folie.

« C'est papa ? » demanda tout à coup Anka en chuchotant, mais maman la fit aussitôt taire.

Plus tard, j'ai compris qu'au deuxième étage il y avait un piano sans touches et que notre visiteur avait joué en pinçant les cordes. Il s'était acharné avec l'énergie de quelqu'un qui ne s'arrêterait jamais, malgré une mélodie de plus en plus triste et hésitante, et qui finalement s'était éteinte. Ce fut de nouveau le silence, notre mère resta assise, aux aguets, sans bouger, sans rien dire. Les pas lourds à faire trembler le plafond reprirent au-dessus de nous, puis on les entendit redescendre l'escalier, ils s'arrêtèrent un instant sur notre palier, continuèrent, résonnèrent dehors, s'éloignèrent et furent engloutis dans la nuit.

Notre mère attendit encore un peu avant de relâcher son étreinte et de nous libérer, mon frère et moi.

« Allons dormir, les enfants, dit-elle. Maintenant, tout est rentré dans l'ordre. »

Nous avons réintégré nos matelas et, non sans efforts, nous sommes endormis. Moi, cette nuit-là, j'ai rêvé de mon père : il était assis torse nu, me tenait dans ses bras et me donnait la tétée.

8

Ma mère est une conductrice épouvantable. Elle roule trop vite et ralentit subitement, sans raison. Elle est capable de changer de voie sans mettre son clignotant ni regarder dans le rétro, puis de vouloir retourner dans sa file initiale, mais en hésitant tellement qu'elle embrouille les conducteurs autour d'elle. Ou alors elle peut tout à coup dévier et rouler sur la bande d'arrêt d'urgence comme si c'était une voie normale.

Au début, on n'a pas parlé. Elle conduisait lentement, songeuse, slalomait entre les voitures comme si elle était seule sur la route, à l'évidence son esprit vagabondait dans des sphères lointaines. J'ai fini par lui demander à quoi elle pensait pour ramener son attention sur la circulation.

« On ne demande pas à quelqu'un à quoi il pense. Les pensées, c'est du domaine privé, m'a-t-elle répondu, prête à repartir dans sa rêverie.

– Tu te souviens de ta première rencontre avec papa ?

– Oui, mais qu'est-ce que ça peut faire ?

– Raconte-moi.

– Non.

– Pourquoi ?

– Toi, il n'y a que les histoires qui t'intéressent ! Des histoires, des histoires, encore des histoires. Quand tu n'as rien à dire, tu racontes une histoire, et quand tu t'ennuies tu veux qu'on t'en raconte une. Sache – j'ai lu ça quelque part – que les gens qui racontent tout le temps des histoires ont des problèmes d'intimité, c'est pour ça qu'au lieu de parler ils racontent des histoires.

– Où as-tu lu ça ?

– Je ne me rappelle plus. Peut-être même que je ne l'ai pas lu du tout et que je l'ai trouvé toute seule. Comme si c'était si compliqué à concevoir !

– Et toi ?

– Quoi, moi ?

– Tu n'as pas de problèmes d'intimité ?

– Non, aucun. Je n'ai de problèmes qu'avec tes questions et ton appétit insatiable pour les histoires, les histoires, et encore les histoires. Tout ça pour les raconter à n'importe qui dès que tu te sentiras en mal de n'importe quoi. Pas sûr que tu y sois pour grand-chose, c'est peut-être héréditaire. Ton père était pareil.

– Alors raconte-moi comment vous vous êtes rencontrés. »

Elle a poussé un grand soupir.

« En plus, c'est compliqué, il faudrait que je commence par une longue introduction et je n'en ai pas la force.

– J'en connais déjà un bout.

– Est-ce que tu sais, par exemple, que mon père est mort quand j'avais cinq ans ?

– Attention ! ai-je crié.

– Qu'est-ce qui se passe ? a-t-elle crié en retour.

– Tu as failli te prendre la barrière de séparation !

– Oh, franchement, du calme ! J'ai une tête à me prendre la barrière de séparation ?

– Quel rapport avec mon père ?

– Aucun.

– Alors pourquoi tu m'en parles ?

– Je pensais que ça t'intéresserait.

– Et mon père ?

– Tu ne l'oublies pas, celui-là, hein ?

– Si on est là, en route pour l'aéroport, c'est parce que je vais le voir. Alors j'aurais un peu de mal à l'oublier, non ?

– D'accord, a-t-elle concédé en poussant un nouveau soupir. C'était pendant la guerre. Je vivais avec ma mère dans le ghetto.

– Ça, je le sais. Je suis aussi au courant de la petite entreprise que tu avais montée là-bas.

– Ne m'interromps pas.

– J'essaie juste d'accélérer l'intrigue.

– Maintenant, c'est mon histoire, pas la tienne. Alors tu te tais. En plus, il appelle ça une "entreprise" ! »

Je n'ai rien dit.

« Bon, c'est vrai, dans le ghetto j'achetais des vête-ments, des objets de valeur, je passais du côté polonais et j'allais les revendre jusque dans des villages très reculés. Là-bas, ils avaient de la farine, des pommes de terre, parfois même de la viande fumée, mais ils manquaient de tout le reste. Moi, je n'appellerais pas ça une "entreprise", j'appellerais ça la seule chose que ma mère et moi pouvions faire pour continuer à vivre dignement, comme des êtres humains. J'avais réussi à obtenir des papiers polonais au tout début de la guerre, mais ça, c'est une autre histoire. Bref, je sillonnais en général la région de Lublin, vers la frontière ukrainienne. Chaque virée durait plusieurs jours, parfois j'y allais avec une copine, Magdalena, et ensemble on passait de village en village. Les paysans me connaissaient déjà. Une fois, avec Magdalena et quelques amis, on a même organisé un pique-nique dans une clairière. On a étalé une couverture par terre, on avait du pain, du fromage, du saucisson et du vin achetés aux paysans. C'était en 1942, il faisait chaud cet été-là. Dans l'air, on a senti une drôle d'odeur, comme de la fumée, mais pas une odeur de feu de camp. Un des garçons a dit que ça venait peut-être du village voisin, Sobibor, que les paysans incinéraient sans doute des vaches ou des poules malades, et tout à coup un soldat ukrainien a débarqué, un type qui travaillait avec les Allemands. Il nous a demandé un verre de vin qu'on lui a donné, après il a essayé de nous vendre des alliances en or, des montres, il avait même des dents en or. Il nous a raconté qu'il servait dans le camp de prisonniers.

– Tu as pique-niqué à côté de Sobibor ?

– Oui. Ça aussi c'est une histoire, mais ça n'a rien à voir avec ton père. Lui, je l'ai rencontré à une autre occasion, j'étais aussi avec Magdalena, non loin de Chełm, et on n'avait nulle part où dormir. Alors elle m'a emmenée chez un copain à elle qui avait un moulin, on y a débarqué dans l'après-midi et il a accepté de nous héberger pour la nuit. On s'est assises, Magdalena et moi, devant la porte pour papoter. Soudain a déboulé au galop une carriole chargée de sacs de blé, conduite par un type impressionnant, il tenait les rênes debout, un grand costaud comme ça, avec un visage inoubliable et un regard brûlant de sauvagerie. Ton père. Il était venu apporter son blé à moudre. Je ne me souviens plus si c'était pour son propre père ou pour les partisans, mais il a sauté à terre et, au lieu de décharger ses sacs, il s'est approché de nous. »

Ma mère s'est interrompue, ses pensées se sont remises à vagabonder et sa voiture à slalomer d'une voie à l'autre.

« Qu'est-ce qu'il vous a dit ?

– Je ne m'en souviens plus. Apparemment des choses qui m'ont plu, parce qu'il a réussi à me convaincre de l'accompagner à un bal de village. Magdalena ne voulait pas y aller, en fait elle avait une aventure avec le meunier. Alors moi, complètement irresponsable, j'ai suivi ce gars, Stefan, que je ne connaissais pas. À l'époque, il se comportait comme un vrai gentleman, et il m'a bichonnée toute la fête. Il y avait surtout des paysans ivres, quelques filles aussi. Lui, il buvait de la vodka comme si c'était de l'eau, ça m'a subjuguée. J'ai bu aussi. Il y avait un orchestre et on a dansé. On était déchaînés. De temps en temps, Stefan prenait l'instrument d'un des musiciens, il le lui arrachait des mains, sans demander la permission, et il se mettait à jouer. Ton père savait quasiment jouer de tous les instruments. Il aurait pu être un vrai musicien. Quand il était petit, un gars de son village lui avait appris à jouer du violon. Et comme il avait un don naturel, il a très vite commencé à jouer pour des fêtes et des bals. Un jour, le noble de la région l'a entendu, l'a pris sous son aile et lui a offert de véritables cours de violon. C'est grâce à ça qu'il sait lire les notes, ton père. Au bout de quelques années, à douze ans, ton grand-père, que tu n'as pas connu, a décidé que cette aventure musicale n'avait que trop duré et il l'a convaincu de retourner aux champs. En contrepartie, il lui a acheté un vélo. Ce qui, en fin de compte, est bien dommage. Il aurait peut-être eu une autre vie, plus respectable. Quoique, son caractère merdique aurait tout foutu en l'air. Pour en revenir à cette soirée, j'avoue que j'étais conquise et je ne suis pas rentrée dormir au moulin avec Magdalena. Elle, j'imagine que ça l'a bien arrangée, comme ça elle a pu passer la nuit avec son meunier. D'ailleurs, ils se sont mis en couple par la suite, mais je ne pense pas qu'ils aient eu le temps de se marier. Il travaillait avec les partisans, alors à un moment donné, les Allemands ou les Ukrainiens les ont tués tous les deux. Peu importe. »

Elle a de nouveau été happée par ses pensées.

« Maman ! me suis-je écrié.

– Quoi ?

– Tu roules à trente à l'heure !

– Et alors ? a-t-elle lancé avant d'appuyer précipitamment sur l'accélérateur. Je rétrogradais, c'est tout. Allume-moi une cigarette au lieu de m'enquiquiner. »

J'en ai allumé deux et lui en ai donné une. Elle a pris quelques bouffées, a toussé et m'a lancé un regard coupable : « Ne commence pas à râler ! Je me suis débarrassée de mon virus, c'est juste un résidu.

– Qu'est-ce qui s'est passé après ?

– Quand ça ? Avec ton père ? Je viens de te raconter comment on s'est rencontrés, qu'est-ce que tu veux de plus ? Après… on a perdu contact. C'était la guerre. Chacun de nous l'a vécue comme il a pu. Quand ça s'est terminé, je suis retournée dans la région, pour essayer de retrouver des amis, c'est comme ça que j'ai appris qu'on avait assassiné Magdalena. Je voyageais à l'époque avec une autre fille, une copine dont j'ai complètement oublié le nom. Un soir, elle m'a dit qu'il y avait un grand bal dans le coin, organisé par un type qui était à la fois excellent danseur et excellent musicien. On est en train de marcher en direction de ce fameux bal, et tout à coup elle me dit : "Tiens, tu vois, là-bas, c'est lui dont je t'ai parlé." Je regarde, et je découvre que c'est Stefan, ton père. Je ne pensais pas le revoir, je savais que les Allemands l'avaient envoyé à Majdanek, et j'étais sûre qu'il était mort. Lui aussi m'a tout de suite reconnue, on est tombés dans les bras l'un de l'autre. Voilà, c'est tout, aide-moi à trouver une place, on est rendus.

– Tu n'as qu'à me déposer devant l'entrée.

– Surtout pas. Je vais me garer et t'accompagner. Comme si c'était compliqué de trouver à se garer par ici.

– La question c'est de savoir si tu sauras rentrer.

– Toute ma vie, je me suis débrouillée sans toi. Crois bien que j'y arriverai encore maintenant. »

Il y avait une longue file d'attente devant le guichet d'enregistrement. Ma mère a examiné avec méfiance les passagers qui faisaient aussi la queue, a écouté leurs conversations, et soudain elle m'a demandé : « Tu as discuté avec ton frère et tes sœurs ?

– Avec Robert et Anka.

– Et qu'est-ce qu'ils t'ont dit ?

– De ne pas y aller.

– Au moins deux de mes enfants ne sont pas idiots. Et Ola ?

– Je n'ai pas réussi à la joindre.

– Je ne comprends pas ce qui se passe avec elle, aucun contact depuis un certain temps.

– Elle déprime. C'est en tout cas ce que m'a dit Robert.

– Elle déprime. Avec Robert, tout le monde déprime ! Et quand bien même, ce n'est pas une raison pour ignorer les appels téléphoniques de sa mère. »

Elle a fouillé dans son sac et en a tiré une enveloppe qu'elle m'a fourrée dans la main.

« C'est quoi ?

– Des photos.

– De qui ?

– À chaque Noël, tes sœurs m'envoient une photo de leur famille. Pour que je voie mes petits-enfants, c'est ce qu'elles disent. Ce qui, effectivement, me fait plaisir. Alors j'ai pensé que lui aussi voudrait peut-être les voir.

– Et Robert ?

– Il fut un temps où il m'en envoyait. Jusqu'à ce que Suzanne le quitte. J'ai donc mis une vieille photo, qui date de l'époque où ils étaient ensemble. De toute façon, ton père ne pourra pas savoir quand elle a été prise. » Elle s'est tue, a baissé les yeux. « Et j'y ai aussi ajouté une photo de moi.

– Je dois voir ça ! » me suis-je écrié. J'ai ouvert l'enveloppe, mais elle a posé la main dessus.

« Pas maintenant. Tu auras le temps de les regarder tout à l'heure. Allez, sors ton passeport, la dame de la sûreté va bientôt t'appeler. Quoi qu'il arrive, tu me les ramènes. Tu ne les lui laisses à aucun prix. Je n'ai pas de copies. »

Elle a insisté pour m'accompagner jusqu'à la porte d'embarquement. On voulait tous les deux se serrer dans les bras, mais finalement on s'est contentés de baisers à la polonaise, un sur chaque joue.

« Fais bien attention à toi », m'a-t-elle encore dit en essayant de nettoyer du doigt la trace de son rouge à lèvres sur mon visage. Comme elle n'a pas réussi, elle a sucé son pouce et a recommencé à frotter avec sa salive. À son expression, j'ai vu qu'elle voulait ajouter quelque chose mais qu'elle se retenait.

« Qu'est-ce que tu veux que je lui dise de ta part ? ai-je demandé.

– Rien. »

Sur l'escalier roulant, je me suis retourné plusieurs fois. Ma mère n'avait pas bougé, elle me suivait du regard. Sa petite silhouette en robe à fleurs s'éloignait de plus en plus, et tout à coup elle s'est écriée : « Dis-lui que je me souviens uniquement des belles choses ! »

9

Mon père nous est revenu vers midi, un jour que je jouais près du lac avec d'autres enfants. Au début, je n'ai vu qu'une silhouette qui marchait au loin sur le chemin de terre entre les champs et venait vers nous. Plus elle s'approchait, plus ses traits devenaient familiers et soudain j'ai compris que c'était lui. Il avançait d'un pas déterminé et regardait droit devant. J'ai aussitôt abandonné mes copains et me suis précipité vers lui.

« Papa ! » Les yeux qui se sont posés vers moi étaient ceux, hagards, d'un homme ivre. J'ai enserré ses jambes de toutes mes forces. « Papa ! »

Il m'a repoussé : « Pas maintenant, Tadek. Et arrête de me coller ! » Sur ces mots, il a pressé le pas, me laissant seul derrière lui.

Il nous est revenu, rentrant dans notre vie comme s'il ne nous avait jamais quittés.

« Qu'est-ce qui se passe ? m'a-t-il demandé le lendemain de son arrivée en m'accompagnant dehors. Quelqu'un est mort ? Pourquoi est-ce que tout le monde tire une tête d'enterrement ? »

Deux jours plus tard, c'était un dimanche, il a fait venir quelques musiciens tsiganes – des amis qu'il avait dans la région – et a organisé une grande soirée dansante. Sous ses ordres, les paysans ont rassemblé des tables et les ont placées sur les berges du lac tandis que leurs femmes apportaient des marmites remplies de chou cuit et de pommes de terre. Pour l'occasion, un cochon avait été égorgé puis embroché au-dessus d'un grand feu de camp et mon père avait dégoté des caisses de bouteilles de vodka.

Les musiciens ont ouvert la fête par une série de chants tsiganes, accompagnés par mon père, qui passait entre les convives pour les encourager à boire et à danser. Lui-même buvait, dansait sans se ménager, jouait du violon et de l'accordéon. À un moment, il m'a soulevé, m'a assis sur ses épaules, est monté avec moi sur une table et a continué à jouer en tapant du pied. Soudain haut perché, je me suis exclamé dans un élan d'enthousiasme : « Regardez, c'est mon papa ! C'est mon papa qui est revenu ! »

La nuit est tombée, mais il n'a pas laissé les réjouissances s'éteindre. Moi, je me suis endormi sous une table et j'ai été réveillé par des cris. Je l'ai alors vu en train de frapper deux hommes avec une chaise, il me semble que l'un d'eux était Ryszek. Je me suis rendormi, et quand je me suis réveillé, il était à côté de moi.

« Qu'est-ce qui se passe ? ai-je demandé en somnolant.

– Rien. » Son haleine dégageait une odeur âcre de vodka. « Viens, on rentre à la maison. »

DEUXIÈME PARTIE

1

Ma mère est debout à la fenêtre de la cuisine et fume une cigarette. La vaisselle sale du dîner s'entasse dans l'évier. Ola est plongée dans un roman. Anka fait ses devoirs. Robert et moi jouons au rami. Silence. Chacun vaque à ses occupations. Soudain, dans la cage d'escalier, le bruit d'une porte qui claque, puis des pas qui montent lentement. Mon frère se crispe. Maman lance un regard inquiet vers le seuil. Anka et Ola se figent et tendent l'oreille. Moi aussi j'écoute, ces pas s'approchent et se précisent, au bout de quelques instants on comprend avec soulagement que ce n'est pas papa. On peut donc retourner à nos activités, sauf qu'on sait très bien que plus il rentrera tard, plus il sera saoul. Ne nous reste qu'à espérer qu'il le soit au point de s'écrouler en chemin ou chez un de ses amis de beuverie.

Maman éteint sa cigarette et se remet à la vaisselle. Normalement, c'est la tâche de mes sœurs, mais ce soir, elle a insisté. Elle lave quelques assiettes, s'arrête, s'essuie les mains, allume une nouvelle cigarette et recommence à fixer le vide, par la fenêtre ouverte. Ce matin, papa est parti en rage, il nous a tous injuriés.

« Quelle famille de merde ! » a-t-il aboyé avant de claquer la porte, bien que nous n'ayons rien fait pour l'énerver.

D'en bas nous parviennent les braillements d'une rixe d'ivrognes. Au loin, on entend la sirène d'une voiture de police. Des hurlements de femme montent de la rue d'à côté ou de l'immeuble d'en face et s'arrêtent d'un coup. Explosion de carreaux ou de bouteilles cassés, à moins que ce ne soit un pare-brise ou un réverbère. Un homme complètement saoul traîne les pieds et insulte à grands cris les habitants du quartier. Ici, à Wrocław, les bruits nocturnes sont différents de ceux qu'on entendait dans le village par les fenêtres ouvertes. Ici, ce qui domine, ce sont les voix brutales, violentes, des êtres humains.

Wrocław, on y est arrivés dans un vieux camion brinquebalant. Par une claire journée d'automne. Le chauffeur et le déménageur avaient enlevé la bâche arrière pour que mon frère et moi, assis entre nos cartons et nos meubles, soyons à l'air libre. Le lourd véhicule roulait lentement. De temps en temps, il toussotait ou lâchait de longs soupirs accompagnés d'une fumée noire. Plus on approchait de la ville, plus la forêt se clairsemait et elle a fini par disparaître. Les champs agricoles ont été remplacés par d'immenses hangars, puis par des terrains vagues transformés en déchetteries et des usines – dont une partie encore en ruine à cause des bombardements. Petit à petit, les quartiers d'habitation noirs de suie se sont densifiés, ont pris de plus en plus d'espace, et après avoir traversé l'Oder sur un long pont, on s'est trouvés au milieu d'un tumulte urbain qui nous était totalement étranger. On roulait dans de larges rues, bordées de chaque côté des immeubles les plus hauts que nous ayons vus de notre vie.

Finalement, nous sommes entrés dans la rue Nowowiejska, l'artère principale de notre quartier pourri. Des tramways cabossés glissaient en silence sur les rails métalliques qui couraient le long de la chaussée. Notre camion a tourné dans la rue Żeromski, a roulé encore quelques dizaines de mètres et s'est arrêté. De part et d'autre se dressaient de vieux immeubles à quatre étages qui avaient survécu aux bombardements et avaient sans doute eu, des années auparavant, un certain cachet. Leurs façades étaient ornées de reliefs en pierre, mais la guerre et le temps les avaient creusées, fissurées, effritées, noircies, balafrées, sans que personne ait pris la peine de les retaper.

Aidé de notre chauffeur, le déménageur s'est hâté de tout décharger. Robert et moi avons sauté sur le trottoir, étonnés par la rue sinistre autant que par l'air pauvre et minable des passants qui nous ignoraient totalement. Un groupe d'enfants s'est approché de nos ballots entassés sur le trottoir. Le chauffeur les a chassés avec quelques insultes.

« Ouvrez l'œil, nous a-t-il dit, à Robert et à moi. Ici, dès que vous avez le dos tourné, on vous pique un truc. »

On ne savait pas, à ce moment-là, que bientôt on serait exactement comme eux.

Une femme ivre, visiblement harassée, est sortie alors de l'immeuble, s'est avancée vers nous d'un pas lourd malgré ses efforts pour avoir l'air fraîche, et s'est tournée vers notre mère.

« Bonjour, madame, c'est vous, les nouveaux voisins ?

– Oui. On habitera au deuxième.

– Parfait. J'ai effectivement appris qu'une chambre s'y était libérée.

– Enchantée, a continué maman en tendant la main. Je m'appelle Eva. » Elle allait nous présenter nous aussi quand la femme l'a interrompue pour savoir si on pouvait lui prêter vingt zlotys, seulement jusqu'au lendemain.

Après un long moment d'hésitation, notre mère a sorti son porte-monnaie de son sac à main et lui a donné la somme requise. La voisine l'a remerciée en vitesse et s'est engouffrée dans l'immeuble.

L'appartement où nous nous sommes installés comptait un hall d'entrée, trois chambres à coucher, une cuisine, des toilettes et une douche. La première chambre avait été attribuée à des vieux que nous avons rapidement appelés papy et mamie, la deuxième à un couple et leur fille adolescente, et nous avons récupéré la troisième. Notre père a débarqué quelques jours plus tard, sale et débraillé, la main enveloppée dans un foulard gorgé de sang.

« Stefan ! » s'est écriée ma mère en se précipitant vers lui.

Il l'a repoussée d'un geste énervé : « Descends tout de suite dans la rue et va au téléphone public appeler les flics. Trois fils de pute ont essayé de me plumer.

– Où sont-ils ? a-t-elle demandé.

– Je les ai enfermés dans la cave. »

On a tous couru en bas mais comme on n'osait pas descendre à la cave, on a attendu la police sur le trottoir. Papa nous a rejoints au bout d'un certain temps, sa main blessée était emballée dans un foulard propre qui, lui aussi, commençait à rougir. Dans son autre main, il tenait une bouteille de vodka dont il s'envoyait de grandes rasades. On s'est approchés de lui mais il nous a ignorés et est allé s'adosser au mur. Rapidement, voisins et passants se sont agglutinés autour de nous pour savoir ce qui s'était passé.

« Des fumiers ont voulu me dépouiller, leur a-t-il expliqué. Ils m'ont même menacé avec des couteaux. Je ne me suis pas laissé faire, mais il y en a un qui a réussi à me poinçonner sur le côté, ce chien ! Alors je lui ai explosé la gueule. » Il a pris une nouvelle lampée de vodka. « Je les ai balancés dans la cave et je les ai attachés avec un sac de jute que j'ai déchiré pour qu'ils ne s'enfuient pas, cloportes répugnants ! »

La voiture de police est arrivée, deux hommes baraqués en sont descendus et se sont dirigés vers papa qui les a toisés avec mépris : « Vous êtes venus ramasser les cadavres ? » Il les a menés jusqu'à la porte de la cave qu'il a ouverte en esquissant une révérence : « Après vous, monsieur l'officier. » Et il a craché par terre.

Lorsqu'ils ont émergé, les deux policiers guidaient trois individus couverts de bleus, qui tenaient à peine sur leurs jambes, mains attachées dans le dos avec des bandes de jute, chemise déchirée et visage meurtri. Mon père ne leur a pas adressé le moindre regard et est remonté dans l'appartement. Nous avons attendu leur départ pour l'y rejoindre. La rumeur s'est aussitôt nourrie de cet épisode et s'est rapidement propagée dans le quartier, si bien qu'à partir de cette nuit-là, tout le monde avait compris qu'on ne se frottait pas à Stefan Zagourski.

Des cris affolés montent de la rue. Injures. Silence. Bruit de talons qui courent. Rires d'un groupe de jeunes garçons qui s'éloignent. Ma mère les suit du regard par la fenêtre : « Des voyous. »

Elle éteint sa cigarette, jette un œil à la vaisselle sale. Sans ajouter un mot, elle sort de la cuisine et va s'enfermer dans la chambre. Anka pose son cahier, s'approche de l'évier et commence à laver les assiettes. Robert me bat de nouveau au rami avec une belle suite.

Je ne peux m'empêcher de m'écrier : « T'as triché !

— Justement pas.

– Pourquoi "justement" ? demande Ola. Ça veut dire qu'avant tu trichais ?

– La ferme, toi ! aboie-t-il. C'est pas toi qui joues !

– La ferme toi-même, répond-elle, sinon je t'en colle une ! » Et elle brandit son livre comme si elle allait le lui jeter à la figure.

Il se tait, ramasse les cartes. Puis :

« Tu veux ta revanche ?

– Non. J'en ai marre que tu triches. »

De nouveau, des bruits de pas dans l'escalier. De nouveau, on se tait tous les quatre, les yeux braqués sur la porte. Les pas s'approchent, une fois de plus ce n'est pas notre père, le crissement des semelles dépasse notre seuil et s'arrête juste à côté. Quelques coups, un grincement de charnières.

« Marian ! s'exclame joyeusement la voisine, Mme Lipska.

– Il est venu en visite », chuchote Anka dont je partage l'émotion évidente, car je ne me privais pas de me vanter d'avoir pour voisin rien moins que le capitaine Marian Lipska, de la marine polonaise.

Et je n'étais pas le seul. Mon frère et mes sœurs aussi. Notre mère aussi. Tout comme nos voisines.

« Sans compter que Roman Serafin, le champion de boxe poids plume, habite aussi dans mon immeuble, au troisième étage », ajoutais-je.

Et je n'étais pas le seul. Mon frère et mes sœurs aussi. Notre mère aussi. Tout comme nos voisines.

Les combats de Roman étaient souvent retransmis à la télévision, ce qui nous permettait de le voir boxer, mais entre deux compétitions il était surtout ivre. Comme il avait eu la mâchoire brisée, il avait du mal à parler, si bien que même quand il était sobre, on n'arrivais pas à comprendre ce qu'il disait. Jolanta, la femme dure d'oreille qu'il avait épousée, était une des rares à s'en tirer correctement. Le couple vivait à l'étage du dessus avec ses parents à elle.

Roman et notre père s'appréciaient beaucoup parce que l'un comme l'autre respectaient ceux qui savaient donner des coups. Mon père ayant acquis la réputation de quelqu'un à qui il valait mieux ne pas se frotter, il effrayait tout le monde, y compris Roman. Un soir, celui-ci était rentré complètement saoul et avait voulu cogner Jolanta. Elle s'était enfuie et était venue, affolée, frapper à notre porte. Lorsque ma mère l'avait vue, toute tremblante, debout sur le seuil, elle s'était hâtée de la faire entrer et de verrouiller derrière elle. Alertés par cette agitation, nous sommes sortis, moi de la cuisine et papa des toilettes, voir ce qui se passait. Nous sommes arrivés tous deux dans le hall au moment où un énorme bruit a retenti, suivi par la chute de la porte qui, arrachée de ses gonds, est tombée entre lui et moi. Roman, qui avait poursuivi sa femme dans l'escalier et profité de son élan pour balancer un coup de pied furieux dans le panneau de bois, a fait un pas dessus… mais lorsque, une fois entré, il s'est retrouvé face à papa, son expression s'est transformée comme s'il avait d'un coup dessaoulé.

« Monsieur Stefan, a-t-il dit poliment, même son élocution était soudain claire, ma femme ne serait-elle pas, par hasard, chez vous ? »

C'est ainsi qu'au lieu de frapper Jolanta, Roman a dû réparer notre porte, sans discuter, parce qu'il savait que son voisin du dessous aimait distribuer les coups et n'avait pas peur d'en recevoir.

Il arrivait souvent à mon père de s'énerver sans que le patron ose intervenir ou lui interdire l'entrée de son établissement la fois suivante, et de renverser des tables, de casser des bouteilles, des chaises dans un bar où il avait trop bu. Un de ses passe-temps favoris consistait à choper au comptoir quelqu'un qu'il ne connaissait pas, à discuter avec lui en abondant dans son sens, puis, au bout de quelques minutes, à changer d'avis et à soutenir une position inverse uniquement pour provoquer une discussion qui dégénérerait en baston. Il n'hésitait jamais à frapper, sans distinction, même ses amis, même ceux qui étaient plus grands et plus forts que lui. Même ceux qui ne faisaient pas le poids et n'avaient aucune chance. Jacek, un poivrot connu dans le quartier pour piquer les verres de vodka aux consommateurs avant qu'ils aient le temps de les boire, en a un jour fait les frais. Cet homme était si misérable que, quand il se trouvait dans les parages, les gens le prenaient en pitié et se contentaient de se méfier de lui. Tous, sauf mon père. Pendant des jours, il attendit patiemment que le pauvre type fasse l'erreur de lui faucher sa boisson pour, sans hésiter, envoyer son poing dans le verre et le lui faire éclater au visage. Le malheureux passa la nuit à l'hôpital. Ce fut l'une des rares fois où, apprenant qu'il avait tabassé quelqu'un, je n'ai pas été fier, même s'il se défendit en prétextant qu'il s'agissait d'un acte pédagogique : « Depuis, ce connard ne pique plus de vodka à personne. »

Quand mon père revenait à la maison avec des bleus et en sang, il nous laissait généralement tranquilles. Il allait se laver le visage et les mains dans l'évier de la cuisine et s'asseyait à table.

« Papa, ton lit est prêt, lui disais-je en espérant qu'il irait dormir, sauf que souvent, il me dévisageait d'un regard vitreux de soûlard.

– Fous-moi la paix », grognait-il.

Il restait là à fixer le sol jusqu'à ce que ses yeux se ferment, que sa tête tombe en avant ou en arrière. Seulement alors, il soupirait et se levait, se traînait jusqu'au lit, s'écroulait dessus et s'endormait.

Il n'est toujours pas rentré. Mon frère essaye de me convaincre de refaire une partie de rami, mais je ne me laisse pas tenter :

« J'en ai marre de perdre.

– Tu veux qu'on regarde un livre ensemble ? me demande Anka qui a terminé la vaisselle. Choisis ce qui te plaît. »

Et moi, ravi, je me précipite vers la grande bibliothèque, héritage de la famille allemande qui avait vécu dans l'appartement des années auparavant.

Jusqu'à la guerre, Wrocław faisait partie de l'Allemagne. À la fin, quand les bolcheviques y sont entrés, racontait mon père, ils ont égorgé tous les habitants allemands et ont donné la ville aux Polonais. Ma mère, elle, assurait que la plupart des Allemands s'étaient enfuis de leur propre chef ou avaient été contraints à l'exil mais pas égorgés. « La preuve, c'est qu'aujourd'hui encore il en reste quelques-uns ici, affirmait-elle.

– Ce qui est bien dommage, lui répondait mon père. On aurait dû tous les massacrer. »

Quoi qu'il en soit, les anciens propriétaires allemands de notre appartement avaient laissé des meubles et des objets, dont une impressionnante bibliothèque. Tous les livres étaient en allemand, mais certains étaient illustrés par des dessins et des photos.

Mon frère m'accompagne et, sans hésiter, nous choisissons notre ouvrage préféré, celui où il y a des photos de la Première Guerre mondiale. On y voit des soldats teutons couverts de boue, d'autres qui donnent l'assaut en courant entre des cratères de bombes et des troncs d'arbres calcinés, d'autres encore qui enjambent des barbelés et des cadavres étendus au bord de tranchées ou jetés dedans, il y a aussi des soldats blessés qui attendent de mourir ou d'être évacués vers un hôpital de fortune, des amputés, des malheureux couverts de bandages des pieds à la tête, tous bien alignés sur des lits, sous les regards apitoyés ou admiratifs d'infirmières en blouse blanche. Sur d'autres photos, des foules de civils se pressent de chaque côté d'une avenue centrale pour voir passer les valeureux militaires qui défilent en rangs serrés et s'apprêtent à partir au front, retrouver les cratères des bombes, les troncs calcinés, les barbelés et la boue dans laquelle ils tomberont.

Assis tous les trois à la table de la cuisine, nous examinons scrupuleusement chaque photo. Mon frère et moi guettons les cris d'horreur que ne manquera pas de pousser Anka.

« Si ça vous bouleverse tellement, pourquoi est-ce que vous regardez ? » nous critique Ola.

Du coup, pour qu'elle ne nous gâche pas le plaisir, on quitte la cuisine et on va dans la chambre, là où maman s'est retirée pour lire. On s'allonge sur notre lit, celui des garçons, et on continue à tourner les pages.

« La Seconde Guerre mondiale a été encore pire, nous explique Anka. On l'a appris à l'école. »

Je m'étonne et lui demande, sans dissimuler mon excitation : « Pire que ça ?

– Papa l'a faite, la Seconde Guerre mondiale ! lance alors Robert.

– C'est vrai, ça, maman ? » interroge Anka.

Comme aucune réponse ne vient, je m'exclame, enthousiaste : « Oui, sûr que papa leur a cassé la gueule, aux Allemands ! Comme il casse la gueule à tous ceux qui l'énervent.

« – Ça suffit, Tadek », intervient notre mère.

Je me tais.

Mon frère et ma sœur me regardent. Bruits d'une porte qui s'ouvre. Mais ce n'est pas celle de l'entrée. Le vieux qu'on surnomme papy est certainement allé aux toilettes ou dans la cuisine. On se penche de nouveau sur le livre, mais on n'a plus envie de voir des photos de guerre.

« Et si tu allais nous en chercher un autre ? » me propose ma sœur.

Je me lève, sors de la chambre, avance jusqu'à l'entrée, me tourne vers la bibliothèque et en tire les contes de Grimm illustrés. On regarde les dessins mais on n'est plus très concentrés. L'oreille tendue, on guette les sons qui proviennent de la fenêtre ou de la cage d'escalier. Inquiets, à l'affût du retour de papa qui est de plus en plus en retard.

Anka a du mal à maîtriser sa nervosité. Elle se lève, s'approche du gramophone qu'il a apporté un soir, y pose un disque de la pile apportée un autre soir. La musique nous apaise. Et s'il ne rentrait pas de la nuit ? Et s'il disparaissait pour quelques jours sans prévenir, comme ça lui est déjà arrivé à plusieurs reprises ? Chaque fois qu'il rentre ivre et de mauvaise humeur, il nous insulte, casse de la vaisselle dans la cuisine, renverse des meubles, tire la ceinture de son pantalon, nous frappe sans pitié – et il frappe fort, notre père. Surtout mon frère. Quand il l'attrape, il le fouette toujours à grands coups, encore et encore. Robert, en larmes, a beau se traîner par terre et le supplier, agrippé à son pantalon, il a beau sangloter : « Papa, arrête, je t'aime, papa ! », rien n'y fait, ses supplications n'impressionnent jamais notre père qui hurle : « Espèce de sale bâtard ! » et continue à le frapper jusqu'à ce qu'il soit à moitié évanoui, étendu sur le sol.

« Mais laisse-le, ça suffit ! » s'écriait ma mère.

Elle s'élançait alors vers son garçon, mais était systématiquement repoussée : il l'envoyait valser contre le mur et elle s'écroulait.

« Espèce de soûlard de merde ! » lâchait Ola.

Elle, elle n'a jamais eu peur de s'opposer à lui, quitte à prendre une raclée. Il enjambait le lit pour l'attraper, mais elle arrivait à lui échapper et s'enfuyait dehors. En chemin, elle empoignait sa petite sœur qui sanglotait dans un coin – bien qu'il n'ait jamais touché Anka : il n'avait qu'à hausser la voix pour la faire éclater en sanglots, tant elle était fragile.

Mon frère en profitait pour se ressaisir et se relever.

« Tirez-vous, allez, ouste, dehors ! » aboyait mon père en nous chassant, lui et moi, à coups de pied.

On se retrouvait sur le palier, où nos deux sœurs attendaient déjà. Anka se précipitait vers nous pour nous serrer dans ses bras, Robert et moi. En général, Ola restait à l'écart. On allumait une cigarette en silence et on se doutait bien qu'à présent, papa était en train de frapper maman – c'était la raison pour laquelle il nous avait mis à la porte –, mais on ne savait pas ce qui se passait exactement de l'autre côté du mur. Notre mère encaissait les coups en silence, pour que personne n'entende, ni les enfants, ni les voisins. Comme s'il s'agissait d'une chose intime, qu'on ne devait pas partager. Même quand c'était fini et qu'elle nous faisait rentrer, elle ne disait rien. Nous, on se dépêchait d'aller au lit. Notre père, lui, avait déjà sombré dans son profond sommeil éthylique.

La musique du gramophone a couvert le claquement de la porte d'entrée. Quelques instants passent avant qu'on découvre qu'il est là, sur le seuil. Il ne jure pas, ne crie pas, n'essaie pas de casser quoi que ce soit ni de frapper. Il nous regarde avec tristesse, attend un court moment et nous demande d'arrêter le disque.

Maman nous fait signe de lui obéir. Comme Anka et Robert restent sur le lit, c'est moi qui y vais, je soulève le bras du gramophone et le remets avec précaution sur son support.

« Venez, les enfants », dit papa en allant vers la cuisine. Nous nous concertons du regard et le suivons.

À table, notre grande sœur continue ostensiblement à lire. Il avance et s'arrête à côté d'elle tandis que nous, on attend sur le seuil, les yeux baissés. Maman vient se placer derrière nous. Il nous demande de nous asseoir.

Nous nous installons de part et d'autre d'Ola. Maman se tient debout et observe avec méfiance papa qui prend le livre des mains de sa fille et le pose à côté de l'évier. Il se dirige ensuite d'un pas chancelant vers l'autre bout de la table et demeure là, immobile, un certain temps, sans rien dire.

« Je voudrais vous raconter quelque chose sur la guerre, commence-t-il abruptement, d'une voix lourde. Je voudrais vous parler de ces fils de pute d'Allemands. Pour que vous sachiez. Pour que vous sachiez que les êtres humains sont d'ignobles bêtes sauvages. Je voudrais vous parler de cet endroit maudit où j'ai pourri pendant deux ans : Majdanek.

— Arrête, Stefan, intervient maman.

— Toi, ne t'en mêle pas ! Ils doivent savoir dans quel monde de merde ils ont atterri par tes soins ! Ils doivent savoir, pour que personne ne les baise comme on a bien failli baiser leur père ! » Il se tait, on le sent vaciller, et soudain il éclate en sanglots. « Je voudrais vous raconter une histoire. Qui s'est passée pendant la guerre. À Majdanek. L'histoire de mon ami, Antoni, qui était un gars merveilleux, Antoni… » Ses pleurs redoublent et couvrent ses mots, il essaie de les surmonter mais s'effondre devant nous. Personne n'ose se lever de table ni parler, on ne fait que le regarder, là, face à nous, en larmes. Finalement il se détourne, sort de la cuisine, s'engouffre dans la chambre et ferme la porte derrière lui.

2

Je suis arrivé à Varsovie sous une pluie battante. J'ai donné mon adresse au chauffeur de taxi, la voiture est sortie de l'aéroport et s'est engagée sur la voie rapide. Une odeur écœurante de tabac froid stagnait dans l'habitacle. J'ai entrouvert la fenêtre malgré la pluie, et j'ai allumé une cigarette. La fumée fraîche a chassé les relents désagréables. J'ai vu que, dans son rétro, le conducteur louchait vers mon paquet.

« Vous en voulez une ? lui ai-je demandé.

– Oui, a-t-il joyeusement répondu. Des américaines ?

– Exact.

– Vous venez d'Amérique ?

-- D'Israël.

– D'Israël… » Et après un instant de réflexion, il a repris : « Nazareth. Bethléem. Jérusalem.

– C'est là que j'habite.

– Vous habitez à Jérusalem ? s'est-il émerveillé et j'ai bien cru qu'il allait se signer.

– Oui. Vous devriez aller y faire un tour.

– Certainement. Certainement. Un jour, j'emmènerai ma femme là-bas.

– Vous ne le regretterez pas. On trouve beaucoup d'Américaines chez nous. »

Il m'a regardé, déconcerté. Puis il a souri, m'a fait un clin d'œil, a levé sa cigarette comme pour trinquer et a attendu. J'ai eu besoin de quelques secondes pour comprendre et sortir de ma poche un briquet... objet qu'il a fixé sans se départir de son émerveillement.

« Un briquet, a-t-il ensuite déclaré en hochant respectueusement la tête.

– Je vous en prie. » J'ai approché la flamme de sa cigarette puis j'ai allumé la mienne.

« Ces putains de Russes nous ont piqué tout notre bois pour leur industrie, et nous, on n'a même plus d'allumettes, m'a-t-il expliqué.

– Alors vous faites comment ?

– On se débrouille pour avoir une cigarette allumée en permanence. C'est juste qu'en vous voyant monter dans mon taxi, j'ai bien vu que vous étiez un touriste occidental, et comme je sais que certains Occidentaux ne fument pas, je l'ai éteinte.

– Vous avez de la chance, je fume depuis que j'ai six ans.

– Six ans », a-t-il chuchoté en écho.

Je n'ai pas compris si ça l'étonnait ou l'effrayait, d'ailleurs je m'en fichais.

Sur la route, j'ai vu beaucoup de vieilles Fiat 600 qui roulaient paresseusement et ne se différenciaient que par leur couleur et les assauts du temps. La nuit était déjà tombée. On est entrés dans la ville, de chaque côté de la chaussée se dressaient d'immenses blocs d'immeubles gris.

Tu es en Pologne, me suis-je répété. Tu es rentré à la maison. Pourtant, je ne ressentais rien.

« C'est la première fois que vous venez à Varsovie ? » a repris le chauffeur.

J'ai opiné.

« Comment se fait-il que vous parliez si bien polonais ?

– Je suis polonais. Je viens de Wrocław. » J'ai failli en dire plus mais je me suis ravisé.

« Wrocław, ça alors ! La nièce de ma femme habite là-bas. Peut-être que vous la connaissez ?

– Non, comment voulez-vous que je la connaisse ? » ai-je lâché en tournant ostensiblement la tête vers la fenêtre.

Il a compris le message et m'a laissé tranquille.

Avant d'entreprendre ce voyage, j'avais réussi à joindre mon ami Artur, malgré bien des difficultés : Artur est comédien et, par téléphone, la secrétaire de sa troupe de théâtre m'avait annoncé qu'ils étaient en tournée dans toute l'Allemagne de l'Est, mais elle s'était engagée à lui demander de me rappeler – ce qu'il avait fait, de Berlin-Est. La ligne étant mauvaise, on avait été rapides : je lui avais expliqué que je serais bientôt à Varsovie, il m'avait promis de m'y rejoindre avant que j'en parte et m'avait aussi assuré qu'il me dégoterait un endroit où dormir. Effectivement, quelques jours plus tard, la même secrétaire me rappelait de sa part : « Artur joue en ce moment à Leipzig et il n'a pas obtenu de liaison téléphonique avec Israël. Il m'a chargée de vous transmettre qu'il vous a trouvé une chambre chez des gens qu'il connaît. »

Elle m'avait dicté l'adresse que j'avais notée en déclarant que bien sûr, j'imaginais que ce n'était pas gratuit. Après un silence, elle avait marmonné : « Évidemment, monsieur », puis elle avait coupé court à la conversation.

Le taxi s'est arrêté devant un bâtiment genre HLM, tout gris, le chauffeur a sorti mon sac à dos du coffre et l'a déposé devant l'entrée, ce qui n'était pas compliqué, mais il a déployé un tel cérémonial qu'on aurait dit que j'étais venu avec une cargaison de valises : il s'est occupé de mon modeste bagage avec tant de simagrées qu'il n'a pas remarqué que la pluie avait éteint la cigarette allumée avec la cigarette allumée avec la cigarette allumée avec l'américaine allumée avec mon briquet. J'ai réglé la course, plus un pourboire pour ses efforts. Ce n'est que lorsque j'ai ressorti mon briquet qu'il a découvert que sa clope était éteinte.

« Je vous remercie, monsieur, vraiment, je vous remercie beaucoup, a-t-il dit. Privé de ses allumettes, la nation polonaise est soumise à rude épreuve.

– Putains de Russes.

– Exactement, putains de Russes, monsieur. »

J'ai encore eu droit à des remerciements après lui avoir ajouté trois cigarettes américaines. On s'est dit au revoir, il est parti, je me suis tourné vers le bâtiment où je devais entrer et j'ai vu un vieil homme à la mine revêche qui m'observait d'une fenêtre à côté de la porte. Je l'ai tout de suite identifié : le concierge, à coup sûr. N'était-il pas d'usage, en Pologne, de placer un gardien dans l'appartement jouxtant l'entrée, de sorte que le bonhomme puisse informer les autorités de tout ce qui lui paraissait anormal ? Dans notre immeuble à Wrocław, la prostituée du rez-de-chaussée tenait ce rôle, celle-là même qui avait demandé vingt zlotys à ma mère le jour de notre arrivée. Heureusement, elle, elle passait la majeure partie de la journée ivre ou avec un client, et n'en avait rien à foutre des autorités – du moins à ses dires –, de même que tout le quartier d'ailleurs.

Je suis passé devant l'informateur à la sale tête en lui lançant un « Bonsoir, monsieur », et je suis vite monté au quatrième étage.

J'ai frappé à la porte. De vibrants aboiements m'ont répondu. J'étais en train d'envisager de m'en aller, peut-être m'étais-je trompé d'adresse, lorsque j'ai entendu quelqu'un râler et faire taire le chien. Ensuite, deux verrous ont été tournés l'un après l'autre, la porte s'est entrouverte, une femme d'âge mûr a jeté un œil à l'extérieur et m'a examiné. À la hauteur de sa taille se pressait un long museau qui, flairant une odeur inconnue, a recommencé à aboyer.

« Tais-toi ! » Le cri a été assorti d'un grand coup de pied, puis la femme s'est adressée à moi : « Bonjour, monsieur, en quoi puis-je vous aider ?

– Je suis un ami d'Artur. » Je n'en ai pas dit plus car j'imaginais le concierge à l'affût du moindre mot échangé dans les étages.

« Ah, oui, bien sûr, venez, entrez ! s'est-elle exclamée. Vous n'avez rien à craindre du chien, il aboie mais ne mord jamais. »

Je suis entré. Elle a jeté un œil vers la cage d'escalier avant de refermer la porte. Quant au chien, un énorme berger allemand, il a d'abord grogné puis m'a foncé dessus et a refermé les mâchoires sur ma cheville.

« Chopin ! a crié sa maîtresse. Assez ! » Elle lui a de nouveau flanqué un coup de pied. « Ne vous inquiétez pas, il ne vous fera rien, a-t-elle marmonné avant de le tirer par son collier vers la salle d'eau où elle l'a enfermé. Ne vous inquiétez pas, a-t-elle répété. C'est un gentil chien, mais il est comme un enfant, il ne pense qu'à jouer.

– Enchanté… » Je me suis interrompu parce que je ne savais pas si j'allais lui donner mon nom israélien ou mon nom polonais. Finalement j'ai dit : « Tadek.

– Teresa, m'a-t-elle répondu en me serrant la main. Je suis contente que vous soyez arrivé. Je m'inquiétais

déjà un peu, le couvre-feu commence à huit heures…
Oui, oui, a-t-elle ajouté devant mon regard étonné. Ça
fait des années qu'il a été réinstauré. Depuis que l'état
de siège a été proclamé.

– Je pensais que c'était terminé.

– Grand bien vous fasse ! » m'a-t-elle lancé, soudain
irritée. Elle a gardé le silence un court instant et a pris
une grande inspiration. « Excusez-moi. C'est juste que
mon mari et mon fils sont allés chez le médecin et
ne sont toujours pas rentrés. J'ai peur qu'ils restent
coincés quelque part. L'état de siège a été levé, mais
pas intégralement. Ça fait des années qu'on ne connaît
pas la paix ici. À propos, est-ce que quelqu'un vous a
vu entrer ?

– Le concierge.

– Vous lui avez dit quelque chose ?

– Simplement "Bonsoir, monsieur." J'ai tout de
même vécu ici, je sais faire attention.

– Très bien. Parce que vous comprenez certainement
qu'il est interdit de louer une chambre, par principe. Et
par bêtise. Mais c'est comme ça.

– Ne vous inquiétez pas. Je n'ai nullement l'intention
d'apparaître dans leurs registres et d'être suivi dans mes
déplacements. »

Elle m'a conduit dans la chambre qui m'était destinée,
celle du fils qui apparemment dormirait avec ses parents
pendant le temps où je logerais chez eux.

« Ça ira, pour le lit ? a-t-elle demandé après avoir
pris conscience de ma taille. Sinon, on vous apportera
un matelas.

– Merci. Je vous dois combien ?

– Oh, ce n'est pas urgent. » Elle a négligemment
agité la main. Cependant, comme elle ne quittait pas
la pièce, j'ai sorti de ma poche une liasse de dollars.

« Combien ?

– Trente pour la semaine. Ça suffira en attendant. »

J'ai compté six billets de cinq et les lui ai donnés.

« Vérifiez, s'il vous plaît.

– Inutile, je vous fais confiance, vous êtes un ami d'Artur », et elle a recompté.

Elle m'a souhaité bonne nuit. « J'allais oublier, a-t-elle ajouté juste avant de sortir, vous avez déjà vu les toilettes et la douche. La cuisine est au bout du couloir. Bonsoir. »

Peu après le retour de son fils et de son mari, elle a frappé à ma porte et m'a proposé de venir dîner avec eux. Je l'ai remerciée, prétendant que je n'avais pas faim. C'était faux, mais je n'avais aucune envie de passer la soirée en leur compagnie. Après un certain temps, elle a de nouveau frappé, a ouvert et m'a tendu une assiette avec un sandwich et un verre d'eau.

« Il faut tout de même manger quelque chose », a-t-elle insisté avant de me laisser seul.

J'ai refermé la porte derrière elle, poussé un soupir de soulagement et me suis jeté sur le sandwich.

Milieu de la nuit dans la chambre du fils. Inutile de regarder l'heure. Je me suis assis. Seule la lampe de chevet était allumée. J'ai entendu les pas de Teresa qui, avant d'aller dormir, s'est approchée de ma porte, est restée quelques instants sans bouger puis s'en est éloignée.

Peu de meubles ici : une chaise et une table sur laquelle étaient posés des cahiers, deux rayonnages de livres, un minicassette et un cube de rangement pour cassettes en piteux état. Au mur, un poster de *Rocky 4*, certainement acheté au marché noir. Dans la pièce régnait une odeur désagréable de chien conjuguée à des relents un peu graisseux d'adolescent, et on aurait dit qu'elle s'était incrustée partout : dans les draps, le tapis, les rideaux. Une porte étroite donnait sur un balcon et j'ai pu sortir fumer une clope, admirer le panorama sinistre des pâtés d'immeubles hauts et gris au pied desquels s'étendaient des pelouses boueuses.

Il faisait froid sur le balcon, ce qui m'a obligé à regagner la chambre et sa puanteur. Je me suis assis sur le lit et j'ai essayé de préparer la matinée du lendemain. Avant de quitter Israël, j'avais téléphoné à la maison de retraite pour vétérans afin de m'assurer que mon père y vivait toujours, et l'employé m'avait répondu que non seulement il vivait effectivement là, mais qu'il n'avait pas l'intention d'aller ailleurs. J'avais failli demander qu'on me le passe, ou au moins qu'on lui transmette que son fils Tadek allait venir d'Israël, mais quand le type m'avait proposé de lui parler ou de laisser un message, j'avais dit que c'était inutile et raccroché.

Certains moments, dans la vie, semblent ne jamais devoir arriver et pourtant si, ils arrivent. La rencontre avec mon père était du nombre.

Mais je n'en étais pas encore là. J'ai regardé le poster de *Rocky 4*, seul compatriote occidental avec qui j'allais passer la nuit. Stallone, sur fond de drapeau américain, bras en l'air, bouche déformée et visage tuméfié, lançait un cri de victoire. Il me rappelait la gueule de Roman Serafin, le boxeur qui habitait au-dessus de chez nous à Wrocław, un matin où je l'avais croisé dans l'escalier. Les coups, il ne les avait pas reçus sur le ring – aucun boxeur polonais poids plume n'aurait pu l'amocher autant – mais dans la rue. Un groupe de jeunes l'avait attrapé en pleine nuit, alors qu'il était trop saoul pour se défendre, et ils l'avaient tabassé à tour de rôle – ce n'était pas souvent qu'on avait l'occasion de se défouler sur un champion de boxe ! Mon père avait subi la même mésaventure, il était rentré tout cabossé et, à notre grande surprise, ce soir-là, il avait été gentil avec nous. Un jour, il m'avait d'ailleurs expliqué que se prendre une raclée de quelqu'un qui savait se battre était quasiment aussi jouissif que d'en donner une, or en l'occurrence trois membres d'un commando militaire en permission l'avaient passé à tabac, lui infligeant des coups « magnifiques, dignes de respect et d'émerveillement », c'était ce qu'il avait dit avant de laisser ma mère panser ses blessures.

La nuit tirait en longueur, je savais que je ferais mieux de dormir un peu, mais je me suis de nouveau faufilé sur le balcon. Les fenêtres des monstrueux immeubles alentour étaient presque toutes noires, et la pluie qui continuait à tomber en brouillait les contours, accentuant leur aspect sinistre. Tu es rentré chez toi, me suis-je répété en essayant en vain de ressentir quelque chose : ce « chez moi » m'apparaissait totalement étranger. Je n'étais jamais venu à Varsovie et je n'y connaissais personne, même si la langue polonaise, dans laquelle je baignais depuis mon atterrissage, aurait dû être la musique de fond de toute ma vie. J'ai soudain pris conscience de la rugosité et de la dissonance de l'hébreu qui m'emplissait la bouche depuis plus de vingt ans, tel du sable sur le palais et entre les dents.

3

Le matin, réveillé avec une terrible envie de pisser, je me suis levé et j'ai ouvert la porte. Chopin montait la garde juste devant et, dès qu'il m'a vu, il a commencé à grogner. J'ai pris sur moi en décidant de l'ignorer, mais à peine avais-je fait un pas dans le couloir qu'il s'est jeté sur ma cheville.

J'ai rebroussé chemin et fermé la porte. Ensuite, je suis sorti sur le balcon. Il pleuvait encore. Comme il n'y avait ni plante ni récipient dont j'aurais pu me servir, j'ai pissé par-dessus la rambarde, dans la pluie. Tant pis pour les voisins de l'immeuble d'en face, ils pouvaient penser ce qu'ils voulaient. De retour à l'intérieur, j'ai rouvert la porte de la chambre dans l'espoir que le chien était parti ou qu'on l'avait fait partir, mais il était toujours là, assis dans la même position, et il s'est aussitôt remis à grogner. J'ai eu beau lui faire des salamalecs – aucun effet sur lui. J'ai alors tenté la méthode inverse, en me fâchant, mais ça l'a énervé deux fois plus et j'ai été obligé d'appeler de l'aide, mais personne n'est venu à ma rescousse. J'en ai déduit que le couple était sans doute déjà parti au travail et le fils au lycée.

Je voulais boire un café, me brosser les dents, téléphoner à la maison de retraite, parler à mon père, aller lui rendre visite, et voilà que je me retrouvais enfermé dans un cagibi puant avec comme garde-chiourme un berger allemand menaçant. J'ai fumé une clope, cette fois dans la chambre, j'ai jeté le mégot par la fenêtre et j'ai entrebâillé la porte. Chopin était toujours là.

Surtout, garder mon sang-froid. J'ai sorti de mon sac à dos la sacoche en cuir où j'avais rangé mon passeport, un paquet de cigarettes supplémentaire et deux briquets. J'ai entendu des griffes contre la porte, quelques aboiements ont suivi.

« Va-t'en ! » lui ai-je crié, ce qui m'a valu en retour de nouveaux aboiements. Il a recommencé à gratter la porte.

J'avais aussi mis deux enveloppes dans cette pochette : celle avec les photos de ma famille heureuse et celle que m'avait donnée ma mère ; la veille, avant d'aller dormir, je l'avais enfin ouverte. Elle contenait quatre clichés. Sur le premier, Ola, son mari et ses quatre enfants sont en rang d'oignons, comme des petits soldats. Les enfants sourient, le mari aussi, seule Ola a un visage fermé. Sur le deuxième, Anka et les siens présentent une parfaite illustration de la famille américaine : ma sœur et son mari, leurs trois enfants debout devant eux, tous sur leur trente-et-un et arborant un large sourire. Le troisième cliché venait de Robert, qui pose avec Suzanne, son ex-femme, et leur fils unique : il esquisse un petit sourire, amer et sarcastique, et a encore des cheveux noirs et épais. La dernière était une photo de notre mère où on la voit à côté de sa voiture, à une époque où elles étaient jeunes toutes les deux. Elle prend la pose, charmante, une cigarette entre les doigts, adossée à la carrosserie qui rutile au soleil.

Avant de refermer la sacoche, j'ai sorti de la première enveloppe la photo de papa en maillot et, sans savoir pourquoi, je l'ai remise dans mon sac à dos. Voilà.

J'étais prêt. Ne me restait plus qu'à affronter Chopin. J'ai pris ma brosse à dents, la serviette posée sur le lit, et j'ai décidé que si le molosse se trouvait encore à son poste, je serais le plus fort. J'ai ouvert la porte. Il était assis exactement à la même place. On s'est retrouvés face à face et on a tous les deux commencé à grogner… avant de se jeter carrément l'un sur l'autre ! Lui aboyait et montrait les dents, moi je donnais des coups de pied et l'insultais en hébreu, comme si une langue étrangère pouvait l'effrayer davantage. Il a de nouveau planté ses crocs dans ma cheville et s'est mis à secouer la tête dans tous les sens. J'ai tenu bon quelques instants avant de me réfugier derechef dans la chambre, vaincu, lorgnant *Rocky 4* d'un regard honteux.

Ma sacoche en cuir sur l'épaule, je suis sorti sur le balcon dans l'espoir de trouver un moyen de descendre par là. J'avais aussi pris ma brosse à dents et la serviette, avec l'intention de me laver le visage et les dents sous la pluie, mais comme par un fait exprès, il ne pleuvait plus. J'ai regardé à droite, à gauche et en bas : impossible de fuir depuis le quatrième étage.

Je suis retourné dans la chambre. C'est alors que j'ai entendu des coups hésitants à la porte. J'étais tellement désespéré que j'ai cru que Chopin continuait à me martyriser, mais une voix d'adolescent s'est soudain élevée : « Excusez-moi, monsieur, vous avez besoin d'aide ? »

J'ai ouvert et me suis trouvé nez à nez avec un jeune garçon très pâle, en pyjama, le visage criblé d'acné.

« Je suis désolé, a-t-il repris, j'ai enfermé Chopin dans la chambre à coucher.

– D'où tu sors, toi ? ai-je explosé. Tu n'es pas censé être au lycée ?

– Non, a-t-il répondu, le regard fuyant. Je suis malade. J'ai une mononucléose. Ça fait deux semaines que je ne vais pas en cours. Je m'excuse, monsieur, je viens de me réveiller, je ne vous avais pas entendu.

– Eh bien, retourne au lit. Je vais prendre un café, passer un coup de fil et m'en aller. Je veux juste que tu gardes ton chien loin de moi. »

Il est retourné dans la chambre de ses parents, je suis allé dans la cuisine me préparer un café et je me suis demandé, furieux, si le gamin avait aussi laissé des virus dans sa chambre. Ensuite, je me suis approché du téléphone du salon et j'étais tellement énervé que j'ai composé le numéro de la maison de retraite sans vraiment y réfléchir.

« Maison des Combattants, bonjour ! Allô ? Allô ? Je vous écoute.

– Est-ce que M. Stefan Zagourski… Puis-je parler à Stefan Zagourski ?

– C'est de la part… ?

– De moi-même.

– Mais à qui ai-je l'honneur ?

– À son fils.

– Et vous êtes…

– Son fils.

– Pourriez-vous, s'il vous plaît, me donner votre nom ?

– Tadeusz Zagourski. Son fils.

– Je vous prie de bien vouloir rappeler dans un quart d'heure. Votre père marche difficilement, et nous devons le faire venir jusqu'au téléphone. »

Sur ces mots, l'employé a raccroché.

Un piano était plaqué contre un mur. Je m'en suis approché, j'ai soulevé le couvercle et j'ai contemplé le clavier, sans y poser les doigts. Ça faisait des années que je n'avais pas touché à un piano, et même à l'époque où j'en jouais, je n'avais pas vraiment de talent, en tout cas pas comme mon frère. Robert a hérité du don musical de notre père qui, dans tous les appartements où nous avons habité, s'arrangeait pour qu'on ait un piano. Parfois, quand il avait besoin d'argent pour se payer sa vodka, l'instrument disparaissait, mais un autre arrivait toujours à sa place. Dans la première PGR où nous avons vécu, il en avait même dégoté un blanc à queue qu'il avait installé au milieu de notre salon et que des déménageurs sont venus chercher quelques jours après son départ. Dans la seconde PGR, quelques jours après son retour, on nous a livré un piano à queue, brun cette fois, avec, sur le couvercle, la marque noire de la brûlure qu'y avait laissée un fer à repasser. On ne l'a pas pris avec nous lors du déménagement pour Wrocław et à sa place est arrivé un piano droit, car dans notre nouvel appartement on ne pouvait pas mettre de piano à queue. Celui-là aussi a un jour disparu et a été remplacé deux semaines plus tard par un autre. Mon père s'asseyait devant le clavier et se mettait à jouer, chantait aussi parfois et, quand il était de bonne humeur, il nous rassemblait tous pour qu'on chante en chœur, à deux voix. Il lui est même arrivé quelquefois de nous préparer un petit déjeuner dans la cuisine avec toutes sortes d'aliments dont l'origine restait mystérieuse – du pain frais, des œufs, de la viande fumée, du hareng – et de nous réveiller au son du piano.

J'ai effleuré les touches et regardé ma montre. Presque un quart d'heure était passé. Je me suis approché du téléphone, j'ai recomposé le numéro. La ligne était occupée. J'ai réessayé. Toujours occupé. Je me suis levé. J'ai refermé le couvercle du piano, j'ai contemplé le tableau accroché au mur et j'ai refait une tentative.

« Maison des Combattants, bonjour.

– Bonjour, je suis Tadeusz, le fils de Stefan Zagourski.

– Ne quittez pas, s'il vous plaît, je vous passe votre papa. »

Des bruits de frottement se sont échappés du combiné, suivis d'une respiration accélérée.

« Allô ? Je n'entends rien ! Allô ? »

La voix, faible, était celle d'un vieil homme.

« Allô, papa ? C'est moi, Tadek.

– Je n'entends pas. Qui ça ?

– Tadek.

– Quel Tadek ? Allô !

– Papa, c'est moi, Tadek, ton fils. »

De nouveau des bruits de frottement et une respiration saccadée.

« Tadzio, a-t-il murmuré, mon fils.

– Oui, papa, c'est moi.

– Mon fils à moi, Tadzio, a-t-il répété tout bas, d'une voix tremblante d'émotion. C'est mon fils chéri. Tadzio. Tadzio, mon fils chéri. »

Il n'a pas réussi à en dire plus. Sa respiration s'est précipitée encore davantage. Il y a eu encore ce drôle de bruit de frottement, de plus en plus fort, dans le combiné. J'ai alors entendu la voix du fonctionnaire : « S'il vous plaît, ne raccrochez pas. Votre père est très remué. On lui donne à boire un peu d'eau et vous pourrez continuer à lui parler. »

Effectivement, au bout de quelques instants, il a repris : « Tu es où, Tadzio ?

– Ici, à Varsovie.

– Il est ici. Ici. À Varsovie… » Soudain, il a poussé un hurlement ému et, pour la première fois, j'ai reconnu mon père. « Mon fils ! Tadzio ! Mon fils chéri ! Dieu a eu pitié de moi. Dieu m'a donné… » Sa voix s'est de nouveau étranglée. « Ne raccroche pas, Tadzio, pas encore. Quand est-ce que je te vois ?

– Disons, dans une heure ?

– Dans une heure ? Je ne peux pas y croire ! s'est-il écrié. Vous entendez ? Mon fils, Tadzio, est ici, à Varsovie ! Il sera là dans une heure ! Dans une heure, il sera là ! » Et la ligne a été coupée.

4

J'étais de nouveau devant le portail qui clôt la cour de la maison de retraite. Deux heures plus tôt, je m'étais arrêté exactement au même endroit. Incapable d'entrer, j'avais préféré m'installer dans le bistro d'une rue voisine et ce n'est qu'après trois verres de café, un petit déjeuner douteux et trop de cigarettes que j'y suis retourné, m'empressant de faire un pas en avant de peur que l'émotion ne me paralyse.

Dans le hall d'entrée, j'ai été accueilli par un employé assis derrière un comptoir. Quand je me suis présenté, son sourire avenant s'est effacé, remplacé par une expression sévère.

« Il y a un problème ? ai-je demandé.

– Vous êtes en retard, monsieur.

– Je ne savais pas que c'était sur rendez-vous », ai-je tenté pour le dérider. En vain.

« Vous avez dit que vous arriviez dans une heure » – il a regardé sa montre – « il y a de cela presque trois heures. Monsieur Stefan était très bouleversé. Nous l'avons aidé à vite se préparer, s'habiller, se raser, parce que vous avez dit que vous veniez rapidement. Il a choisi ses plus beaux vêtements en votre honneur. Mais vous, vous êtes en retard.

– Où est sa chambre ?

– Je vous y conduis. »

Nous avons longé un couloir avec des portes de part et d'autre, jusqu'à ce qu'il s'arrête devant l'une d'elles et jette un coup d'œil à l'intérieur.

« Je vous en prie », m'a-t-il chuchoté d'un ton de reproche, auquel il a ajouté un regard contrarié avant de tourner les talons.

Je suis entré dans la chambre et n'ai pas vu mon père. J'ai vu une petite table encombrée de toutes sortes d'objets, j'ai vu deux chaises, j'ai vu la croix accrochée au mur et, derrière la table et les chaises, un lit étroit. Il m'a fallu un instant supplémentaire pour découvrir qu'il était allongé dessus. Je me suis approché. Couché sur le dos, une couverture en laine remontée jusque sous le menton, il avait la peau du visage grise comme celle d'un vieillard malade et la bouche couronnée d'une moustache carrée à la Hitler.

J'ai tiré une des chaises jusqu'à lui et m'y suis assis. De ses lèvres entrouvertes s'échappait un souffle si léger que je me suis demandé avec inquiétude s'il respirait. Et soudain, il a soulevé les paupières et planté dans les miens ses yeux de rapace, froids et menaçants. Précisément les yeux de l'homme que je ne voulais pas rencontrer.

« C'est qui ? a-t-il aboyé.

– Papa ? »

Son expression s'est adoucie. Ses yeux d'acier se sont emplis de larmes, son regard mauvais s'est voilé puis estompé, laissant apparaître un autre regard, reconnaissant et si plein d'amour que j'en ai été gêné.

Il a tendu sa grande main vers mon visage et m'a caressé, promenant ses doigts épais sur ma joue gauche, ma paupière qui s'était refermée, mon front, mon nez, mes lèvres, mon menton. Comme un aveugle. Je l'ai aidé à s'asseoir. Il m'a scruté attentivement, de près cette fois, puis il a ouvert la bouche mais aucun son n'en est sorti. Moi aussi, les mots sont restés coincés au fond de ma gorge. C'est difficile de rompre d'un coup un silence long de plus de vingt ans. Il a pris mes mains et les a embrassées. J'ai voulu les retirer parce que jamais un père ne doit embrasser les mains de son fils – et le mien encore moins – mais je n'ai pas osé. Il a continué à me dévisager. Ensuite, il a tendu un bras vers la table et tâtonné jusqu'à ce qu'il trouve une paire de lunettes aux verres épais. Dès qu'il les a mises, son expression s'est modifiée, d'autant qu'avec de tels verres grossissants ses yeux emplissaient presque tout le cadre de la monture. Ça lui donnait l'air d'un vieillard paumé et inoffensif avec une petite moustache, à la Charlie Chaplin cette fois. Des larmes roulaient sur ses joues, il les a essuyées avec sa paume puis avec une serviette qui traînait sur son lit. Il s'est aussi mouché dedans. Ensuite, il a recommencé à me scruter.

Il a soudain esquissé un sourire malicieux : « Tadzio ! Espèce de petite crapule, regarde comme tu as grandi ! Et en plus, avec cette barbe ? Désolé de ne pas t'avoir accueilli correctement. Ce putain de corps n'est plus ce qu'il était. Viens, aide-moi à me lever. »

Je l'ai tiré par les deux bras jusqu'à ce qu'il se mette debout. Il m'a alors étreint, très fort. J'ai tout de suite reconnu l'odeur de vodka qui émanait de lui.

Il s'est assis sur la chaise que j'avais utilisée, j'ai tiré l'autre et me suis installé en face de lui. Il portait une veste grise qu'il n'avait pas pris la peine d'ôter avant de se coucher, en dessous une chemise à carreaux, et il avait remonté très haut la taille de son pantalon maintenu par une ceinture. Sur la table qui nous séparait étaient posés un réveil, une grosse loupe, un cendrier débordant de mégots et d'allumettes grillées, quelques feuilles de papier froissées, une tasse vide et une fiole contenant un liquide violet.

D'un geste maladroit, celui d'un homme à qui les doigts n'obéissent plus, mon père a sorti une cigarette de son paquet, l'a levée à hauteur de ses yeux pour repérer de quel côté était le filtre, puis son regard s'est reposé sur moi.

« Mon Tadzio, mon fils chéri, a-t-il dit en souriant. Je pensais que je n'aurais pas le bonheur de te revoir. Regarde ce que je suis devenu, une vieille loque. » Il s'est tu pour s'assurer qu'il ne s'était pas trompé de côté pour le filtre. « Sache que la vieillesse, c'est une horreur, Tadek. Je ne m'imaginais pas que ce serait aussi affreux. Je n'y étais vraiment pas préparé. » Il a sorti une allumette de sa boîte, l'a palpée, levée elle aussi à hauteur des yeux pour trouver le bon bout, l'a grattée d'une main tremblante et approchée de la cigarette. « Regarde combien de temps je mets à allumer une putain de clope avec une putain d'allumette. En plus, maintenant, on doit faire gaffe avec les allumettes.

– Ces putains de Russes !

– Oui, ces putains de Russes ! a-t-il crié en tapant sur la table. Ils nous ont pris tout notre bois. Oh, Tadzio, moi qui pensais ne jamais te revoir ! » Ses larmes se sont remises à couler. « Mon fils chéri, mon fils adoré, mon Tadzio à moi ! » Il a tendu la main vers la serviette sur le lit et s'en est à nouveau servi pour s'essuyer les yeux et se moucher.

« Tiens, prends, ai-je dit en lui proposant mon briquet. Cadeau.

– Et toi ?

– J'en ai un autre.

– Évidemment. Évidemment que tu en as un autre. Puisque chez vous, en Amérique, putain, vous avez tout, et autant que vous voulez.

– En Israël, papa, je suis resté en Israël.

– Vraiment ? Quand Anka est venue ici, il y a quelques années, elle m'a dit qu'elle, elle vivait en Amérique. Et Ola aussi.

– Au Canada, ai-je rectifié.

– Tout comme Robert et toi. En Amérique.

– Non, moi, je vis en Israël.

– En Israël, hein ? a-t-il marmonné, pensif, les yeux dans le vague. Moi aussi, j'aurais dû venir en Israël, mais elle… » Il m'a fixé avec attention. « Et ta mère ?

– Elle aussi vit en Israël. »

Il a retrouvé son expression méditative, puis a déclaré : « Sois gentil, Tadek, ne leur dis pas, ici, que tu viens de là-bas. Dis que tu vis en Amérique. Sinon, ils risquent de me prendre pour un Juif. »

Il s'est penché en avant et a tiré de sous le lit une bouteille de vodka dont il a rempli aux deux tiers la tasse qui se trouvait sur la table. Ensuite, il a ouvert la fiole, a versé dedans un peu du liquide violet, m'a regardé au-dessus de ses épaisses lunettes et a de nouveau souri : « C'est mon dessert. Je prends ça au réfectoire et je le mélange à la vodka pour qu'ils ne sachent pas que je bois. » Tout à coup, il a paru affolé. « J'ai oublié de t'en proposer. Tu en veux ?

– Non, merci. Peut-être tout à l'heure. »

Il s'est calé plus confortablement sur sa chaise, le sourire toujours accroché à des lèvres qu'il humectait de temps en temps avec sa langue. Tout en me dévorant des yeux, il a pris une grande gorgée d'alcool et une grande bouffée de cigarette.

« Tadzio, petit macaque, je suis si content que tu sois enfin venu ! Je sais aussi que tu n'es pas là par intérêt, vu que vous avez beaucoup plus d'argent là-bas, en Israël, qu'on n'en a ici. Oui, oui, étonne-toi, mais j'en sais un paquet sur ton pays. Toutes ces années, je me suis tenu informé, j'ai lu tout ce que je trouvais dans les journaux. Sur Tel-Aviv, sur Haïfa, je connais toutes vos guerres, votre climat aussi. Je sais qu'il fait chaud, chez vous, putain, que c'est l'été toute l'année. J'ai un copain juif qui a épousé une Polonaise et ils ont émigré dans votre pays, le pays des Juifs. Et je sais aussi que là-bas, ces fils de pute détestent les *goys* presque autant qu'ici on déteste les youpins. Ils l'ont rendue folle, sa Polonaise, parce qu'elle n'est pas juive. Du coup, ils se sont barrés et sont revenus ici. Il m'a tout raconté. Là-bas, ses amis juifs n'arrêtaient pas de lui dire : "Pourquoi tu y tiens tellement, à cette catholique ? Débarrasse-toi d'elle et qu'on n'en parle plus !" et lui, il leur répondait : "Si je me débarrasse d'elle, qui est-ce que je vais baiser, vous ?" »

Mon père a éclaté de rire, tête renversée en arrière, jusqu'à ce qu'il se mette à tousser.

« Ah ! s'est-il écrié en tapant sur la table. Mon Tadzio, mon fils chéri, raconte-moi ce que tu deviens, toi. Qu'est-ce que tu fais ? Tu as une femme ? Des enfants ? Regarde-toi, te voilà un homme ! »

Je lui ai dit que j'étais marié et que j'avais un fils.

« Elle s'appelle comment, ta femme ?

– Yaël.

– Yaël, a-t-il dit. Quel drôle de nom.

– C'est un nom biblique, papa, de l'Ancien Testament.

– Yaël, a-t-il répété. Ça doit être une femme brillante et très belle.

– Et en plus, elle gagne très bien sa vie. On vient même de lui donner une nouvelle voiture de fonction. Une japonaise.

– Une japonaise, tu m'en diras tant ! Alors, elle est brillante. Pour sûr. Mais est-ce qu'elle est gentille avec toi ?

– Évidemment, papa.

– Et au lit, ça se passe bien ?

– Super bien, papa, ne t'inquiète pas.

– Et ton fils ? Il s'appelle comment ?

– Mikhaël.

– Mikhaël ?

– C'est ce qui correspond en hébreu à Michel.

– Michel, s'est-il exclamé tandis que ses larmes recommençaient à couler. Mon petit-fils a un prénom de roi ! » Il s'est de nouveau essuyé les yeux puis mouché dans la serviette.

« Protège bien ton mariage, Tadzio, veille sur lui, parce que la famille, c'est ce qui compte le plus, dans la vie. Moi aussi je voulais que mes enfants soient heureux… » Brusquement, il s'est tu et a avalé une gorgée de vodka. « Et toi ? Tu fais quoi, comme métier ?

– J'écris », ai-je marmonné.

Il m'a regardé avec méfiance : « Tu es écrivain ? »

Je ne savais pas trop quoi répondre, je crois que j'ai vaguement hoché la tête. Un large sourire s'est alors dessiné sur son visage et il a donné un grand coup sur la table.

« Écrivain ! Qui aurait cru que mon fils deviendrait écrivain ? Et tu es connu, pour sûr ? »

Au lieu de le contredire, je lui ai rendu son sourire et il n'a pas vu à quel point j'avais honte. J'étais en train de réfléchir à une manière de lui expliquer, mais il a décidé de se lever, ce qui a coupé court à mes velléités honnêtes. Il a pris appui d'un côté sur la chaise, de l'autre sur la table, et a réussi à se mettre debout.

« Tu m'excuseras, mon fils chéri adoré, mais je dois pisser. »

Il s'est dirigé vers le couloir en claudiquant.

Une fois seul, je me suis senti plutôt minable, mais j'ai décidé de laisser tomber. Quelle importance ? Qu'il me prenne pour un écrivain célèbre. J'ai allumé une clope, je me suis levé et j'ai marché dans la pièce. Sur un des murs était accroché un tableau de forme carrée, pas très grand, avec quelques taches de couleurs sombres en arrière-fond et, au milieu, un petit triangle rouge sur lequel était inscrit le numéro 9501. Un lavabo posé sur un meuble dont deux des portes étaient verrouillées par un cadenas occupait un coin de la chambre. Une porte-fenêtre donnait sur un balcon et, par là, on arrivait directement dans le parc de la maison de retraite. J'ai regardé dehors. Contre le mur extérieur, j'ai vu un entassement de caisses de bouteilles vides : toutes celles qui avaient sans doute contenu la vodka qu'il mélangeait au dessert maison pour que la direction ne s'aperçoive pas qu'il buvait.

Je l'ai entendu revenir à petits pas. Rien à voir avec les grands pas lourds qui résonnaient dans la cage d'escalier à Wrocław quand il rentrait à la maison. C'étaient des petits glissements, hésitants – il traînait un pied derrière l'autre et il lui a fallu un temps fou pour arriver jusqu'au seuil de la chambre. J'étais encore à côté du tableau. Il a balayé la pièce d'un regard furieux, mais dès qu'il m'a vu, un large sourire a illuminé son visage.

« Mon Tadzio, mon fils chéri, Dieu t'a conduit à moi alors que je me voyais déjà crever ici la gueule ouverte. Tu regardes ce tableau ? C'est moi qui l'ai peint, il y a longtemps, c'est le triangle rouge qu'on portait à Majdanek, et ça, c'est mon matricule. » Il s'est rassis sur la chaise, a sorti une nouvelle cigarette de son paquet puis a soupiré.

« Le cloporte de la chambre d'à côté utilise mes chiottes, il pisse sur le mur et ça pue ! » Il a lâché un petit rire, a roulé la cigarette entre ses doigts et l'a posée sur la table. « Je lui ai dit que s'il n'apprenait pas à viser, je lui couperais la bite, comme ça on lui mettra une couche et moi je n'aurai plus de problème. Alors tu sais ce qu'il a fait, ce fumier ? Il a été pleurnicher auprès de la direction. Il n'y a que des minables ici, des moins-que-rien.

— Je pensais que c'était une maison de retraite pour héros militaires.

— Héros mon cul. De quels héros tu parles ? Ils sont tous là à trembler, ces couilles molles, parce qu'ils savent qu'ils vont finir leur vie ici. Les vrais héros sont morts pendant la guerre. Pour sûr. Beaucoup pendant l'insurrection de Varsovie, presque vingt mille combattants de l'Armia Krajowa y sont restés rien que là-bas, quant à ceux qui en ont réchappé, ils se sont retrouvés dans un camp de prisonniers, et ceux qui ont survécu se sont fait liquider par les communistes. Ici, les vrais héros, tu les comptes sur les doigts de la main. Tout n'est qu'une question de piston. Je suis entouré de fils de pute ! Qu'est-ce que tu t'imagines ? Moi aussi, si je suis là, c'est grâce à mon ami le général. Sans son intervention, jamais on ne m'aurait donné la moindre chambre de merde ici.

— Moi, j'ai toujours cru que tu étais un combattant héroïque.

— Ça n'a rien à voir. Je viens de t'expliquer que ce n'est qu'une question de piston. Pas d'héroïsme. Bon, d'accord, moi, j'ai fait quelques petites choses pendant la guerre. Ce qui m'a d'ailleurs valu une condamnation à mort. C'est comme ça que ce putain de Parti te montre sa gratitude. »

Il a sorti une allumette de sa boîte et a commencé à la palper.

« Je t'ai apporté un briquet, papa. »

J'ai pris la cigarette sur la table, je la lui ai plantée entre les lèvres et allumée. Il a eu l'air content.

« Mon Tadek chéri. Personne ne s'est occupé de moi comme ça depuis des années. » Il s'est remis à pleurer. « Tu passes ta vie à envoyer les autres se faire foutre, tu te prends quasiment pour le bon Dieu. Tu craches sans pitié sur tes amis, ta famille, tes amours. Tu es persuadé de n'avoir besoin de personne. Tu considères la terre entière comme un grand terrain de jeux, tu te marres et tu fais la nique au diable. Et puis, tout à coup, tu te retrouves à croupir dans une maison de retraite merdique à Varsovie et tu attends de finir tes jours comme ça. C'est là que tu comprends : ce n'est que ta vie à toi qui se termine. Parce que sinon, la vie continue, elle continue sans toi, la salope. Le monde continue sans toi, s'amuse sans toi, boit, danse, baise, on dirait qu'il le fait exprès pour te narguer, et peu importe le nombre de vies qui s'achèvent, il en vient toujours de nouvelles.

– Tu as tué beaucoup de gens ?

– Oui.

– Quand ?

– Pendant la guerre.

– Combien ?

– Quelle importance ?

– Combien ?

134

– Tu commences à me poser des questions auxquelles je n'ai pas envie de répondre.

– OK, j'arrête, papa. »

Il a repris après un silence : « J'en ai tué pas mal. À un moment, j'ai arrêté de compter. »

5

Assis devant les photos que j'avais apportées – pour l'instant, uniquement celles de ma famille –, mon père n'a pas cessé de sourire. Il a pris celle de mon fils, l'a levée, approchée de ses yeux, éloignée puis orientée vers la lumière. Il a ensuite attrapé la loupe posée sur sa table. Elle était dotée d'un éclairage interne mais comme ses doigts étaient trop gros pour actionner l'interrupteur, il a dû la frotter contre le coin pour qu'enfin la lumière s'allume. Après, il a attentivement examiné chaque détail.

« Michel chéri, mon petit, a-t-il marmonné, mon petit Michel chéri. Je t'aime. Tu es très loin maintenant, mais je suis sûr qu'on se rencontrera. Michel, mon petit-fils adoré, sois gentil, écoute bien ce que te disent ton papa et ta maman. Je t'aime beaucoup et je me languis déjà de toi. »

Il a reposé la photo, s'est essuyé les yeux avec la serviette, s'est mouché dedans, a remis ses lunettes, m'a regardé et a retrouvé son sourire satisfait avant de prendre celle où ma femme et moi posions ensemble. Il l'a examinée, elle aussi, à la loupe.

« Splendide, a-t-il dit. Je me sens proche d'elle comme si c'était ma fille. Tu as bien choisi, bravo. Et en plus, tu m'as dit qu'elle avait un bon métier. Et une voiture japonaise. Chère Yaël, a-t-il soudain dit à la photo, la prochaine fois, viens avec lui. Tu pourras m'appeler papa, si tu veux. Je t'aime. Je suis heureux que tu aies choisi d'épouser mon fils, Tadzio, mon fils adoré Tadzio, et que vous ayez mis au monde un garçon merveilleux, superbe et très gentil. »

Il a ensuite examiné les autres clichés et a pris celui du chat assis sur le muret en train de regarder le paysage.

« C'est qui ?

— Zeus.

— Zeus, hein ? Ah, putain de chat ! C'est pas un chat, c'est un tigre que vous avez élevé !

— Et derrière, c'est la vue qu'on a de notre jardin, papa, lui ai-je expliqué avec fierté.

— Des forêts, on en a des plus belles en Pologne. Chez vous, il ne pleut pas assez. » Il a joyeusement pris une rasade de vodka et a brandi la photo où on se tient tous les trois debout avec le chat. « Ça se voit que tu as réussi dans la vie. La famille, c'est ce qu'il y a de plus important, Tadzio, et toi, ça se voit que tu es un bon mari, nom de Dieu, et un bon père. Ça se voit que vous formez une famille heureuse. » Il s'est attardé encore un peu sur l'image. « Je veux que vous soyez heureux, Tadek, qu'il ne vous arrive que des bonnes choses. Je vous aurais aidés avec joie, sauf que, malheureusement, je n'ai rien qui puisse vous aider. »

Il s'est rembruni, a reposé la photo à côté des autres. J'ai compris qu'il allait recommencer à les examiner une par une, alors je lui ai vite donné l'autre enveloppe, celle de ma mère, et j'ai dit que j'allais pisser. Il fallait que je sorte, que j'échappe à ce mensonge d'harmonie familiale auquel, pendant un instant – le temps que mon père regarde les clichés –, j'avais cru moi aussi. Quand je me suis levé, il n'a même pas tourné les yeux vers moi tant il était concentré à ouvrir la nouvelle enveloppe.

J'ai arpenté le couloir désert. Les héros militaires se cloîtraient apparemment dans leurs chambres, peut-être d'ailleurs qu'il n'en restait plus beaucoup. Je suis tout de même allé aux toilettes. Une forte odeur d'urine m'a saisi. Mon père avait raison, le cloporte de la chambre d'à côté pissait vraiment sur le mur. Je suis ressorti dans le couloir et j'ai attendu quelques minutes. J'ai repensé à l'endroit où je me trouvais présentement et à l'homme à qui je rendais visite. Ça m'a de nouveau bouleversé. En général, le cerveau se hâte de réorganiser la réalité de sorte que ce qui semblait incroyable l'instant d'avant paraisse rapidement évident. Cependant, parfois, on peut essayer de ralentir ce processus, de retenir encore un peu la sensation d'émerveillement initial.

J'ai avancé vers la chambre et me suis arrêté sur le seuil. Toutes les photos étaient à présent étalées sur la table – ma famille heureuse et sa famille heureuse. Mon père avait l'air de peiner à englober les nombreux petits-enfants qui l'entouraient de larges sourires. Il marmonnait, s'adressait tout bas à chaque photo pour que les autres n'entendent pas. Il a ainsi parlé à Ola, à Anka, à Robert.

Je suis entré et me suis rassis sur la chaise. Il n'a levé les yeux vers moi qu'au bout de quelques instants.

« Regarde un peu Robert, s'est-il extasié en se saisissant de la photo que mon frère avait prise avec sa femme et son fils. Regarde-le. Il a fière allure, il est grand, il a une belle femme, un fils… » Il s'est tu tout en continuant à fixer mon frère. « Qu'est-ce qu'il fait, Robert ?

– C'est un musicien. Il a hérité de ton talent.

– Un musicien, ça alors ! Il a toujours très bien joué. Et sa femme, comme s'appelle sa femme ? Qu'est-ce qu'elle fait ?

– Suzanne. À vrai dire, je ne me souviens pas de ce qu'elle fait. De toute façon, elle n'est plus sa femme.

– Qu'est-ce qui lui est arrivé ? s'est-il affolé.

– Rien. Ils ont divorcé.

– Alors elle date de quand, cette photo ?

– De quelques années. Maman a décidé de te l'envoyer quand même. Tu la connais. »

Il a lâché un petit rire et a pris la photo de ma mère.

« Celle-là aussi date un peu, non ? Petite coquine ! s'est-il exclamé pour aussitôt s'assombrir. Elle a quelqu'un ? Elle s'est remariée ? »

J'ai eu envie de lui mentir, de lui raconter qu'elle avait trouvé le bonheur auprès d'un homme riche et charmant, lui aussi un héros militaire – un vétéran d'une des guerres d'Israël.

« Pas vraiment, non. Tu sais comment c'est.

– Ta mère… », a-t-il dit avant de s'interrompre. Un sourire s'est dessiné sur son visage. « Elle avait un de ces corps ! Et une paire de seins, un regard… Une actrice de cinéma. Même sur cette photo, on peut encore voir qu'elle avait tout pour plaire.

– Comment vous êtes-vous rencontrés ?

– Je crois que c'était à une fête au village.

– Non, pas à une fête.

– Si tu le sais, pourquoi tu me demandes ?

– Même si je le sais, ce n'est pas une raison pour ne pas poser la question. »

Il m'a fait un clin d'œil : « Tu es écrivain, n'est-ce pas.

– Disons.

– Alors, où est-ce qu'on s'est rencontrés ?

– Dans un moulin. C'est du moins ce qu'elle m'a raconté.

– Un moulin, a-t-il répété, songeur, et puis il s'est écrié avec enthousiasme : Mais oui ! Je suis arrivé sur ma carriole et elle était assise là-bas, toute seule.

– Avec une amie.

– Avec une amie ? C'est vrai, avec une amie. Les Allemands les ont ensuite égorgés, elle et son petit copain, le meunier. C'est lui qui moulait notre blé.

– Tu avais déjà rejoint les partisans à cette époque ?

– Pour sûr ! J'ai été partisan du premier au dernier jour de cette saloperie de guerre. Je me souviens très bien comment on s'est connus, elle et moi. La nuit d'avant, deux des nôtres avaient été tués dans un accrochage, et j'étais de très mauvais poil. J'avais des envies de meurtre, tout ce monde de merde me dégoûtait. Rien que des fils de pute. Alors je fonce comme ça, debout sur ma carriole avec mes sacs de blé, je pousse les chevaux le plus vite possible, parce qu'après l'accrochage, ça grouillait d'Allemands et d'Ukrainiens, et tout à coup, au milieu de ce merdier, je la vois, elle, on aurait dit un ange. Assise là, avec son visage tout pâle, ses longs cheveux noirs, ses grands yeux bruns. Elle m'a souri et j'ai tout oublié, ces fumiers d'Allemands, mes compagnons morts, la guerre. » Il s'est tu, a versé de la vodka dans sa tasse, y a ajouté un peu du dessert violet.

« Tu en veux ?

– Oui. »

Il a eu une expression étonnée.

« Mon Tadzio, va donc te prendre un verre, il y en a dans le lavabo. Rince-le d'abord ! »

Le temps que je revienne, il avait allumé une cigarette avec le briquet que je lui avais donné.

« C'est plus pratique, un briquet, a-t-il commenté. Pas besoin de chercher le bon côté. » Il a eu un petit rire, a saisi la bouteille à deux mains pour ne pas trembler et m'a servi.

« Pas trop, l'ai-je arrêté. Et sans dessert.

– Comment vous dites, vous, les Juifs ? m'a-t-il demandé après avoir reposé la bouteille et levé sa tasse.

– *Léhaïm.*

– *Léhaïm !* » a-t-il lancé. Il a levé sa tasse encore plus haut, puis l'a terminée en quelques gorgées.

C'était la première fois de ma vie que je buvais de la vodka avec mon père, un péché qui s'est révélé bien agréable.

J'ai vu qu'il était perdu dans ses pensées, souriant.

« J'ai emmené ta mère à la fête du village, a-t-il repris. Et là-bas, on s'en est donné à cœur joie ! En dansant à ce putain de bal, j'ai évacué toute la rage qui s'était accumulée en moi à cause de mes deux camarades tués la nuit précédente. Et ta mère n'a pas fait tapisserie, crois-moi. Elle n'a jamais été timide. Et alors... oui, maintenant, ça me revient ! s'est-il exclamé et tout son corps s'est tendu. Il y avait là-bas quelques policiers du coin, des ordures, qui étaient tous bourrés. Quand je suis allé au bar pour reprendre de la vodka, j'en ai entendu un qui parlait avec son copain. Déjà avant, je m'étais rendu compte qu'il avait un œil sur Eva. C'était un petit village. Tout le monde se connaissait, du moins de vue, et elle, on la considérait comme une étrangère. Et voilà qu'il dit à son collègue : "Celle-là, sûr qu'elle est juive, je vais me la taper." Il était tellement saoul que même sa main il n'aurait pas pu se la taper. Mais on ne peut jamais savoir. Dehors, j'ai trouvé un gros bâton et j'ai commencé à raconter aux gens que c'était ma cousine, qu'elle venait de Varsovie et que j'interdisais à tous ces chiens en rut de l'approcher. Mais je me suis rendu compte que ça ne les impressionnait pas. À cette époque, les flics travaillaient avec ces salopards de nazis, ils pétaient tous plus haut que leur cul et on devait faire gaffe. J'ai entendu ce merdeux qui se vantait déjà devant ses copains de ce qu'il allait lui faire subir, à la "Juive", ils riaient, plusieurs ont même demandé à participer. Fils de pute ! » Il a craché par terre. « Alors on est partis de la fête, ça valait mieux.

— Maman ne m'a rien dit de tout ça.

— Ta mère ne sait rien de tout ça. »

« C'est vrai que je n'en savais rien, a confirmé ma mère. Et j'aurais préféré continuer à ne rien savoir. »

On était assis dans son salon. J'avais espéré la voir dès le lendemain de mon retour, mais elle m'avait clairement signifié qu'elle était très occupée et que, malgré tout le respect dû à ma visite chez mon père, elle aussi avait sa vie. Deux jours plus tard, elle m'a rappelé pour me proposer une courte rencontre le lendemain, et à mon tour je lui ai répondu que j'étais occupé et que moi aussi, j'avais ma vie. On ne s'est vus que la semaine d'après. Tout ce temps, je rongeais mon frein, quant à elle, elle me téléphonait deux fois par jour sous des prétextes divers et variés pour s'assurer que je viendrais à notre rendez-vous.

Je suis arrivé chez elle très ému, j'avais tellement de choses à lui raconter. Quand elle m'a ouvert la porte, j'ai vu qu'elle aussi était émue, mais elle s'est contentée de me plaquer deux baisers secs sur les joues.

« Tiens, tu n'as plus ta barbe ! s'est-elle étonnée.

— Oui.

— Tu piques déjà ! Ça repousse vite, tu devrais te raser. »

Elle m'a invité à m'asseoir dans le salon.

« C'est pourtant ce qui s'est passé là-bas, à cette fête, ai-je insisté quand on en est venus à parler de leur rencontre.

– Et alors ? Je ne suis pas obligée d'être au courant de tout ce qui s'est passé. Maintenant non plus. As-tu conscience du nombre de choses qui se passent, là, à cette seconde ? De l'autre côté du mur ? Dans la maison d'en face ? À Wrocław, on entendait mieux. Ici les horreurs font moins de bruit.

– Eh bien, tu n'as qu'à oublier ce que je t'ai dit et te souvenir uniquement de ce qui te plaît.

– Impossible.

– Et n'essaie pas de me culpabiliser ! Très bien, je ne te raconterai plus rien », l'ai-je menacée.

Elle m'a regardé, interloquée. Un instant plus tard, elle a éclaté de rire : « Tu faisais exactement la même tête quand tu étais petit. Toujours des drames avec toi, c'est incroyable ! Ne t'inquiète pas, ce n'est pas grave, ça me fera juste un souvenir de plus qui aura été souillé. Jusqu'à présent, il s'agissait de la fête romantique où j'avais rencontré ton père. Dorénavant s'y incruste une bande d'ivrognes antisémites qui voulaient me violer à tour de rôle avant de m'assassiner. Pas grave. C'est la vie ! Du coup, ton père en ressort encore plus gentleman que ce qu'il était. Il m'a sauvée, c'est sûr, et de là, on a atterri directement dans une grange. » Elle s'est tue et m'a fait un clin d'œil. « Le sexe, avec lui, a toujours été merveilleux. Peu importe. »

Mon père a de nouveau rempli sa tasse de vodka, mais cette fois il a bu avec modération. Il a même attrapé la serviette sur le lit, s'est difficilement penché en avant

143

et a essuyé son crachat sur le sol. Quand il s'est relevé, il avait un sourire honteux.

« En général, je ne crache pas ici. Mais j'étais tellement en colère que ça m'a échappé. »

Il a ensuite commencé à me décrire son quotidien. Sa routine qui tournait à vide. Les fils de pute qui dirigeaient l'institution et les fils de pute qui y habitaient. Il m'a aussi parlé de Wojtek, le seul ami qu'il s'était fait ici.

« Lui aussi c'est un fils de pute, mais à présent je n'ai personne d'autre et, dans ma situation, il faut faire des compromis.

– Il y a quelque chose que je pourrais t'apporter ?

– Non, mon Tadzio, je ne manque de rien, à part d'une belle vie. J'ai ma vodka, mes cigarettes. Le briquet que tu viens de me donner. Dans le réfectoire, on nous sert de la bouffe dégueulasse, mais quelle importance ? Tu sais quoi, a-t-il ajouté après un instant de réflexion, peut-être une canne. Oui, une canne. J'en avais une qui s'est cassée et celles que je peux dégoter ici ne valent rien.

– Où est-ce que je peux t'acheter une bonne canne ?

– Mais enfin, dans n'importe quel magasin du marché noir, voyons ! Tout le monde sait où ils se trouvent, suffit de demander. Pose la question là où tu loges, on pourra t'en indiquer un, pour sûr. D'ailleurs où est-ce que tu loges ?

– J'ai loué une chambre chez l'habitant grâce à un copain.

– C'est le mieux. Comme ça, personne ne se mêle de tes affaires. »

J'étais d'accord avec lui, mais je lui ai décrit la pièce puante, l'ado et sa mononucléose, le chien qui ne me laissait pas sortir. Il était écroulé de rire.

« Ce n'est qu'un chien, mon Tadzio, faut lui flanquer ton pied dans la gueule.

– C'est un énorme berger allemand, papa, je ne suis pas venu jusqu'en Pologne pour me battre avec un chien. Même s'il s'appelle Chopin.

– Chopin ! s'est-il écrié en riant de plus belle. Chopin est un enculé. C'est un chien antisémite, Tadek, il t'aboie dessus parce que tu es juif. Si, si, a-t-il assuré en voyant mon expression sceptique. Chez nous, au village, il suffisait qu'un Juif s'approche pour que tous les chiens lui sautent dessus. Ils réagissaient aux Juifs et aux Tsiganes. Déménage. Trop de problèmes pour un seul endroit et tu es en vacances, non ?

– À l'hôtel, ils enverront mon nom aux autorités et je n'ai aucune envie d'attirer leur attention.

– Qui te parle d'un hôtel ? Tu vas aller chez la tante Nella.

– La tante Nella de Wrocław ?

– Oui, figure-toi que cette garce de Nella vit ici et tient une petite pension de famille. Quand son connard de mari, celui qui était conducteur de locomotive, est mort d'une cirrhose, elle a décidé d'arrêter de boire. Elle a fermé son bar à Wrocław, est allée en cure de désintoxication ici, à Varsovie, et s'est aussi trouvé un nouveau mari. Le type possédait une pension de famille et elle l'a secondé. Ensuite, cet enculé, qui n'a pas réussi à se désintoxiquer, est mort d'une cirrhose lui aussi. Du coup, à présent, la pension lui appartient à elle toute seule. Elle ne s'est pas remariée. Ah, sacrée Nella ! On était sûrs qu'elle ne ferait pas de vieux os, c'était elle qui buvait le plus, et c'est justement elle qui, aujourd'hui, a la vie la plus saine. La salope ne boit pas, ne fume pas, ne mange pas de viande. Va chez elle. C'est au 17 de la rue Zgoda. Une petite maison tranquille, bien tenue, et elle, tu peux être sûr qu'elle ne donnera ton nom à personne. Elle s'appelle Janowska maintenant. Dis-lui qui tu es, elle se souvient de toi, pour sûr ! »

Ensuite, il m'a posé des questions sur ma vie en Israël, mais il avait déjà du mal à suivre, il était ivre, fatigué, ses yeux se fermaient tout seuls et son corps vacillait sur la chaise.

Je lui ai proposé de se reposer et il n'a pas refusé. Je l'ai aidé à se lever et l'ai guidé vers le lit.

« Mon Tadzio. Mon chéri. Tu es si gentil avec moi ! Ne t'en va pas. Reste encore. Je vais me reposer un peu et je serai de nouveau avec toi.

– Va dormir, papa. Je reviendrai demain. J'ai des choses à faire : je dois déménager dans la pension de Nella et t'acheter une canne.

– Ah oui, une canne. »

Il a eu un sourire somnolent, a soulevé son oreiller et a tiré le portefeuille qu'il gardait en dessous. J'ai eu le temps de voir qu'à côté, il y avait aussi un grand couteau dans son fourreau. Il a reposé l'oreiller et, non sans difficulté, a sorti quelques billets de son portefeuille : « Tiens, prends, c'est pour la canne... et un peu plus. Il faut que tu aies de l'argent sur toi.

– Inutile, papa. J'ai tout ce qu'il me faut. Tu oublies que je suis arrivé d'Occident les poches pleines de dollars ? »

Son léger sourire ne s'était pas encore totalement dissipé au moment où je l'ai couché dans son lit.

« Je t'enlève tes chaussures ?

– Pas la peine, mon Tadzio, après, je n'aurai personne pour m'aider à les remettre et ça me prendra trop de temps. »

Il a enlevé ses lunettes, les a posées sur la table et m'a fixé de ses yeux effrayants, mais son regard menaçant était déjà embrumé. Je lui ai remonté la couverture sous le menton, exactement comme je l'avais trouvé. Il m'a attrapé la main et a murmuré plusieurs fois mon nom jusqu'à ce qu'il s'endorme. Je suis resté assis à son chevet encore quelques instants, à contempler son visage au repos. J'avais envie de l'embrasser sur le front mais je n'ai pas osé. Alors je suis parti.

6

« Comment est-ce que vous connaissez Artur ? » m'a demandé Teresa.

Elle avait absolument tenu à me servir à déjeuner, malgré mon retour tardif. Je n'avais pas faim, mais sa proposition m'a ravi parce que je ne voulais pas penser à la matinée que je venais de passer. On s'est assis dans la cuisine, elle avait enfermé Chopin, son berger allemand antisémite, dans la chambre à coucher en compagnie de son fils malade. Je lui ai raconté que j'avais rencontré Artur quelques années auparavant, lors du passage en Israël de sa troupe de théâtre : les organisateurs avaient cherché quelqu'un capable de traduire en hébreu un résumé de la pièce à distribuer aux spectateurs et c'est comme ça qu'on avait sympathisé : « Il est très doué, Artur, il m'a beaucoup impressionné.

– Vous touchez à peine à votre assiette. Vous n'aimez pas ?

– Si, si, c'est vraiment bon, mais comme je vous l'ai dit, je n'ai pas très faim.

– Je comprends, mangez ce que vous voulez. Artur est effectivement un acteur remarquable. On a joué plusieurs fois ensemble.

– Vous êtes comédienne ? »

Elle a de nouveau regardé dans mon assiette et a esquissé une légère moue. Je l'ai remerciée, elle a débarrassé la table, a mis la vaisselle dans l'évier et a commencé à la laver.

« Oui, a-t-elle répondu, je suis comédienne… même si ça fait longtemps que je n'ai pas joué. Quand j'étais jeune, j'enchaînais les rôles, j'étais très connue, les gens m'arrêtaient dans la rue. Et puis, avec le temps, les propositions se sont raréfiées. On m'a fait une infinité de promesses qui, elles aussi, ont cessé. Maintenant, je travaille encore dans un théâtre à Varsovie, mais en tant que responsable du programme de salle, ce genre de choses, vous voyez. Je n'espère plus décrocher un rôle. C'est comme si on m'avait oubliée. »

Je ne savais pas quoi dire, alors je n'ai rien dit. Elle a terminé la vaisselle et est revenue s'asseoir à table.

« Un café ?

– Merci. »

Je lui ai proposé une cigarette américaine qu'elle a acceptée avec plaisir, mais, après quelques bouffées, son expression a changé et elle s'est assombrie. J'ai eu l'impression que le silence la mettait mal à l'aise et il s'épaississait de seconde en seconde. Comment le rompre, surtout que j'étais face à quelqu'un que je connaissais à peine.

« J'étais une star, a-t-elle soudain repris d'une voix trop forte. Oui, oui, une vraie star. Aujourd'hui encore mon mari me qualifie de diva. »

J'ai regardé cette femme éteinte. Si un jour elle avait été une diva, il n'en restait rien. Elle buvait son café comme une simple ouvrière. J'ai pensé à ma mère et à sa coquetterie qu'aucune catastrophe n'avait réussi à effacer.

« Et vous, que faites-vous dans la vie ?

– J'essaie d'écrire.

– Vous êtes écrivain ? »

J'ai vu une lueur passer dans ses yeux.

« En quelque sorte.

– Et quel genre d'écrivain êtes-vous ?

– Le genre endormi. »

Elle a ri.

« Non, ce que je voulais dire, c'est : qu'est-ce que vous écrivez ? Dans quel style ? Plutôt réaliste ou plutôt d'avant-garde ?

– Plutôt d'avant-garde, ai-je affabulé.

– Magnifique ! Et quel genre d'avant-garde ?

– Plutôt des romans policiers.

– Mélange de genres exaltant ! Je suis ravie, ça fait des années qu'un écrivain ne s'est pas assis dans cette maison. Il fut un temps, vous savez, où je tenais salon ici. Les noms vont me revenir à l'esprit… et puis vous, vous êtes jeune… » Elle s'est soudain mise à minauder, avec une telle maladresse que c'en était pitoyable.

C'est alors que je lui ai fait part de ma décision de ne pas rester chez elle et de déménager le jour même dans une pension de famille qu'on m'avait recommandée. Pour ne pas la contrarier, je lui ai précisé que, bien sûr, elle pouvait garder ce que j'avais payé d'avance pour la semaine – ce qui a semblé la satisfaire.

« C'est que cette ordure de concierge nous a à l'œil », a-t-elle dit pour justifier l'expression de soulagement qui envahissait son visage.

Je lui ai demandé un bottin, j'ai cherché l'adresse que mon père m'avait donnée dans la rubrique « Hôtels et Pensions de famille » et j'ai trouvé le numéro de la tante Nella. Le réceptionniste devait être énervé, il m'a répondu en aboyant que Mme Janowska n'était pas là, qu'elle ne reviendrait que le lendemain et qu'ils n'avaient pas de chambre libre. Je lui ai expliqué que j'étais de la famille et que sa patronne serait sans aucun doute heureuse de m'accueillir dans sa pension, que j'avais besoin d'une chambre dès aujourd'hui et que j'étais prêt à payer plus cher si nécessaire. Au bout de quelques instants, il m'a annoncé qu'il pouvait m'héberger dans la mansarde.

« Si possible n'arrivez qu'en fin d'après-midi pour que nous ayons le temps de préparer votre chambre, monsieur », a-t-il ajouté.

Teresa a lâché un petit rire distrait et m'a proposé de revenir prendre un café un après-midi, n'importe quand : « On aura l'appartement pour nous. Mon mari ne rentre que le soir et j'envoie mon fils dès demain chez ma sœur, au village, pour qu'il respire un peu d'air pur. Ce qui fait qu'on aura tout le temps de discuter, n'est-ce pas ? » a-t-elle continué en se penchant en avant pour creuser davantage son décolleté.

Je suis allé chercher mon sac à dos dans la chambre de l'adolescent. En partant, je lui ai serré la main et lui ai dit que je ne savais pas si j'aurai le temps de repasser mais bon, que j'essaierai, qui sait ? Sur ces mots, je me suis dépêché de descendre l'escalier.

« Je n'en crois rien, a tranché ma mère. Elle a sûrement joué quelques petits rôles et se prend pour une grande actrice.

– Comment tu sais ?

– Je ne sais pas, je subodore. » Elle a réfléchi un instant. « Moi aussi, j'aurais pu être une grande actrice.

– Je n'en doute pas, maman, tu en as toutes les manières.

– Pas seulement les manières, le talent aussi. Si ton père ne s'y était pas opposé, j'aurais pu faire une carrière de comédienne. Figure-toi que j'en ai reçu, des propositions.

– Pourquoi est-ce que papa s'y est opposé ?

– Tu me poses sérieusement la question ? Mais parce qu'il était jaloux ! Il avait peur que je devienne célèbre et qu'il reste en retrait. Tu sais, nous aussi on a été jeunes, nous aussi on rêvait de faire quelque chose de notre vie, mais ton père ne supportait pas l'idée que je réussisse et pas lui. Il a donc préféré m'entraîner vers le bas en même temps que lui.

– Qu'est-ce qu'il t'a fait ?

– Rien de particulier. Il m'a juste interdit d'accepter la proposition que j'avais reçue. Quand, après la guerre, le Théâtre National a rouvert, on m'a tout de suite contactée pour un rôle. Dans leur premier spectacle. Ton père a prétendu que le metteur en scène était amoureux de moi, que c'était la seule et unique raison pour laquelle il m'engageait, et il a mis son veto. J'ai insisté, il m'a répondu qu'il n'y avait pas de problème mais que s'il le soupçonnait du moindre écart, il viendrait lui casser les bras et les jambes. Alors j'ai renoncé, qu'est-ce que je pouvais faire ? La pièce a été créée. Sans moi. C'était une pièce soviétique traduite en polonais, Dieu nous garde. Non seulement le réalisme socialiste n'a jamais été ma tasse de thé, mais en plus pourquoi, si on est condamné au triste quotidien imposé par le communisme, ne pas pouvoir, au moins sur une scène de théâtre, incarner un peu de rêve ?

– Même s'il est mal écrit ?

– Oui, même dans ce cas. Tout vaut mieux que ce que j'ai enduré là-bas. » Elle a soupiré. « Quant à ton père, il aurait sans doute pu être un grand musicien, il était très doué. Et regarde ce qu'on est devenus. »

De nouveau à marcher dans les rues. Cette fois, outre mon sac à dos, j'avais dans une main un sachet en papier contenant quelques denrées scrupuleusement choisies et la canne dans l'autre. J'avais dégoté tout ça dans le magasin du marché noir que m'avait indiqué Teresa, non loin de la pension. J'ai sorti le petit plan de la ville que j'avais pris à l'Office du tourisme de l'aéroport et essayé de comprendre où je me trouvais. Je suis allé m'asseoir sur un banc, j'ai allumé une clope et aussitôt deux individus sont venus me demander du feu. Je leur ai dit : « Putains de Russes ! », ils ont répondu : « Putains de Russes ! » et m'ont remercié. L'un d'eux m'a indiqué sur le plan l'adresse que je cherchais. Juste à deux rues de là. Je m'apprêtais à m'éloigner quand j'ai entendu, dans mon dos, une voix chevrotante qui m'appelait : « Excusez-moi, monsieur ! »

Je me suis retourné et j'ai vu une petite vieille qui tenait entre ses doigts une cigarette éteinte et tentait de me rejoindre aussi vite que le lui permettaient ses jambes. Je me suis approché. Elle était très essoufflée.

« Vous ne devriez pas fumer comme ça, madame, vous allez vous étouffer.

– Pas grave, m'a-t-elle rétorqué en s'efforçant de calmer sa respiration. Vu la situation, je préfère étouffer. »

J'ai fouillé dans mon sac en papier, je lui ai fait cadeau d'une des boîtes d'allumettes que j'avais achetées au marché noir pour mon père, puis je l'ai aidée à s'asseoir sur le banc que j'avais libéré. Elle avait l'air ravie et n'a pas arrêté de me remercier et de me souhaiter la plus belle des vies possible. Quelques minutes plus tard, j'étais dans la rue Zgoda, où les immeubles – qui pour la plupart n'avaient pas été détruits pendant la guerre – avaient subi les ravages du temps et ressemblaient à ceux de notre quartier à Wrocław, avec vingt ans d'incurie en plus.

« Vous êtes en avance, vous arrivez trop tôt ! m'a reproché le réceptionniste de la pension.

– Vous ne m'avez pas donné d'heure précise, comment puis-je être en avance ? »

Il a lorgné vers mon sac à dos, et quand il a compris qu'il ne serait pas obligé de m'aider à le porter jusqu'en haut, il s'est adouci et une partie de la contrariété qui lui crispait le visage s'est dissipée.

« Bon, eh bien, vous pouvez monter jusqu'au quatrième. C'est l'étage des mansardes. La femme de chambre ne m'a pas encore rendu la clé. » Il a de nouveau regardé sa montre. « Le moindre dépoussiérage lui prend des heures, à celle-là ! a-t-il marmonné. Allez-y, elle doit s'y trouver, et depuis le temps, j'imagine qu'elle est sur le point de terminer. Chambre numéro quatorze. » Et il est retourné vaquer à ses occupations.

Le hall de la pension de la tante Nella était simple, un peu poussiéreux, mais agréable. Une croix ornait un des murs, à côté d'un tableau représentant des roses rouges peintes avec une naïveté d'amateur. En face était accrochée une grande photo en noir et blanc représentant un pont de l'Oder, à Wrocław. L'image de ce pont suspendu au-dessus de la rivière qui traversait ma ville m'a paru le parfait écho de ce que je ressentais, là, au milieu du hall d'accueil de la pension de famille dirigée par une parente. Tandis que je gravissais l'escalier de bois en colimaçon, j'ai compris que cette fois, j'étais au bon endroit.

Arrivé au quatrième, j'ai trouvé un couloir pas très long, troué de trois portes, chacune avec un numéro. La onze et la douze étaient fermées, la quatorze entrebâillée

154

et il n'y avait pas de numéro treize – sans doute par superstition. Ne voulant pas déranger la femme de chambre en plein travail, je suis allé au bout du couloir et j'ai ouvert la fenêtre qui donnait sur une arrière-cour négligée.

Au bout d'un moment, comme aucun bruit ne filtrait de la chambre qui m'était destinée, j'ai décidé d'aller jeter un coup d'œil. Je me suis approché de la porte et l'ai poussée avec précaution. À l'intérieur, vêtue de son uniforme – une robe noire et un tablier blanc –, une demoiselle était assise sur le fauteuil, immobile. Bien en chair, elle avait un beau visage, rond et lisse, des cheveux blonds attachés et des yeux, bleu clair, qui erraient dans le vague.

Lentement, avec concentration, elle a aplati les plis, passé une dernière fois la main sur le tissu. Ensuite elle a tiré les bords, les a bien ajustés puis les a glissés en un seul long geste sous le matelas. Elle s'est redressée, a examiné le lit, est allée prendre les oreillers qu'elle avait regonflés au préalable en les tapotant, les a mis sous le couvre-lit, a fouillé dans la poche de sa robe et a posé un bonbon enveloppé dans du papier cellophane sur un des deux oreillers. Après m'avoir jaugé du regard, elle a sorti un deuxième bonbon de sa poche et l'a posé sur l'autre.

Elle a passé un chiffon sur les tables de chevet de chaque côté du lit, a soulevé les lampes qui étaient dessus, les a époussetées elles aussi et remises en place, près du mur, loin du matelas. Elle a reculé, a contemplé son travail, est revenue vers la lampe de gauche et l'a un peu poussée, ensuite elle a rectifié la position d'un des bonbons et voilà, elle a paru satisfaite.

J'étais assis dans le fauteuil qu'elle occupait au moment où j'avais entrouvert la porte et où ses yeux d'un bleu limpide m'avaient soudain remarqué. Effrayée, elle avait bondi sur ses pieds et, comme elle ne savait pas quoi faire de ses mains, elle avait fini par les croiser dans son dos.

« Je vous prie de m'excuser, avait-elle dit, je me reposais un instant.

– Aucun problème. Je ne suis pas pressé. Je voulais juste voir où vous en étiez.

– J'ai presque fini. Je n'ai plus qu'à faire le lit. Vous voulez entrer ? Ou bien descendre au bar ? Ou préférez-vous que je vous apporte quelque chose à boire en attendant ?

– Non, je n'ai besoin de rien. Mais si ça ne vous dérange pas, je vais m'asseoir ici. Dans le couloir, je suis obligé de rester debout.

– Je vous en prie, monsieur, avait-elle répondu et, après avoir tapoté sur le fauteuil, elle avait même sorti un chiffon de la poche de sa robe et essuyé les accoudoirs. S'il vous plaît, vous pouvez vous asseoir. Moi, j'ai presque fini.

– Ne vous pressez pas. » Bien installé, j'avais sorti de mon sac le recueil de poésie polonaise que j'avais acheté en chemin dans une librairie. « J'ai de quoi lire. »

Et j'avais ouvert le *Rapport de la ville assiégée*, de Zbigniew Herbert, au moment où elle commençait à faire le lit. Elle s'y était attaquée avec énergie, mais rapidement ses gestes s'étaient ralentis et étaient devenus doux, très agréables à regarder.

J'avais sous les yeux le premier poème du recueil, mais je ne l'ai pas lu. Je l'ai observée elle, j'ai observé ses mouvements, à la fois rêveurs et experts, un mélange qui, en l'occurrence, paraissait totalement naturel. J'ai observé ses mains, ses bras, son dos courbé en avant, ses genoux pliés, ses doigts qui effleuraient chaque surface, soulevaient chaque objet, grattaient une saleté. Le tout accompagné par une respiration calme, qui, même si elle s'accélérait un instant sous l'effort, retrouvait aussitôt son rythme régulier.

Le lit fait et les tables de chevet époussetées, elle est passée au Christ accroché au mur, sous lequel elle a placé une chaise pour pouvoir l'atteindre. Elle l'a alors décroché avec précaution et respect, a délicatement essuyé les mains et les pieds cloués à la croix, est ensuite passée au corps martyrisé en veillant à ne pas lui infliger de douleur supplémentaire par un geste imprudent qui heurterait la plaie ouverte entre les côtes. À la fin, elle lui a essuyé le visage, lui a embrassé le front et l'a raccroché. Elle est descendue de la chaise, a levé les yeux vers lui et s'est signée.

Je lui ai demandé comment elle s'appelait.

« Lydia.

– Enchanté. Tadeusz. »

J'ai sauté sur mes pieds et je lui ai serré la main. Son contact était exactement comme je l'avais imaginé.

« Vous venez d'une autre ville ?

– D'une autre ville. Et d'un autre pays. Je viens de Jérusalem. »

Sa stupéfaction était encore plus grande que celle du chauffeur de taxi qui m'avait pris à l'aéroport. Elle a posé une main sur la croix qu'elle avait autour du cou.

« Jérusalem », a-t-elle murmuré. Elle a souri, sa respiration a un peu tremblé tant elle était émue. J'ai vu qu'elle voulait ajouter quelque chose mais elle s'est ravisée.

On s'est retrouvés debout, face à face, muets. Au bout d'un instant elle m'a annoncé qu'elle avait terminé. Elle m'a remercié pour ma patience et ma générosité. Je l'ai remerciée pour son travail. Elle est sortie de la chambre, mais sa silhouette et ses gestes sont restés avec moi. La douceur de ses mains était perceptible dans tous les recoins de la pièce, l'air était gorgé d'une odeur de produit d'entretien mêlée à celle, légère et plaisante, de sa transpiration.

8

Dans la soirée, je suis descendu au bar de la pension. La pièce, de taille moyenne, était éclairée par un néon blanc et occupée par quelques tables, des chaises, un comptoir étroit avec, derrière, une étagère pour les verres. Sur le mur d'en face, un petit téléviseur diffusait, en noir et blanc, sans le son, le bulletin d'informations polonais. Dehors, c'était déjà le couvre-feu et il y avait peu de gens à l'intérieur : un couple âgé – il buvait de la vodka et elle du thé –, un homme seul en train de fumer et trois amis déjà bien éméchés, une bouteille de vodka posée entre eux. Ils parlaient fort, faisaient des gestes exagérés et par moments éclataient d'un rire particulièrement bruyant.

Je connaissais trop bien ces grands mouvements de bras, ce corps qui n'est plus sous contrôle, cette hilarité bovine.

Pendant plus de vingt ans, j'avais échappé à cette langue mielleuse et à ces visages rougis, empestant l'eau de Cologne, ricanants, qui, en un instant, peuvent s'emplir d'une haine impitoyable. Des ivrognes comme ceux d'ici, je n'en ai jamais vu en Israël.

Je me suis assis à une table libre. À la télévision, la mine sévère, un présentateur qu'on n'entendait pas donnait les infos. Un homme d'une cinquantaine d'années,

159

peut-être plus, s'est soudain planté devant moi avec une bouteille de vodka à la main. Il m'a salué d'un « Bonjour, monsieur », a aussitôt posé sur la table un verre qu'il a rempli puis est retourné à son poste, derrière le comptoir. J'ai pris une gorgée. La vodka était tiède et bon marché. Le rire strident des trois ivrognes emplissait la pièce, le même que celui qui retentissait tous les soirs dans notre cage d'escalier de Wrocław.

Là-bas, il provenait de deux frères costauds et alcooliques qui vivaient avec leur pauvre mère à l'étage du dessus et étaient toujours flanqués de leur ami, un nabot violent. Parfois des hurlements nous parvenaient de chez eux, des bruits de vaisselle cassée et de coups qui faisaient trembler notre plafond, mais ce genre de tapage se produisait aussi chez nous et dans nombre d'appartements du quartier, comme les cris qui montaient de l'immeuble d'en face et résonnaient dans toute la rue : le couple qui logeait au rez-de-chaussée se saoulait régulièrement, se tabassait et se lançait toutes sortes d'objets à la figure. Chaque fois qu'un voisin appelait la police, la femme se démenait pour que son mari ne soit pas embarqué, de peur de morfler encore plus quand il reviendrait.

Joanna, leur fille, était dans la même classe que moi. Elle comptait parmi les élèves les plus pauvres d'une école où la plupart des enfants étaient pauvres. On pouvait savoir qui était vraiment nécessiteux d'après les bons de nourriture distribués avec parcimonie à la cantine car ils n'étaient accordés qu'à ceux dont les parents ne pouvaient même pas assurer un sandwich quotidien. Chez nous, en général, il y avait du pain, ce dont mon père ne manquait pas de se vanter.

« Regardez nos voisins, disait-il, ils enferment leur pain ! Même le boulanger met son pain sous clé. Alors que chez nous, non seulement on en a suffisamment et on n'a pas besoin de le mettre en sécurité, mais en plus, nous, on a aussi de quoi le tartiner. » C'était surtout de la margarine. Le beurre, on n'en avait que lorsque la grand-mère venait nous rendre visite et en apportait de sa propre production. On avait droit aussi à des œufs, du fromage et des pommes, parfois à un morceau de jambon fumé, si quelqu'un au village avait égorgé un cochon. Cela dit, nous nous contentions parfaitement d'une tranche de pain à la margarine sur laquelle nous saupoudrions du sucre. Étant donné que ni mon père ni ma mère ne me donnaient de sandwichs pour l'école, j'avais droit aux bons de cantine, mais j'ai toujours refusé de m'en servir.

C'était souvent Ola ou Anka qui me préparait mon casse-croûte, parfois je le faisais tout seul, et les périodes où il n'y avait pas de pain à la maison, je volais des timbres de collection de papa et les échangeais pendant la récré contre des sandwichs. Hors de question d'admettre en public que nous étions pauvres, et si on me posait la question, je répondais crânement que chez nous, il y avait un piano.

Joanna, elle, n'avait pas le choix, elle était obligée d'utiliser des bons alimentaires. Et peut-être que ça ne la gênait pas puisque, de toute façon, elle était dans la merde. On les voyait par la fenêtre, elle et ses deux frères, chaque fois que leurs parents les foutaient dehors pour pouvoir boire tranquilles. Les enfants s'asseyaient sur les marches de l'immeuble, même la nuit, même en hiver, transis. Parfois, leur grand-mère, une alcoolique elle aussi, sortait pour leur donner une bouteille de vodka vide en leur disant : « Tenez, les enfants, vous pouvez jouer avec ça », puis elle rentrait à l'intérieur.

Un soir, on a entendu les deux frères du dessus monter lourdement l'escalier avec leur ami. Arrivés chez eux, ils ont découvert que leur mère n'avait rien préparé pour dîner, ce qui les a mis dans une rage encore plus violente qu'à l'accoutumée. Ils ont fracassé les meubles, cassé les carreaux, balancé par la fenêtre bols, assiettes, verres, casseroles, poêles, chaises, portes de placard, morceaux de table. Ensuite, ils sont redescendus en criant, jurant et donnant des coups dans les portes des voisins.

Comme ils étaient trop ivres pour réparer les dégâts, et leur mère trop pauvre pour payer des ouvriers, leur appartement était resté dans cet état pendant des mois, alors que le gel de l'hiver polonais envahissait toutes les pièces.

Le barman est revenu se planter devant moi, m'a demandé si je voulais qu'il remette ça, j'ai dit oui, il a généreusement rempli mon verre puis s'est éloigné. À la télévision, malgré une image qui tressautait, j'ai reconnu un défilé militaire qui passait, muet, dans les rues de Moscou. Les trois ivrognes se sont mis à raconter très fort des blagues salaces. Ils se tordaient de rire, lâchaient des borborygmes et tapaient sur la table. Deux nouveaux venus se sont installés un peu plus loin et ont commencé à boire. Le couple âgé s'est levé et est sorti. La lumière du néon était trop blanche, la vodka trop tiède, et le vacarme des buveurs me transperçait les tympans. J'ai soudain entendu la voix de mon père : « S'ils t'énervent, tu te lèves, tu vas à la table de ces putains d'emmerdeurs et tu la renverses. Tout de suite après, tu cognes sur celui qui est le plus proche de toi, tu files un coup de poing dans la gueule du deuxième, et enfin tu casses une bouteille sur la tête du troisième connard. L'avantage est toujours du côté de celui qui attaque, m'avait-il expliqué alors que j'étais encore tout gamin. Même face à quelqu'un de deux fois plus grand que toi, même seul face à trois mecs, si tu n'hésites pas – tu gagneras. Mais sache qu'il suffit d'une seconde d'hésitation pour que tu perdes tout ton avantage, et alors là, c'est toi qui morfleras. »

À l'époque, mon père ne se contentait pas de conseils théoriques. Un jour, il est arrivé ivre à la maison en compagnie de Roman, notre voisin le boxeur, et nous a demandé de venir, mon frère et moi, dans la cuisine. Il avait dégoté une paire de petits gants de boxe, Roman avait apporté les siens.

« Les garçons, nous a-t-il annoncé, la fête est finie. À partir d'aujourd'hui, vous allez devenir des hommes. Deux fois par semaine, notre champion va vous donner des cours. Pas question que mes fils soient des chiffes molles. »

Roman, qui était aussi saoul que papa et avait du mal à marcher droit, a enlevé sa veste, l'a accrochée au dossier d'une chaise et, à deux, ils ont poussé la table. Ensuite, il a aussi ôté sa chemise, l'a pliée et l'a posée sur le siège. Il est resté en tricot de corps, a glissé les mains dans ses gants de boxe et s'est planté tant bien que mal au milieu de la pièce.

« Qui y va en premier ? » a demandé papa, ravi, en s'asseyant sur une chaise.

Robert m'a poussé devant lui et, comme je résistais, il m'a chuchoté : « Vas-y, imbécile. Sinon, c'est à moi que tu auras affaire. »

Je me suis approché de notre père. Il m'a souri, tapé sur l'épaule, puis il m'a enfilé les petits gants sur les mains.

Roman a commencé à agiter les poings tout en parlant. À cause de sa mâchoire fracturée, les mots se collaient les uns aux autres, et comme, en plus, il était complètement ivre, ses phrases s'agglutinaient en une épaisse mélasse de syllabes, on n'y comprenait quasiment rien. Il se tenait les jambes légèrement écartées, le pied gauche en avant, les mains à hauteur du visage, la droite plus proche de l'adversaire, prête à frapper. Telle était la position de départ, nous a-t-il expliqué.

« Chaque fois que tu te prépares à écraser le merdeux qui se tient en face de toi, a-t-il continué, tu dois d'abord adopter cette position-là.

– Vas-y, montre-leur ! s'est écrié mon père avec enthousiasme. Qu'ils voient ce que c'est qu'un artiste. »

Roman s'est mis à frapper dans le vide et à sauter de droite à gauche. Ses coups étaient forts et rapides, ils fendaient l'air en produisant un souffle tranchant. Pour les sauts, c'était moins réussi, il a même failli trébucher. Au bout de quelques instants, il s'est planté devant moi, j'ai agité mes petits poings dans tous les sens et j'ai frappé plusieurs fois dans le vide. Mon père et Robert ont éclaté de rire, mais Roman, qui prenait son rôle au sérieux, m'a arrêté et m'a montré comment je devais me mettre en position de départ : « Tu dois toujours regarder le fils de pute qui est en face de toi, tu dois regarder ses yeux, jamais ses gants, parce qu'avec les gants, on peut faire une feinte. Les yeux, eux, sont toujours fiables, ils annoncent le prochain coup. » Il s'est lui aussi mis en position, prêt au combat. « Ne t'inquiète pas, je ne vais pas te frapper pour de vrai, je fais semblant. »

Pendant ces séances, Roman nous cognait, mon frère et moi, sans la moindre pitié. On se retrouvait systématiquement couverts de bleus et on avait mal partout. Je n'ai jamais réussi à le regarder droit dans les yeux, je ne pouvais pas m'empêcher de loucher vers ses gants juste avant qu'il ne les abatte sur mon visage. Par chance, après quelques entraînements pénibles, notre boxeur a disparu. Comme avant chaque compétition internationale importante, il avait été enfermé par ses entraîneurs un mois entier dans une chambre d'hôtel où une garde rapprochée l'empêchait de boire et le purgeait à l'aide de toutes sortes de sels. Le jour du match, on avait déjà la télé chez nous : papa l'avait apportée après une de ses longues absences et, depuis, chaque fois que quelqu'un à l'école prétendait que ma famille était pauvre, je rétorquais que non seulement nous avions un piano à la maison, mais aussi un téléviseur.

Les grandes compétitions étaient retransmises en direct et nous, les trois hommes de la famille, les suivions ensemble. En général, notre père s'enthousiasmait en premier et commençait à agiter les poings, du coup, Robert et moi, en boxeurs avertis, on l'imitait. Roman, on n'a eu l'occasion de le voir qu'une seule fois. Le combat avait lieu le soir, et on l'a attendu toute la journée. Le moment venu, pour marquer le grand événement, maman, Ola et Anka se sont jointes à nous, bref, on s'est installés au grand complet, prêts à regarder. Mais dès que notre voisin est monté sur le ring, papa a remarqué que quelque chose clochait.

« Il a bu, a-t-il dit. Ce fils de pute a bu.

— Impossible, a répliqué ma mère, ça fait un mois qu'on le purge avec des sels, c'est Jolanta qui me l'a raconté.

— On l'a peut-être purgé pendant un mois avec tous les sels que tu veux, mais juste avant le match, ce trou du cul a bu. »

Le combat a débuté. Roman a très vite été expédié au tapis. Sa brillante carrière de boxeur prit fin sur un knock-out et il ne nous entraîna plus jamais.

Mais moi, en fidèle disciple, je descendais dans la rue et je cherchais la bagarre. Je commençais par jeter mon dévolu sur un gamin qui était plus ou moins du même gabarit que moi et je le provoquais. Une fois que j'en avais terminé avec lui, j'en cherchais un qui soit un peu plus grand et lui réservais le même traitement. Je passais alors à un adversaire encore plus grand, puis de plus en plus grand… jusqu'à ce que j'exagère et revienne à la maison avec le nez en sang, les lèvres explosées ou un œil au beurre noir.

« Qui t'a fait ça ? » me demandait Robert en s'empressant de descendre dans la rue pour me venger.

Les combats organisés dehors avaient des règles précises, comme pour la boxe : dès que l'adversaire était à terre, interdiction de le frapper, on devait attendre qu'il se relève. Ils n'en étaient pas moins impitoyables, les garçons se tabassaient jusqu'à l'évanouissement, toujours dans les règles de l'art – on avait le droit de tuer son ennemi, mais uniquement quand il était debout.

Le pire, cependant, c'était ce qu'on appelait les luttes de gladiateurs : les grands chopaient deux petits, se plaçaient en cercle autour d'eux et les obligeaient à boxer jusqu'à ce qu'il y en ait un qui s'écroule. Interdiction formelle de déclarer forfait au milieu ou de s'enfuir. Mieux valait se laisser cogner par son adversaire et tomber dans les pommes plutôt que de se tirer. Un jour, j'ai vu le sort réservé à un petit qui avait osé fuir : mon ami Paul, le fils de la concierge, la putain qui habitait au rez-de-chaussée, s'était retrouvé au milieu du cercle pour une lutte de gladiateurs et avait vite compris qu'il était mal barré. L'enfant contre lequel il se battait ne cessait de lui asséner des coups précis et douloureux à la tête, dans les côtes et au ventre. À un moment, n'en pouvant plus, il a réussi à s'échapper en passant par une brèche dans le cercle. Aussitôt les grands se sont lancés à sa poursuite et l'ont rattrapé dans un hall d'immeuble. Qu'est-ce qu'il a dérouillé ! Là, plus aucune règle n'était de mise. Je l'ai récupéré allongé sur les marches et en sang. Il avait du mal à respirer, je l'ai aidé à se relever : « T'aurais jamais dû t'enfuir, lui ai-je reproché.

– Facile à dire ! Toi, t'as un frère qui te protège, mais moi, j'ai personne. »

Paul n'avait effectivement personne pour le protéger. Il vivait seul avec sa mère qui recevait les hommes derrière un rideau accroché dans leur chambre à coucher en guise de cloison.

Quand on est rentrés, elle était, comme d'habitude, avec un client. On a attendu patiemment qu'ils terminent. Elle a fini par émerger de derrière son rideau et dès qu'elle a vu son fils dans cet état, avec un bras tout mou qui pendouillait et des difficultés à respirer, elle a poussé un grand soupir : « Qu'est-ce que tu as fait encore ? »

Ensuite, elle s'est précipitée pour rattraper son client à l'entrée de l'immeuble. Elle lui a rendu son argent et lui a demandé d'emmener Paul au dispensaire, vu qu'elle ne pouvait pas y aller, elle était trop saoule et s'apprêtait à recevoir son prochain client d'une minute à l'autre.

Paul s'en est sorti avec un bras et deux côtes cassés, grâce à quoi on l'a laissé tranquille pendant plusieurs mois. Mais ce gamin n'avait pas de chance et, un an plus tard, il s'est de nouveau retrouvé dans le cercle des gladiateurs, cette fois face à un petit qu'il a roué de coups mais, avant de s'écrouler, son adversaire a tiré un couteau et le lui a planté entre les côtes. La lame est passée juste à côté du cœur. Paul l'a regardé, stupéfait, et s'est écroulé par terre. Quelques gamins se sont aussitôt enfuis en courant, mais les grands ne se sont pas démontés et l'ont conduit à l'hôpital. Les coups de couteau faisaient partie de leur routine, les luttes de gladiateurs des petits ne constituant que l'intermède comique de leurs violences quotidiennes.

Dans le quartier, on appartenait tous à une bande organisée. Peu après notre installation à Wrocław, Robert s'est acoquiné à Stasiek, un grand de vingt ans, particulièrement sadique, qui affectionnait les bagarres sanglantes contre les bandes rivales. Comme j'avais insisté pour qu'ils me prennent avec eux malgré mon jeune âge, ils m'avaient accepté en guise de mascotte.

Un jour, Stasiek ordonna à ses troupes de confectionner des massues avec des tuyaux en caoutchouc qu'on devait remplir de billes de plomb, ça ressemblait aux matraques utilisées par la police. Moi aussi je m'en suis fabriqué une. Il nous a mis en rang, a vérifié nos armes et nous a montré comment les planquer dans le pantalon, le long de la jambe. Ensuite, sous ses ordres, on est partis tabasser la bande d'à côté. En chemin, il a donné un coup de massue sur la tête d'un clochard, juste comme ça, parce que le malheureux se trouvait sur sa route. L'homme s'est écroulé, inconscient, et nous, on a continué.

Une semaine plus tard, les flics ont débarqué chez Stasiek, l'ont arrêté et envoyé en prison parce que le coup avait été mortel. Il a aussitôt été remplacé par son frère, jusqu'à ce que celui-ci soit poignardé et remplacé à son tour. La vie des chefs était de courte durée, quant aux membres des bandes – pour ceux qui parvenaient à ne pas se faire tuer –, ils se retrouvaient majoritairement dans des maisons de redressement ou en prison.

Tel fut le destin de mon ami Paul, un doux, pas un violent, mais qui, pris dans les rets de la brutalité du quartier, a atterri en prison et, très peu de temps après, au cimetière.

Robert et moi étions trop jeunes pour participer aux grands événements qui décimaient les bandes organisées, mais on nous en faisait le récit détaillé : on nous décrivait les bras et les jambes brisés, les visages balafrés, les coups de couteau dans le ventre, dans le dos ou dans les côtes, les blessures sévères, les descentes de police, le chantage, les incendies criminels, les vols à main armée, les tortures, les meurtres, les viols collectifs, les beuveries qui finissaient en meutes déchaînées dans les rues de la ville. Ils dégradaient, démontaient, détruisaient tout ce qui se présentait sur leur chemin, et ils chantaient, riaient, criaient, juraient.

Sous la lumière du néon décidément trop blanche, la vodka écœurante m'est montée à la tête. Je me suis levé et me suis approché du trio d'ivrognes. Renverser la table, me jeter sur le premier, donner un coup de poing dans la gueule du deuxième et casser une bouteille sur la tête du troisième. Pas d'hésitation, pas de flottement, il faut y aller de toutes ses forces, frapper ces trognes empâtées, ces nez rouges, ces ahanements polonais qui dégoulinent de leur bouche comme de la bave. Dès qu'ils ont remarqué que je les regardais, ils ont dégainé leur répertoire d'insultes. Mon cœur s'est accéléré dans ma poitrine, mes tempes, les artères de mon cou battaient, les muscles de mes mains se sont contractés, attendant avec impatience de les réduire en bouillie. Mais au lieu de ça, j'ai tourné les talons. Je suis remonté dans ma chambre, j'ai couru aux toilettes et j'ai vomi.

Je voulais continuer à repousser le moment où il me faudrait penser à ma rencontre avec mon père, mais impossible de résister. Il s'est à nouveau assis en face de moi, vieil homme souriant, pétri de gentillesse. Ses yeux, grossis par les verres épais de ses lunettes, lui conféraient une expression grotesque de sénile paumé et ses grandes mains si fortes essayaient de contenir leur brutalité pour recouvrir tendrement les miennes.

9

Anka avait une très bonne camarade de classe qui s'appelait Anna. Cette fille était différente de tous les enfants que j'avais rencontrés dans la rue, à l'école ou au village de la grand-mère. Son père était professeur, sa mère jouait dans un orchestre, et elle-même avait l'air comblée. Gentille, bien élevée, chaque fois qu'elle venait chez nous, elle apportait un souffle d'air pur rafraîchissant venu d'autres mondes.

On s'allongeait tous les quatre – Anna, Anka, Robert et moi – sur un des lits et elle nous interrogeait sur notre mode de vie. On lui répondait toujours avec sincérité, comme à un confesseur. On lui parlait de la dure loi de la rue, de nos voisins alcooliques, de la pauvreté, de la faim, des coups et de la violence de notre père. Elle nous écoutait avec attention, soupirait, parfois même versait une petite larme.

« On ne doit pas se comporter ainsi, se désolait-elle. Ce n'est pas bien. On n'a pas le droit de faire des choses comme ça. »

À travers ses yeux, on comprenait mieux encore à quel point notre vie était merdique.

Mme Lipska, notre voisine de palier, connaissait très bien la réalité dans laquelle nous vivions, et à elle, je n'avais rien besoin de raconter. Elle connaissait la rue, le quartier et mes parents. La nuit, elle entendait les cris et les insultes de mon père et nous voyait par l'œilleton de la porte assis sur les marches.

Elle n'était pas cultivée, pas intelligente et pas non plus très chaleureuse, cette Mme Lipska. Elle ne m'a jamais pris dans ses bras ni caressé, mais elle m'invitait chez elle, dans un appartement toujours propre, bien rangé et calme. Rien à voir avec le nôtre. Elle me donnait aussi à manger quand elle avait de quoi.

Ses journées, elle les passait sous le regard méprisant de Marian, son fils capitaine, dont une grande photo trônait dans son salon. En uniforme empesé, l'épée au côté, il la toisait du haut de son mur avec une morgue exacerbée. Mais pour elle, la réussite et l'avenir assuré de son rejeton étaient une digne compensation à la déception que lui infligeait son quotidien : si son fils était capitaine dans la marine, elle ne pouvait qu'être satisfaite de son propre sort. On s'asseyait tous les deux, admiratifs, face à la grande photo, et elle me racontait l'enfant merveilleux qu'il avait été, excellent élève et valeureux soldat.

« Toi aussi, si tu travailles bien à l'école, tu pourras peut-être devenir comme lui », ne cessait-elle de me répéter sans arriver toutefois à masquer le manque d'enthousiasme de sa voix.

À l'époque de la PGR, j'avais aussi trouvé une femme qui m'invitait chez elle. Elle s'appelait Maria et vivait seule dans une des maisons qui donnaient sur la grande cour. À la différence de Mme Lipska, Maria n'arrêtait pas de me faire des câlins et des bisous. Elle écoutait mes histoires et me demandait mon avis sur les siennes, comme si j'étais un adulte, alors que je n'avais que cinq ans. Elle me disait tout ce qu'elle avait sur le cœur, se plaignait de sa solitude et surtout de sa fille qui étudiait à Cracovie et ne prenait jamais de ses nouvelles. Elle me préparait aussi à manger, s'asseyait près de moi et suivait des yeux la trajectoire de la cuillère que je plongeais dans le bol de soupe, ou de la fourchette que je portais à ma bouche. Elle arrachait pour moi des morceaux de pain, me les fourrait entre les doigts et m'encourageait du regard à mordre dedans.

Un jour, ma femme m'a reproché de n'être qu'un pourri-gâté : « Espèce de chochotte ! Je me serais attendue à ce que quelqu'un qui a eu une enfance comme la tienne soit un peu plus coriace. »

Heureusement, je ne lui ai jamais avoué que bien souvent, quand je croise une inconnue dans la rue, j'ai envie de lui tomber dans les bras, de lui demander de me consoler, de m'emmener chez elle pour me préparer à dîner, me donner le bain et me coucher.

« Je ne suis pas une chochotte. Si je me protège de temps en temps, c'est pour compenser toutes les années que j'ai perdues », lui ai-je répliqué.

Elle était allongée sur le canapé. Je me suis approché, j'ai commencé l'ascension de son corps par les pieds et je me suis arrêté à son ventre, sur lequel j'ai plaqué la joue.

« Arrête ! Inutile d'attendre de moi la moindre cajolerie compensatoire ! s'est-elle écriée avant de m'envoyer huiler les charnières de la fenêtre du salon qui grinçaient et qui, pendant la nuit, effrayaient notre fils.

– Depuis qu'il est né, je n'ai plus droit à ton empathie. »

Elle a réfléchi un instant : « C'est vrai. Je suis désolée. »

Je n'ai pas bougé, calculant attentivement mon prochain geste, mais elle s'est aperçue de mon manège.

« Si tu comptes éveiller mon empathie en insistant sur mon manque d'empathie à ton égard, tu te goures. Un enfant à la maison, ça me suffit. »

Je suis allé dans le débarras chercher le bidon d'huile pour m'occuper des charnières grippées.

« Puisque tu fais déjà une fenêtre, fais-les toutes, a-t-elle dit.

– Je vais prendre une maîtresse.

– Ça m'est égal. Si tu crois que tu trouveras ce que tu cherches chez elle ! »

C'est ce jour-là que je lui ai parlé de Maria. Elle m'a écouté, allongée sur le canapé. Ma femme a toujours aimé m'écouter raconter, y compris les histoires qu'elle connaissait déjà. Comme les gosses, elle savait apprécier les bons récits, ceux qu'on peut entendre et réentendre sans fin. Même si elle préférait découvrir de nouveaux épisodes, comme, ce jour-là, l'histoire de Maria.

Un matin que Maria cultivait son champ, son cheval s'est effrayé et a renversé la charrue qui s'est retournée sur elle et lui a cassé la jambe. Elle s'est donc retrouvée cloîtrée avec un plâtre, immobilisée et incapable de se débrouiller seule, or elle n'avait personne pour l'aider. Du coup, je suis allé la voir tous les jours.

Le matin, avant qu'elle se lève, j'ouvrais le volet et la fenêtre pour éclairer et aérer la pièce. Je lui apportais un verre d'eau au lit, j'allais chercher du bois pour allumer son poêle, je grimpais sur une chaise pour atteindre les plaques et je lui préparais du thé et une omelette. La majeure partie de la journée, elle restait au lit ou sur une chaise, sa jambe plâtrée posée sur un tabouret. Elle était tellement déprimée qu'elle s'épanchait sur moi sans la moindre retenue. Elle me parlait de son mari mort à la guerre, des hommes qui avaient profité d'elle, de sa solitude. Moi, je l'appelais « très chère », parce que c'était ainsi que les maris appelaient leur femme dans les histoires que me racontait ma mère, même si, à la PGR, je n'avais jamais entendu aucun mari appeler ainsi sa femme. « Bonjour, très chère, lui disais-je, est-ce que tu veux manger quelque chose, très chère ? » ou « Est-ce que tu as assez chaud, très chère ? » et elle répondait : « Oui, très cher », « Non, très cher », « Merci, très cher », « Ça me gratte sous le plâtre, apporte-moi une aiguille à tricoter, très cher », ou encore « J'ai besoin de pisser, très cher », auquel cas j'allais chercher le pot de chambre et l'aidais à s'accroupir dessus.

Il lui arrivait de temps en temps d'éclater subitement en sanglots. Alors, je m'approchais d'elle aussi vite que possible, je lui détachais les cheveux, prenais la brosse, la coiffais parce qu'elle aimait particulièrement ça et je la réconfortais par des « Ne pleure pas, très chère », « Ce n'est pas grave, très chère » ou « Bientôt, ce sera terminé, très chère ». Je la serrais dans mes bras, parfois aussi je me glissais dans son lit et me lovais contre elle en essayant de la consoler avec des mots gentils. Lorsqu'elle se sentait mieux, on restait encore allongés côte à côte et on discutait. Je lui ai raconté beaucoup de choses, à Maria, mais jamais je ne lui ai parlé de mon père. Jamais non plus elle ne m'a posé de questions.

« Elle exagérait un peu, non ? a commenté ma femme. Tout de même, tu n'avais que cinq ans. »

J'ai mal pris sa remarque, vexé à la fois pour moi et pour Maria.

« Ce sont des choses qu'apparemment tu ne peux pas comprendre.

– Peut-être. Qui suis-je pour me mêler de la perversion des paysans polonais.

– Le fait que tu y voies de la perversion te rend, toi, perverse. Pas eux.

– D'accord. Continue.

– Un matin, sa fille a déboulé de Cracovie, et malgré tous les reproches que Maria avait accumulés à son encontre, cette visite inattendue l'a bouleversée. Elle a fait les présentations, mais la jeune femme m'a à peine regardé et ne m'a même pas souri. Oui, elle m'a déplu dès le premier instant, celle-là. Elle était très arrogante, s'adressait à sa mère avec mépris, l'a même insultée, et Maria a tout encaissé avec une docilité énervante. "Tais-toi ! ai-je fini par lui dire. Comment tu parles à ta mère ?" Mais mon intervention est restée sans effet, alors j'ai attrapé un bout de bois qui traînait à côté du poêle et je me suis mis à la frapper de toutes mes forces, sur les jambes, le dos, le ventre. Elle a hurlé, sa mère aussi, mais je ne me suis pas arrêté avant que cette connasse ne s'enfuie de la maison. "Qu'est-ce qui t'arrive ? m'a engueulé Maria. Pourquoi tu l'as frappée ? Pour qui tu te prends ?" Je l'ai regardée, ahuri, j'ai tourné les talons et je n'ai plus jamais remis les pieds chez elle. »

Cette histoire a bien fait rire ma femme. J'ai posé le bidon d'huile sur la table, me suis assis sur le canapé, du côté de ses pieds, et j'ai commencé à lui caresser les chevilles.

« D'accord, viens », m'a-t-elle dit en souriant.

Après, on est restés allongés tous les deux, nus. Je lui ai demandé si sa mère n'était pas censée nous ramener le gosse d'un instant à l'autre, et elle a dit que non, qu'on avait encore le temps et que, de toute façon, on entendrait la voiture approcher.

« Reste encore un peu auprès de moi, a-t-elle dit.

– Je n'ai l'intention d'aller nulle part », lui ai-je répondu, sauf que, tout à coup, je n'étais plus très à l'aise, et surtout j'avais besoin de pisser. Je me suis levé.

« Tu vas où ? »

Pour qu'elle ne se sente pas abandonnée, je lui ai raconté une nouvelle histoire, cette fois sur le couple de sympathiques petits vieux qui habitaient une des chambres de l'appartement de Wrocław et qu'on avait surnommés papy et mamie. J'ai laissé la porte des toilettes ouverte et j'ai continué mon récit en haussant la voix pour qu'elle m'entende.

Si on les appelait papy et mamie, ce n'était pas seulement parce qu'ils nous paraissaient âgés mais aussi parce qu'ils se comportaient avec nous – et surtout avec moi, le plus jeune – comme si nous étions les petits-enfants qu'ils n'avaient pas eus. Ils me prenaient sur leurs genoux et me caressaient comme pour pallier un manque ou une absence. Ils n'avaient pas non plus eu d'enfants, ou bien ceux qu'ils avaient eus avaient été assassinés pendant la guerre. Mamie était une femme de forte corpulence qui marchait dans l'appartement d'un pas si lourd que les lattes du plancher s'enfonçaient sous son poids. C'est d'ailleurs ce qui est arrivé un jour, alors qu'elle s'approchait du vaisselier de la cuisine : le meuble a soudain basculé et s'est écroulé sur elle. J'étais le premier à rentrer à la maison, et j'ai tout de suite entendu ses gémissements. Je me suis précipité dans la cuisine et c'est là que je l'ai vue, écrasée sous cette masse.

« Va chercher les voisins, a-t-elle hoqueté, je vais mourir. »

J'ai couru sur le palier et j'ai frappé à toutes les portes. On ne m'a pas ouvert, peut-être n'y avait-il personne.

J'ai réintégré le canapé à côté de ma femme.

« C'est gentil de ta part d'être revenu, a-t-elle dit.

– Je suis juste allé pisser.

– Peut-être, mais en général, tu trouves toujours un prétexte pour ne pas revenir. »

Je n'ai pas répondu, elle avait raison. Je l'ai enlacée par-derrière et je me suis senti glisser dans une agréable somnolence.

« Et comment ça s'est terminé avec la mamie ? m'a-t-elle demandé.

– Comment quoi s'est terminé ?

– Il y a un instant, elle était écrabouillée sous l'armoire.

– Je l'ai sauvée. J'ai trouvé une barre de fer à côté de l'escalier, je l'ai prise, je suis retourné dans la cuisine et je lui ai dit de ne pas s'inquiéter, qu'elle n'allait pas mourir. J'ai glissé la barre entre le sol et le meuble, je m'en suis servi comme levier pour soulever l'armoire que j'ai réussi à pousser sur le côté pour la dégager.

– Bravo !

– Merci, ai-je répondu, les paupières lourdes.

– Alors, c'était quoi, leur histoire ? a-t-elle insisté.

– Je ne sais pas. J'étais petit.

– Raconte quand même.

– Ils étaient juifs.

– Et ?

– Et nous ne savions pas qu'ils l'étaient. D'autant qu'on était sûrs que quasiment tous les Juifs avaient été exterminés pendant la guerre et que ceux qui restaient s'étaient enfuis dans leur pays, la Palestine. Alors en avoir chez nous ? Impensable, à part le type qui habitait au rez-de-chaussée de notre immeuble. Lui et sa femme avaient une petite entreprise de fabrication de cierges, ils veillaient à aller à la messe tous les dimanches, pour toutes les fêtes catholiques aussi, mais personne n'ignorait qu'il était juif. Pour deux raisons : il avait une tête de Juif et c'était l'homme le plus riche du quartier. Par exemple, il a été le premier à acheter un téléviseur. Mais en ce qui concerne papy et mamie, on ne les a jamais soupçonnés, même si, dans l'appartement, il gardait toujours sa casquette, elle n'ôtait jamais son foulard et ils allumaient des bougies le vendredi soir. Et aussi, au printemps, ils mangeaient des espèces de crackers grands et durs. Mais à nos yeux, c'était juste des Polonais normaux. Et puis, un beau jour, ils nous ont quittés pour partir en Palestine. À ce moment-là seulement j'ai compris qu'ils étaient juifs. »

Nous non plus n'avons pas été juifs jusqu'à notre départ. Un matin, on est montés dans un train pour l'Autriche. Arrivés là-bas, on a pris un bus jusqu'en Italie et, de là, un bateau pour l'Australie. Mais un soir, sur le pont, Robert m'a emmené à l'écart. On s'est assis sur les chaises longues, dans un coin, il m'a donné une cigarette et s'en est allumé une : « Écoute, maman m'a demandé de te parler. Donc voilà. Première chose, on ne va pas en Australie mais en Palestine, qui est le pays des Juifs.

— Alors on est juifs ? Comme papy et mamie ?

— Oui. Deuxième chose, maman m'a demandé de te dire qu'on ne devait plus faire pipi avec les autres enfants.

— D'accord, ai-je dit sans comprendre pourquoi.

— Et il y a encore une chose, a ajouté Robert en approchant son visage de moi : si jamais quelqu'un là-bas te traite de *goy*, tu dois le défoncer.

— C'est quoi, un *goy* ?

– Je sais pas. Mais là-bas, en Palestine, c'est la pire insulte qu'on balance. »

« Je ne comprends pas, a dit ma femme en louchant instinctivement vers le bas, tu es circoncis, non ?
– Je l'ai fait plus tard, ici, en Israël.
– On t'y a obligé ?
– Non, c'est moi qui ai insisté, parce que dans le dortoir du kibboutz on n'arrêtait pas de m'embêter. Mais ça, c'est une autre histoire, ça s'est passé des années après la disparition soudaine de nos voisins juifs. Je n'ai même pas pu leur dire au revoir. »

Le vieux m'emmenait parfois dans un petit appartement situé non loin de l'église. Assis autour d'une table, il y avait là-bas quelques hommes comme lui qui lisaient un grand livre écrit dans une langue que je ne connaissais pas. Ils chantaient aussi, dans une langue encore différente et que je ne connaissais pas davantage, mais là, je pouvais me mêler à eux parce que papy m'avait appris ces chants-là.

« Il savait que j'étais juive, aucun doute là-dessus, même si je ne lui avais rien dit, m'a assuré ma mère. Au moment de la Pâque, quand ils allaient chercher du pain azyme, il en commandait toujours un peu pour moi. Pourquoi crois-tu qu'il t'emmenait à la synagogue et t'a appris des chants en yiddish ? Parce qu'il savait. C'était sa manière à lui d'essayer de te protéger de ton *goy* de père. »

Ce n'est qu'après avoir épuisé toutes ses sources de revenus que ma mère s'était subitement rappelé sa religion et, sans hésiter, avait contacté l'agence juive de Wrocław pour solliciter de l'aide.

Un jour, elle m'a emmené avec elle, et je me suis retrouvé assis sur le banc d'une salle d'attente, sans savoir où j'étais. Il n'y avait que nous deux, elle et moi, face à une porte fermée, et nous avons attendu en silence, je sentais qu'elle était stressée. Elle a cherché quelque chose du regard, et quand ses yeux sont tombés sur moi, elle s'est de nouveau animée : « Tu te souviens de la chanson que papy t'a apprise ? m'a-t-elle dit en commençant à la fredonner. Parfait ! Je vais te demander de la chanter tout à l'heure. »

Elle a lissé ma chemise avec sa main, a nettoyé mes joues d'un index humide de salive, a peigné mes cheveux avec ses doigts et m'a bien arrangé la raie de côté. La porte s'est ouverte. Une femme âgée en est sortie et nous sommes entrés.

À l'intérieur, j'ai vu trois hommes assis derrière un bureau. Ma mère a échangé quelques mots avec eux. Ils parlaient bas, le visage sévère.

« Vas-y maintenant », m'a-t-elle soudain chuchoté.

Je me suis mis debout et j'ai entonné une chanson en yiddish d'une voix forte et claire, sans fausses notes. Les trois inconnus m'ont regardé, les yeux brillants de larmes.

« Et ça a servi à quelque chose ? s'est étonnée ma femme.

— Ils lui ont donné quelques zlotys.

— Qu'est-ce que tu as chanté ?

— Un chant de Hanoukka en yiddish. »

Sur ces mots, on s'est endormis, elle et moi… et on a été réveillés en sursaut par notre fils qui nous grimpait dessus, tandis que ma belle-mère, dos tourné, déclarait qu'elle s'en allait. On a éclaté de rire. Que pouvions-nous faire d'autre ? Le petit exultait. Trouver son père et sa mère à poil sur le canapé, le pied ! Il avait trois ans à l'époque et, crapahutant au-dessus de nos corps dénudés, il a essayé de se redresser pour sauter en bas.

10

« Mon Tadzio ! » s'est écrié mon père dès qu'il m'a vu.

Ça faisait déjà un certain temps que je me tenais sur le seuil de sa chambre, mais il était en pleine discussion avec un petit vieux assis dos à moi. Sur le mur derrière lui, les photos que je lui avais apportées la veille étaient collées un peu de travers. Il insultait son vis-à-vis dans un flot qui semblait ne jamais devoir se tarir. Au moment où il m'a remarqué, son visage furieux s'est aussitôt illuminé. Il s'est levé avec difficulté. J'ai vu qu'il portait un veston brun sur une chemise rose, qu'il s'était coiffé, rasé de près et avait même taillé sa moustache. Son compagnon s'est levé lui aussi pour se tourner vers moi. Il était moins grand que mon père, grassouillet et avait un visage simiesque.

« Mon Tadzio ! a répété mon père avant de s'écrier : Je te présente Wojtek, c'est le fils de pute dont je t'ai parlé ! Une crapule, mais quand on n'a pas le choix, faut être conciliant. »

Le dénommé Wojtek m'a serré la main et a scruté mon visage, tout sourire : « Un sacré gaillard, ce Stefan. Il a une bouche pleine de crasse, que Dieu nous garde, et un cœur encore plus crasseux, mais quand on se trouve dans le trou du cul du monde et que, d'un instant à l'autre, on risque d'être dégagé en enfer, à quoi bon chercher la propreté, pas vrai ? »

Mon père a éclaté de rire et a donné une grande claque sur l'épaule de Wojtek.

« Un poète ! C'est pour ça que je l'aime ! Ce type est un putain de poète ! »

Les deux amis se sont rassis sur leur chaise et moi sur le lit.

« Je vois que tu as accroché les photos, ai-je dit.

– Pour sûr ! Hier soir, on a fait ça tous les deux. Pas une mince affaire, ils sont tellement radins, ici ! Ils n'ont pas voulu me filer de la colle, soi-disant qu'ils n'en avaient presque plus. Mon cul ! Alors on leur a sorti le grand jeu. Je me suis couché dans le couloir, Wojtek est allé trouver ce pingre de merdeux à l'accueil, il lui a dit que j'étais tombé, et pendant que ce connard m'aidait à me relever, il lui a piqué sa colle. »

Ils ont de nouveau éclaté de rire comme des gamins.

J'ai donné à mon père la canne que je lui avais achetée. Il l'a examinée sur toute sa longueur, l'a lancée plusieurs fois en l'air, au risque d'assommer quelqu'un.

« Une sacrée canne que mon fils m'a apportée, il l'a payée en dollars. Au marché noir », a-t-il déclaré fièrement à Wojtek, qui, à son tour, a palpé la canne.

À l'évidence, lui aussi était impressionné. Pendant ce temps, j'ai sorti du sachet en papier plusieurs boîtes d'allumettes que j'ai posées sur la table. Mon père en a soulevé une et l'a agitée sous le nez de son ami.

« Des allumettes. Tu vois ? Des allumettes. Regarde-les bien, tête d'asticot, parce que je ne t'en donnerai pas une seule. Tu as déjà oublié, hein ? Eh bien sache que moi, je n'ai pas oublié. Hier soir, monsieur a refusé de partager avec moi le fond de sa bouteille de vodka, vrai ou pas ? »

J'ai alors posé sur la table la bouteille de whisky que j'avais aussi achetée au marché noir. Les deux hommes l'ont regardée avec méfiance.

« C'est quoi ? a demandé mon père.

– On dirait de la vodka périmée, a marmonné Wojtek.

– C'est du whisky.

– Du whisky, a répété ce dernier.

– Mais oui, pour sûr ! s'est écrié mon père avec une émotion décuplée. C'est la boisson de ces putains de Britanniques ! Ben oui, ces trous du cul boivent du whisky. Allez, mon Tadzio, va te chercher un verre, qu'on trinque avec la bibine de cette bâtarde de reine d'Angleterre ! »

J'ai trouvé un verre dans l'évier. En m'attendant, mon père et Wojtek se sont envoyé dans le gosier la vodka qui restait dans leurs tasses. J'ai ouvert la bouteille et je nous ai servis tous les trois.

« *Na zdrowie !* » a lancé mon père.

Ils ont pris une gorgée, ont échangé un regard perplexe et ont aussitôt recraché.

« Infect ! a dit Wojtek.

– C'est quoi ? Du tord-boyaux maison ? Mon Tadzio, j'ai l'impression qu'ils se sont foutus de toi là-bas, ces fils de pute ! Je te conseille de ne pas le boire, tu risques de devenir aveugle.

– Au contraire, c'est un excellent whisky », ai-je répondu en reprenant une gorgée.

Ils m'ont dévisagé un long moment.

« Vous, les Américains, je vous ai toujours trouvés bizarres, a fini par dire mon père. Je n'ai jamais réussi à comprendre ce que vous aviez dans vos caboches de merde… mais comment imaginer qu'en plus, vous buviez ce truc dégueulasse ? Le Coca-Cola, passe encore, mais de la vodka périmée ? »

Et les deux petits vieux ont éclaté de rire.

« Tu vas nous excuser, Tadek, pas vrai ? »

Il a ramassé leurs tasses puis les a données à son ami pour qu'il aille les vider dans l'évier.

« Et toi ?

– Moi, ça va », ai-je répondu en prenant ostensiblement une nouvelle gorgée.

Une fois Wojtek de retour, mon père a servi de la vodka, a commencé sa cérémonie d'allumage de cigarette et, tandis qu'il cherchait le filtre du bout des doigts, il a pointé le menton vers son ami : « Tout à l'heure, il m'a demandé si j'avais été un bon père et je lui ai dit que si j'avais été un père aussi minable qu'il le pensait, eh ben, jamais tu n'aurais pris la peine de venir me voir. Alors, ce fils de pute a voulu que je lui donne des exemples. Je lui ai répondu qu'il était vraiment un sale cloporte, comment est-ce que je pourrais lui trouver des exemples, à mon âge, j'ai le cerveau comme une passoire !

– Pourtant il y a plein de trucs dont tu te souviens très bien. Même trop bien, a susurré Wojtek.

– Sale fumier ! Tu devrais me remercier de te permettre de venir polluer l'air de ma chambre alors que mon fils me rend visite. J'ai le cerveau imbibé d'alcool de merde. Il ne reste plus beaucoup de place dedans. Alors je me souviens de certaines choses, mais pas de tout.

– Et toi, qu'est-ce que tu en penses, toi ? » m'a interpellé Wojtek.

J'ai jeté un coup d'œil vers mon père qui attendait, aux aguets.

« Il s'est comporté comme un beau salaud », ai-je dit en le dévisageant, incapable de me retenir.

Son expression s'est figée un instant et puis il a eu un sourire embarrassé, un sourire que je ne lui avais jamais vu, on aurait dit un gamin pris à mentir. Il a regardé Wojtek, a allumé sa cigarette avec le briquet que je lui avais apporté, et a baissé les yeux tandis que la déception se peignait sur son visage.

« Mais je vais trouver des exemples », ai-je rectifié.

Il a tapé sur la table et a lancé un regard triomphant à Wojtek : « Tu entends, bite de baudet, c'est pas les exemples qui manquent ! Vas-y, Tadek, raconte-lui quelque chose, et toi, ouvre grand tes oreilles.

— Eh bien, un jour, il m'a emmené au zoo, à Wrocław.

— Je l'ai emmené au zoo ! s'est exclamé mon père, tout heureux, même si à l'évidence il n'avait pas la moindre idée de ce dont je parlais.

— J'étais petit. Je me souviens qu'on s'est arrêtés devant la cage des singes, et dedans, on en a vu deux qui s'accouplaient. À côté de nous, il y avait un enfant sage avec sa mère, le genre bien habillé et bien coiffé, et je l'ai entendu dire : "Regarde, maman, les singes jouent au cheval !" Alors je me suis tourné vers lui : "Ferme ta gueule, imbécile ! Tu vois pas qu'ils sont en train de baiser ?" »

Mes deux compagnons ont éclaté de rire.

« Tu t'en souviens ? a demandé Wojtek.

— Évidemment que je m'en souviens, a menti mon père. Pour sûr. Allez, Tadzio, une autre histoire. »

La pièce s'était remplie de fumée de cigarette. Je me suis levé, j'ai entrouvert la fenêtre et un souffle de vent froid s'est engouffré à l'intérieur.

« Un jour il nous a emmenés, mon frère, moi et nos deux sœurs, à une course de motos.

— Tu vois, croupion de chimpanzé, moi, j'ai emmené mes enfants à une course de motos ! » Il a versé de la vodka dans leurs deux tasses.

« Alors on monte tous dans le tramway, et le contrôleur s'approche de papa pour encaisser l'argent, mais lui, il n'a pas un sou. Alors il commence à blaguer avec le type, à lui demander pourquoi, dans un pays communiste, il fallait payer, il se met à raconter des blagues sur le Parti, bref, il gagne du temps. Quand on arrive aux abords du circuit, le type était déjà à bout de nerfs et lui dit : "Monsieur, veuillez payer immédiatement." Alors papa se racle les poches comme s'il cherchait de l'argent, finalement il trouve une vis, qui venait sans doute de son travail, et il la lui tend en disant : "Prenez-la, vissez-vous-la dans le cul et foutez-moi la paix." »

Les deux compères étaient hilares. Moi aussi.

« Tous les passagers se tordaient de rire, et quand le tramway s'est arrêté à notre station, on est descendus en vainqueurs. Après, on s'est pointés à l'entrée et là, il nous a dit : "Écoutez, les enfants, je n'ai pas de quoi acheter des billets, alors dès qu'on arrive, vous foncez à l'intérieur et vous disparaissez." On a fait comme il a dit, le type à l'entrée n'a pas tiqué parce qu'il pensait que c'était papa qui avait les billets.

– De ça, justement, je me souviens ! a déclaré mon père, qui a pris le relais : Les mômes ont couru à l'intérieur et moi, le gars m'a arrêté. "Monsieur, les billets, s'il vous plaît", qu'il me fait, et moi je lui réponds : "Je n'en ai pas et je n'ai pas non plus d'argent pour en acheter." Là, il râle : "Mais enfin, vous venez de faire entrer quatre enfants !" Tu sais ce que je lui ai répondu ? "Estimez-vous heureux parce que j'en ai quatre autres à la maison." Tous les gens autour de nous ont pissé de rire. Après, j'ai raconté encore quelques blagues et il a fini par me laisser passer. Eh oui, sache-le, mon Tadzio, mon chéri, avec l'humour, tu peux aller beaucoup plus loin que ce que tu crois. Moi, j'avais deux atouts, qui ont résolu tous nos problèmes : mes poings et mon humour. Je me trompe, Wojtek ?

– Pour les poings, sûr que non, a acquiescé l'autre en levant sa tasse pour montrer qu'elle était vide.

– Je viens de te servir, espèce d'enculé, tu en veux encore ? Il débarque, ce fils de pute, il termine ma vodka et après il refuse de partager la sienne. Charogne. D'ailleurs, qu'est-ce que tu me colles comme ça ? Mon fils est venu me voir, moi, pas toi, trou du cul. »

Wojtek s'est levé et a excusé l'attitude de son ami : « C'est parce que tu es là qu'il se met dans cet état. J'ai été ravi de faire ta connaissance. » Il m'a serré la main et est sorti de la pièce.

« Sale radin de youpin, a susurré mon père dans son dos avant de se reprendre et de me sourire : C'est juste une manière de parler, mon Tadzio, pas besoin que je t'explique. Il n'est pas vraiment juif.

– J'avais compris, papa.

– Parfait ! s'est-il exclamé en tapant sur la table. Tu veux de la vodka ?

– J'ai du whisky.

– D'accord. Mais si tu veux changer, ne te gêne pas. Allez, maintenant que le macaque est parti, raconte-moi encore quelque chose qu'on a fait ensemble. »

Je lui ai rappelé nos bagarres qui dégénéraient souvent en empoignades violentes et incontrôlées. On se lançait à la figure nos oreillers et toutes sortes d'objets, on se tendait aussi mutuellement des pièges et on montait des coups tordus. Quand on boxait sur le lit, lui et moi, j'y allais de toutes mes forces et il m'encourageait : « Toi, tu pourrais tuer un cheval ! Tu es si fort que tu pourrais vraiment tuer un cheval ! »

Je me suis remémoré ces combats avec une telle netteté que j'ai vu son visage jeune et pas rasé, tout près du mien, j'ai humé son haleine, l'odeur de sa peau quand on roulait tous les deux sur le lit. J'ai senti le poids de sa carcasse, de ses muscles d'acier, et ses mains qui s'agrippaient à moi, serraient comme un étau tandis que je le frappais encore et encore, que j'y mettais les poings, les pieds, je l'entends répéter et rerépéter : « Tu es si fort que tu pourrais tuer un cheval ! » Je le vois allongé sur le dos et moi, assis sur son cou, je lui donne des claques, lui étire les lèvres, lui écrase les joues et il rit de bonheur. Personne à part moi ne s'approchait autant du visage paternel. À l'époque, je trouvais ça normal – je pensais que ce visage m'appartenait, ainsi que ce corps.

Je ne lui ai rien dit de tout ça, mais peut-être s'en souvenait-il. En revanche, j'ai mentionné la fois où j'avais attaché à une poignée de porte une chaise que j'avais réussi à hisser sur l'armoire, et quand il avait ouvert la porte, elle lui était tombée dessus. Il avait éclaté de rire, s'était précipité sur moi, mais j'avais réussi à lui échapper et à fuir dehors. Sachant qu'il préparait sa revanche et attendait que je rentre, j'étais resté un certain temps à aller et venir en bas de l'immeuble, sans trop savoir quoi faire, jusqu'à ce qu'une amie de ma mère vienne vers moi et me demande si Eva était à la maison.

« Bien sûr, lui ai-je répondu en lui proposant aussitôt de l'accompagner chez nous.

– Toi, tu es un vrai petit gentleman qui sait déjà qu'il faut accompagner les dames ! » s'est-elle émerveillée.

Arrivés sur notre palier, j'ai insisté pour frapper à la porte à sa place, et elle a de nouveau loué mes bonnes manières. J'ai volontairement toqué d'une façon personnelle et reconnaissable, puis je lui ai ouvert la porte et l'ai laissée passer devant moi pour qu'elle entre la première. Ma mère était en train de laver le sol, mon père s'est alors saisi de la serpillière gorgée d'eau sale et l'a lancée vers l'entrée, persuadé de m'atteindre. L'amie de maman se l'est prise en pleine poire et s'est mise à hurler.

« Sacré petit malin ! » Mon père a ri, puis il a toussé. « Et ensuite ? »

J'ai avalé une gorgée de whisky et je l'ai dévisagé. Il avait ôté ses lunettes pour s'essuyer les yeux. Tout à coup a surgi devant moi le visage de mon ordure de père, celui qui, ce soir-là, avait quitté l'appartement en râlant : il s'était disputé avec ma mère parce qu'elle refusait d'admettre que l'épisode de la serpillière était drôle. Cette nuit-là, il était rentré ivre, et nous avait dit de dégager pour rester seul avec elle. Comme je n'avais pas eu le temps de m'esquiver sur le palier avec les autres, je m'étais planqué dans un coin de la pièce. Il avait commencé par lui donner une énorme gifle et, quand elle était tombée par terre, je n'avais pas pu réprimer un cri étranglé. Il m'avait aussitôt débusqué : « Fils de pute, avait-il rugi, braquant sur moi ses yeux rouges de faucon, qu'est-ce que tu fous là ? Tout ça, c'est de ta faute ! »

Par chance, avant qu'il arrive à m'atteindre, j'avais réussi à me faufiler hors de la pièce.

Mon père a remis ses lunettes et m'a regardé. Il a remarqué que je n'avais plus la même expression, a pris une nouvelle cigarette et l'a portée à sa bouche sans vérifier – du bon côté. On est restés silencieux. Au bout d'un moment, il a relevé les yeux vers moi, pour aussitôt les baisser : « Il y a quelques années, a-t-il dit, Robert m'a écrit une lettre dans laquelle il me reprochait de m'être acharné sur lui, il a prétendu que même un chien ne subissait pas les mauvais traitements que je lui ai infligés : "Comment as-tu pu me faire une chose pareille ? Tu m'as bousillé la vie", voilà ce qu'il a écrit. » Il s'est passé la langue sur les lèvres et s'est mouché dans la serviette. « Foutaises ! C'est vrai que je l'ai cogné. Très fort. Mais c'était pour son bien. Ton frère était un voyou. Chaque fois que je le frappais, ça le ramenait dans le droit chemin. Sans ma poigne, il serait devenu un criminel et aurait fini en prison ou au cimetière. »

J'ai préféré ne pas répondre. À quoi bon ? Il était assis, penché en avant, les yeux encore rivés à la table.

« Je sais que, comme père, j'ai été une merde, Tadek, je sais que j'ai été un fils de pute… » Il s'est de nouveau interrompu et m'a regardé de ses yeux grossis par ses verres de lunettes. « Va fermer la fenêtre. J'ai froid. »

Je me suis levé. J'ai fermé la fenêtre.

« Tu te souviens, le jour de votre départ, à la gare, juste avant que vous montiez dans le wagon… tu te souviens de ce que tu m'as dit ? » a-t-il demandé.

J'ai répondu que non.

« Tu m'as lancé un regard furieux et tu as refusé de monter. J'ai essayé de te pousser parce que le train allait partir, mais tu n'as pas voulu bouger. Tu avais les yeux pleins de larmes et tout à coup tu m'as dit d'une voix chevrotante : "Maintenant, tu es peut-être content, mais plus tard, tu seras drôlement triste." Alors seulement tu as accepté de monter. Et en effet j'ai été triste, mon Tadoush, si tu savais comme j'ai été triste. »

Assis sur sa chaise, tout fané, il est resté ainsi à boire en silence, a pris une nouvelle cigarette en me lançant plusieurs coups d'œil, tandis qu'un petit sourire, contrit, se dessinait sur son visage. J'ai soudain ressenti le besoin urgent de m'éloigner, de prendre l'air. Je me suis levé pour aller pisser, même si je n'en avais pas du tout envie. Debout dans ses chiottes puantes, j'ai soudain pensé à Lydia, qui avait briqué les toilettes et la douche de ma chambre, avait plié chaque serviette en deux et les avait accrochées dans une symétrie parfaite sur la barre derrière la porte. Sur un côté du lavabo, elle avait posé un verre vide, et sur l'autre, le savon. Certes, c'est exactement ce qu'on attendait d'elle, mais elle paraissait peser soigneusement la place précise de chaque objet, comme mue par la volonté de les imbriquer avec justesse dans l'harmonie qu'elle instaurait autour d'elle.

Oui, en art de la propreté et de l'ordre, Lydia avait pensé à tout, sauf qu'elle avait oublié d'utiliser la chasse d'eau après avoir uriné dans mes toilettes. Et moi, j'étais resté un long moment à fixer comme un imbécile le fond de la cuvette. Finalement, je n'avais pas pu résister à l'envie de pisser après elle. Ce n'est qu'ensuite que j'avais tiré la chasse.

Je l'avais recroisée le matin même, en descendant au bar de la pension, qui servait aussi de salle de petit déjeuner. Comme je comptais me rendre à la maison de retraite tout de suite après, j'avais pris mon sac, ainsi que la canne et le sachet en papier avec les courses que j'avais faites la veille pour mon père. On s'était retrouvés face à face dans l'escalier en colimaçon. Elle tenait dans une main un seau contenant des produits ménagers et des chiffons, dans l'autre un balai. Un grand sac de toile avec des draps et des serviettes propres était accroché à son épaule et elle était essoufflée d'avoir grimpé ainsi trois étages et demi. Son uniforme de soubrette, parfaitement repassé, semblait sortir d'un film hollywoodien des années cinquante, et ses cheveux blonds avaient été ramassés et attachés au sommet de son crâne.

« Bonjour, monsieur, avait-elle dit.

– Bonjour, je vous en prie, allez-y », lui avais-je répondu en me plaquant contre le mur pour la laisser passer.

Après avoir gravi deux marches, Lydia avait hésité devant l'étroitesse du passage tout en souriant de confusion. J'avais très envie qu'elle se glisse ainsi entre moi et le mur d'en face, mais je lui ai alors pris le seau et le balai des mains et, sans rien lui demander, je suis remonté jusqu'à mon étage. Elle m'y a rejoint en s'excusant : « Merci, monsieur. Vous n'étiez pas obligé. J'aurais pu redescendre d'un étage.

– Vous avez suffisamment grimpé comme ça. Et moi, je suis bien élevé, je sais me comporter avec une dame. » J'ai été pris de court par la phrase idiote que je venais de prononcer, mais qui lui a apparemment plu puisqu'elle a lâché un petit rire, m'a regardé, a baissé les yeux : « Si vous descendez maintenant pour le petit déjeuner, je vais en profiter pour faire votre ménage.

– Bien sûr, je vous en prie. Merci beaucoup. »

J'étais resté à la contempler jusqu'à ce qu'elle entre dans ma chambre. J'aurais bien aimé la suivre.

De retour des toilettes, j'ai trouvé mon père assis, tête basse, en train de pleurer. Je me suis arrêté sur le seuil de la pièce. Il parlait tout seul. Je n'ai pas compris ce qu'il marmonnait et je suis entré.

« Ton voisin continue à pisser sur le mur, l'ai-je informé en souriant, mais il ne me regardait pas.

– Je suis désolé, mon Tadzio. J'étais si content de te voir aujourd'hui ! Je ne sais pas ce qui m'arrive, c'est mon foutu caractère. Impossible de me contrôler. Ça a toujours été comme ça, rien à faire ! Je n'ai jamais réussi à maîtriser mon humeur, pour le meilleur et pour le pire. » Il s'est tu, a passé distraitement les doigts sur le bord de la table, aller et retour. « J'ai toujours été un fumier, et ça ne m'a pas posé de problèmes. Qu'ils aillent tous se faire enculer. Le truc, c'est que j'ai aussi été une merde de père. Une merde de mari. Une merde d'ami. J'ai peut-être vieilli, mais maintenant, ça commence à me déranger. Je n'aurais pas dû engueuler ce macaque de Wojtek. Il traverse une période difficile, c'est du moins ce qu'il dit. L'automne est une mauvaise saison pour lui parce que c'est en automne que son amoureuse a été tuée. Si tu veux mon avis, ce n'est qu'un prétexte. Il traverse toujours une période difficile. Mais bon. Une Juive, son amoureuse. D'après lui, ils étaient tous les deux jeunes et passionnés, et il s'en fichait complètement qu'elle soit juive, parce qu'il a un grand cœur.

– Toi aussi, tu es tombé amoureux d'une Juive.

– Mais moi, ce n'est pas parce que j'avais un grand cœur. Moi, je m'en fichais qu'elle soit juive parce que je me fichais de tout, alors tu ne peux pas comparer. Et surtout ne crois pas que les Polonais du village n'aimaient pas baiser les Juives. Au contraire. Et comment qu'ils aimaient ça ! Les Juives étaient coquettes et soignées. Elles ne s'esquintaient pas dans les champs, ne faisaient pas de travaux pénibles, du coup elles n'avaient pas le visage rongé par le soleil, la peau couverte de taches et de rides, le corps abîmé. Alors évidemment qu'on aimait les baiser, les Juives. Mais Wojtek, lui, ne s'est pas contenté de la baiser, sa Juive, il en est tombé amoureux et voulait l'épouser. Sauf qu'avant qu'il ait eu le temps de le faire, ces putains d'Allemands ont débarqué, ce qui l'a obligé à la cacher chez eux, au village, dans la maison de sa mère. Comme elle n'avait pas l'air d'une Juive, ils ont prétendu que c'était une cousine et personne ne l'a embêtée. Jusqu'au jour où Wojtek a dû suivre son unité de partisans dans les bois, et pendant son absence, ses salopards de frères se sont saoulés, l'ont attrapée, l'ont violée l'un après l'autre et, pour qu'elle ne les dénonce pas, ils l'ont jetée dans le puits. Bon, pour eux, ce n'était qu'une Juive, et tuer un Juif pendant la guerre, c'était aussi facile que de noyer un rat après l'avoir pris au piège. Salopards ! Quand il est rentré, ils lui ont dit que c'étaient les Allemands qui l'avaient tuée, et ce n'est qu'après la guerre qu'il a découvert la vérité. Peut-être que sa mère aura laissé échapper quelque chose. Moi, quand j'ai voulu savoir ce qu'il avait fait à ces enculés, tu sais ce qu'il m'a répondu ? "Rien." "Rien ?" je lui ai demandé. "Rien." Un de ses frères a été gravement blessé pendant la guerre, il a perdu ses deux jambes, et l'autre s'est occupé de leur mère, qui était très malade. "Si je le tuais, qu'il m'a dit, ça revenait à la tuer, elle." C'est son histoire, un cœur en or, crois-moi, plus charitable que Jésus et la sainte Vierge réunis. Aujourd'hui encore, quand on boit, il la pleure, sa Juive, surtout en automne. Enfin, en été aussi et en hiver et au printemps à la con aussi. Il la pleure tout le temps, un vrai bébé. »

On s'est tus pendant un long moment. Mon père buvait tranquillement sa vodka.

« Et chez vous ? ai-je demandé.

– Quoi, chez nous ?

– Dans ton village.

– Les Juifs ?

– Oui.

– Il n'y avait qu'une seule famille, tu sais bien que c'était un petit village. » Il a scruté mon visage avec attention. « Pourquoi tu me demandes, quelle importance, cette saloperie de guerre a été une horreur. » Il m'a encore jeté un bref regard puis a soupiré. « D'accord. Il y avait une famille, chez nous, dont la ferme n'était pas très loin de la nôtre. Ils avaient plusieurs enfants et pas mal d'argent, ces fils de pute. Oui, avant la guerre, les parents étaient dans le commerce de bois et de fourrure, et puis, quand la guerre a éclaté, le père, un salopard de youpin, s'est enfui en Russie et a laissé sa femme et ses enfants au village. Lorsque les Allemands ont débarqué, ils ont été se réfugier tout à côté dans la forêt et ça a bien fonctionné, le jour ils se cachaient dans les bois, et la nuit ils retournaient discrètement chez eux pour dormir un peu. Nous, on ne les embêtait pas, on faisait comme s'ils n'existaient pas, certaines paysannes leur déposaient même de la nourriture. Ils auraient pu tenir toute la guerre. Sauf que chez nous comme ailleurs, il y a eu un enfoiré qui les a dénoncés, et une nuit, ils se sont faufilés chez eux mais ces porcs de nazis les attendaient à l'intérieur et les ont abattus. Quand on est entrés, on a vu que ces fumiers n'avaient épargné personne. La mère gisait là, les enfants aussi, dans une grande mare de sang. Une fermière qui leur laissait souvent à manger a soudain remarqué qu'il manquait un des gosses. On s'est réjouis… enfin, pas longtemps, parce que, quand on est ressortis, on a trouvé le cadavre du môme plié sur la barrière. Il avait essayé de fuir mais les Allemands l'avaient chopé. » Mon père a balayé la pièce du regard pour ensuite s'arrêter sur moi. « Tu veux bien m'allumer une cigarette, mon Tadzio ? »

J'en ai allumé une et la lui ai plantée entre les lèvres, puis j'ai attendu en silence qu'il reprenne son récit. Je voulais qu'il continue à me raconter, et comme il se taisait j'ai dit : « Les Juifs ont terriblement souffert pendant la guerre.

– Oui, ça, pour sûr. » Ses yeux ont erré dans le vague puis se sont arrêtés sur moi. « Qu'est-ce que tu veux ? Il y a des choses qui doivent être effacées, que je dois emporter avec moi dans la tombe, des choses que je n'ai pas envie de sentir passer à nouveau sur ma langue. Des choses qui ne sortiront pas de ma putain de bouche. Merde ! Ce qui est vraiment important, ce qui doit être retenu de moi est écrit dans un livre, je vais t'en donner un exemplaire, ça parle de ce qu'on a vécu à Majdanek et de la manière dont on s'est enfuis de là-bas. Ça, c'est des choses importantes à savoir. C'est la grande Histoire. Tout le reste… » Il s'est tu mais a ensuite marmonné, comme pour lui-même : « Il fait tout le voyage depuis le pays des Juifs et il veut justement que je lui parle de ces gens-là, comme si, chez eux, on ne lui en parlait pas assez ! » Il s'est raclé la gorge, a toussé plusieurs fois violemment, s'est retrouvé la bouche pleine de glaires dont il ne savait pas quoi faire et qu'il a finalement crachées dans sa serviette. « Alors oui, les Juifs ont souffert pendant la guerre, pour sûr ! Mais nous, les Polonais, on a pris plus de risques qu'eux. On s'est battus, nous. Eux… Crois-moi, ça, putain, c'est vraiment un truc que je ne comprends pas ! » Il a réfléchi un instant. « Au début, avant que je sois déporté à Majdanek, j'ai dû me rendre dans une espèce de bourg merdique situé à un endroit stratégique, c'est du moins ce que prétendait le commandant qui m'avait envoyé en mission. Je me pointe là-bas, dans ce bourg merdique, je trouve le tailleur qui travaillait pour nous, il m'accueille, me fait passer pour son apprenti, grâce à quoi, d'ailleurs, je sais un peu coudre à la machine. Ah, comme je l'ai détestée, cette putain de machine ! Avec mes gros doigts, comment tu veux que ça marche entre elle et moi ? Tout était trop petit. Saloperie de boulot ! Mais quelle importance… Je m'asseyais face à la vitrine, je râlais et je cousais. L'atelier donnait sur la rue principale, ce qui me permettait de suivre le mouvement des troupes allemandes. Je les notais et, tous les deux ou trois jours, je transmettais un compte rendu au quartier général par le biais d'un homme de liaison. En fait, cette mission, n'importe quel connard aurait pu la remplir mais c'est moi qu'ils ont choisi ! Je me suis retrouvé assis du matin au soir comme une femelle avec cette putain de machine à coudre qui me bousillait les doigts. À la fin de la journée, le tailleur défaisait ce que j'avais fait, et le matin il me refilait les mêmes morceaux à recoudre, pour des raisons d'économie. À juste titre, remarque, pourquoi gâcher du tissu ? Déjà comme ça, il nous rendait service. C'était quelqu'un de bon et d'honnête, qui voulait se battre pour sa patrie. Lui aussi, il s'est fait prendre, un fumier l'a dénoncé. Ils l'ont attrapé, obligé à se mettre à genoux, comme ça, dans la rue, devant la vitrine de sa boutique, et hop, une balle dans la tête. Mais ça, c'était plus tard. J'avais déjà quitté les lieux. D'ailleurs, si j'avais été présent, je ne les aurais pas laissés faire. Pour sûr ! Bon, et puis soudain un matin, j'étais encore là-bas, on a vu débarquer des hordes d'Allemands. Par camions entiers. Des fils de pute de soldats. Un déferlement. Étrange parfois comme les contraires s'allient : c'était le bordel dans les rues mais dans l'air régnait un calme très étrange. » Il a baissé la tête et s'est mis à tripoter le briquet que je lui avais apporté. « C'est cet après-midi-là que le chahut a commencé : des coups de feu, des cris en allemand. Mais on ne voyait rien de ce qui se passait. Ensuite, le calme est revenu, puis voilà qu'un énorme groupe de Juifs défile devant ma vitrine. Plus de mille. Tu crois qu'on savait qu'il y en avait autant, de Juifs, dans la région ? Et ils avancent, comme ça, ils marchent dans un silence total, pas un putain d'oiseau qui ose ouvrir son bec quand ils passent dans la rue principale. Il y avait même des enfants avec eux. Plein d'enfants. Ils marchaient en longue colonne compacte, j'ai cru que ça ne finirait jamais. Il y avait une trentaine d'Allemands et d'Ukrainiens pour les garder. Tu comprends, pas plus d'une trentaine de fils de pute ! Moi, je les regarde et je me dis : Mais qu'est-ce qu'ils sont cons, ces salopards d'Allemands ! Qu'est-ce qu'ils croient ? Que ces Polonais vont se laisser faire, même s'ils sont juifs ? Dès qu'ils arriveront dans la forêt, ces mille personnes vont se jeter sur les trente pouilleux qui les menacent et ce sera réglé en deux temps trois mouvements ! Pour sûr ! Même si une cinquantaine de youpins se fait tuer, ça ne sera qu'une cinquantaine, pas mille. Plus tard, j'ai appris qu'ils avaient abattu tout le monde. Salopards de fumiers. Ils ont massacré tous les Juifs. Tous les mille ! J'ai ressenti une terrible honte, parce que ce n'étaient pas des Juifs venus d'ailleurs, c'étaient des Juifs polonais, des villageois, des gens de chez nous. Pourquoi est-ce qu'ils n'ont rien tenté pour se sauver ? »

Une expression furieuse est soudain montée sur son visage.

« Et devine qui a sauvé sa peau ? » m'a-t-il demandé en donnant sur la table un coup de poing si violent que le briquet est tombé par terre. « Ce cloporte de Juif de notre village, celui qui s'était enfui en Russie et avait laissé sa famille se faire massacrer. Ce fils de pute a encore eu le culot de revenir après la guerre et de nous balancer des reproches. "Pourquoi n'avez-vous pas protégé mes enfants ? Comment avez-vous pu les abandonner ?" Sale youpin. Moi, je n'ai pas pu me retenir : "Mais c'est toi le salopard, toi qui t'es enfui en Russie tout seul !" et lui, il m'a répondu : "Je ne pouvais pas emmener tous les enfants avec moi." Là, moi, je me suis maîtrisé pour ne pas lui casser la gueule : "Eh bien alors, tu aurais dû rester pour les protéger, espèce de chien galeux ! Ou au moins en prendre un ou deux avec toi." C'est moi qui suis allé décrocher son fils de la barrière, c'est moi qui ai vu de près le visage du pauvre gosse. Bon, des visages d'enfants morts, j'en ai vu beaucoup. Jamais je n'oublierai cette Juive qui traversait un champ en courant avec ses cinq gosses et a failli nous percuter. Elle avait si peur, peur des Allemands, peur des Polonais, peur aussi de nous ! C'est pour ça qu'elle ne s'est pas arrêtée quand on l'a appelée alors que, justement, on voulait l'aider. Parce que, sans nous, ils n'avaient aucune chance, mais elle était tellement effrayée qu'elle n'a rien voulu entendre, elle a continué à courir avec ses petits, comme une folle, dans le champ de pommes de terre, oui, ils courent, les quatre enfants avec leur mère qui serre son bébé dans les bras, c'est évident qu'il est mort depuis longtemps, ce bébé, mais elle ne le lâche pas, elle ne peut pas le lâcher. J'en ai vu, des choses, pendant cette putain de guerre, mais le visage de cette Juive affolée qui court avec son bébé mort dans les bras me poursuit jusqu'à aujourd'hui. Elle, elle n'a abandonné aucun de ses enfants. À la différence de cet enfoiré de notre village, ce sale youpin qui s'était fait un paquet de fric avant la guerre et qui, après, a osé nous reprocher, à nous, d'avoir abandonné sa famille ! Non mais j'aurais été capable de lui tirer une balle dans la tête ou droit dans le tas de merde qui lui servait de cœur, de le tuer à la vue de tous sans le moindre scrupule. Mais il s'est mis à geindre comme une femmelette. Faut croire que les fils de pute aussi ont des sentiments. En plus, sa famille avait été assassinée. Si je l'avais descendu, c'est lui qui y aurait gagné. Et aussi, ça m'embarrassait : il restait tellement peu de Juifs après la guerre, en tuer encore un ? J'ai laissé tomber. Quant à lui, il est parti et on ne l'a plus revu. »

Les yeux humides, mon père fixait un point au-dessus de ma tête et s'humectait les lèvres en passant et repassant la langue dessus.

« Bon, ce n'est pas moi qui vais t'apprendre ce qu'on a fait aux Juifs pendant la guerre. Tu viens de leur pays. Tout le monde a souffert. Ces fumiers d'Allemands ont massacré trois millions de Polonais, mais bon, eux, ils les ont tués comme à la guerre, alors que les Juifs ont été exterminés dans des abattoirs. À Majdanek, on a vécu l'enfer, et je te garantis que même les vaches n'ont pas enduré ce qu'on a enduré là-bas. Parfois, j'avais tellement faim que je rassemblais ma salive dans la bouche et que je l'avalais, je la rassemblais et l'avalais, histoire de sentir que j'avalais quelque chose, que je me mettais quelque chose dans le ventre. Et pourtant, notre sort, c'était un hôtel cinq étoiles en comparaison de celui des Juifs. »

Il s'est resservi de la vodka et a laissé la bouteille sur la table. Cette fois, il n'a pas pris la peine de colorer sa boisson avec le sirop violet de son dessert.

« On sentait. Toute la journée, on sentait l'odeur des Juifs qui brûlaient dans les fours crématoires. Ils passaient d'abord par les chambres à gaz que ces fils de pute avaient construites dans le camp spécialement pour les massacrer. Aujourd'hui encore, je peux sentir la fumée juive, l'odeur de ceux qui ont eu la chance de n'avoir souffert qu'un court instant. Mais il y a aussi eu des Juifs qui n'ont pas été tués immédiatement. Ces fumiers en ont gardé presque vingt mille, et eux, ils ont vécu l'enfer de l'enfer. Ils mouraient comme des mouches à cause de la faim, des sévices, des maladies. Un matin, ils nous ont obligés à rester confinés dans notre block. On ignorait pourquoi, jusqu'à ce qu'une musique se mette à hurler dans les haut-parleurs, des valses de Strauss. Pendant plusieurs heures, ils l'ont diffusée, cette musique, pour qu'on n'entende pas les cris. Mais les tirs, on les a entendus, et comment qu'on les a entendus ! On a compris qu'ils étaient en train de liquider un arrivage de Juifs. Ils les liquidaient en masse. Et ce n'était que le début. Plus tard, en hiver, ils ont massacré en un seul jour les vingt mille Juifs qui se trouvaient dans le camp et ils les ont enterrés dans d'immenses fosses communes, certainement aussi au son de la musique de je ne sais quel salopard de compositeur allemand, mais moi, je n'y étais déjà plus. »

Mon père me fixait avec des yeux qui ne me voyaient pas. Il avait la tête de quelqu'un qui fouille dans ses souvenirs. Tout à coup il a souri et a entonné l'air du *Beau Danube bleu.*

« Tada-da-da-da, la-la, la-la, tada-da-da-da, la-la, la-la », son sourire s'est élargi, il a commencé à bouger la tête au rythme de la mélodie, sa voix est devenue plus claire, il a agité les mains comme un chef d'orchestre. « Tada-da-da-da, la-la, la-la, tada-da-da-da, la-la, la-la. »

Emporté par la musique qui remontait par sa gorge, il a semblé soudain reprendre vie, son corps et son visage ont rajeuni, et j'ai eu l'impression qu'il allait se lever et se mettre à tournoyer.

« Je me souviens que toi et maman, vous dansiez sur cette valse.

– Ta mère était une excellente danseuse. C'est une des raisons pour lesquelles je suis tombé amoureux d'elle. Pour sûr. Pendant la guerre, avant Majdanek, chaque fois qu'elle arrivait dans la région de Lublin, on allait danser. Et s'il n'y avait pas de fête prévue, je rameutais les copains et on improvisait. Qu'est-ce qu'il fallait, à l'époque, pour organiser un bal ? Un accordéon, un violon, une clarinette, de la vodka, deux ou trois musiciens, quelques joyeuses femelles prêtes à danser avec les gars – et ta mère. Pour sûr. Un sacré numéro ! Elle s'est drôlement bien débrouillée pendant ces années-là. Elle n'a commis qu'une seule erreur, qui lui a valu de se retrouver en taule avec des putes, mais comment aurait-elle pu deviner ? Elle avait de bonnes intentions.

– Quand est-ce que maman s'est retrouvée en prison avec des putes ?

– Pendant la guerre. Elle y est restée deux ans.

– Ça, elle ne m'en a jamais parlé ! »

« Parce que tu ne me l'as jamais demandé.

– Comment aurais-je pu savoir que je devais te poser des questions sur quelque chose dont j'ignorais tout ?

– En fait, je n'ai jamais vu l'intérêt d'en parler, a concédé ma mère. Quelle importance ? J'ai fait de la prison, et alors ?

– Pourquoi ?

– Parce que.

– Vas-y, raconte.

– Tu recommences avec tes "raconte" ?

– Oui. Effets secondaires de ma visite chez mon père.

– Ces effets-là, je les ai subis avant que tu y ailles, et voilà que je dois aussi les subir après, a-t-elle marmonné avant de se taire puis de lâcher : Je ne veux pas.

– Pourquoi ?

– Parce que c'est une longue histoire et que je dois étendre le linge.

– Je vais t'aider.

– D'accord.

– À condition que tu me racontes. »

11

Je l'ai suivie sur la terrasse où nous avons été accueillis par un vent automnal. Pas le moindre nuage à l'horizon.

« Il fait froid, a remarqué ma mère.

– Non, pas vraiment.

– Eh bien moi, j'ai froid. C'est parce que je suis une vieille dame. Bon, alors tu vas me passer le linge dans l'ordre que je vais te demander.

– Je peux accrocher à ta place.

– Non. J'ai ma manière. Par catégorie. Après, c'est beaucoup plus pratique à décrocher et à ranger dans l'armoire. D'abord, passe-moi les tee-shirts et les chemisiers un par un. »

Je lui ai passé un premier tee-shirt, qu'elle a accroché à la corde à linge avec deux pinces.

« Il faut se méfier du vent, m'a-t-elle expliqué.

– C'était quoi, l'histoire des putes ?

– Quelles putes ?

– Celles qui étaient avec toi en prison.

– Comment tu veux que je connaisse leur histoire ? Des putains, c'est des putains.

– Arrête de jouer avec moi, maman. Tu viens de me reprocher de ne pas avoir posé de questions. Alors voilà, maintenant, j'en pose. »

Elle a lâché un profond soupir.

« Continue, passe-moi encore un haut.

– Il n'y en a plus, tu n'en as lavé que deux.

– Alors, les jupes à présent. »

J'ai obtempéré.

« Il n'y a rien à raconter. Je me suis retrouvée en prison pour trafic de faux papiers, et on m'a mise dans une cellule avec des filles.

– Dans quelle prison ?

– Près de Varsovie.

– Comment y es-tu arrivée ?

– D'abord en train et ensuite à pied, accompagnée par un policier complètement bourré, a-t-elle souri. C'est moi qui l'avais saoulé. Moi et le cousin Mietek.

– Celui qui vit au Canada ?

– Il ne vit plus au Canada parce qu'il est mort il y a quelques années, mais oui, ce cousin-là.

– Qu'est-ce qu'il vient faire dans cette histoire ?

– Lui et son frère étaient les fils de la sœur de mon père, encore une que l'alcool a tuée jeune, si bien que ses garçons ont grandi chez nous. C'étaient tous les deux des gamins intelligents, et quand ils ont quitté la maison, ils ont fondé leur entreprise de bonbons et de chocolats et se sont rapidement enrichis. Il a toujours été très futé, ce Mietek, et s'est toujours débrouillé pour cultiver les relations utiles. Bon, c'est terminé.

– Quoi ?

– Les jupes. Alors pourquoi tu ne me le dis pas ? Maintenant, passe-moi les robes.

– Mais ça, c'était avant la guerre.

– Oui, avant.

– Et après ?

– Tu m'as posé des questions sur les putains, alors je te parle des putains.

207

– Tu ne m'as encore rien dit. Tu avais quel âge ?

– Quand la guerre a éclaté ? Dix-sept ans.

– Tu m'as dit que tu avais des papiers polonais.

– Oui.

– Comment tu as fait ?

– Je me suis débrouillée. Ce n'était pas sorcier. Quand la guerre a éclaté, les Allemands ont bombardé Varsovie qui a été presque entièrement détruite. Ensuite, ils ont occupé la ville et ont voulu remettre de l'ordre, alors ils ont fait une annonce pour dire que ceux qui avaient perdu leurs papiers pouvaient venir s'inscrire et en recevoir de nouveaux. Du coup, moi, j'ai eu une idée de génie. Je suis allée au bureau d'état civil et j'ai déclaré que notre maison avait été bombardée, que mes parents étaient morts, qu'il ne me restait rien. J'ai commencé à pleurer, j'ai joué la comédie à fond, et ils m'ont donné une nouvelle carte d'identité, avec le nom de famille d'une *goy*. J'avais donc des papiers allemands tout à fait authentiques.

– Alors pourquoi t'es-tu retrouvée dans le ghetto ?

– Parce qu'ils y ont envoyé ma mère et que je ne pouvais pas la laisser seule là-bas. Les culottes. »

Elle s'est mise à accrocher celles que je lui tendais.

« Continue, ai-je dit.

– Pourquoi ?

– Parce que je te le demande.

– Ça ne s'appelle pas demander ! Tu me fais carrément subir un interrogatoire. »

Comme je ne répondais pas, elle m'a lancé un coup d'œil.

« Bon, d'accord… » Elle s'est tue, puis a repris après un instant de réflexion : « Dans le ghetto, les gens vendaient leurs biens pour trois fois rien à toutes sortes de profiteurs parce qu'ils avaient besoin d'argent pour acheter à manger. Mais moi, comme je possédais des papiers de *goy*, j'ai décidé de ne pas me laisser avoir. Je me suis mise en relation avec une Polonaise dont l'appartement était collé au mur d'enceinte et qui faisait passer les gens, moyennant finances, d'un côté et de l'autre. À moi, elle prenait moins cher parce que j'avais des papiers qui indiquaient que je n'étais pas juive. Au début, j'ai pris quelques objets à nous, et je suis allée les vendre à l'extérieur. Très vite, j'ai compris que je pouvais gagner de l'argent et j'ai continué. Je rassemblais dans le ghetto du tissu, des vêtements, de la vaisselle – ce n'était pas ce qui manquait là-bas –, et j'allais faire du troc de village en village, dans les régions reculées au sud-est du pays, surtout autour de Lublin. Là-bas, j'échangeais ma marchandise contre de la nourriture que je revendais à mon retour. Tout le monde était gagnant. Ceux qui manquaient de vivres mais possédaient des biens, et ceux qui manquaient de biens mais possédaient des vivres. Grâce à l'argent que j'ai ainsi gagné, j'ai pu nous protéger, ma mère et moi. Les chaussettes, maintenant. Par paires. Ne me regarde pas avec cet air-là, c'est moins de travail pour après.

– Jusqu'à présent tu ne m'as pas parlé de faux papiers. Ils ont découvert que les tiens étaient bidons ?

– Certainement pas ! Les miens étaient irréprochables, je te l'ai déjà dit, c'étaient des vrais papiers.

– Alors comment on en arrive à cet usage de faux dans ton histoire ?

– Regardez-le ! Déjà prêt à savourer ! Tu te rends compte qu'on est en train de parler de moments particulièrement tragiques dans la vie de ta mère ? Après les chaussettes, tu me passes les torchons de cuisine, ensuite les serviettes, ensuite les taies d'oreiller, et estime-toi heureux que cette fois il n'y ait pas de draps. »

Elle a de nouveau soupiré profondément, comme quelqu'un qui se résout à son triste sort mais tient à ce que son interlocuteur le sache.

« Un jour, non loin du passage secret, une femme m'a accostée. Elle parlait polonais avec un accent allemand, s'est présentée sous le nom d'Elsa et a dit que c'était Mietek qui l'envoyait.

– Le cousin du Canada.

– Oui, le cousin qui s'est ensuite installé au Canada. Ce Mietek, c'était un drôle de zigoto et il l'est resté jusqu'à son dernier jour. Il a toujours su baiser les autres juste avant de se faire baiser par eux. Je te donne un exemple : il s'est préparé à la guerre avant qu'elle éclate. Soi-disant, il l'avait sentie venir. Du coup, quand les Allemands ont envahi la Pologne, il avait déjà déménagé dans une maison de campagne qu'il avait acquise, à quarante kilomètres de Varsovie. Il y avait rassemblé de l'argent et de la nourriture, s'était dégoté un passeport américain et un passeport allemand et a ainsi pu se faire passer pour le gardien des lieux. On est tout le temps restés en contact, lui et moi. Je lui rendais parfois visite en allant ou en revenant de mes tournées autour de Lublin. Je ne sais pas d'où il la connaissait, cette Elsa, mais bon, il connaissait tellement de monde ! C'était une Allemande installée en Pologne avant la guerre, j'ignore quand et pourquoi elle avait émigré, ce n'était pas une *Volksdeutsche*. Dès le début de l'occupation, elle a commencé à travailler pour les Allemands, mais il ne s'agissait que d'une couverture pour son trafic de faux papiers, dont la majeure partie des bénéficiaires étaient juifs. Elle m'a proposé d'intégrer son réseau. "Il me faut quelqu'un qui puisse prendre les documents à Varsovie et les livrer à mon homme de liaison dans la région de Lublin, m'a-t-elle expliqué, là-bas, ils sont nombreux à avoir besoin de faux papiers et vous, vous vous baladez de toute façon dans cette région, n'est-ce pas ?" Sa proposition m'a tout de suite plu. Pourquoi pas ? Ça me faisait plaisir de l'aider. J'étais jeune, je ne mettais personne en danger à part moi-même, et avec moi-même, je n'avais aucun problème. Nous sommes convenues d'un deuxième rendez-vous. Cette Elsa – la pauvre, elle avait des traits laids et grossiers mais de beaux yeux qui, sur ce visage ingrat, paraissaient encore plus beaux – m'a confié quelques fausses cartes d'identité et m'a indiqué où et quand je devais rencontrer son homme de liaison à Lublin. C'était dans un café de la rue principale. À l'époque, je portais un manteau avec un col de fourrure qui était suffisamment grand pour y pratiquer une petite fente dans laquelle j'ai glissé les documents, et que j'ai ensuite recousue. »

Il n'y avait plus de linge à accrocher, mais on est restés sur la terrasse. Lorsque le vent ramenait sur son visage des mèches de ses cheveux, elle les repoussait obstinément, avec des gestes de jeune femme.

« Voilà comment j'ai rencontré l'homme de liaison d'Elsa. On s'est croisés dans la rue principale de Lublin, je lui ai remis les papiers. J'ai refait la même chose un mois plus tard, sauf que, cette fois-là, ce type est venu accompagné de trois agents de la Gestapo qui m'ont tout de suite arrêtée. Ce sale youpin ! Dire que je lui avais trouvé une bonne tête à notre première rencontre ! Sale youpin, c'est comme cela que je l'ai appelé en leur déclarant que je n'avais rien à voir avec ce qu'il essayait de me mettre sur le dos, que je ne le connaissais même pas. "C'est effectivement un sale youpin, m'a alors dit un des Allemands, malheureusement pour vous, il travaille pour nous." Là, génial, je me suis demandé comment j'allais bien pouvoir m'en tirer et j'ai commencé

211

par éclater en sanglots. Ça permet toujours de gagner du temps sans risques. Et après avoir pleuré pendant quelques instants, j'avais déjà concocté un plan. »

Une expression amusée s'est peinte sur son visage. Je la connaissais suffisamment pour savoir qu'elle me jouait son petit numéro.

« J'ai fait semblant de craquer et j'ai tout avoué, en leur jurant que c'était la seule et unique fois, que je m'étais laissé appâter par l'argent, parce que ma famille était très pauvre et vivait dans la misère, bref, je leur ai servi un beau baratin. Je leur ai dit : "D'ailleurs, je suis venue à ce deuxième rendez-vous les mains vides, juste pour annoncer à ce sale youpin que je ne voulais plus traficoter avec lui." Ils ont exigé que je leur donne le nom de ceux qui m'avaient fourni les faux papiers et encore d'autres informations, mais j'ai prétendu que je ne connaissais personne, que je n'avais rien à voir avec ça, que je n'avais vu qu'un seul type et si brièvement que je ne me souvenais pas de son visage. Ça s'est mis à chauffer, là-bas, a poursuivi ma mère en fronçant les sourcils, ce qui a creusé la ride qu'elle avait entre les yeux. Un des officiers a commencé à crier. Je savais que j'allais me prendre des coups, mais j'ai continué mon baratin, j'ai bien tenu mon rôle, j'ai répété et rerépété mes affirmations et j'ai finalement réussi à me faire passer pour une pauvre indigente méritant un peu de pitié. Au point que j'ai fini, moi aussi, par croire à ce que j'avais inventé. "Laissez-la tranquille, a déclaré un autre officier. Ce n'est qu'une gamine, laissez-la tranquille, cette petite idiote a voulu aider sa famille, c'est tout." Plus tard, il m'a dit que je lui rappelais sa propre fille, c'est pour ça qu'il était intervenu. Génial. À ça près que j'avais toujours les faux papiers dans mon col, et si on les retrouvait sur moi, j'étais cuite.

Alors j'ai tenté ma chance et je leur ai dit que j'avais besoin d'aller aux toilettes. Aussi étrange que ça puisse paraître, ils m'ont permis d'y aller, toute seule, et en plus avec mon manteau ! Viens, on rentre, j'ai froid. »

Sur le séchoir ouvert au milieu de sa terrasse, ma mère avait accroché sa lessive au cordeau. Une fois dans le salon, elle m'a demandé de nous préparer du thé et m'a suivi dans la cuisine.

« Donc, je me suis enfermée dans les cabinets, encore incrédule de la chance que Dieu – en qui je n'ai jamais cru – venait de me donner. J'ai tout de suite sorti les faux papiers de mon col, je les ai déchirés en petits morceaux, jetés dans la cuvette et j'ai tiré la chasse. C'est ce qui m'a sauvée. Je suis tout de même passée en jugement et on m'a condamnée à deux ans d'incarcération, dans la prison de Varsovie. Le thé, fais-le léger, s'il te plaît. »

On est retournés au salon avec un plateau sur lequel on avait mis la théière, deux tasses, un sucrier et des sablés que ma mère avait sortis d'une boîte quelconque.

« Viens, on change de côté. Toute la matinée, tu étais assis sur le canapé et moi dans le fauteuil, j'en ai marre d'avoir toujours la même chose sous les yeux, ras-le-bol des tableaux qui sont derrière toi.

– C'est toi qui les as peints.

– Et alors ? Il peut aussi m'arriver d'en avoir ma dose, de ce que j'ai créé.

– Merci.

– Je t'en prie. Mais tu ne dois pas le prendre pour toi, c'était sans le moindre sous-entendu. Même si j'en ai ma dose de tes questions, ça… mais je n'y peux rien. Allez, pose donc le plateau sur la table, qu'est-ce que tu attends ? »

J'ai obéi. On s'est assis, moi dans le fauteuil, elle sur le canapé. Ses yeux se sont baladés sur le mur derrière moi, il y avait là aussi des tableaux qu'elle avait peints, mais ça a paru lui plaire davantage.

« Et les putains ?

– Tu recommences ? »

Elle a soulevé la théière en porcelaine, a versé le thé dans nos deux tasses.

« Du sucre ?

– Une cuillère. »

Elle a mélangé le sucre dans ma tasse puis dans la sienne, a pris quelques gorgées en silence et s'est remise à parler : « Après le verdict, un policier a été désigné pour me conduire à la prison de Varsovie. Comme ce type n'avait jamais quitté Lublin, c'est moi qui lui ai indiqué le trajet et je me suis débrouillée pour lui faire prendre des détours afin d'arriver jusqu'à la maison de campagne du cousin Mietek. Je lui ai promis qu'on lui donnerait à manger et à boire, il était fatigué, alors il a accepté qu'on s'y arrête. Mietek a très vite compris de quoi il s'agissait et il a organisé une tablée avec de la viande fumée, du beurre, du pain, une bouteille de vodka qu'il a posée à côté de mon gardien et il s'est arrangé pour bien l'arroser. Quand on a vu que le type était complètement rond, on a commencé à réfléchir ensemble sur ce qui serait le mieux pour moi : fuir ou aller en prison. Mietek pensait, à juste titre, que si je m'enfuyais, la Gestapo comprendrait que je n'étais pas simplement une gamine idiote, et donc que je ne serais plus jamais tranquille. Il a dit que je devais accepter mon sort et traîner avec moi le policier ivre jusqu'à Varsovie. C'est là qu'on m'a mise avec les filles. Tu es content, les voilà, tes putains ! D'ailleurs, ça n'a pas été un si mauvais arrangement que ça. Elles m'ont tout de suite adoptée et se sont bien occupées de moi. En plus, à mon arrivée, l'une d'elles m'a transmis un mot d'Elsa qui disait que je ne devais surtout rien avouer et que, s'il le fallait, elle prendrait tout sur elle. Après la guerre, je l'ai recherchée, cette Elsa. En vain. Elle a sans doute été démasquée et assassinée par les Allemands. Ou pas. Quoi qu'il en soit, voilà, je viens de te raconter l'épisode de mon emprisonnement avec les putes.

— Et qu'est devenue ta mère ?

— Ma mère ? Je n'en ai aucune idée. J'imagine qu'elle s'est fait embarquer par les Allemands.

— Pendant que tu étais en prison ?

— Non, avant. Un jour, je l'ai perdue.

— Comment ça, tu l'as perdue ?

— Figure-toi que c'est possible. Pendant la guerre, tout est possible. Et certainement pendant cette guerre-là. A fortiori dans le ghetto. C'est très simple, aussi simple que peuvent l'être les pires événements. Un soir que je revenais de ma tournée, je suis arrivée chez la Polonaise et elle m'a donné un message du cousin Mietek qui me disait de ne surtout pas passer de l'autre côté. Ce jour-là, le petit ghetto avait été vidé et tous les Juifs regroupés dans le grand ghetto. Or nous, on habitait dans le petit. Quand j'ai enfin pu rentrer, ma mère avait disparu. Je l'ai cherchée toute la semaine, il y avait une telle foule, impossible de la trouver. J'ai ratissé les rues, interrogé des gens, Mietek a fait jouer ses relations… rien. Comme si la terre l'avait engloutie. Alors je suis partie. Sans ma mère, je n'avais aucune raison de rester. Après, je m'y suis rendue de temps en temps dans l'espoir de la retrouver, et là, j'en ai vu, des horreurs. Ma pauvre maman ! Elle aurait pu vivre en dehors, je lui avais procuré des faux papiers grâce à Elsa, on a essayé, mais elle était trop paniquée, elle avait l'impression que

215

tout le monde la regardait et savait qu'elle était juive. Elle avait tellement peur qu'elle en est tombée malade, alors je n'ai pas eu le choix et je l'ai ramenée là-bas. »

Elle a allumé une cigarette, ses yeux se sont arrêtés sur un de ses tableaux puis sur moi.

« Je ne comprends pas pourquoi ton père a eu besoin d'ouvrir sa grande gueule.

— On a parlé des Juifs pendant la guerre et tu es juive, alors c'est venu naturellement.

— Vous vous êtes trouvé un sacré sujet de conversation – les Juifs pendant la guerre !

— Il m'a raconté ce qu'il avait vu, c'est tout.

— Sache que les partisans ont aussi assassiné pas mal de Juifs. Mais lui, non. Lui, je suis sûre qu'il ne s'en est jamais pris à eux sans raison. Au contraire. Un jour, il m'a même parlé d'une femme qui courait dans un champ avec ses enfants et tenait dans ses bras un bébé mort. Il m'a dit que son regard le poursuivait encore aujourd'hui. Je veux dire, le poursuivait à l'époque où on en discutait, il ne doit certainement plus s'en souvenir maintenant. »

Mon père a terminé de fredonner *Le Beau Danube bleu*, il était de très bonne humeur et m'a pressé de lui raconter d'autres souvenirs de notre passé commun. J'ai évoqué un film que nous avions vu tous ensemble, des visites ultérieures au zoo de Wrocław, et j'ai rajouté quelques anecdotes en brodant un peu. Mais rapidement, je me suis tu : il avait fait très peu de choses avec nous et il le savait. Il a de nouveau sombré dans la mélancolie qui l'avait assailli précédemment.

« J'ai été un beau salaud, mon Tadzio, un vrai fumier ! Vous méritiez un meilleur père que moi. Mais je n'y peux rien ! Je suis comme je suis. Sache que moi aussi, je l'ai payé très cher. Et je continue à le payer. »

Je l'ai quitté après l'avoir aidé à se coucher pour sa sieste. Il s'est tout de suite endormi. Avant de sortir, j'ai rangé sa chambre. J'ai replacé la bouteille de vodka sous le lit, lavé les tasses, mis de l'ordre sur la table que j'ai essuyée. Je suis resté planté là encore un moment à regarder autour de moi, cherchant ce que je pourrais faire de plus pour lui, quelque chose qui peut-être lui redonnerait le moral après sa sieste. J'ai essuyé sa tasse et je l'ai posée au milieu de la table pour qu'il la trouve facilement en se réveillant.

Sur le trajet du retour, j'ai décidé que, le lendemain, je le sortirais de sa maison de retraite. Arrivé à la pension, j'ai demandé au réceptionniste s'il connaissait un bon restaurant, un endroit qui privilégiait les dollars, et j'ai ajouté que peu m'importait le prix.

« Bien sûr, monsieur, m'a-t-il répondu. Je peux vous réserver une table. Quand voulez-vous y aller ?

— Demain midi. Pour deux personnes.

— Ah mais… c'est qu'il s'agit d'un établissement très prisé, je ne suis pas sûr d'arriver à vous trouver une table dans un délai si court. Ça va être compliqué.

— Je vous serais très reconnaissant d'essayer, ai-je insisté en posant sur le comptoir un billet d'un dollar. Si vous réussissez, je vous en donnerai deux de plus.

— Inutile, s'est-il défendu une fois le billet empoché. Je vais appeler et voir ce que je peux faire. À propos, Mme Janowska est rentrée. Je lui ai précisé que vous étiez un membre de sa famille. Elle sera ravie de vous retrouver ce soir au bar. »

Je suis monté dans ma chambre, qui avait été rangée par Lydia et sentait bon. La jeune femme avait plié et mis dans l'armoire les vêtements laissés en désordre sur le fauteuil, avait de nouveau posé un bonbon sur chaque oreiller et accroché des serviettes propres parfaitement pliées en deux sur la barre, derrière la porte de la salle de bains.

Le matin, après l'avoir croisée dans l'escalier, j'étais allé prendre mon petit déjeuner dans la salle à manger. Assis devant du pain, du beurre, de la confiture à la couleur bizarre et un café insipide, je n'avais cessé de penser à elle, qui faisait le ménage en haut, dans ma chambre. Incapable de résister, j'avais cherché un prétexte quelconque pour y retourner. De peur d'arriver trop tard et qu'elle soit déjà passée à la chambre suivante, j'avais même renoncé au pain et bu mon café en quelques gorgées rapides. J'étais monté en courant au quatrième et avais, par chance, trouvé ma porte encore entrouverte. Je m'étais approché avec précaution pour jeter un œil discret à l'intérieur : elle terminait d'étendre le couvre-lit, étirée de tout son long, un genou et un coude posés sur le matelas. Après avoir aplati un pli qu'elle venait de découvrir entre les oreillers, elle s'était laissée couler sur le ventre, en travers du lit, et était restée ainsi un moment. Ensuite, elle avait roulé lentement jusqu'à se retrouver sur le dos, et n'avait plus bougé pendant de longues minutes, les yeux braqués au plafond.

12

Tante Nella avait un lourd passé d'alcoolique, tout comme son mari, un conducteur de train qui la frappait dès qu'il avait un coup dans le nez. À chaque fois, elle s'enfuyait et venait se réfugier dans notre appartement. Elle savait que c'était le seul endroit où il n'oserait pas la poursuivre. Au bout de quelques heures, quand il était enfin calmé, il débarquait chez nous, s'agenouillait à ses pieds et la suppliait de revenir.

Parfois, l'après-midi, mes sœurs, Robert et moi organisions des spectacles dans notre hall d'entrée. On invitait les voisins, on leur vendait des billets, on arrangeait les chaises, et on leur jouait la scène de tante Nella et son machino de mari. Ola s'asseyait sur un tabouret, Robert s'agenouillait devant elle.

« Mon amour, ma beauté, reviens-moi ! se languissait mon frère.

– Fils de pute. Salopard. Fumier. Je ne veux plus jamais te voir ! » criait ma grande sœur qui parfois lui donnait aussi une tape sur la tête, exactement comme le faisait la tante.

Ravis, les voisins se marraient, et notre père, s'il était là, riait aux éclats, s'étranglait, tapait des pieds, applaudissait et ajoutait ses propres insultes à celles de sa cousine exprimées par sa fille.

« Je te jure que je ne te frapperai plus, ânonnait lentement le cheminot dans une élocution lourde d'ivrogne, peinant à rester sur ses genoux. Je vais arrêter de boire.

– Je te hais, trou du cul, bite de rat ! Ma vie, tu en as fait un dépotoir. C'est à cause de toi que je bois tout le temps ! »

Effectivement, la tante Nella était, elle aussi, ivre la plupart du temps. Elle insultait son mari d'une bouche pareillement pâteuse, lui assenait des coups au ralenti mais il s'écroulait sur le plancher et n'arrivait à se remettre à quatre pattes qu'au prix d'un gros effort.

Cela dit, elle finissait toujours par se laisser convaincre. Tous deux avançaient alors en titubant vers la porte et regagnaient leur bar où ils fêtaient le retour de la patronne. Chez nous, les voisins applaudissaient, tapaient des pieds, en redemandaient et ne nous lâchaient pas avant qu'on accepte de leur rejouer la scène.

Et voilà qu'elle était là, la tante Nella, installée dans le bar de sa pension de famille à Varsovie. Sans le grain de beauté qu'elle avait sur la tempe, je ne l'aurais pas identifiée sous les traits de cette femme toute maigre et ridée, assise seule à une table et qui s'est tournée vers moi au moment où j'entrais dans la pièce. Elle m'a regardé, mais comme elle ne m'a pas reconnu, elle a recommencé à boire son thé à petites gorgées, picorant comme un oiseau.

« Madame Janowska ? » ai-je demandé pour éviter tout malentendu.

Elle a levé les yeux vers moi, m'a dévisagé avec méfiance, puis a lâché un « Oui ? » d'une voix aiguë, une voix qui a balayé tous mes doutes.

« Je suis le fils de Stefan », ai-je dit, sans trop savoir comment me présenter à elle. Tellement de temps était

passé que j'ignorais si elle se souviendrait de moi.
« C'est mon père qui m'a envoyé ici.

– Tu es le fils de Stefan ?

– Oui. »

Elle m'a examiné plusieurs minutes, ses yeux ont
scruté mon visage qui, à l'évidence, ne lui disait rien.
« Viens. Assieds-toi. Tu veux boire quelque chose ?

– Un café.

– Hé, garçon ! Un café, s'il vous plaît », a-t-elle lancé
à l'homme qui m'avait servi la veille. Elle a continué
en chuchotant : « Je n'arrive pas à retenir son nom.
C'est peut-être à cause de l'alcool qui a transformé
mon cerveau en serpillière. Ça fait des années que je
ne bois plus, mais les dégâts sont irréversibles, j'ai des
espèces de trous noirs. Peu importe. D'où est-ce que tu
sors, toi, tout à coup ?

– Je suis venu voir papa.

– C'est gentil de ta part. Surtout qu'à mon avis, il ne
le mérite pas. Qu'il crève la gueule ouverte après tout
le mal qu'il a fait aux autres ! Lui, j'ai encore le droit
de l'insulter, même si je ne bois plus, ne fume plus, ne
mange plus de viande et n'insulte plus personne. J'en
ai décidé ainsi parce que je pense que je me suis suffisamment sali la bouche dans cette vie. Évidemment,
parfois, j'ai envie de balancer un gros mot bien senti,
mais je me retiens. Bon, laissons tomber. D'où nous
viens-tu ? De Libye ?

– De Libye ?

– Oui, c'est ce qu'il m'a dit. Que ta mère avait trouvé
du travail en Libye.

– C'est lui qui t'a dit ça ?

– Oui. Qu'elle avait répondu à une annonce dans
un journal disant que le gouvernement libyen cherchait
des médecins. De ça, justement, je me souviens. Ta

221

mère est bien gynécologue, n'est-ce pas ? Ton père m'a expliqué qu'elle était partie travailler là-bas et qu'elle avait emmené les enfants.

– Je crois que tu me confonds avec quelqu'un d'autre. Je suis Tadeusz, le fils de ton cousin, Stefan Zagourski.

– Oui, oui, j'ai bien compris. Toi et ta famille habitiez à Wrocław, à quelques rues de chez moi.

– C'est vrai. Mais Eva, ma mère, n'a jamais été gynécologue, et on n'est certainement pas partis en Libye. On est partis en Israël. »

Le visage de la tante Nella s'est d'abord rembruni, puis a été submergé de frayeur et enfin noyé de larmes.

« Mais il nous a dit que vous aviez été tués, a-t-elle murmuré d'une voix tremblante avant de lâcher un cri : Tadek ! Mon Tadek ! Bien sûr, maintenant, je te reconnais ! »

Elle s'est levée d'un coup et m'est tombée dans les bras en sanglotant. Le serveur est venu poser ma tasse de café sur la table et a rapidement tourné les talons. Quant à elle, elle a légèrement écarté son visage du mien, m'a attentivement détaillé et a posé une main sur ma joue.

« Oui, c'est juste la barbe qui prête à confusion – mais c'est bien toi ! »

Nous avons fini par nous rasseoir. La tante Nella a continué à boire son thé à petites gorgées prudentes.

« Là, tout de suite, je prendrais bien un coup de vodka avec une cigarette en lâchant une belle volée d'injures ! Oh, que j'aimerais pouvoir insulter ton père comme il le mérite ! Il m'a menti. Il m'a dit que vous étiez tous morts pendant une des guerres de votre pays. Fils de pute. Fils de pute. Fils de pute ! a-t-elle lancé de toutes ses forces pour aussitôt se plaquer une main

222

sur la bouche. Pardon, a-t-elle chuchoté. Je n'ai pas pu m'en empêcher.

– C'est ce qu'il t'a dit ?

– Oui.

– Et tu l'as cru ?

– Au début, non, mais un soir il est venu dans mon bar. Tu te souviens qu'on avait un bar à Wrocław ? Bien. Il était tard. On a un peu parlé, je lui ai demandé quand il allait vous rejoindre en Israël et il m'a répondu qu'il ne partait plus. Je me suis étonnée, puisqu'on savait tous qu'il devait vous retrouver là-bas. Et c'est là qu'il a raconté que vous aviez été tués. Dans un premier temps, je ne l'ai pas cru. "Arrête tes conneries, je lui ai dit, on ne plaisante pas avec ce genre de choses !" Il a voulu que je lui resserve de la vodka, mais je lui ai dit de payer d'abord. Je le connaissais bien. "Fais-moi crédit", qu'il a dit, et moi, j'ai répondu : "Mon cul." Je n'ai jamais fait de ristournes, et à lui encore moins, je savais à qui j'avais affaire, depuis le temps ! Je suis revenue à la charge : "Maintenant, dis-moi pourquoi tu ne pars pas", et il a continué : "Je te l'ai déjà dit, ils ont été tués. Là-bas, c'est la guerre tout le temps." Alors moi, j'ai insisté : "Quand ?", et lui, pas déstabilisé pour deux sous : "Il n'y a pas longtemps", "Tu es sérieux ?", "Oui", alors là, ça m'a troublée : "C'est terrible", et lui a confirmé : "Terrible. Je ne m'en remets pas." Il n'avait pas l'air de ne pas s'en remettre mais j'ai pensé que c'était peut-être parce qu'il était ivre. D'ailleurs, moi aussi, je l'étais. J'ai un peu pleuré mais je n'avais pas bien compris. Ce n'est que le lendemain, quand je me suis réveillée, en me remémorant ce qu'il m'avait dit, que là, j'ai vraiment pleuré, avec des cris et des larmes. Ensuite, je me suis calmée et j'en ai déduit que s'il n'était pas très triste, ça devait être parce que

désormais, il pourrait faire les quatre cents coups ici. »
Elle a posé la main sur son cœur et lâché un soupir.
« *Oïe*, mon Tadek, si tu savais comme je vous ai pleu-
rés ! Vous, les quatre enfants, et ta mère aussi. À propos,
comment va-t-elle ?

– Très bien. »

Elle a frappé du poing sur la table.

« Fils de pute ! Fils de pute ! Fils de pute ! s'est-
elle de nouveau écriée. Je te demande pardon, mais
je suis hors de moi. Toutes ces années j'ai cru que ta
mère, qui avait toujours été si gentille avec moi, une
vraie amie, était morte. Tout comme vous quatre. Et
qu'est-ce que je découvre ? Qu'elle va très bien. Comme
je suis contente ! J'aurais trinqué avec toi en l'honneur
de cette grande nouvelle, mais si je commence avec un
verre, alors pourquoi pas deux ? Non. Je ne bois plus,
ne fume plus, ne jure plus. » Elle a soupiré de nouveau.
« Il mérite de brûler en enfer, ton père. Et ce n'est pas
une malédiction, au contraire, ce serait une bénédic-
tion pour lui. Un espoir. Dire que je me suis montrée
compréhensive avec lui chaque fois qu'il débarquait en
compagnie de ses amis et demandait une chambre dans
ma pension. Quand je pouvais, je les logeais gratuitement. Évidemment. C'est comme ça, la famille. Qu'il
brûle en enfer, peu m'importe ! Et excuse-moi, ce sera
la dernière fois : fils de pute ! » a-t-elle lancé. Puis elle
s'est remise à examiner mon visage. « Alors pourquoi
ne vous a-t-il pas rejoints ?

– Parce que maman s'est arrangée pour l'en empêcher. C'est la seule manière qu'elle a trouvée de se
débarrasser de lui.

– Une femme intelligente, Eva. Ça, elle en a toujours
eu dans le crâne.

– Dis-moi, tante Nella…

224

– Oui, mon Tadek chéri ? Ah, quel homme tu es devenu ! Je me souviens de toi haut comme trois pommes.

– C'est quoi cette histoire de Libye et de gynécologue ? »

Elle m'a regardé sans rien dire puis s'est tournée vers le serveur : « Mon thé a refroidi. Garçon, pouvez-vous m'en apporter un autre ? »

J'en ai profité pour allumer une cigarette.

« *Oïe*, quel veinard ! Tu en as de la chance ! Laisse-moi respirer la fumée. »

Elle a commencé à renifler autour d'elle.

« Ça te dérange ? ai-je demandé.

– Au contraire ! Alors, où en étions-nous, mon Tadek ?

– À la Libye.

– Tu n'es au courant de rien ?

– Non. »

Elle a mis la main sur sa bouche.

« Je ne sais pas me taire. Je n'ai jamais su me taire.

– Te taire sur quoi ?

– Sur l'autre famille. »

Le serveur a posé une tasse de thé fumante devant la tante Nella qui y a versé deux généreuses cuillerées de sucre, a mélangé, a enlevé le sachet, tous ses gestes étaient très lents, elle cherchait visiblement à gagner du temps, mais elle a fini par ne plus avoir le choix. Alors elle m'a regardé, a soupiré, a bu une petite gorgée, a de nouveau soupiré.

« Tu m'expliques ? ai-je insisté.

– D'accord. Je vais te raconter ce qui s'est passé, pour que tu comprennes. Comme je te l'ai déjà dit, je tenais un bar à quelques rues de chez vous, un peu loin pour ton père et pas question de lui faire crédit ou

225

de lui accorder une ristourne, parce que moi je n'avais pas peur de lui contrairement aux autres, mais il venait quand même de temps à autre. Une fois, il est arrivé, s'est saoulé relativement vite et s'est mis à parler tout seul, sans se rendre compte que je me tenais derrière son dos. C'est que je travaillais dur dans ce bar, je courais dans tous les sens, à servir des bandes d'ivrognes. Enfin, peu importe. Donc ton père parlait tout seul et voilà ce qu'il se disait : "Je dois y aller, il est temps, ils m'attendent" et aussi : "Je déconne, ça fait trop longtemps que je ne les ai pas vus", tu vois le genre. Je n'ai pas compris de quoi il parlait, mais j'ai toujours eu un instinct particulièrement développé. Quand il est sorti, j'ai prévenu mon employée que je m'absentais et je l'ai suivi. Je me souviens de cet après-midi-là comme si c'était hier, d'autant que je n'étais pas encore trop saoule. Il a traversé une rue, une deuxième, une troisième, est arrivé devant un immeuble, et tout à coup deux bambins se sont précipités vers lui en criant "Papa, papa !", puis une femme est apparue – pas particulièrement jolie – et a dit aux enfants : "Laissez donc votre père tranquille, qu'il puisse entrer." Je ne suis pas idiote, je ne l'étais pas non plus à l'époque et, après m'être un peu renseignée, je n'ai eu aucun mal à découvrir l'existence de cette seconde famille. Sache que j'en ai tout de suite parlé à ta mère. Quel cœur de pierre, ce Stefan ! Je ne comprends pas pourquoi Eva est restée avec lui un instant de plus après cette révélation. Non seulement il buvait le salaire qu'elle rapportait, mais il la frappait et la trompait. Une ordure. Et ce n'est pas une insulte. C'est ce qu'il est : une ordure. Quoi, elle ne vous a rien dit là-dessus ?

– À moi, rien. »

La tante Nella est demeurée silencieuse, les yeux dans le vague, puis elle a repris : « Elle a eu raison. Moi et ma grande gueule !

– Tu ne pouvais pas savoir. »

Toujours perdue dans ses pensées, elle a hoché la tête puis m'a regardé et m'a caressé la joue. Soudain, son visage a pris une expression furieuse.

« Quand il a appris que j'en avais parlé à ta mère, il a débarqué dans mon bar hors de lui, croyant m'impressionner. Mais il ne m'a jamais fait peur. De quoi aurait-il pu me menacer ? De me frapper ? Mon mari aussi me frappait, la belle affaire ! En plus, ton père n'a jamais osé lever la main sur moi. Oui, même une ordure de son espèce a des limites. Alors il a crié, a envoyé valser des chaises, m'a traitée de tous les noms. J'ai patiemment attendu qu'il termine, qu'il se calme un peu et je lui ai dit : "Tu n'es qu'un salopard, un fils de pute !" Ça ne compte pas, je ne suis pas en train de jurer, je ne fais que te rapporter ce que j'ai dit à l'époque. "Espèce de gros tas de merde, fumier !" Ça, je l'ai vraiment insulté. "Tu n'as pas honte de venir ici et de t'en prendre à moi ? Tu devrais te traîner à quatre pattes devant ta femme, sale porc ! À quatre pattes ! Lui baiser les pieds, l'implorer à genoux pour qu'elle ne te quitte pas." » Nella m'a jeté un coup d'œil avant de continuer : « Et ne crois pas que j'ignore que vous faisiez des spectacles en vous moquant de moi et de mon mari. Je suis au courant, mais passons. Bref, voilà, tu sais tout. Quelque temps après votre départ, les autres aussi ont disparu et il m'a raconté qu'ils étaient en Libye. Je l'ai cru. Pourquoi pas ? De même que quand il m'a raconté que vous étiez tous morts pendant une guerre en Israël. J'y ai cru et j'ai pleuré toute une semaine, même plus. Qu'il brûle en enfer, c'est ce qu'il mérite. Comment peut-on être aussi cruel ? »

Devant mon expression, elle a décidé de me commander de la vodka.

« Hé, garçon, une vodka, s'il vous plaît ! Je comprends bien que tu sois étonné. Bon, c'est normal. La vie a toujours été comme ça, pleine de surprises. Moi, j'ai un système : dès que quelque chose me tracasse, j'arrête d'y penser, je me concentre de force sur autre chose. Tiens, regarde ! » Elle a tendu la main vers la bouteille qu'apportait le serveur, lui a demandé de la laisser sur la table et l'a suivi des yeux tandis qu'il s'éloignait. « Allez, à la tienne ! »

Elle m'a servi, j'ai bu, elle m'a resservi : « Encore un ! » J'ai bu, elle a remis ça : « Celui-là, vas-y lentement. Tu peux me faire confiance, je suis une virtuose de la bouteille. J'ai cumulé tellement de diplômes en beuverie que j'ai bien failli y rester. Ah ! Qu'est-ce que je donnerais pour pouvoir boire maintenant avec toi, ne serait-ce qu'un petit verre, mais si j'en prends un, pourquoi pas deux ? » Elle a fixé ma boisson, a passé la langue sur ses lèvres et a levé les yeux vers moi. « Qu'est-ce que je te disais ? Dès que quelque chose me tracasse, j'arrête d'y penser. » Elle a regardé autour d'elle et m'a indiqué du doigt le seuil de la salle : « Tiens, ça par exemple. » À l'extérieur du bar, on pouvait voir la réception où se tenait Lydia, dos à nous. La tante Nella s'est empressée de l'appeler, et la jeune employée s'est approchée de nous mais est restée debout, plantée là, embarrassée, les bras derrière le dos et les yeux baissés.

« Ma belle, je te présente Tadeusz, mon neveu chéri. Il a fait tout le chemin depuis Israël pour venir me voir.

– Nous nous sommes déjà croisés, ai-je dit, dans ma chambre.

– Lydia est comme ma fille, a repris Nella. Excellente femme de chambre ! Un peu lente, mais quelle importance, on n'est pas aux pièces ici, n'est-ce pas ? Elle est tout simplement merveilleuse. Et toi, tu es marié ?

– Divorcé.

– Voilà qui est parfait ! Tu en penses quoi, ma chérie, de partir à l'Ouest, de pouvoir fuir ce pays ? »

Lydia a rougi, moi aussi peut-être, quant à la tante, elle a éclaté de rire.

« Hé, garçon, a-t-elle crié, apportez donc encore un verre. Pas pour moi, ne vous inquiétez pas, c'est pour Lydia. Et mettez donc de la musique, pour l'amour du ciel ! Dans ce silence, j'entends gronder mes intestins. C'est la fête, ce soir. Tadek, mon neveu chéri, pour qui j'ai beaucoup d'affection, a resurgi d'entre les morts. »

13

Les rues du quartier sont vides à cette heure-ci. La majorité des gens sont rentrés chez eux déjeuner et faire la sieste. Dans notre appartement communautaire, tout est calme. Mes sœurs sont à l'école ou chez des copines. Robert traîne dehors. Ma mère est allongée sur son lit et mon père a de nouveau disparu. Ça fait maintenant plus d'une semaine, après nous avoir volé de l'argent. Que ma mère perde le contrôle de son univers – aussi bancal soit-il –, que les choses lui échappent et lui glissent entre les doigts n'est pas courant, mais là, elle se retrouve sans un sou et il n'y a rien à manger à la maison. Elle s'est démenée pour nous dégoter de la nourriture, a emprunté à tous ceux à qui elle le pouvait. À présent, elle ne sait plus à quel saint se vouer. J'ai faim, j'ai mal au ventre tellement j'ai faim. Sensation familière. Ça passera et ça reviendra jusqu'à ce que je puisse manger. La question est : quand ? Depuis quelques jours, on n'a quasiment rien eu à se mettre sous la dent. C'est la première fois que nous nous trouvons dans une telle situation.

Je m'assieds sur le rebord de la fenêtre et je contemple la rue. Dans l'immeuble d'en face, là où vit une famille allemande, il y a un bureau placé contre la fenêtre et un enfant y est assis. C'est un garçon rondouillard, blond, avec une raie sur le côté et de bonnes joues bien rouges.

Il ne sort jamais seul, il est toujours accompagné par quelqu'un de sa famille, parce que dans notre quartier, un tel enfant se promenant seul, ça ressemblerait à une sardine blessée dans une mer infestée de barracudas voraces.

Il est très concentré sur ses devoirs, un instant son regard se lève vers la fenêtre, croise le mien et se baisse aussitôt parce qu'il recommence à écrire dans son cahier. Sa mère entre dans la chambre. Elle est aussi blonde que lui. C'est une maman soignée, pas négligée comme la mienne. Elle s'approche de lui, le serre dans ses bras, dépose un baiser sur sa joue, caresse ses cheveux. Il dit quelques mots en pointant le doigt vers moi. Elle lève les yeux vers la fenêtre, plisse un peu les paupières et finit elle aussi par me remarquer. Je me hâte de me détourner et fais semblant de regarder ailleurs.

La mère sort de la pièce, le fils se remet à ses devoirs. Puis elle revient, cette fois avec une assiette de soupe. Elle s'assied à côté de lui et lui donne à manger, une cuillerée après l'autre, comme on nourrit un bébé, et lui, il ouvre grand la bouche, on dirait un poisson. Il dit de nouveau quelque chose en me montrant du doigt, elle lève les yeux vers moi, emplit la cuillerée, me la propose avec un sourire, comme si elle connaissait à l'avance ma réaction : je lui réponds par un bras d'honneur et m'éloigne de la fenêtre. J'entre dans la cuisine, je fouille dans les placards, je cherche des restes dans le four. En vain. Alors je bois un verre d'eau pour me remplir l'estomac.

La porte de la chambre est ouverte. Je vois maman allongée sur son lit. Elle ne lit pas comme à son habitude, elle ne dort pas non plus. Elle se contente de fixer le plafond. Couchée là, vaincue, affamée, les bras enserrant son ventre. Sur le mur est accrochée une petite peinture à l'huile qui représente une table regorgeant de nourriture. Il y a des raisins, des fraises, des pêches, de l'ananas, des poivrons, des tomates, des concombres et des radis. Et aussi une grosse miche de pain, une motte de beurre, des pommes de terre, des petits pois. Et un poulet rôti avec des morceaux de viande. Que de fois, affamé, je me suis assis devant cette nature morte, m'imaginant en train de manger tout ce qu'elle représentait ! Je mangeais lentement, par menues portions.

La porte s'ouvre. Robert est de retour. Il a faim lui aussi, ça lui tape sur les nerfs, il entre dans la cuisine en trombe, ouvre la boîte à pain et les placards, furieux : « Quelle baraque de merde ! Y a rien à bouffer ici ! »

Sur ces mots, il ressort en claquant la porte. Au bout de quelques instants, dans le silence qui est retombé, j'entends monter de la chambre les sanglots étouffés de notre mère. Je vais la rejoindre. Toujours allongée sur le lit, elle pleure sans bruit, désespérée. Elle n'en peut plus.

« Maman ? » Elle ne répond pas. « Ne t'inquiète pas, maman, je vais aller ramasser des bouteilles. »

Je sors dans la rue et me mets en quête de bouteilles de vodka vides que je pourrais apporter au magasin en échange de quelques zlotys. Je cherche derrière les poubelles, autour des débits de boisson, près des bars, dans les cours où il y a souvent des ivrognes qui passent la nuit. Mais rien. Pas même une bouteille au goulot cassé, de celles dont on doit faire chauffer la cire pour masquer la partie endommagée. Je marche dans les rues vides. J'ai froid, j'ai faim. Dire que pendant ce temps mon père se trouvait avec son autre famille, à quelques rues de là ! Peut-être même jouait-il avec ses autres enfants ? Peut-être prenait-il avec eux un bon déjeuner ?

Ce que j'ignorais à l'époque, je le savais maintenant. S'il était resté avec nous, il aurait peut-être pu nous dégoter quelque chose à manger. S'il était resté avec nous, ma mère ne se serait peut-être pas retrouvée à bout de forces, abandonnée, à sangloter sur son lit – ma mère, cette femme qui aurait été capable, rien qu'en soufflant, de faire chavirer tous les bateaux de guerre de la marine américaine impérialiste, d'après ce que disait d'elle notre voisin, le capitaine Marian Lipska. Tous les bateaux de guerre, oui, mais pas mon père. Pas mon père, qui nous a tous trompés, qui est allé rejoindre sa seconde famille en nous laissant crever de faim sans un sou.

Et voilà qu'il était assis en face de moi, les cheveux ébouriffés, les joues rongées par des poils de barbe blancs, le visage éteint et renfrogné, vêtu d'un vieux tricot de corps et d'un bas de pyjama. Il m'a fixé d'un regard vide. Salopard. Il est resté muet, a baissé les yeux, a pris une clope et se l'est plantée entre les lèvres après avoir cherché où était le filtre. Ensuite il a levé le briquet que je lui avais apporté, m'a ostensiblement défié sans rien dire et l'a reposé sur la table. Il s'est saisi d'une boîte d'allumettes et, après plusieurs tentatives, a réussi à allumer sa cigarette.

« Qu'est-ce que tu veux ? a-t-il fini par dire. C'était un vrai crève-cœur et les gosses, là-bas, s'agrippaient à mes jambes chaque fois que je faisais un pas, ils ne me laissaient pas sortir. »

Dans le silence qui a suivi, ses yeux ont erré à travers la pièce, incapables de trouver où se poser, si bien que de temps à autre nos regards se croisaient.

« Tu penses que je n'en étais pas malade, de vous abandonner ? a-t-il repris. Je voulais être avec eux et avec vous. Finalement, a-t-il ajouté après un instant de réflexion, c'est vous que j'ai choisis. »

Je n'ai rien dit, ce qui l'a agacé encore davantage : « Mais putain, à quoi tu joues, là ? Tu veux me faire passer en cour martiale ? L'homme agit comme il agit. Il agit comme il agit. Moi, ce que j'ai fait, je l'ai fait. D'ailleurs, tu ne peux pas comprendre. Ce ne sont pas les principes à Mère Teresa qui marchent dans la vie, sans compter qu'elle aussi, crois-moi, c'est une belle garce. Et toi ? Tu as toujours été irréprochable ? Tu n'as jamais commis d'erreur ?

— Oh que si, mais rien à voir avec les tiennes.

— Alors tu es une petite merde, et moi, une grosse. Mais une merde reste une merde. Et si tu veux mon avis, mieux vaut faire les choses en grand.

— Pas quand il s'agit de ta famille. Après avoir bu tout ton salaire, plus celui de maman, tu te tirais chez ton autre famille et tu nous laissais crever de faim.

— Tu ne sais pas ce que c'est que la faim. Aucun de vous ne le sait.

— Si, on a crevé de faim ! » ai-je crié, hors de moi.

L'agressivité de ma voix l'a effrayé : « Ne t'énerve pas ! Je ne veux pas t'énerver ! » Il m'a lancé un regard apeuré comme si j'allais me jeter sur lui et le rouer de coups. J'ai calmé le jeu : « D'accord, d'accord, tout va bien. »

Le silence a envahi la pièce tandis que j'allumais une cigarette.

« Quel con, a-t-il marmonné, quel con je fais ! Pourquoi est-ce que je t'ai envoyé chez cette grande gueule de Nella ? Qu'est-ce que je croyais ?

— Tu voulais peut-être que je sache.

— N'importe quoi ! Pourquoi est-ce que j'aurais voulu que tu saches ?

– Pour soulager ta conscience.

– Tu veux rire ? Une conscience aussi chargée que la mienne ne peut pas être soulagée. En plus, je n'ai jamais cherché à la soulager, ma conscience, je laisse ça à ces imbéciles de psychologues. Je voulais que tu saches ? Pourquoi donc ? Non, j'ai fait une connerie. Parce que je suis vieux. Il y a quelques années, ça ne serait pas arrivé.

– Donc, tu as fait une connerie.

– Une belle connerie.

– Bon, mais maintenant, tu pourrais me dire combien ils étaient.

– Deux. Un garçon et une fille.

– Ils s'appelaient comment ?

– Ça, non.

– Pourquoi ?

– Pourquoi tu veux savoir ?

– Pour savoir. Qu'au moins ils aient un prénom.

– Je ne te le dirai pas, et en plus je ne te crois pas. Tu essaieras de les retrouver.

– Pourquoi pas ? On a des liens de parenté, non ?

– Et si vous vous rencontrez, vous ferez quoi ? Vous parlerez de moi. De quoi j'aurai l'air, hein ? »

Il a voulu se verser de la vodka, mais il n'y en avait plus. Son regard est passé de sa tasse vide à la bouteille vide.

« Je n'ai plus rien à boire. » Comme je ne réagissais pas, il a continué : « Il faut aller en chercher une nouvelle. »

J'ai fait semblant de ne pas comprendre. Il n'avait qu'à ne pas boire.

Il a de nouveau regardé sa tasse puis la bouteille, a soupiré et, très péniblement, s'est levé, est resté un instant debout puis a commencé à avancer lentement, chaque pas lui arrachant une grimace douloureuse.

« Ça va ? ai-je demandé.

– Oui, ce n'est rien. Juste ma carcasse qui me fait souffrir.

– Pourquoi tu ne te sers pas de la canne que je t'ai apportée ? » C'est là qu'il m'a avoué d'un air embarrassé qu'elle s'était cassée. « Je croyais que dans le magasin du marché noir, celles qu'on trouvait étaient solides.

– Pour sûr ! Et celle que tu m'as apportée était très solide. Une excellente canne, elle a tenu un bon bout de temps.

– Qu'est-ce qui s'est passé ?

– Elle s'est cassée sur le crâne de Wojtek.

– Et Wojtek, il va comment ?

– Ne t'inquiète pas pour lui. Il a une tête en béton armé. »

Arrivé devant son armoire, il a fouillé dans sa poche, en a sorti une clé, s'est penché en la tenant entre deux doigts, a utilisé sa main gauche tremblotante pour stabiliser sa main droite tremblotante, et a réussi à la planter dans la serrure puis à la faire tourner. La porte s'est ouverte et j'ai découvert que c'était là qu'il conservait ses bouteilles. Il en a pris une, a reverrouillé l'armoire, est lentement revenu jusqu'à sa chaise, s'est assis, a dévissé le bouchon de ses doigts maladroits, s'est servi puis a sifflé plusieurs gorgées. Son expression renfrognée s'est un peu détendue et il s'est calé plus confortablement sur son siège.

– Pourquoi as-tu tapé Wojtek avec la canne ?

– Parce qu'il le méritait !

– Qu'est-ce qu'il a fait ?

– Rien.

– Mais encore ?

– Hier soir, ce trou du cul a eu envie de trinquer avec moi. Alors on a bu et on a parlé de toi. Et voilà qu'il me dit, comme ça, d'une voix mielleuse et énervante : "Ton fils est charmant. Vraiment charmant, ton fils. Sauf qu'il ne te ressemble pas du tout. Tu es sûr qu'il est de toi ? Parce qu'il a une tête de Juif." Tu te rends compte, ce macaque qui me dit que tu n'es pas de moi ! D'abord, j'ai cru qu'il plaisantait. Alors j'ai un peu rigolé moi aussi, même si je ne trouvais pas ça drôle. Mais là il a répété sa question à la con. Je l'ai prévenu, il a compris que ça m'énervait mais il a quand même insisté : "Pourquoi tu te fâches ? qu'il a dit. Je n'y suis pour rien s'il ne te ressemble pas, ce youpin." Alors j'ai pris la canne que tu m'avais apportée et j'ai tapé sur son crâne. Ne t'inquiète pas, ce n'est pas là qu'elle s'est cassée. Rien à dire, sacrément solide. Wojtek a essayé de se lever. Je lui ai filé encore un coup, sur les genoux. Il est tombé, a tenté de se soulever pour m'atteindre, et ce n'est pas un tendre, Wojtek, il sait rendre coup pour coup. Moi, j'ai vu qu'il s'énervait. Alors j'ai recommencé à le taper sur la tête. Fort. Une fois, et encore une. Et là, la canne s'est cassée. Mais lui, ça ne l'a pas trop perturbé, je te l'ai dit, ce fils de pute a la tête sacrément dure. Moi, je ne peux plus tellement marcher, c'est vrai, et je perds tout le temps l'équilibre, ça aussi c'est vrai. Mais j'ai encore de la force dans les mains, et si je les verrouille pour donner des coups de poing, ça cogne. Pour sûr. J'ai vu qu'il était un peu sonné, alors je me suis jeté sur lui et on a roulé tous les deux sur le plancher. Il a réussi à me frapper. Bah, rien de grave. Moi, je visais sa gueule, je lui ai fait quelques beaux bleus et je lui ai éclaté les lèvres en criant : "Je t'interdis de parler comme ça de mon fils, bite de serpent ! Je vais te briser les os si tu parles encore comme ça de lui !" Et j'ai abattu mon poing qui est tombé juste sur sa mâchoire. Il s'est mis à geindre et j'ai arrêté. Je pense qu'il a compris la leçon, ce trou du cul ! J'ai relevé ma chaise, il s'est assis sur la sienne, je lui ai tendu quelque chose pour qu'il s'essuie, il avait la bouche en sang, je lui ai versé de la vodka, il s'est calmé et je lui ai demandé pourquoi il chialait comme une femelle. "C'est à cause de l'automne, tu sais bien", il m'a répondu, alors moi je lui ai balancé : "Quoi, tu te lamentes encore sur ta Juive ? Tu me prends pour un con ?" La vérité, c'est qu'il est devenu pleurnichard avec l'âge. "Tu n'es qu'un gros tas de merde, j'ai ajouté. C'est de ta faute si la canne de mon fils s'est cassée !" Ce n'est qu'à ce moment-là qu'il s'est enfin excusé, alors je lui ai dit que ça allait et je lui ai resservi de la vodka. Après, on a voulu cacher les marques de coups sur son visage, sans quoi on allait avoir des ennuis avec ces enculés de la direction. Wojtek est parti chercher une crème qu'il avait dans sa chambre et je la lui ai étalée un peu partout. Bon, ça ne cache pas vraiment, en plus j'ai les doigts qui tremblent, mais on n'avait rien de mieux.

– Tu n'es pas trop vieux pour la bagarre ?

– Arrête de dire n'importe quoi. L'âge, ça ne compte jamais, pour rien. Pour la baise non plus. Et encore moins pour la castagne. Ce n'est qu'une question de capacité, et tant qu'on y arrive – on le fait. »

Dans le silence qui a suivi, l'histoire de sa seconde famille est vite revenue sur le tapis.

« Tu crois que si c'était à refaire, je referais cette connerie-là ?

– Je ne sais pas. Dis-moi, toi. »

J'ai senti que l'assurance qu'il affichait commençait à se fissurer : « Tu sais quoi ? En y repensant, ce que je comprends, c'est que je ne peux absolument pas savoir. Parce que je n'en ai toujours fait qu'à ma tête. Je n'ai écouté que mes envies. Et si j'ai pu vivre comme ça, c'est parce que je n'ai jamais rien regretté. Je peux te demander pardon, mais regretter, non. » Et après un instant de réflexion, il a ajouté : « Parce que si je commence à regretter, je ne sais pas où ça va me mener.

– Donc, tu ne regrettes rien.

– Je ne peux pas.

– Et tu ne regrettes pas d'avoir bu tout l'argent que tu gagnais et ensuite d'avoir volé celui de maman ?

– M'excuser, ça oui, je peux, mais pas regretter.

– Et tu ne regrettes pas tous les coups que tu nous as donnés ?

– Non.

– Et ceux que tu donnais à maman ?

– Pas davantage. »

Je l'aurais bien traité de fils de pute, mais les mots sont restés coincés au fond de ma gorge. Quant à lui, il a eu un geste un peu méprisant : « Vas-y, casse-moi la gueule, si tu veux. Je vois que tu en crèves d'envie. Vas-y. Je m'en fous.

– Je ne lève la main sur personne.

– Ah, monsieur ne lève la main sur personne ! Voilà donc le Christ personnifié ! Tu es de ceux qui tendent l'autre joue juste pour se faire frapper encore plus fort, c'est ça ?

– Je ne cherche plus la baston. J'ai assez donné dans ce domaine. Je ne vis plus comme toi depuis longtemps.

– Peut-être parce que dans ton putain de pays de youpins, il n'y a que des anges et des saints ? Mais pas ici. Ici, c'est le règne de la violence.

– La violence, elle est partout. Dans mon putain de pays aussi. Et je te garantis que même dans ton putain de pays, il y a d'autres possibilités que la violence. C'est juste que tu ne sais pas te retenir.

– Pourquoi est-ce que je voudrais ou devrais me retenir ? De toute façon, même si j'essayais, ça me rattraperait. Pour sûr ! On ne peut pas fuir son destin quand on a eu une vie comme la mienne. Qu'est-ce que tu crois ? Tiens, tu vois ça ? » Il a glissé une main sous son oreiller, en a retiré le grand couteau que j'avais déjà vu, l'a sorti de son fourreau, l'a levé en l'air et l'a brutalement planté dans le bois de la table. « Il fut un temps où je ne le mettais pas sous mon oreiller mais dans l'armoire. Je pensais être en sécurité ici. Mon cul ! Il y a à peine quelques mois, une fille est entrée dans ma chambre, une fille que j'avais rencontrée des années auparavant, je ne me souviens plus où, une jeune, dans les quarante ans. Une vraie salope. Au début, je n'ai pas compris pourquoi elle se souvenait brusquement de moi alors que j'avais oublié jusqu'à son nom. Elle s'est assise sur la chaise, a commencé à me faire chier pour que je lui prête de l'argent, alors je l'ai rembarrée, je lui ai dit qu'elle n'avait qu'à faire le trottoir si elle avait besoin de pognon et je lui ai demandé de me lâcher la grappe. Tout à coup, par la porte-fenêtre du balcon, son ami a rappliqué et il m'a menacé. Sale fumier ! Je lui ai dit que moi, personne ne me menaçait, que j'allais lui briser la carcasse, je l'ai tiré par le bras, j'étais prêt à le frapper, mais là il a attrapé la bouteille qui était sur la table et me l'a cassée sur la tête. Enculé. Si j'avais eu mon couteau à portée de main, je lui aurais réglé son compte, mais je ne l'avais pas. Je me suis mis à pisser le sang, ce chien a continué à me frapper pendant que la fille cherchait où je cachais mon fric. "Sale pute, je lui ai dit, tu ne

trouveras rien, même si tu cherches toute la semaine !",
et lui, ce merdeux, qui me dit en me cognant encore :
"Eh ben c'est toi qui vas nous montrer où tu caches ton
magot ! Alors, il est où ?" Chaque fois qu'il me reposait
la question, j'avais droit à un nouveau coup. À la fin, j'ai
compris que je n'avais pas le choix et que ça risquait de
très mal tourner pour moi, alors, et bien que ça ne me
ressemble pas, j'ai commencé à hurler, de toutes mes
forces. J'ai hurlé comme une connasse de femelle, et ça
les a fait fuir. Les mains vides. Je leur ai donné que dalle.
Qu'ils aillent se faire foutre ! Quand les employés de la
maison de retraite sont arrivés, il y avait du sang partout
dans la chambre. Et j'avais tellement honte. Tellement
honte de ne pas avoir été plus fort que ces deux ordures,
d'avoir dû appeler à l'aide. Moi ? Appeler à l'aide ?
Jamais je ne me suis senti aussi vieux. On m'a emmené
à l'hôpital en ambulance et on m'a recousu. Regarde,
on voit encore les traces. » Il a soulevé les cheveux à
l'arrière de son crâne et révélé une cicatrice rouge, très
laide. « Depuis, je ne m'en sépare pas, a-t-il conclu avant
d'arracher le couteau de la table et de l'embrasser avec
une sorte de passion repoussante. C'est mon meilleur
ami, il leur aurait déchiré les entrailles. » Puis il a ajouté
en le humant voluptueusement : « Qu'est-ce qu'on n'a
pas fait ensemble, lui et moi. »

Comme je l'ai détesté à cet instant. Je l'ai détesté
de toute mon âme. Moi qui avais tellement voulu le
détester, je ne voulais pas que ça se passe comme ça.

Il s'est resservi de la vodka, l'a avalée d'un trait et
a marmonné : « Ah, des fils de pute, rien que des fils
de pute. Tous. »

Il avait l'air nerveux, agressif, inquiet, assis avec son
vieux tricot de corps et son bas de pyjama, échevelé,
le visage renfrogné et éteint.

Il a allumé une cigarette et continuait à boire, à marmonner et à pester sans me regarder, et puis, tout à coup, il m'a demandé l'heure.

« Il est midi, ai-je répondu.

– On va bientôt déjeuner ici et j'ai faim. Viens, je t'emmène au réfectoire, que tu goûtes au moins une fois dans ta vie ce que c'est que de la bouffe vraiment dégueulasse. Après, tu ne te plaindras plus jamais de ce qu'on te sert, où que ce soit. »

Une table nous attendait dans un restaurant chic, réservée grâce au zèle du réceptionniste de la tante Nella, mais je n'avais envie d'emmener mon père nulle part. Qu'il croupisse ici, dans le réfectoire puant de sa maison de retraite. J'y emmènerais Lydia, elle apprécierait cet honneur bien plus que ce vieil alcoolique.

C'est à lui que j'ai proposé d'y aller, je n'ai pas pu m'en empêcher, et il a eu le culot d'hésiter à accepter mon invitation. Il a prétexté qu'il avait du mal à marcher et que, d'ailleurs, ça lui disait rien de goûter ce qu'on servait dans cet endroit de luxe, sûr que c'était encore plus dégueulasse qu'à la maison de retraite. Je me suis entendu essayer de le convaincre tout en essayant de me convaincre moi-même que je faisais ce que j'avais à faire.

14

Tout se fige d'un coup. Au début, tu as du mal à te rendre compte du phénomène parce qu'avant la rue était vide et qu'il n'y avait pas de circulation, mais quand tu sens que l'air stagne et que le vent a cessé de souffler, là, tu comprends que tout est effectivement figé.

Mes premiers pas, je les fais en hésitant, comme si le tapotement de mes semelles sur les pavés du trottoir risquait de déchirer la torpeur générale, mais comme rien ne change, plus j'avance, plus ma démarche prend de l'assurance et j'ose regarder autour de moi. Je découvre alors un rat qui s'est figé en sautant, stoppé en pleine trajectoire, ou une femme avec les cheveux maintenus dans une serviette et qui se tient à la fenêtre telle une statue. Je lui lance : « Hé, madame, vous avez quoi sur la tête ? » J'éclate de rire, elle ne bronche pas. Je tourne dans une autre rue et là, je trouve quelques passants, figés eux aussi.

Je m'approche d'un homme, le heurte comme sans le faire exprès, il ne bronche pas plus que la femme. Je le touche, cette fois ostensiblement, et quand je comprends que rien ne le réveillera, je glisse la main dans la poche de son pantalon, en tire son portefeuille, y prends les billets et le remets à sa place. Dorénavant, je n'aurai plus à traquer les bouteilles de vodka vides pour ramener l'argent de la consigne à maman. Je continue à marcher, passe au monsieur puis à la dame suivante, je leur fais les poches à tous, jusqu'à ce que j'en aie assez. Alors j'entre dans le magasin de bonbons et mange tout ce qui me tente.

À présent que j'ai suffisamment d'argent et que je suis rassasié, je peux reprendre mes activités. Par exemple, m'introduire dans l'appartement de la famille allemande, m'amuser avec les jouets de l'enfant blond qui est assis, figé à son bureau, la bouche ouverte tournée vers la grande cuillère que sa mère figée est en train de lui tendre. Je m'approche d'eux, goûte avec le doigt la soupe qui étrangement est encore chaude, fourre le même doigt dans l'oreille de la mère, pour rien, juste parce que j'en ai envie. Je regarde par la fenêtre de chez eux et vois notre fenêtre exactement comme le petit Allemand la voit, exactement comme la voit aussi la fille de ma classe qui habite avec ses parents dans l'appartement voisin. Quand je m'assieds sur le rebord de ma fenêtre et qu'elle s'habille, je fais semblant de regarder ailleurs, mais en vrai je continue à l'observer. Elle aime se changer lentement devant son grand miroir, en faisant toutes sortes de manières, comme une dame. Maintenant qu'elle aussi est figée, je peux entrer dans sa chambre, tourner autour d'elle, l'examiner de près, soulever sa robe et baisser sa culotte.

Voilà des années que je ne fige plus le monde. À quoi bon ? Statufiés, les êtres humains cessent d'être des êtres humains, c'est pourquoi j'ai préféré, avec le temps, apprendre à voir sans être vu, une pratique qui m'a permis de m'introduire dans des intérieurs étrangers et d'observer à loisir ce que les gens y faisaient. Ainsi j'ai pu contempler les femmes qui me plaisaient pendant qu'elles prenaient leur douche. Quant à la mienne, j'étais entré plus d'une fois dans son appartement avant qu'elle ne prenne conscience de mon existence. Pourtant, lorsqu'elle a fini par m'inviter chez elle, j'ai été surpris. En général, quand j'arrivais à atteindre en vrai la chambre à coucher de celles que j'avais au préalable visitées sans qu'elles le sachent, j'étais déçu. Or la présence de ma femme, son corps, son odeur, le contact de ses doigts et de ses lèvres étaient bien meilleurs et bien plus sophistiqués que ce que j'avais imaginé. Dès l'instant où j'avais pénétré dans le petit appartement qu'elle louait, avec son salon au plafond voûté et au sol de pierre, typique de Jérusalem, le désir qui m'avait mené à elle s'était transformé en un coup de foudre éblouissant.

Quand j'étais gosse, je ne pensais pas qu'on pouvait se transformer en homme invisible. D'ailleurs, l'aurais-je su que ça ne m'aurait pas intéressé. Le côté voyeur passif convient mieux à celui que je suis devenu en grandissant. Quant à l'enfant que j'ai été, il aurait – si seulement il avait su comment s'y prendre – figé le monde, débusqué la deuxième maison de son père et attrapé le traître en flagrant délit. Il aurait aussi tout saccagé là-bas pendant que les habitants du logis restaient figés devant lui, à sa merci. Mais maintenant, j'ai beau l'envoyer, ce gosse que j'ai été, faire un tour là-bas, je me retrouve impuissant, juste un fantôme de petit voyou qui regarde, figé lui aussi, l'image pastel d'une vie de famille figée : le garçon est en suspens au-dessus de la tête du père qui l'a lancé en l'air, la mère se tient un peu à l'écart et rit, la fille est à côté et agite joyeusement les bras. Ou bien : le père, assis avec ses deux enfants sur le canapé du salon, leur lit une histoire tandis que la mère sert le thé à tout le monde. Ou encore : parents et enfants sont assis pour dîner, et sur la table il y a des raisins, des fraises, des pêches, de l'ananas, des poivrons, des tomates, des concombres et des radis. Et une grosse miche de pain, une motte de beurre, des pommes de terre, des petits pois. Et aussi un poulet rôti avec des morceaux de viande. Ils ingurgitent toute la nourriture peinte au-dessus du lit de ma mère, tandis qu'elle est allongée en dessous, figée et affamée. Je m'approche d'elle, tire de ma poche tout l'argent que j'ai récolté dans la rue, le pose sur sa table de chevet, me glisse à côté d'elle, la prends dans mes bras et la console en même temps que son contact me console.

Ça aussi, je ne pouvais le faire qu'en figeant le monde.

15

« Et, cerise sur le gâteau, tu nous as zigouillés.

– Moi ?

– Oui, tante Nella m'a raconté que chaque fois qu'on te demandait pourquoi tu ne nous rejoignais pas, tu disais que nous étions tous morts en Israël, pendant la guerre. »

Mon père a eu un éclat de rire mauvais : « Effectivement, j'ai dit ça. Sans réfléchir… C'est juste que tout de suite après, j'ai compris que j'avais été bien inspiré.

– Tu lui as brisé le cœur.

– Parce que tu crois qu'elle avait un cœur, celle-là, à l'époque ? Elle avait une pompe à vodka qui battait à peine dans sa poitrine. Putain ! Et même si je lui ai brisé le cœur, de quoi elle se mêle ? Elle a voulu savoir pourquoi je n'allais pas vous rejoindre et c'est la première chose qui m'est venue à l'esprit. Je ne voulais pas qu'elle découvre ce que ta mère avait fait en vrai et qui m'a énormément blessé, sache-le. Je n'ai dit la vérité à personne. J'avais trop mal au cœur.

– Mal à ta pompe à vodka. »

Il a souri : « À ma pompe à vodka, si ça peut te faire plaisir. Et alors ? Te voilà devenu l'ange gardien de cette pochtronne de Nella ? Je ne pensais même pas qu'elle s'en souviendrait. Elle oubliait toujours ce qu'on lui racontait, et moi je lui servais chaque fois un nou-veau baratin qu'elle oubliait le soir même. Pour qu'elle me paye un coup à boire, cette radine. Comme ça, je pouvais lui raconter et lui reraconter toutes les histoires qui marchaient bien.

– Pas de chance, celle-là, elle l'a retenue. De même que l'existence de ton autre famille.

– Pour mon autre famille, c'est différent, on en a parlé un après-midi, et l'après-midi, elle était encore capable de ne pas oublier ce qu'on lui disait. Ah, la garce ! Elle n'a pas pu s'empêcher de fourrer son nez crochu dans mes affaires, cette sorcière, et moi, j'aurais dû me méfier. Je ne sais pas ce qui m'a pris ce jour-là. C'est la vie. Ce putain de sort, pire qu'un champ de mines. Quand je pense qu'elle m'a suivi ! Écoute, mon fils, je vais t'enseigner quelque chose : tu dois comprendre qu'il y a deux sortes d'alcooliques. » Il a avalé une gorgée de vodka. « Deux sortes. Il y a les enfoirés qui boivent toujours à la même heure, comme la tante Nella, et il y a ceux qui boivent quand ils en ont envie, comme moi. Nella buvait tous les jours à la même heure. On pouvait donc connaître son degré d'ébriété à chaque moment de la journée, et surtout s'arranger pour venir chez elle quand elle serait assez saoule pour se laisser avoir. La fois où j'ai dit que vous aviez tous été tués. » Il a de nouveau eu un bref éclat de rire. « Je pensais qu'elle était suffisamment imbibée pour oublier. Je voulais juste qu'elle me foute la paix, sauf que j'ai vite compris le bénéfice que je pouvais en retirer, ça, pour sûr ! Alors j'en ai rajouté, je lui ai décrit la manière dont c'était arrivé et, surtout, à quel point cette perte m'anéantissait. Du coup, eh ben, elle a tout de suite commencé à se lamenter, a sorti une nouvelle bouteille et l'a posée sur le comptoir. Tu te rends compte, une bouteille entière pour me consoler ! Ça a été la première et la dernière fois qu'elle a fait une chose pareille ! Rien que pour ça, ça valait la peine de vous tuer. On a bu ensemble et on a pleuré ensemble, elle sur votre sort et moi sur le mien, crois bien que ce n'était pas les raisons qui manquaient. Malheureusement, cette pute a justement très bien mémorisé ce que je lui avais raconté, malgré la quantité de vodka qu'on avait avalée. En fait, j'étais tellement rond que c'est moi qui ai failli oublier cette histoire. Ensuite, quand je me suis repointé dans son bar pour en rajouter et me faire de nouveau réconforter, elle m'a insulté en me disant que j'étais un fils de pute et qu'elle ne croyait pas un seul instant à la sincérité de mon chagrin, que je n'avais pas de cœur et que j'étais certainement en train de bien profiter avec ma deuxième famille ou mes autres maîtresses. Sale radine d'emmerdeuse, comme si j'avais profité ! J'y ai juste gagné un mal de crâne, peut-être, et des brûlures d'estomac.

— Est-ce que tu les battais, eux aussi ? »

Mon père m'a lancé un bref regard.

« Moins, a-t-il fini par admettre.

— Pourquoi ?

— Parce que je me sentais moins responsable d'eux, et qu'en plus, c'étaient des enfants sages, pas des voyous comme vous. Avec eux, en général, il suffisait que je crie.

— Et elle ?

— Elle ? »

Je l'ai vu esquisser un sourire avant de se rattraper en criant : « Hé, garçon, enculé ! » Il a attendu que le pauvre serveur s'approche de notre table et a lancé : « Dis-moi, on est dans un restaurant chic, ici, oui ou merde ?

– Oui, monsieur.

– Alors, elle est où, ta bouffe ? Combien de temps on va devoir poireauter ? »

Nous étions assis dans une magnifique salle gothique, avec colonnes, voûtes en pierre et sol intégralement recouvert de tapis persans. Du plafond descendaient de grands lustres. La plupart des consommateurs étaient des étrangers comme moi, sans doute des hommes d'affaires ou des expatriés travaillant dans les ambassades. Le peu de Polonais qui s'y trouvaient appartenaient assurément à l'élite du Parti. Et moi, j'étais quoi, moi ? Un gars de trente-six balais, le genre fauché, assis face à son alcoolique de père au comportement de péquenot exacerbé par tout ce luxe.

Il avait commencé à râler dès que le taxi s'était arrêté devant ce château excentré et, depuis, son humeur belliqueuse n'avait fait que se renforcer. Avant de quitter la maison de retraite, j'avais essayé de le convaincre au moins de se raser, mais il avait farouchement refusé, de même qu'il avait tenu à renfiler ses vêtements fripés de la veille.

« Pourquoi gaspiller autant d'argent ? » s'était-il écrié en entrant dans le restaurant.

Après nous avoir accueillis, le maître d'hôtel, engoncé dans son costume noir, avait vivement avancé vers notre table réservée… jusqu'au moment où il avait compris qu'il devait régler ses pas sur ceux du vieil homme et ignorer les remarques et les jurons que celui-ci susurrait. Il avait tenu son rôle jusqu'au bout et l'avait aidé à s'asseoir.

« Tu as vu ça ? On me traite ici comme cette pute de reine d'Angleterre ! » avait réagi mon père en me faisant un clin d'œil.

Il avait ensuite examiné avec attention les couverts en argent et la serviette en tissu d'un blanc étincelant, aux lisérés brodés pour, finalement, paraître satisfait. Un serveur était venu avec les menus qu'il avait posés devant nous, mon père avait souri de contentement mais, à l'instant où il avait vu les prix et sans doute calculé combien de bouteilles de vodka on aurait pu acheter avec chaque plat, il était aussitôt redevenu lui-même et avait lancé très fort afin que tout le monde entende : « Qu'est-ce que c'est que ça ? Pourquoi de la bouffe de merde doit-elle coûter aussi cher ? C'est jamais que de la bouffe, tout de même ! »

Pour tempérer ses ardeurs, j'avais, en hâte, commandé une bouteille de vodka que le serveur avait apportée, puis, visage acide, l'homme était resté planté là, à attendre qu'on commande, ce que j'avais fini par faire pour nous deux. À partir de ce moment-là, mon père n'avait pas arrêté de le chercher.

« Hé, garçon, on est dans un restaurant chic, oui ou merde ?

– Certainement, monsieur.

– Alors elle est où, ta bouffe ? Combien de temps on va devoir poireauter ? a-t-il répété en haussant encore la voix.

– Ne vous inquiétez pas, ai-je dit au serveur. On va attendre.

– Et pourquoi qu'on attendrait ? »

Il a tapé du poing sur la table. Quelques consommateurs, assis non loin, se sont retournés vers nous. Le serveur a profité de l'agitation pour s'esquiver et mon père pour se verser un nouveau verre de vodka.

« Où en étions-nous ? m'a-t-il demandé.

– À ta seconde épouse.

– Pourquoi tu dis "seconde épouse" ? a-t-il relevé avec irritation. Bon, d'accord, va pour "seconde", bien que ça ne se soit pas passé comme ça. En plus, ça sonne mal. Enfin, merde, putain, on s'en fout, que ça sonne mal, pas vrai ? Alors c'était quoi, ta question ? Tu voulais savoir si je la battais ? Quelle importance ? D'ailleurs, ça ne te regarde pas. Hé, garçon, reviens, je ne t'ai pas dit de partir ! »

J'ai fait signe au serveur de ne pas lui prêter attention et j'ai prié mon père de baisser le ton : « Tu déranges les autres.

– Je m'en fous ! C'est qui, tous ces gens assis là ? Rien que des lèche-culs qui bavent devant les autorités. Des sales collabos. Des enfoirés de bourgeois occidentaux, qu'ils aillent tous se faire foutre ! J'ai toujours pissé sur le fric. À quoi ça sert ? À devenir un tas de merde boursouflé comme eux ? Fils de pute ! Je m'en torche, de ces gens-là ! Oui, je la battais, elle aussi. Et alors ? T'es content maintenant ? Et elle, elle ne le méritait certainement pas. Si je le faisais, ce n'était pas à cause d'elle, c'était à cause de vous. Tu piges ? À cause des remords que vous me donniez. Je la rendais responsable de ma présence auprès d'elle et de ses deux marmots, coincé avec eux alors que j'aurais voulu être avec ma vraie famille.

– Donc ça aussi, c'est de notre faute.

– C'est de la faute de personne. L'homme agit comme il agit. Voilà, c'est tout, et moi, ce que j'ai fait, je l'ai fait. »

Le serveur a posé devant nous deux grandes assiettes avec, au milieu, de petits hors-d'œuvre joliment agencés. Mon père les a regardés un instant, a bruyamment rassemblé toutes les glaires qui s'étaient accumulées dans sa gorge et a craché sur le tapis. Un silence s'est abattu sur la salle de restaurant. Les clients nous observaient, médusés.

« Papa, ai-je chuchoté, à quoi tu joues ?

– J'ai mis le pied dessus, ça va ! »

On a commencé à manger, ce qui ne l'a pas empêché de continuer à pester.

« Arrête de te plaindre, ai-je fini par dire. Ce n'est pas ton argent, c'est le mien.

– Jamais je n'aurais imaginé avoir un fils aussi embourgeoisé ! a-t-il ricané.

– Au moins, je ne suis pas un salopard comme toi », ai-je répliqué.

Les mots que je venais de prononcer nous ont effrayés autant l'un que l'autre. Je me suis tu. Il ne faut jamais parler comme ça à son père. Le regard que je lui avais lancé était suffisamment éloquent pour qu'il comprenne à quel point il avait exagéré. Il a terminé son plat sans rien dire et a refusé de commander un dessert.

« Demain, après-demain et le jour d'après, je ne viendrai pas te voir, lui ai-je alors annoncé.

– Pourquoi ? » Il s'est tout de suite affolé et a tenté de s'excuser pour son comportement.

« Parce que je vais au village voir ma tante. »

Après un instant de surprise, il a eu l'air de chercher à organiser ses pensées, puis il m'a demandé de l'emmener avec moi.

« C'est un long voyage, papa, et regarde le temps qu'il nous a fallu rien que pour aller de la maison de retraite au taxi et du taxi au restaurant. Tu n'y arriveras pas, tu as trop de mal à marcher. »

Il est resté un long moment silencieux, puis il a chuchoté : « Je me suis toujours débrouillé. »

Je n'ai pas répondu.

On a repris un taxi pour rentrer à la maison de retraite et on n'a pas échangé le moindre mot de tout le trajet. Le chauffeur a essayé de nous tirer les vers du nez, mais on ne lui a pas prêté attention. Et soudain, mon père a éclaté en sanglots.

« Qu'est-ce qui se passe ? ai-je demandé.

– Rien. » Il ne s'est pourtant pas calmé avant de longues minutes. « Je n'aurai plus jamais l'occasion de revoir ma maison et mon village natals, c'est tout. » Et il s'est de nouveau enfermé dans un mutisme accusateur.

On est arrivés à destination. Monter les marches du perron n'a pas été facile, je lui ai proposé mon aide, mais il a refusé, ajoutant même que ce n'était pas la peine que je le raccompagne dans sa chambre, qu'il pouvait se débrouiller tout seul. Il m'a juste demandé de transmettre son bonjour à sa sœur et à tous les membres de sa famille que je rencontrerais. Ensuite il m'a souhaité un agréable voyage et a ajouté qu'il espérait me revoir à mon retour.

« Évidemment que je viendrai, papa. Et je vais aussi m'arranger pour t'apporter une nouvelle canne. »

Il n'a pas réagi, mais après avoir atteint l'entrée à petits pas, il s'est retourné : « Si tu ne m'y emmènes pas, au moins jure-moi qu'après ma mort, tu m'enterreras là-bas. » Sans attendre ma réponse, il s'est engouffré à l'intérieur.

16

« Quelle famille de merde ! » crie-t-il avant de sortir en claquant la porte.

Nous sommes là, dans l'appartement, effrayés, à nous demander s'il va revenir. À espérer que non, du moins pas dans cet état. Sans qu'on se l'avoue, on se sent tous coupables parce qu'on est des voyous, une famille de merde, comme il vient de le dire. Quoi d'étonnant à ce qu'il ait de temps en temps besoin de prendre le large ?

Chaque fois qu'il réapparaissait après une longue absence, il débarquait plein d'une énergie renouvelée et les bras chargés de cadeaux – une télévision, une radio, un tourne-disque, des vêtements pour tout le monde, des denrées achetées au marché noir. Grâce aux disques ou aux retransmissions de concerts à la radio et à la télévision, l'appartement s'emplissait soudain d'airs d'opéra ou de symphonies, avec notre père en chef d'orchestre. On était alors tellement heureux ! Même notre mère avait du mal à cacher sa joie.

Parfois, il revenait accompagné de musiciens tsiganes qu'il avait pour amis et, le soir, ils sortaient leurs instruments et commençaient à jouer. Rapidement, un bal s'organisait. Les gens débarquaient de tout l'immeuble, se saoulaient et dansaient jusqu'au milieu de la nuit.

Tous semblaient l'admirer – pas seulement les Tsiganes qui, eux, étaient toujours partants pour suivre n'importe laquelle de ses idées folles, mais aussi nos voisins : ils en oubliaient ses crises de rage et de violence, accompagnées de hurlements qui traversaient murs et plafonds pour aller résonner dans la cage d'escalier. Nous aussi, on les oubliait. Debout au centre du salon, il tapait des pieds, levait les bras, agitait en l'air sa bouteille de vodka, chantait à tue-tête et nous entraînait tous derrière lui.

Une nuit, à deux heures du matin, des coups violents et des cris en provenance de la cage d'escalier nous ont réveillés en sursaut. On a ouvert la porte, regardé en bas, et on a découvert mon père et deux de ses amis qui hissaient une énorme sculpture en bronze, haute d'au moins deux mètres, jusqu'à notre étage. L'œuvre était si encombrante qu'elle heurtait les portes et les murs. À chaque fois, le trio s'invectivait et le chahut était tel que tous les voisins, réveillés, sont sortis sur le palier en pyjama.

« C'est quoi ? a demandé ma mère, ahurie, lorsque les trois hommes ont fini par introduire leur fardeau dans notre appartement.

– C'est le *David* de Michel-Ange.

– Ça, je sais. Mais pourquoi ici ?

– Figure-toi qu'ils voulaient le vendre pour refonte ! s'est indigné mon père. Qui ose vendre une telle statue pour en récupérer le bronze ? Quelqu'un y a investi toute son âme, a créé cette merveille, et ces fils de pute veulent la vendre et la faire fondre ! Regardez, les enfants ! Ce que vous voyez là n'est qu'une copie merdique du chef-d'œuvre original, mais, même comme ça, on voit le génie. Ce visage, ce regard tourné vers le côté, ces muscles. Et regardez-moi le petit zizi de youpin qu'on lui a fait ! »

Avec l'aide de ses amis, il a posé la statue debout dans notre chambre. Pendant trois semaines, David nous a tenu compagnie et est devenu le personnage principal de nos jeux… et puis, un beau jour, mon père a susurré entre ses dents ce fameux « Quelle famille de merde ! », a ramené ses deux acolytes et est allé avec eux le vendre pour refonte. Avec l'argent, il a acheté de la vodka et a disparu pendant un certain temps.

Encore une fois, nous nous retrouvons abandonnés. Sans David, sans papa, seuls, tandis que le silence froid et efficace de maman reprend possession de l'appartement. Une famille de merde. C'est nous – forcément nous – qui l'avons fait fuir. Il revient toujours, si plein d'énergie et de bonnes intentions ! Les ingrats, c'est nous, nous qui, dès qu'il est là, lui coupons les jarrets.

Je suis allongé sur le lit, entouré de nuages, d'étoiles, de soleils et de lunes, tout le joyeux cosmos qui orne les murs de la pièce mais dont, à présent, le mutisme me pèse, bien loin de l'enthousiasme avec lequel nous l'avons peint. Après le départ pour Israël du couple de vieux que nous appelions papy et mamie, nous avons pu récupérer leur chambre et, un jour, papa a débarqué avec un grand pot de chaux et un pinceau. Il a repeint la pièce, mais le résultat ne l'a pas satisfait.

« C'est trop blanc, a-t-il marmonné, on se croirait dans un hôpital. »

Il est aussitôt sorti acheter de la gouache, a ramené quelques cartons qu'il a trouvés à côté des poubelles, en a découpé plusieurs pour faire des pochoirs et nous a rassemblés tous les quatre : « Les enfants, maintenant, on va s'amuser ! »

On a pris différentes couleurs et, sous ses encourage-ments, on a commencé à décorer les murs. Ensuite il est monté sur l'échelle et, avec les pochoirs, a aussi décoré les zones trop hautes pour nous. Jusqu'au plafond.

Allongé sur le lit, je regarde les murs bigarrés, témoins muets de nos rares instants de bonheur en sa compagnie. Tel qu'il était dans ces moments-là, il me manque terriblement. Un monde injuste écrase mon petit corps. Ça fait trop longtemps qu'on ne s'amuse plus ici, la violence qu'il nous fait subir à nous, sa famille de merde, a depuis des lustres chassé la joie d'alors. L'appartement explose à présent de cris, d'insultes, de lamentations, de gémissements, de pleurs.

Et j'ai retrouvé la même haine qu'à l'époque, mais décuplée parce qu'il arrivait de nouveau, dans sa vieillesse, à éveiller en moi un terrible sentiment de culpabilité ; parce que, en une seconde, il avait de nou-veau fait de moi un fils merdique… Sauf que, cette fois, j'ai décidé de ne pas me laisser avoir.

Dans ma chambre, l'ordre parfait instauré par Lydia m'a accueilli, mais la seule manière pour moi de ne pas me noyer, c'était de plonger dans le chaos, il fallait que je la débarrasse de tous ses oripeaux, cette chambre. Alors j'ai arraché le couvre-lit, défait les draps, envoyé à la poubelle les deux petites fleurs violettes qu'elle avait posées sur les oreillers, j'ai déplié les vêtements qu'elle avait soigneusement rangés dans l'armoire, jeté la grande serviette sur le sol, piétiné le tapis de bain avec mes semelles sales, j'ai mis dans le lavabo le verre à dents, ma brosse à dents et les savons, pardon Lydia, je n'ai pas trouvé d'autre moyen pour reprendre pied, pour avoir prise sur la réalité, que de secouer les objets afin de désagréger les faux-semblants. Il me fallait bouleverser l'ordre, casser cette symétrie parfaite et minimaliste qui m'écorchait la rétine. Il fallait allumer une cigarette et encore une, laisser l'odeur de tabac chasser les parfums légers et délicats de produits d'entretien, d'eau de toilette, de lessive. Fils merdique d'un père merdique, je me suis assis au milieu des ruines du décor que tu avais, Lydia, construit ici avec trop de talent. Tout est si dégueulasse, si dégueulasse, je n'avais pas le choix.

17

Elle était là, assise dans la petite salle à manger qui le soir se transformait en bar. À la voir sans son uniforme, j'ai eu l'impression, un court instant, qu'elle avait perdu de son charme, mais en fait non, elle était tout aussi attirante que pendant la journée : elle avait remonté ses cheveux en un chignon haut et portait une robe en laine bleu marine. Seule à sa table devant un verre à moitié plein, elle exprimait par son attitude quelque chose de l'ordre du défi, sensible jusque dans l'inclinaison de sa tête. Une main posée en travers de la table, elle tendait les doigts, effleurait le verre tandis que ses grands yeux bleus se perdaient dans le vague. Alors, face à sa beauté, à cette douceur qui refusait d'abdiquer devant l'obscurité que je portais en moi, j'ai rendu les armes.

Il faisait froid, ce soir-là, dans la pension de la tante Nella, mais au bar, on avait allumé un feu de cheminée, et la chaleur m'a un peu rasséréné. La plupart des chaises étaient encore inoccupées. Comme tous les soirs, la télévision diffusait, avec quelques sautes d'image, le journal d'informations polonais. Debout derrière son comptoir, le barman essuyait sa vaisselle. Je l'ai salué de la tête, il m'a salué en retour, a indiqué d'un geste interrogateur un verre déjà sec, je lui ai répondu en acquiesçant. La question était de savoir où j'allais m'asseoir, ou plutôt : à quelle distance de Lydia ? Et pourquoi pas à côté d'elle ? J'ai de nouveau jeté un coup d'œil vers elle et, à ma grande surprise, elle a agité la main vers moi puis m'a montré l'écran : au milieu d'épaisses colonnes de fumée qui s'élevaient de pneus incendiés ou de grenades lacrymogènes, on voyait une foule de Palestiniens en train de jeter des pierres et des cocktails Molotov. Des soldats les mettaient en joue et tiraient des balles en caoutchouc, en plastique, ou peut-être réelles. Et, soudain, derrière eux est apparu un véhicule anti-émeute qui, avançant maladroitement, tentait de disperser les manifestants avec des jets de gravillons. Lydia m'a dit quelque chose que je ne suis pas arrivé à entendre, excellent prétexte pour m'approcher d'elle.

« Bethléem, a-t-elle répété en posant une main sur la croix accrochée à son cou.

– Oui, c'est l'église de la Nativité. »

J'ai souri et relevé les yeux vers l'écran, mais ils étaient déjà passés au reportage suivant et je me suis assis à la table voisine de la sienne.

« Vous y êtes déjà allé ? m'a-t-elle demandé, la voix teintée d'une légère émotion. Ce n'est pas trop dangereux ?

– Si, maintenant, ça l'est. Mais jusqu'à l'année dernière, on pouvait s'y rendre sans problème. D'ailleurs, ce sera bientôt fini tout ça, et je pourrai vous emmener manger du houmous en face de cette église.

– Du "houmous" ?

– C'est un plat de chez nous. Peu importe. »

Le barman a posé un verre devant moi, l'a rempli de vodka, a regardé celui de Lydia et l'a aussi rempli. Puis il a levé son propre verre. Nous nous sommes empressés de trinquer avec lui.

« *Na zdrowie !* s'est-il écrié. À ta santé, Lydia. Toutes mes félicitations ! »

J'ai attendu qu'il s'en aille pour demander à la jeune femme si c'était son anniversaire.

« Oui, m'a-t-elle répondu avec un sourire embarrassé.

– La cheminée, ils l'ont allumée en votre honneur ?

– Non, non. » Elle a lâché un petit rire. « C'est juste que le chauffage central est en panne. D'ailleurs, j'ai ajouté une couverture dans votre armoire, et avant de monter dans la chambre, je vous conseille d'aller prendre un chauffage électrique à la réception.

– Je vous souhaite une merveilleuse année, tous mes vœux ! lui ai-je dit en reprenant une gorgée.

– Merci. Mais je n'aime pas trop marquer l'événement. Je n'avais même pas l'intention de quitter ma chambre, c'est juste que Mme Janowska a insisté pour que je descende prendre un verre, et avec elle, on ne discute pas.

– Alors où est-elle ?

– La fille de son fils est malade, elle est allée la garder et s'est retrouvée coincée chez lui par le couvre-feu. On vient de me l'annoncer.

– Son fils Bolek ? ai-je demandé, étonné.

– Oui, Bolek.

– Ça m'étonne qu'il soit toujours vivant, celui-là ! C'était une grosse brute, ce type.

– D'après ce que j'ai compris, il est sorti de prison depuis quelques années et sa mère l'a fait venir à Varsovie. C'est ici qu'il a rencontré sa femme. Ils ont eu une fille. Un sacré fainéant, ce Bolek, mais Mme Janowska est folle de sa petite-fille et elle ne s'intéresse plus trop à lui. »

À Wrocław, Bolek avait beau être de la famille, il nous terrorisait. Il était violent, imprévisible et, dans mon souvenir, je ne lui ai jamais adressé la parole. La seule fois où je l'ai vu de près, c'était un jour où il avait accompagné sa mère chez nous. Il s'était assis à côté de la porte-fenêtre qui menait au balcon et n'avait cessé de jurer et de rouspéter sans qu'on sache pourquoi. La tante Nella avait fini par voir rouge au point de le gifler. Et comme elle n'y était pas allée de main morte, elle l'avait envoyé valser à travers le carreau avec sa chaise. Toute la porte-fenêtre s'était brisée. J'ai raconté cet épisode à Lydia, elle a bien ri.

« Ça ressemble tellement à Mme Janowska ! » a-t-elle ajouté.

La conversation s'est tarie. Le barman est revenu vers nous, a rempli nos verres et, d'une voix vibrante, en totale contradiction avec son visage gris, il a de nouveau souhaité joyeux anniversaire à Lydia. Peut-être sa patronne lui avait-elle ordonné d'organiser une soirée festive pour la femme de chambre et s'en acquittait-il un peu maladroitement, mais peut-être aussi agissait-il de son propre chef.

« Vous vous connaissez depuis longtemps ? ai-je demandé à Lydia.

– Qui ? Moi et Roman ? Oui. Il travaille ici depuis longtemps. Tout le monde travaille ici depuis longtemps. Même moi, bien que je sois considérée comme la nouvelle.

– Depuis combien de temps ?

– À peu près trois ans. Depuis mon arrivée à Varsovie. »

Je l'ai regardée de plus près. C'était la première fois que je pouvais me payer ce luxe : détailler ses traits, écouter sa voix calme, mélancolique. Visage triste, parfois même un peu torturé avec, a contrario, des yeux bleus et ronds qui brillaient délicatement, comme si un reliquat de sa naïveté de fillette heureuse s'y attardait. De plus, chaque fois qu'elle souriait, elle dégageait une chaleur qui cassait la gravité de son expression.

Sauf qu'en me racontant son histoire, elle ne souriait plus. Issue d'un petit village de la région des lacs, au nord-est du pays, elle avait sauté sur le premier prétexte – s'inscrire dans une école d'infirmières à Varsovie – pour fuir cet endroit. « Je ne voulais pas entrer dans une école d'infirmières, mais c'est ce que j'avais trouvé. Une fois en ville, j'ai cherché du travail et Mme Janowska avait justement besoin d'une femme de chambre. J'ai raconté à mes parents que je poursuivais mes études, alors qu'en vrai, je n'ai jamais été en cours. Je croyais qu'en vivant dans la capitale, j'aurais accès à des choses qui me permettraient de m'épanouir, d'évoluer et… j'ai atterri dans cette pension où j'ai déjà passé trois ans. Pas grave, je suis bien ici. Pour l'instant, ça me suffit. » Sur ces mots, elle a pris une gorgée de vodka.

Je lui ai proposé une cigarette, elle m'a répondu qu'elle ne fumait pas. Je lui ai demandé si ça la dérangeait que j'en allume une, elle m'a assuré que non et a retrouvé le sourire : « Mme Janowska se fait du souci pour moi, elle veut que j'aie une vie sociale et que je me trouve un mari. Elle n'arrête pas de me le répéter et elle insiste pour qu'au moins une fois par semaine je termine plus tôt et sorte avec des amies. Ce qu'elle ne sait pas, c'est que je n'en ai pas, d'amies. Alors je vais à l'église. Je m'y sens bien, parfois aussi je me promène sur les quais de la Vistule ou dans le parc. » Elle s'est soudain interrompue et m'a lancé un regard inquiet. « Vous ne lui direz rien, n'est-ce pas ? »

La vodka ralentissait ses gestes déjà lents. Elle n'a pas repris la parole, s'est contentée de jouer avec la croix qu'elle avait autour du cou. Elle semblait être de ceux qui ne sont pas embarrassés par le silence. J'étais de ceux-là, moi aussi, mais en l'occurrence j'avais l'impression que, si je ne parlais pas, elle s'éloignerait et je la perdrais. Du coup, j'ai jeté mon dévolu sur Tecklah, et je lui ai décrit cette femme que ma mère avait embauchée pour l'aider à tenir la maison à l'époque où nous vivions à la PGR sans mon père. Notre situation financière n'était pas mauvaise, et cette paysanne venait travailler chez nous trois fois par semaine. À vrai dire, Lydia me faisait un peu penser à elle – aucune ressemblance, ni extérieure, ni intérieure – peut-être juste à cause d'une même foi naïve en la sainte Trinité et une même simplicité campagnarde. Quoique, chez Lydia, la simplicité était à peine suggérée, légèrement exacerbée par la vodka, alors que, chez Tecklah, c'était le trait dominant de sa personnalité. Notre femme de ménage était assez bête et très pieuse mais, comme Lydia, elle jouait tout le temps avec la croix pendue à son cou.

Tecklah avait peur des grands tableaux à l'huile que mes sœurs avaient trouvés dans la propriété et qu'elles avaient accrochés aux murs de la pièce où nous vivions. Elle pensait que l'âme des précédents occupants habitait ces portraits, que les personnages représentés surveillaient nos faits et gestes de leurs yeux peints, que leurs regards l'accompagnaient où qu'elle aille, et qu'ils cherchaient à nous nuire, à nous tous, parce qu'on avait envahi un domaine ayant appartenu à leur famille pendant de nombreuses générations. Comme elle ne voulait pas rester seule face à eux, elle trouvait toujours un prétexte pour me retenir auprès d'elle. Du coup, je l'aidais dans les tâches ménagères. C'est elle qui m'a appris à balayer, à repasser, à préparer une omelette. Ensemble, nous descendions dans la cour faire la lessive, ou couper et scier du bois à brûler dans la cheminée.

Chaque fois que je tombais malade, même si ce n'était qu'un léger rhume, elle prenait mon état très au sérieux, glissait sous mon oreiller un médaillon avec le portrait de la sainte Vierge, s'agenouillait pour prier à mon chevet, comme si j'étais en danger de mort, et jetait des coups d'œil contrariés vers les visages qui, des murs, nous espionnaient, elle et moi.

Et puis, un jour, elle s'est accroupie devant moi, a sorti de sa poche le fameux médaillon, me l'a fourré dans la main et a refermé mon poing dessus.

« Mais je ne suis pas malade ! ai-je protesté.

– Je sais. Mais je pars, Tadek, pour toujours. Alors je veux que tu gardes ce camée avec toi afin que la Vierge Marie continue à te protéger.

– Tu vas où ?

– En ville. »

« Exactement comme moi ! a déclaré Lydia en souriant.

– C'est vrai, sauf que Tecklah n'a pas quitté la PGR pour une école d'infirmières, mais pour le trottoir. Elle a dit que tout le monde la baisait ici, mais gratuitement, alors pourquoi n'y gagnerait-elle pas, elle aussi, quelque chose ? Elle est même partie avec le sentiment d'une mission à accomplir, comme si elle avait enfin trouvé sa voie.

– J'en ai connu, des comme ça, a dit Lydia amusée, des filles que tout le village baisait. Peut-être qu'elles ne se sont pas prostituées, mais elles auraient pu le faire, elles étaient assez bêtes pour ça. »

Elle s'est levée pour aller aux toilettes et est sortie de la salle en titubant. Lorsque j'ai demandé une autre vodka, j'ai vu que Roman, le barman, la suivait ostensiblement des yeux, debout à son poste derrière le comptoir. Agissait-il par sollicitude ou par jalousie ? Quand il a remarqué que j'avais intercepté son manège, il s'est approché de moi, m'a servi, a lancé un coup d'œil vers la porte des toilettes puis vers moi, j'ai eu l'impression qu'il allait me parler mais il a regagné son poste sans rien dire et a allumé une cigarette. Au moment où j'ai changé de place pour m'asseoir à la table de Lydia, j'ai de nouveau surpris sur son visage la même expression indéfinissable.

Elle tardait. Il fallait qu'elle revienne au plus vite, parce que dès l'instant où elle était sortie, j'avais été assailli par l'image floue de mon père dans sa maison de retraite, entouré des membres de son autre famille. Or, pour contrer sa chambre où stagnait une odeur de tabac et d'alcool bon marché, pour contrer son visage furieux et les crasses qui lui sortaient de la bouche, je ne pouvais que me raccrocher aux grands espaces de la campagne polonaise, aux champs et aux pâturages verdoyants, aux forêts touffues, aux ruisseaux, aux rivières et aux lacs, et c'était ce dont je me languissais le plus en cet instant – oui, je me languissais de cette nature luxuriante et du visage rond, souriant de la jolie femme de chambre qui, revenant enfin, m'a trouvé installé à sa table.

« *Na zdrowie !* » lui ai-je lancé.

Nous avons entrechoqué nos verres et bu en même temps.

« Racontez-moi encore quelque chose, m'a-t-elle demandé.

– Quoi ?

– Un souvenir de votre enfance, comme ce que vous venez de me raconter. Le genre d'anecdotes qui me rappellent pourquoi j'ai quitté mon village. Ça peut m'aider à cesser de me languir, non ? » Elle a souri avec embarras.

Alors je lui ai raconté l'histoire des trois tarés, deux frères et une sœur. Comme nous, ils vivaient seuls avec leur mère, mais eux, tout le monde les évitait. Pas uniquement nous, les enfants.

« Stasiek, le benjamin, semblait à moitié débile, avec un visage difforme, et il insultait tous ceux qu'il croisait. L'aîné, Jacek, flanqué en permanence de deux chiens, emmenait tous les jours leurs vaches brouter dans les prés. Lui avait l'air normal, mais il était aussi complètement barjo. Il appelait ses bêtes par des noms de couleur, disait aux chiens : "La bleue, la rouge, la violette" en désignant les retardataires, et eux, obéissants, leur couraient après. Un jour, mon frère et ses amis marchaient le long du mur de la grande propriété sur des échasses en bois qu'ils s'étaient fabriquées. Moi, je me trouvais avec eux lorsque Jacek est rentré avec son troupeau. "Qu'est-ce que vous foutez ? a-t-il crié, hors de lui. Descendez de ces échasses !" Comme on l'a ignoré, il s'est approché : "Pour qui vous vous prenez ? Vous essayez de vous envoler dans le ciel ? Comment vous osez ? C'est défier Dieu, ce que vous faites, et c'est pécher !" Robert ne s'en est pas laissé conter : "Tu nous traites de pécheurs ? l'a-t-il nargué. Ma sœur m'a raconté qu'elle vous avait vus, toi et ton frangin, en train de baiser des vaches dans l'étable." »

Là, je me suis interrompu un instant, pris de scrupules, mais Lydia m'a aussitôt rassuré : « Ne vous inquiétez pas. Vous croyez que chez nous, personne ne baise les vaches ?

– Après avoir économisé suffisamment d'argent, la grosse Jadwiga, la fille née entre les deux frères, s'était rendue en ville et avait acheté plein de petites culottes. Depuis, elle en changeait chaque jour, tournait autour des paysannes et des paysans et remontait sa robe dès qu'elle le pouvait. "Regardez ma nouvelle culotte !" s'exclamait-elle, radieuse. Et si elle ne le faisait pas, c'étaient les paysans qui l'interpellaient : "Hé, Jadwiga, aujourd'hui, sûr que t'as pas mis une nouvelle culotte !" et aussitôt elle relevait sa robe pour leur prouver le contraire, révélant ainsi, sous l'hilarité générale, ses grosses cuisses et les bourrelets de son ventre. Moi, je n'avais qu'une envie, impérieuse et que je ne m'expliquais pas : les toucher, ces bourrelets. Un jour, je l'ai croisée alors qu'elle marchait avec une fourche sur l'épaule, on longeait tous les deux la même clôture venant chacun de la direction opposée et je m'amusais à passer les doigts sur les piquets. Arrivé à sa hauteur, j'en ai profité, j'ai juste laissé traîner ma main et, comme sans le faire exprès, un bref instant, j'ai pu sentir le moelleux de son ventre. J'ai continué à marcher comme si de rien n'était, mais elle a aussitôt fait demi-tour et a hurlé en agitant sa fourche vers moi : "Sale fils de pute !" Si je n'avais pas bondi sur le côté, elle m'aurait embroché. Elle s'apprêtait à recommencer, mais j'ai pris mes jambes à mon cou. Elle n'a pas renoncé pour autant, s'est lancée à ma poursuite en criant et en m'insultant. J'ai couru jusque dans la grande cour de la ferme, elle me suivait de peu, malgré son surpoids. "Dépêche-toi de filer !" m'ont crié les paysans qui se trouvaient là et n'osaient pas s'approcher d'elle et de la fourche qu'elle brandissait. Elle a fini par s'arrêter, à bout de forces. Moi aussi, je me suis arrêté. "Tu ne perds rien pour attendre, m'a-t-elle promis. L'année prochaine, tu iras à l'école maternelle qui est à côté de chez moi, je vais t'attraper et je te couperai les couilles !"

– Elle l'a fait ? m'a demandé Lydia.

– Non, elle a oublié.

– Quelle chance ! a-t-elle souri.

– Pour moi, oui. Pas pour elle. Quelques jours plus tard, une catastrophe s'est abattue sur cette famille. Stasiek, le jeune frère, a attrapé une terrible dysenterie et n'arrêtait pas de se vider. Il en a eu tellement marre qu'il a demandé à Jacek de lui enfoncer un bouchon en bois dans le cul. Alors le grand frère a effectivement taillé un gros bouchon et l'a enfoncé dans l'anus du petit. Le lendemain matin, son intestin a explosé.

– Sainte Vierge… a soufflé Lydia, qui s'est hâtée d'embrasser sa croix avant d'avaler une gorgée de vodka.

– Quand la charrette qui transportait le cercueil de Stasiek s'est mise en branle pour aller à l'église, il n'y avait derrière que Jacek, Jadwiga et leur vieille mère. Tous les habitants de la PGR sont sortis sur le perron et ont suivi des yeux, en silence, ce triste cortège, mais personne ne l'a rejoint. On a entendu pendant un bon moment les rugissements de la sœur, ça a pris du temps avant qu'ils ne se dissipent dans le lointain. Alors que l'attroupement ne s'était pas encore dispersé, on a vu une silhouette voûtée passer le portail, la tête couverte d'un fichu noir. Elle tenait une valise à la main et avançait lentement, en boitant. Ce n'est que lorsqu'elle s'est trouvée suffisamment proche que les paysans l'ont reconnue : "Mais regardez qui arrive ! C'est Tecklah, la poule de luxe !" Ma mère s'est précipitée vers elle. Nous aussi. Notre ancienne femme de ménage avait le corps couvert de contusions. Instinctivement, j'ai sorti de ma poche le médaillon de la Vierge Marie qu'elle m'avait donné et je le lui ai tendu, mais elle m'a indiqué du geste que je devais le garder. Ma mère a posé une main sur son épaule et l'a conduite à l'intérieur de la ferme, l'a fait monter dans notre chambre, nous a ordonné de rester dehors et a claqué la porte. Aussitôt, nous avons plaqué nos oreilles contre le bois.

« "Oh, madame Zagourski, si vous saviez ! s'est lamentée Tecklah. Après vous avoir quittés, je suis allée rendre visite à ma famille au village et j'ai vraiment été heureuse ! Heureuse. Ça faisait longtemps qu'on ne s'était pas vus. Ma mère s'est occupée de moi, elle m'a gavée et j'ai pu jouer avec le bébé grassouillet que ma sœur venait de mettre au monde. Puis je suis partie pour la ville, sans leur dire ce que j'allais y faire parce que je savais que ça les mettrait en colère. Et c'est là-bas, en ville, madame Zagourski, que le pire m'est arrivé ! Je me suis d'abord acheté de nouveaux habits, et ensuite je suis allée dans la rue des putains, persuadée qu'avec l'argent que je gagnerais je pourrais le jour même louer une chambre. J'ai posé ma valise à côté de moi et je me suis mise à attendre, comme les autres filles. Mais elles, dès qu'elles m'ont vue, elles m'ont encerclée et m'ont insultée. 'Pour qui tu te prends, sale chienne ? qu'elles m'ont lancé. Tu viens nous voler nos clients, c'est ça ?' Et elles ont commencé à me frapper, madame Zagourski, tellement fort que même quand je suis tombée par terre, elles ont continué. Un vrai lynchage. Elles me donnaient des coups de pied, me griffaient, me tiraient les cheveux. Elles ont déchiré mes vêtements, je me suis quasiment retrouvée nue ! Alors j'ai pris la fuite, en serrant mon manteau contre moi, et je suis retournée auprès de ma famille au village. Mais quand ma mère a appris ce que j'avais fait, elle m'a chassée." Voilà, c'est comme ça que notre Tecklah nous est revenue. Et puis, plus tard, elle a de nouveau disparu. Je ne sais pas où elle est partie. »

Lydia a fait signe à Roman de nous resservir à boire. On était pourtant déjà bien éméchés et on souriait, mais pas de joie.

« Je suis désolé, ai-je dit.

— Pourquoi ? Je ne suis plus là-bas.

— Moi, je vais peut-être y aller demain.

— Dans votre village ?

— Celui de ma grand-mère. Ma tante y habite toujours.

— Super.

— Je ne sais pas. » Et là, je lui ai raconté que mon père voulait que je l'emmène avec moi. Je ne lui ai pas tout dit, bien sûr, mais suffisamment pour qu'elle comprenne.

« Pourquoi vous êtes revenu ? m'a-t-elle soudain demandé.

— Pour le revoir.

— Moi, mon père, je ne veux plus jamais le voir.

— Pourquoi ? »

Elle n'a pas répondu, alors j'ai ajouté : « Mon père a fait la guerre, il était dans les partisans.

— Mon grand-père aussi. » Elle s'est tue un instant avant de reprendre : « Il vous en a parlé ?

— Pas beaucoup.

— Moi, le peu que j'ai entendu m'a fait passer l'envie d'en entendre davantage. »

Je n'ai rien répondu. On a échangé un regard et j'ai soudain murmuré :

« Tout est si dégueulasse, Lydia, si dégueulasse. »

Elle a pris ma main et l'a posée sur son ventre.

« Ne vous inquiétez pas, a-t-elle précisé devant mon expression surprise. Je ne vais pas vous couper les couilles. »

Alors j'ai pressé. Un peu. Du bout des doigts. Elle avait le ventre tendre et chaud, même à travers sa robe en laine.

18

Je me suis réveillé au milieu de la nuit avec une furieuse envie de pisser. J'étais coincé dans le corps de Lydia. Impossible, sans la déranger, d'extirper mes bras, mes jambes et tout le reste de son étreinte. Impossible de bouger sans laisser s'infiltrer sous la couverture le froid glacial qui avait envahi la chambre, ridiculisant la faible chaleur diffusée par le radiateur électrique qu'on m'avait donné à la réception.

J'avais quitté le bar avant elle, pour plus de discrétion, même si Roman, qui s'était lui aussi saoulé, n'avait pas attendu notre départ pour nous lancer des regards assassins.

« Ne fais pas attention à lui, m'avait-elle dit. Il est jaloux.

– Il y a quelque chose entre vous ?

– C'est de l'histoire ancienne, mais depuis il continue à essayer et moi à le repousser. »

Ce n'est qu'en entrant dans ma chambre que je m'étais souvenu du bordel que j'avais laissé derrière moi et je me suis dépêché de ranger un peu. Quand elle m'a rejoint et qu'elle a vu ça, elle a soupiré mais s'est abstenue de tout commentaire.

« Le chauffage électrique ne sert à rien, ai-je dit.

– Le réparateur est censé venir demain, mais tant qu'on ne l'a pas vu, mieux vaut ne pas compter dessus. »

On ne s'est déshabillés que sous les couvertures, celle qui était déjà étendue sur le lit et celle, supplémentaire, que Lydia avait mise le matin dans l'armoire, mais comme nos mouvements les soulevaient, on a bien senti les morsures du froid.

Je me suis glissé à côté de ce corps inconnu, rien à voir avec celui de ma femme, mince, plat, souple, athlétique, enveloppé d'une peau dure, presque rugueuse, qui bronzait sans problème et convenait parfaitement au climat moyen-oriental. Les chairs de Lydia étaient tendres et voluptueuses, sa peau claire, fragile, délicate, presque du velours.

Il y avait en elle une sorte d'agréable lourdeur – difficile de dire si c'était de la mélancolie ou une sérénité intérieure – qui imprégnait ses mouvements. Peut-être les deux. Elle remuait avec calme et concentration. Ensuite, on est restés allongés dans les bras l'un de l'autre, en prenant soin de ne pas bouger, pour éviter tout appel d'air glacé. On a un peu parlé, lentement, quelques mots entrecoupés de longues pauses.

« Je pense que, malgré tout, tu dois l'emmener avec toi, a-t-elle soudain déclaré. Tu n'auras pas d'autre occasion. »

Nous nous sommes endormis enveloppés dans les couvertures et, quand je me suis réveillé, mon corps était prisonnier du sien. J'ai essayé de me rendormir, je ne voulais pas me détacher d'elle, mais mon envie de pisser était trop pressante et je n'ai pas pu. Alors, j'ai retiré un bras, puis un pied, et elle s'est réveillée.

« Excuse-moi, ai-je dit.

– Pas de problème, j'ai le sommeil léger.

– Je dois pisser.

– Eh bien, vas-y, emballe-toi dans la couverture du dessus pour ne pas geler. »

J'ai écouté son conseil, suis sorti du lit et j'ai couru jusqu'aux toilettes.

« C'était comment ? m'a-t-elle demandé à mon retour, tandis que je me pressais contre elle entre les draps.

– Moins terrible que ce que je craignais. À part mes pieds qui sont glacés.

– Plie les jambes.

– Pourquoi ?

– Vas-y, plie-les. »

Je lui ai obéi, mes genoux se sont enfoncés dans son ventre. Des mains, elle a guidé mes pieds et les a coincés entre ses cuisses.

« Tu n'as pas froid, comme ça ? me suis-je inquiété.

– C'est supportable. »

Nous sommes restés allongés ainsi, face à face, moi, recroquevillé en position fœtale, à me réchauffer les pieds entre ses douces cuisses. Sensation familière : à l'époque où nous habitions dans la maison de campagne de l'ancien propriétaire terrien, j'étais encore suffisamment petit pour me réfugier dans le lit de mes parents au milieu de la nuit et me presser entre eux. En général, mon père dormait en me tournant le dos et ma venue ne perturbait en rien ses ronflements. Ma mère, elle, se réveillait un court instant, le temps de m'attraper pour que je puisse me lover contre elle, et elle réchauffait mes pieds gelés entre ses cuisses.

19

Ma femme avait rapidement commencé à parler de faire un enfant. Quelques mois après notre mariage. Comme je lui avais opposé une fin de non-recevoir, nous nous disputions sur le fait d'en parler et non sur le fait d'en avoir ou pas. En général, ça tournait court, et ensuite s'instaurait un long silence pesant que seule notre routine quotidienne finissait par dissoudre.

Mais dans l'ensemble, ça allait plutôt bien entre nous. J'avais écrit plusieurs nouvelles et trois d'entre elles avaient été publiées. Je faisais des adaptations pour des pièces radiophoniques, il m'arrivait aussi de traduire quelques textes polonais. Ma femme n'avait pas encore terminé ses études à la fac. Elle rentrait en bus, le trajet était long, elle descendait à notre arrêt et s'asseyait sur le banc. Je la voyais du jardin – petite silhouette en bas de la colline, lointaine, qui fumait et attendait patiemment que je vienne la chercher. Je la ramenais en Coccinelle jusqu'à notre maison, perchée au sommet. Parfois, le soir, on allait voir un film à la cinémathèque ou dans le centre de Jérusalem, mais on sortait peu à cette époque, contents de rester chez nous.

Je garde le souvenir de journées idylliques qui s'étirent avec nonchalance. Impossible de savoir si cette sensation ne vient que de la nostalgie ou si effectivement nous vivions dans un bonheur que nous ne remarquions pas tellement il nous semblait couler de source. Tant d'espoirs s'entassaient au seuil de notre existence et nous pensions qu'il nous suffirait d'avancer pour les voir se réaliser. Ce que nous ignorions, c'est qu'avec nos pas grossiers, nous risquions de les écraser.

J'écrivais, ma femme lisait, préparait ses examens. Nous faisions la cuisine ensemble, buvions du vin, baisions. L'hiver, nous nous installions devant le poêle que j'avais fabriqué à partir d'un baril d'essence en métal et qui, la première saison, avait dégagé une telle odeur de pétrole que nous étions obligés d'ouvrir la fenêtre.

Il fait froid l'hiver à Jérusalem, et sur le versant de la colline exposé aux intempéries, le vent et la pluie redoublaient d'intensité et fouettaient les murs en pierre. À Wrocław, il y avait dans chaque pièce un immense poêle rectangulaire en briques d'argile qui allait du sol au plafond. Une épaisse porte métallique fermait le foyer, on l'ouvrait une fois tous les trois jours pour ajouter du charbon. En Israël, mon poêle à bois improvisé, plus un petit à pétrole et un radiateur électrique suffisaient.

Une nuit, il s'est mis à neiger. Ma femme et moi sommes sortis dans le silence blanc des doux flocons qui tombaient sur le manteau virginal déjà étalé sur notre jardin. Dans le ciel glissaient des nuages rose clair qui semblaient dégager comme un halo lumineux. La neige sur les collines de Jérusalem est rare, différente, totalement différente de la lourde chape qui enterrait chaque hiver les grands espaces de mon enfance. À Jérusalem, elle hésite, fragile, tombe de nuages maigrelets, recouvre lentement le sol, les buissons, les arbres, les trottoirs, les routes, le toit des maisons, fine et vulnérable, à la merci de la moindre intempérie – il suffit d'une seule ondée pour qu'elle disparaisse de la surface de la terre.

Nous avons fait quelques pas, la neige s'est accrochée à nos manteaux, nos bonnets, nos visages. Tout autour, on entendait l'atterrissage feutré des flocons sur le sol. Je me suis penché, j'en ai ramassé un peu pour en faire une boule et je l'ai léchée. Ma femme, qui se tenait en retrait, gardait les mains dans les poches de son manteau.

« J'en ai marre, a-t-elle soudain déclaré. Je veux qu'on fasse un enfant. Au moins qu'on se prépare à en faire un. On est mariés depuis presque deux ans. »

Je n'ai rien dit.

« Tu ne peux pas te taire maintenant. »

Je n'ai pas répondu, et puis j'ai lâché : « J'ai peur. »

C'est alors elle qui est restée muette, avant de me demander : « De quoi ?

– De ne pas arriver à être un père. »

Elle a de nouveau eu besoin d'un temps de silence.

« Bien sûr que tu y arriveras.

– Je sens que je ne serai pas honnête et je ne veux pas. Ce serait irresponsable. »

Elle s'est approchée de moi et m'a étreint par-derrière.

« Pourquoi ne m'en as-tu jamais parlé ? Tu seras un père merveilleux !

– Facile à dire. D'où te vient cette certitude ? Personne ne peut savoir si je serai un père merveilleux ou non. Comment peux-tu imaginer mettre au monde un enfant avec un père qui est peut-être dégénéré ? Surtout que lui, le gosse, n'en saura rien, il me suivra comme un imbécile, persuadé que son père le protégera toujours, qu'il ne risque rien avec lui. Un pauvre môme qui ne se rendra pas compte que tout n'est qu'illusion.

– S'il y a bien quelqu'un qui saura le protéger, c'est toi.

– Pas sûr. Et impossible de prendre des risques avec une chose pareille. Moi, j'ai été berné toute mon enfance. »

Ma femme a continué à m'étreindre, plaquée contre mon dos. Elle m'a caressé au-dessus des couches de tissu et de laine qui m'enveloppaient.

« J'ai froid, a-t-elle déclaré. On rentre ?

– Rentre, toi. J'arrive. »

Elle a attendu encore un peu, peut-être cherchait-elle quelque chose à ajouter, mais comme rien ne lui est venu à l'esprit, elle m'a laissé là.

À Wrocław, notre immeuble était construit autour d'une cour carrée et inaccessible sur laquelle donnaient les fenêtres de derrière. Dans cet espace vide s'entassaient toutes sortes de vieilleries qu'on y avait jetées ou qui étaient tombées dedans au fil des ans. Un jour, j'ai décidé de me suicider et je me suis assis sur le rebord de notre fenêtre. J'avais sept ans. Je ne me souviens plus exactement pourquoi, juste que j'étais très vexé et que je sentais qu'on avait trahi ma confiance. Je vais sauter, ai-je pensé, et ils le regretteront. Un instant avant que je mette mon plan à exécution, mon père m'a rattrapé.

« Idiot ! Ne t'assieds plus jamais là ! Tu risques de tomber et de te fracasser le crâne, m'avait-il sermonné après m'avoir déposé sur le sol et tapoté les fesses. Va donc jouer ailleurs. » Et il était retourné à ses affaires.

Je suis rentré dans la maison et j'ai trouvé ma femme assise devant le poêle, en train de contempler les flammes. Dès qu'elle m'a vu, elle s'est levée et m'a souri.

« D'accord, lui ai-je dit. On va le faire, cet enfant.

– Tu es sûr ?

– Non. Mais on va le faire quand même. »

20

« Maman ?

– Oui ?

– Tu te souviens qu'un jour, tu es partie ?

– Oui.

– Pourquoi ?

– Parce que ton père était un beau salaud et que j'en avais marre de le supporter.

– Nous aussi ?

– Quoi ?

– Nous aussi, on était des beaux salauds ?

– Non.

– Mais tu nous as quittés nous aussi. Pour toujours. Il nous a assuré que tu ne reviendrais jamais de Varsovie.

– C'est ce que je lui avais fait croire. Pour lui foutre la trouille. Je n'avais absolument pas l'intention de vous abandonner. Et je l'ai d'ailleurs bien expliqué.

– À qui ?

– À tes sœurs. Elles ne vous l'ont pas dit, à toi et Robert ?

– Non. »

Silence.

« Je pensais qu'elles vous avaient prévenus.

– Non. Et nous, ça nous a complètement déglingués de penser que tu nous avais quittés pour aller à Varsovie.

– Je ne suis pas allée à Varsovie. J'ai fait une centaine de mètres à pied et je me suis arrêtée quelques immeubles plus loin, chez ma copine Regina.

– Mais tu nous téléphonais de Varsovie !

– Je faisais semblant de téléphoner de Varsovie. C'était convenu avec tes sœurs. Je m'arrangeais pour appeler quand je savais qu'elles étaient là et qu'elles décrocheraient. Elles m'entendaient mais disaient à ton père que c'était une opératrice de Varsovie.

– Chaque fois qu'il te parlait, ça le déprimait encore plus. Et il était déjà très mal en point, à pourrir à la maison. Il ne pouvait plus boire autant qu'il le voulait, et nous, on était sûrs que notre vie allait continuer comme ça jusqu'à ce qu'il en ait ras-le-bol et nous flanque à l'orphelinat.

– Quoi, vous avez vraiment cru que je vous abandonnerais ?

– Oui. »

Silence.

« J'étais certaine qu'elles vous avaient mis au courant.

– Eh bien non.

– Comment j'aurais pu imaginer ? Bon, que c'était pénible pour vous, ça, je m'en doutais, évidemment. Chez Regina, je me rongeais les sangs et je pleurais. Je ne savais pas que vous n'étiez pas prévenus. Quoi qu'il en soit, vous vous êtes débrouillés.

– Les prisonniers des goulags de Sibérie aussi se sont débrouillés.

– N'exagère pas. Si la situation avait dégénéré, je l'aurais su et je serais revenue. D'ailleurs, je suis revenue.

– Tu es revenue, c'est vrai. Au bout d'un long mois. Et nous, pendant presque tout ce temps, on a traîné dans les rues, on ramassait des bouteilles vides pour les revendre, il nous est même arrivé de voler. On crevait de faim. Il oubliait de nous nourrir, et quand il s'en souvenait, ce qu'il préparait était immangeable. Une fois, pour nous prouver qu'il pouvait se débrouiller sans toi, il a décidé de nous faire de la soupe, "mais moi, a-t-il déclaré, je ne suis pas comme votre connasse de mère. Si je cuisine quelque chose, on en mangera toute la semaine". Du coup, sa soupe, il l'a préparée dans la grande casserole de la lessive, et quand elle a été prête, il nous a assis tous les quatre autour de la table et nous a dit fièrement : "Mangez, les enfants !" On a obéi. C'était dégueulasse, on n'a pas pu continuer mais on n'a rien pipé, alors il a demandé : "Ça ne vous plaît pas ou quoi ?" Nous, on n'a pas répondu, on avait trop peur. "Je vois. Vous refusez de manger, c'est bien ça ? Pas de problème !" Il a vidé toutes nos assiettes dans un grand récipient, est sorti sur le palier, a frappé à la porte des voisins et leur a emprunté leur chien qu'il a conduit tout droit dans la cuisine. L'animal a flairé le contenu de la casserole, s'en est tout de suite détourné et est rentré chez lui. Papa a attendu une seconde et puis il a éclaté de rire. Nous aussi. Ça a été la seule et unique fois de tout ce mois de merde où on a ri. Mais c'est vrai, à la fin, tu es revenue.

– Évidemment ! Tu penses que j'aurais pu vous abandonner ? Le problème, c'est que lui, je ne pouvais pas le virer. Quelqu'un comme ton père, personne ne peut le virer. Dans le meilleur des cas, on peut le fuir. D'autant que cette fois-là, il s'est excusé et m'a promis de rompre. » Elle s'est interrompue puis a repris : « Avec cette fille.

– Laquelle ?

– Une fille, je ne sais même plus comment elle s'appelait, une passade. »

J'ai scruté son visage : son expression était restée la même, pas le moindre signe du mensonge qu'elle venait d'inventer. J'ai souri.

« Quoi ? a-t-elle demandé.

– Je suis au courant. »

Elle m'a attentivement examiné : « Comment ?

– La tante Nella m'a tout raconté.

– De quel droit ?

– Elle n'a pas fait exprès, mais au fond, quelle importance ? »

Ma mère a poussé un grand soupir et j'ai vu qu'elle réorganisait ses pensées.

« Eh bien oui, il s'est excusé et a promis de mettre un terme à cette liaison. Je lui ai dit que les enfants, il devait les voir de temps en temps. Qu'ils n'étaient pas responsables. Ton père m'a dit d'accord, mais en vrai, je ne sais pas ce qu'il a fait. Je pense qu'il a espacé ses visites.

– Ce n'est pas ce qui m'intéresse, maman. Ce qui m'intéresse, c'est pourquoi tu ne m'en as jamais parlé.

– Pourquoi je l'aurais fait ? C'était entre lui et moi.

– Moi aussi, j'en ai souffert.

– Franchement, chaque fois que je t'entends pleurnicher, je n'en crois pas mes oreilles. Ce n'est pas comme ça que je t'ai élevé. Tu as souffert. Évidemment. Tu as tellement souffert ! Sache que j'ai toujours voulu vous offrir la meilleure vie possible. C'est pour ça que je vous ai emmenés en Israël, pour que vous viviez autre chose. Tu crois que j'avais envie d'émigrer, moi ? Israël et les Juifs, je m'en fichais complètement. C'est juste que je n'ai pas eu le choix. Alors d'accord, tu as souffert. Cet homme nous a tous, à de nombreuses reprises, fait souffrir. C'est pour ça que j'ai été sidérée que tu veuilles tout à coup le revoir. D'ailleurs, je n'en reviens toujours pas. J'ai bien écouté tes explications mais ça ne répond pas à ma question. Enfin, vous, les hommes, c'est dingue comme vous êtes sentimentaux. Et plus ça va, plus vous l'êtes, surtout toi. » Elle a allumé une cigarette. « Bon, d'accord, je ne t'en ai pas parlé. C'est vrai. Je ne t'en ai pas parlé. Parce que tu étais petit et que je ne voulais pas que tu sois triste. C'est tout. Nous, les femmes, on sait vivre avec un mari volage, mais je ne suis pas certaine que les enfants sachent vivre avec un père volage. Et après, ce n'était plus d'actualité. Je l'avais effacé, ce minable. »

Soudain j'ai trouvé qu'elle montrait des signes de nervosité. Elle secouait la jambe par petits mouvements saccadés et tirait des bouffées accélérées de sa cigarette.

« Ça n'a pas été facile. Vraiment pas. Parce que, outre le fait qu'il me trompait et que lorsqu'il disparaissait c'était sûrement pour être auprès de son autre famille, il y avait le problème de l'argent. Qu'est-ce que tu crois ? Qui subvenait à vos besoins ? Moi ! Ton père claquait tout son salaire en vodka, et parfois il me piquait mon fric. Si ça se trouve, pour leur donner quelques sous à eux, alors qu'elle gagnait correctement sa vie en tant que gynécologue. À moins qu'il ne l'ait, elle aussi, dépouillée ? » Elle a écrasé si nerveusement sa cigarette dans le cendrier que le filtre en a perdu sa forme. « Mais il y a une chose que je n'ai pas pu lui pardonner quand je l'ai découverte, et que je ne lui pardonnerai jamais, une chose qui s'est passée pendant les deux ans où il avait disparu après avoir vendu les terrains de son père. À cette époque, nous vivions dans la seconde PGR. Tu t'en souviens ? Je pensais qu'il ne reviendrait pas et même, à un moment, je l'ai souhaité. Dommage qu'il soit revenu. »

Elle s'est levée, s'est tournée vers la droite puis vers la gauche, et enfin s'est postée à la fenêtre.

« Sans un sou, en plus. Sans un sou ! Il avait vendu tous les terrains de son père, pour finalement revenir fauché ! Et quand j'ai voulu savoir où était passé l'argent, il s'est contenté de me sourire en disant : "Comme tu vois, il n'en reste rien. C'est que j'ai eu un tas de frais." Au début, j'ai pensé qu'il avait bu tout cet argent, même si je me demandais comment un homme pouvait boire une telle fortune. Et il s'est avéré que ma question était pertinente, parce que s'il en a effectivement bu une partie, la somme était tellement importante qu'il a pu en donner la majorité à l'autre, à sa deuxième femme. Il lui a payé un appartement avec une clinique, dans un beau quartier de Wrocław, pour qu'elle puisse monter son affaire, et il a vécu là-bas avec elle pendant deux ans. Dieu seul sait pourquoi il est revenu. D'ailleurs, je m'en fiche. Tu te rends compte ! Grâce à son héritage, il lui a acheté un grand appartement avec un cabinet médical, et nous, il nous a laissés nous entasser dans une pièce d'un appartement communautaire, avec deux autres familles !

– Tu crois qu'il s'est arrangé pour que ses deux domiciles soient si près l'un de l'autre ?

– Ça ne m'étonnerait pas, c'était plus pratique ! Ça lui ressemble tellement, de ne penser qu'à son confort !

– Tu ne lui as pas demandé.

– Certainement pas ! Tu crois qu'on avait des discussions profondes sur le sujet ? On en a parlé exactement deux fois. La deuxième, c'est quand il est venu s'excuser, et la première quand je lui ai dit que j'étais au courant.

– Tu lui as dit quoi ?

– Que je ne lui pardonnerais jamais, quoi d'autre ? Que je me fichais de toutes les filles qu'il baisait à l'extérieur de la maison, et crois-moi, il en baisait ! Ce n'était pas les soûlardes qui manquaient dans les bars où il traînait. Il les baisait dans les toilettes, dans des ruelles sordides et aussi chez ses ivrognes d'amis. Je n'ai jamais rien voulu savoir sur leurs parties de jambes en l'air. Aucune importance, il pouvait s'en donner à cœur joie ! C'est ce que je lui ai dit, mais sa propre famille, ça, non, il ne la baiserait pas. Il ne baiserait pas ses enfants qui n'avaient parfois rien à manger ! Alors je lui ai lancé un ultimatum : c'était nous ou eux. Il devait choisir. Et tu sais ce qu'il a fait ? Il est parti, est rentré ivre au milieu de la nuit et m'a tabassée à mort. Voilà, ton père, c'est ça. »

TROISIÈME PARTIE

1

Assis sur un banc de la gare centrale de Varsovie, avec, à ses pieds, une vieille valise et un sac à dos, mon père avait la main refermée sur la nouvelle canne que j'avais eu le temps de lui acheter le matin même. Il regardait autour de lui dans le grand hall gris, sous le haut plafond en béton soutenu par des piliers métalliques. La suie paraissait coller à tout, y compris aux voyageurs qui se pressaient dans les escaliers et sur les quais, à ceux qui montaient et descendaient de trains cabossés, soufflants et grinçants à l'arrivée comme au départ, ou encore à ceux qui attendaient en files interminables devant les caisses.

L'expression satisfaite, il promenait dans le hall ses yeux grossis par ses verres de lunettes et observait, amusé, un monde d'où il s'était retiré quelques années auparavant, le jour où il avait emménagé dans sa maison de retraite ; un monde qui était resté aussi sale, pesant, frénétique et bruyant qu'au moment où il l'avait quitté. De temps en temps, il me cherchait dans la longue queue qui avançait paresseusement vers le guichet et, chaque fois qu'il me trouvait, il souriait et agitait la main vers moi, ravi, fier de son fils, fier de ne pas être seul dans l'univers.

Ce jour-là, je m'étais réveillé apaisé. Lydia s'était déjà levée, elle avait quitté le lit et ma chambre. Une fois douché, j'avais un peu taillé ma barbe puis emballé les quelques affaires que je voulais prendre pour ce voyage. Ensuite, au rez-de-chaussée, j'avais retrouvé le réceptionniste habituel en compagnie de sa patronne et de sa collègue, vêtue de la même robe en laine que la veille.

« En voilà un qui a fait la grasse matinée ! m'a aussitôt lancé la tante Nella qui s'est approchée de moi et m'a embrassé la joue. Enfin, quoi d'étonnant ? On m'a raconté comment tu avais fêté l'anniversaire de mon employée préférée. »

J'ai regardé Lydia avec inquiétude, mais son sourire m'a clairement indiqué qu'il n'y avait rien à craindre.

« Je suis ravie ! J'étais coincée chez Bolek et je n'ai pas arrêté de penser à cette pauvre chérie que j'avais laissée toute seule ! C'est bien, tu ne m'as pas déçue, mon Tadek, quel merveilleux garçon tu es devenu ! As-tu des plans pour aujourd'hui ?

– La vérité, c'est que je pars en voyage, tante Nella. Je vais au village.

– Au village ? Tu veux dire notre village ? s'est-elle écriée, émue.

– Oui, je vais faire une surprise à Irena.

– Oh, Irena, ma chère cousine Irena ! C'est la dernière de la famille à être restée là-bas, a-t-elle expliqué à Lydia et au réceptionniste. Ça fait des années que je n'y ai pas remis les pieds, en fait depuis que j'étais gamine. Passe-leur mon bonjour, Tadoush chéri. Tu reviendras, n'est-ce pas ?

– Bien sûr. Garde-moi la chambre, je paierai.

– Ne t'inquiète pas, on fera les comptes après. Et nous, on est pressées, pas vrai, ma belle ? Pour me faire pardonner mon absence d'hier, j'ai décidé de nous offrir à toutes les deux une matinée de gâteries. Pour fêter son anniversaire. Je t'embrasse, Tadek, on se voit à ton retour. »

Sur ces mots, elle a pris la main de Lydia et l'a entraînée si vite que la jeune femme a eu à peine le temps de me lancer un coup d'œil. Je n'ai pas pu déterminer si son visage exprimait le chagrin, l'amusement ou la docilité. En la voyant s'éloigner, j'ai juste eu envie d'être avec elle, de sentir la chaleur de son corps, de respirer son haleine ou, au moins, d'échanger quelques mots d'adieu, mais pour ça, j'aurais dû trouver un prétexte qui l'aurait obligée à monter dans ma chambre, tout en haut de l'escalier en colimaçon, et comme rien ne me venait à l'esprit, je suis resté à ruminer ma frustration sous le regard méfiant du réceptionniste.

« Je dois téléphoner.

– Je vous en prie, monsieur », m'a-t-il dit en me tendant l'appareil.

J'ai appelé la maison de retraite et j'ai laissé un message laconique à mon père : « Je passe en fin de matinée, prépare-toi pour le voyage. »

Quand je suis entré dans sa chambre, il était assis sur son lit, tout excité, et, à côté de lui, il y avait une petite valise usée. Il avait eu le temps de se raser, d'arranger sa moustache et de mettre ce qui était peut-être ses plus beaux habits : un veston et un pantalon de couleur marron-rouge avec une chemise bleu ciel.

« Mon Tadzio ! s'est-il écrié. Mon fils chéri, mon fils adoré. Tu es venu me chercher ! »

Quand il s'est mis debout, j'ai constaté qu'il avait mal boutonné sa chemise et oublié de fermer sa braguette.

Je suis allé vers lui et j'ai reboutonné correctement sa chemise. La braguette, il s'en est occupé tout seul.

« En avant, a-t-il dit. Ne perdons pas de temps. On a un long voyage et le réseau ferroviaire polonais est merdique. »

Je lui ai donné la nouvelle canne que j'avais achetée en chemin.

« Ne la casse sur la tête de personne », lui ai-je recommandé.

Il a rigolé, a avalé le fond de vodka qui restait dans la tasse posée sur la table, puis il a glissé dans la poche de son veston un paquet de cigarettes et une boîte d'allumettes.

« Où est le briquet ?

– Je ne sais pas. Sûr que cet enculé de Wojtek me l'a piqué hier soir. » Il a tâté les poches de son pantalon. « Un instant… » Il s'est approché du lit, a soulevé l'oreiller et a pris son portefeuille. Le couteau n'était plus là. Je ne lui ai pas demandé s'il l'avait mis dans sa valise, mais je lui ai proposé de prendre les photos que j'avais apportées : « Peut-être qu'Irena voudra les voir.

– D'accord, a dit mon père après y avoir jeté un coup d'œil. Prenons-les. »

Je les ai décollées du mur et j'ai sorti de mon sac à dos l'enveloppe dans laquelle je les avais transportées. En l'ouvrant, j'ai croisé le regard que mon père, jeune, affichait sur le vieux cliché qui s'y trouvait.

Nous avons progressé le long du couloir au rythme de ses pas mesurés. Ensuite, je l'ai aidé à descendre les cinq marches du perron, et à cet instant seulement je me suis souvenu que j'avais oublié de prévenir la direction que je le sortais.

« Pas grave, a-t-il dit avec un sourire espiègle. Ils ne doivent pas tout savoir.

– Attends-moi ici. » J'ai fait demi-tour et je me suis dirigé vers l'accueil.

Quand je suis revenu, je l'ai trouvé debout là où je l'avais laissé, appuyé sur sa canne, le visage tourné vers le ciel, offert aux rayons du soleil qui le caressaient. Il avait les yeux fermés et un petit sourire aux lèvres. J'ai attendu. Je ne voulais pas lui gâcher ce moment. J'en ai profité pour offrir moi aussi mon visage au soleil et j'ai, moi aussi, fermé les yeux.

« Alors, on attend quoi ? a-t-il soudain demandé. Qu'est-ce qu'ils ont dit ?

– Qu'il était hors de question que je t'emmène où que ce soit. Que tu marchais à peine et que tu ne pouvais pas rester assis trop longtemps, que tu devais t'allonger.

– Vraiment ? s'est-il écrié, furieux. Et qu'est-ce que tu leur as répondu, à ces fils de pute ?

– Que j'en prenais la responsabilité. Que c'était avec ton accord, que je m'occuperais de toi et que je me passerais de leur avis.

– Bravo, tu es un bon garçon ! Allez, on se tire. » Il a regardé le bâtiment, a craché par terre et s'est ébranlé d'un pas hésitant.

« Tu vois, mon Tadzio, a-t-il repris, une fois la rue atteinte. Le soleil brille, le temps se réchauffe. Ils ont dit ce matin aux infos qu'on aurait droit à quelques jours printaniers au milieu de cette saloperie d'automne polonais. C'est en notre honneur. En l'honneur de notre voyage. »

« À la gare centrale », ai-je indiqué au chauffeur de taxi qui, dès l'instant où il a compris que je venais d'un pays occidental, n'a cessé de se plaindre de la vie en Pologne.

Mon père regardait par la fenêtre tout en l'écoutant d'un air amusé, jusqu'au moment où le gars a commencé à pester contre le maigre salaire que le gouvernement versait aux fonctionnaires. Là, il l'a soudain interrompu : « Qu'est-ce que tu veux ? Ici, tout le monde fait semblant de travailler, alors le gouvernement fait semblant de payer, comme ça, ça s'équilibre. » Et il a éclaté de rire. Son commentaire a rabattu son caquet au râleur.

Le taxi s'est arrêté devant un immense bâtiment rectangulaire en béton gris. Toujours à petits pas mesurés, nous avons fini par atteindre le grand hall d'entrée et, là, la terrible pagaille engendrée par une foule qui s'agitait dans tous les sens nous a cloués sur place.

« Pourquoi tu t'étonnes ? C'est comme ça, ici. Bienvenue à la gare centrale de Varsovie. Bon, suis-moi, je vais m'occuper de tout, a-t-il annoncé d'une voix énergique – sauf qu'il a continué à avancer avec la même lenteur.

– Va t'asseoir sur le banc. Je m'occupe des billets.

– Toi ? Qu'est-ce que tu connais de la vie ?

– Assez pour me débrouiller dans une gare. »

Il a balayé mes paroles d'un revers de main mais est allé s'asseoir sur le banc le plus proche. Après avoir posé mon sac à dos à côté de lui, je suis allé me placer au bout de la longue file qui s'étirait devant les guichets.

Il est resté ainsi, immobile entre nos deux bagages, à observer, ravi, ce qui se passait tout autour, et quand, enfin, quarante minutes plus tard, je l'ai rejoint, il m'a accueilli d'un simple : « Alors ?

– Rien. Ils ont dit qu'il n'y avait pas de billets pour Lublin et encore moins pour Chełm. Que j'aurais dû réserver à l'avance.

– Évidemment, qu'est-ce que tu croyais ? Putain de pays ! C'est comme ça, ici.

– Pourquoi tu ne m'as rien dit ?

– Tu ne m'en as pas laissé l'occasion.

– Depuis quand est-ce que tu attends l'occasion ? »

Au lieu de me répondre, il a regardé sa montre :
« Écoute, dans un quart d'heure, il y a un train qui part
pour Piława. C'est un tortillard qui s'entête à s'arrêter à
toutes les gares pourries du trajet, mais on peut acheter
les billets dans le wagon, le contrôleur en vend, au cas
où cet enculé viendrait à passer. De là, il y a un train
pour Dęblin toutes les une à deux heures, et de Dęblin,
dans le courant de l'après-midi, on pourra attraper le
train qui relie Lodz à Lublin. À cet endroit du trajet,
il y a toujours de la place… » Il m'a lancé un regard
oblique : « Pas la peine de prendre cet air étonné, j'ai
fait le voyage plusieurs fois dans ma vie, et les horaires
n'ont pas changé depuis Piłsudski.

– C'est une sacrée expédition pour quelqu'un qui
ne peut pas marcher.

– Tu n'as pas réservé à temps, donc on n'a pas le
choix. En plus, ce n'est pas si dur que ça, tu verras. Viens,
on n'a pas le temps, le train part dans un quart d'heure
du quai dix-sept, si on le loupe, tout notre programme
est fichu. On doit descendre l'escalier là-bas et marcher
un peu. »

Il s'est mis debout, je lui ai tenu le bras pour l'aider
à avancer plus vite, mais ça nous a quand même pris du
temps. Arrivé à l'escalier, il a commencé à descendre
en posant avec précaution un pied sur chaque marche.

« J'aurais dû te prendre une chaise roulante.

– Hors de question ! Quoi, j'ai l'air d'un handicapé ?

– Presque.

– Je peux encore marcher et personne ne me verra
assis dans une chaise roulante comme une vieille gâteuse
décrépite. »

J'ai regardé l'heure, les minutes filaient à toute allure.

« Dans ce cas, je vais te porter.

– Comment ?

– Sur mon dos. »

Il a éclaté de rire.

« Fais pas chier, fiston.

– Sinon, on n'attrapera pas le train.

– Non, tu ne me porteras pas sur ton dos. J'ai encore un peu de dignité.

– Au moins pour descendre l'escalier, sans quoi on n'y arrivera jamais. Personne ne te connaît ici. D'ailleurs, depuis quand tu te préoccupes du qu'en-dira-t-on ? » Comme il hésitait, j'ai repris : « On n'en a pas pour longtemps. Tu veux m'obliger à te ramener à la maison de retraite ?

– D'accord, a-t-il fini par concéder. Mais jusqu'en bas, pas plus. »

Je me suis placé une marche en dessous de lui et je lui ai expliqué la manœuvre : « Moi, je prends la valise et le sac, toi, tu t'accroches à mes épaules, d'accord ? »

J'ai attendu quelques instants. Tout à coup, j'ai senti son corps qui se plaquait contre le mien. Ses mains ont pris appui sur mes épaules et se sont rejointes autour de mon cou sans qu'il lâche sa canne. Je me suis un peu penché en avant et, d'un geste sec, je l'ai fait sauter sur mon dos. Je ne m'attendais pas à ce qu'il soit aussi léger, à croire que ses os s'étaient vidés de l'intérieur. Il a appuyé le visage contre ma joue, si bien que je l'entendais respirer, et il s'est pressé le plus possible contre moi. Après une légère hésitation, il a même replié les genoux et les a serrés autour de ma taille.

« Prêt ?

– Oui », a-t-il murmuré.

Nous avons descendu l'escalier et, en bas, je me suis arrêté.

« Tu peux descendre. »

Il n'a pas bougé.

« Papa ?

— Pas le temps, on continue.

— Alors cramponne-toi ! »

Et j'ai commencé à courir. On était au quai numéro un, il fallait arriver à passer au milieu de toute cette foule. Quai numéro deux, trois, quatre, cinq. Plus nous avancions, plus je sentais ses muscles se détendre. En même temps, il râlait et lâchait une insulte chaque fois qu'on risquait de heurter quelqu'un. Six, sept, huit, neuf. Il s'est un peu redressé et a crié : « En avant, mon Tadzio ! Écrase-moi tous ces cloportes ! »

Dix, onze, douze, il a resserré un bras autour de mon cou, les genoux autour de ma taille, brandissant sa canne de l'autre main : « Laissez passer, fils de pute ! s'est-il mis à hurler en émettant des sifflements aigus de berger. Laissez passer, troupeau de bovins ! Allez, fonce, sinon, on va rater le train. Poussez-vous, bande d'abrutis, allez, fonce ! »

Treize, quatorze, quinze.

« Vite, mon Tadzio ! Poussez-vous, fumiers ! Mon fils et moi devons atteindre le quai numéro dix-sept. Mon fils et moi sommes en partance pour mon village natal. Allez, qu'est-ce que vous attendez, macaques invertébrés, pour nous libérer le passage ! »

Seize, dix-sept. La locomotive soufflait et s'ébranlait déjà.

« Stop ! Arrêtez le train ! a crié mon père en faisant des signes avec sa canne au chef de gare debout sur le quai. Mon fils adoré et moi voulons monter à bord ! »

Stupéfait, l'homme nous a regardés : étrange duo – un jeune homme à bout de souffle tenant un gros sac dans une main, une valise dans l'autre, en train de courir vers lui avec, sur le dos, un vieillard qui gesticulait en brandissant une canne et en lançant des injures à tous les vents.

« Arrêtez ce train ! » a continué à s'époumoner mon père.

J'ai entendu quelques coups de sifflet rapides. La machine a stoppé et le responsable nous a ouvert la porte d'un wagon. Je me suis retourné, me suis délesté de mon père sur le marchepied pour qu'il monte tout seul et l'ai suivi avec nos bagages, non sans avoir auparavant remercié le chef de gare.

« Pas de quoi, monsieur », m'a-t-il répondu avant de resiffler pour donner au conducteur le signal de départ.

Le train s'est ébranlé, pour de bon, cette fois.

2

Chaque fois que je monte dans un train, c'est plus fort que moi, je suis submergé de joie : me revient le bonheur que j'éprouvais lorsque, enfant, la locomotive m'emportait loin de mon quotidien minable vers la campagne inondée de soleil. L'été, mon frère, mes sœurs et moi allions immanquablement en vacances au village. On partait en général aux aurores de la gare centrale de Wrocław et on n'atteignait Chełm que le soir. C'était l'été nord-européen, avec ses nuits blanches et cette lumière douce, délicate, qui repeignait le paysage d'un bleu laiteux. Il nous arrivait parfois de prendre des trains de nuit, auquel cas on débarquait à Chełm le matin ou vers midi. À la sortie de la gare, il y avait toujours quelqu'un pour nous accueillir, la grand-mère, la tante ou l'oncle, et nous conduire en charrette tirée par un cheval jusqu'à la ferme. On y passait à peu près deux mois.

Nos parents, eux, restaient à Wrocław. Ma mère venait parfois nous voir, pas souvent, mon père jamais, alors qu'il y avait grandi.

C'était donc la première fois que nous faisions le trajet ensemble. Assis en face de moi dans le wagon avec un sourire forcé, il a allumé une cigarette, m'a regardé comme s'il avait l'intention de raconter une histoire ou une blague, mais il s'est ravisé. Moi, j'étais incapable de parler. Ou plutôt, je ne voulais pas parler. Il était installé là, tel un envahisseur en terre étrangère, et sa présence salissait tout mon voyage. J'avais beau essayer de me raisonner, de me persuader que ce serait peut-être l'occasion de réparer quelque chose puisque, enfin, lui et moi nous retrouverions ensemble à l'endroit où il était né – la détresse n'en était que plus pesante. D'ailleurs, je la lisais aussi dans son expression.

À un des premiers arrêts, comme par un fait exprès, un père et son fils sont entrés dans notre compartiment. C'est le gamin qui a ouvert la porte et, après avoir regardé à l'intérieur, il s'est écrié, radieux : « Viens là, papa, il y a de la place ! »

Ils ont rangé leurs affaires dans une harmonie qui indiquait qu'ils avaient dû voyager souvent à deux, et ils ont très vite repris leur conversation, nous ignorant totalement.

Ils parlaient tout bas, sans doute par politesse, mais peut-être aussi ne voulaient-ils pas partager leur intimité avec nous. Le garçon a posé des questions sur les machines agricoles qu'on voyait au milieu des champs, sur les petits villages qu'on dépassait, et le père lui a répondu avec patience et gentillesse. Nous, on a continué à nous taire et à contempler le paysage, jusqu'au moment où mon père a jeté un regard vers eux, puis vers moi, et a aussitôt détourné les yeux. Je suis sorti dans le couloir, j'ai fait quelques pas et allumé une cigarette. Dehors défilaient les images familières de mon enfance – une succession de prés, de fermes et de forêts touffues que le train traversait pour rejaillir ensuite et passer par d'immenses plaines –, accompagnées par le ronron monotone des roues sur les rails. Je n'avais aucune envie de regagner notre compartiment.

J'ai allumé une autre cigarette. Je n'aurais jamais dû l'emmener avec moi.

J'ai soudain entendu qu'on m'appelait. C'était l'homme qui voyageait avec son fils : « Monsieur, on vous demande », m'a-t-il lancé de loin.

En approchant, j'ai découvert qu'il soutenait mon père, lequel s'était levé mais avait du mal à garder l'équilibre à cause des secousses du train.

« Il a besoin d'aller aux toilettes, m'a-t-il expliqué. Je lui ai dit que j'étais prêt à l'aider, mais il a insisté pour que ce soit vous.

— Bien sûr, me suis-je excusé. Bien sûr. Je m'en occupe. Merci beaucoup, monsieur. »

Il m'a laissé prendre la relève.

« Tu as disparu ! m'a reproché mon père tandis que nous progressions lentement dans le couloir.

— Ça me gênait de fumer devant le petit garçon.

— Mais moi, j'avais une envie pressante. Ça me gênait de pisser devant le petit garçon… sauf que je n'ai pas réussi à me lever sans aide. »

Je suis entré avec lui dans les toilettes. Il a essayé d'uriner debout mais ça tanguait trop.

« Assieds-toi.

— Comme une femelle ?

— Pas le choix.

— Putain ! »

J'ai voulu l'aider, mais il a assuré qu'il pouvait se débrouiller seul et je l'ai attendu dehors. Longtemps. Quand il a fini par sortir, il a lâché une série de jurons. Nous sommes revenus dans le compartiment et, à notre grand soulagement, l'avons trouvé vide. On s'est rassis.

« Ils sont partis, bon débarras.

— Oui.

– Franchement, tu les as vus ? Aussi prétentieux que des poules de luxe. » Il a craché par terre, mais, en voyant mon expression, il s'est empressé de poser son pied droit dessus. « Merde ! Tu crois que je n'ai pas eu de père, moi aussi ? Tu crois qu'il avait du temps pour moi ? Jamais de la vie ! Bon, c'était une autre époque, et il avait beaucoup à faire. Dommage que tu ne l'aies pas connu. C'était un type bien, le communiste du village, alors que justement il possédait des hectares et des hectares de terres. En fait, c'est parce qu'il était allé en Russie, participer à la révolution bolchevique de ces fils de pute, qu'à son retour on l'a pris pour un communiste, alors qu'il n'y est pas resté longtemps : il a très vite compris ce que valaient réellement ces fumiers de rouges. Peu importe, personne n'en a tenu compte. Quand il est revenu, il a d'abord géré les terres d'un aristocrate local qui, en contrepartie, lui a donné quelques parcelles. Et comme il était intelligent, mon père, il en a tiré profit et a réussi à acheter d'autres parcelles, il s'est construit une grande ferme avec un toit de paille et est devenu un putain de capitaliste, ce qui ne l'a pas empêché de rester le communiste du village. Un type bien. Et un honnête homme… » Il s'est interrompu pour reprendre après un instant de réflexion : « Mais quand j'ai été arrêté par la Gestapo, ils l'ont interrogé, lui aussi. À cause de moi. Parce qu'il avait élevé un criminel. Les Allemands l'ont tellement torturé qu'il ne s'en est jamais remis, ils lui ont bousillé les reins et le foie. C'était une vraie loque quand il a été relâché, il est mort quelques années plus tard. » Il s'est tu, a allumé une cigarette. « À cause de moi », a-t-il répété en contemplant le paysage par la fenêtre.

Il a ensuite tourné la tête, m'a dévisagé un long moment puis s'est secoué et m'a souri : « N'en parlons plus, mon Tadzio. Pourquoi évoquer des souvenirs pénibles en un jour si joyeux ? On est en route pour mon village, tous les deux, dans ce train. Depuis combien d'années je n'y suis pas allé, Dieu seul le sait ! Et Irena, ma chère sœur, je me demande bien ce qu'elle est devenue. C'est une dure à cuire, ta tante. Toute la famille est partie, mais elle continue, elle s'entête, accrochée aux terres qu'elle a là-bas. Ne restent plus qu'elle et moi. Le père est mort, la mère est morte, Sabina, notre sœur, est morte. Toute ma famille est enterrée dans le cimetière là-bas. Moi aussi, tu m'y enterreras, n'est-ce pas, mon Tadzio ? Qui aurait pu imaginer qu'un jour, on y retournerait tous les deux ensemble ?

« On ira faire un tour au cimetière, je te montrerai toutes les tombes de la famille. On pourrait peut-être aussi me réserver un emplacement, qu'est-ce que tu en penses ? Bon, on va bientôt devoir descendre. C'est une petite ville dégueulasse, Piława. J'y ai habité pendant un temps, oui, pendant quelques années, j'ai vécu ici, dans ce trou du cul du monde. En fait, c'est de là que j'ai emménagé à Varsovie, grâce à Anka et à mon ami le général qui a réussi à m'obtenir une place dans la maison de retraite. Je n'avais pas grand-chose qui me retenait ici, alors j'en suis parti avec plaisir. Juste un couple d'amis, des vrais enfoirés d'amis… Et si on faisait un saut chez eux, hein ? Tu en dis quoi, mon Tadzio ? Que je puisse leur présenter mon fils ! Je payerais cher pour voir leur gueule quand ils apprendront que tu es venu me rendre spécialement visite et que tu m'emmènes au village.

– Je ne crois pas qu'on ait le temps. Tu m'as toi-même expliqué que si on ne se dépêchait pas, on raterait le dernier train qui relie Lodz à Lublin.

– Aucune importance, on s'arrangera ! On pourra même dormir chez eux si on veut. Je t'assure que ce sont des vrais amis. Comme la famille. Ne t'inquiète pas ! Allez, mon Tadzio, s'il te plaît, faisons un saut chez eux.

– Arrête, papa, c'est non. »

Il s'est tu. Et moi, j'ai aussitôt regretté ma rudesse. Il a croisé les bras sur sa poitrine, s'est replié sur lui-même et a volontairement détourné le regard, comme un gosse.

« Tu es sûr que c'est une bonne idée ? ai-je demandé.

– Et comment ! C'est une merveilleuse idée, mon Tadzio, merveilleuse ! Allez, fais-moi ce plaisir. Ils n'en croiront pas leurs yeux, de te voir, ces fils de pute ! Je vais enfin leur prouver qu'ils ne sont pas les seuls à avoir une famille. »

La prochaine gare, Piława, venait d'être annoncée. Je me suis levé, j'ai aidé mon père à se lever lui aussi, je l'ai soutenu jusqu'au bout du wagon, ensuite je suis allé chercher mon sac et sa valise. La locomotive a ralenti.

« Alors, qu'est-ce que tu en dis ?

– D'accord. Mais on ne reste pas longtemps, pour qu'on arrive à attraper le train.

– Parfait, mon Tadzio, mon chéri, mon fils, pour sûr, pas longtemps ! »

À l'arrêt complet, j'ai ouvert la portière, je suis descendu avec le sac et la valise, j'ai aidé mon père à descendre, et le train est reparti. On s'est retrouvés seuls, debout sur un quai vide.

« Il faut qu'on chope un taxi », a-t-il déclaré.

J'ai soulevé nos bagages, fait quelques pas et j'ai regardé en arrière. Il n'avait pas bougé. Je suis revenu vers lui.

« Qu'est-ce qui se passe ? »

306

Il n'a rien dit, s'est contenté de m'offrir son sourire embarrassé, accompagné d'un hochement de tête. Je me suis retourné, il s'est plaqué contre moi et, de nouveau, je l'ai porté sur mon dos.

3

Mon père a tambouriné à la porte de l'appartement.
« Kurdupel ! a-t-il rugi. Ouvre, enfoiré !

– Ils ne sont peut-être pas là, ai-je suggéré parce
qu'on n'entendait aucune réaction à l'intérieur.

– Sûr qu'ils sont là, mon Tadzio, où tu veux qu'ils
aillent ? Ne t'inquiète pas, ils vont ouvrir. » Il a de
nouveau tapé du poing contre la porte, violemment.
« Kurdupel, espèce de gros dégueulasse, je sais que
vous êtes là tous les deux. Dépêche-toi d'ouvrir, sinon
je défonce ! »

Au bout de quelques instants, on a entendu une clé
tourner dans la serrure. La porte s'est ouverte en grand
sur un homme massif, avec un double menton de cra-
paud, qui nous a dardés de ses petits yeux méfiants,
mais mon père ne lui a pas laissé le temps d'un examen
approfondi, il s'est engouffré à l'intérieur, s'est jeté
sur lui et l'a passionnément serré contre sa poitrine :
« Mon ami ! Ça fait des années qu'on ne s'est pas vus !
Et regarde-toi ! Tu n'as pas changé, juste plus gros et
plus moche ! »

Effusions terminées, il l'a poussé sur le côté, révélant ainsi la femme qui se tenait derrière, une créature
plantureuse au regard sournois qui scrutait mon père
tout en restant sur ses gardes, comme si elle craignait

de recevoir une gifle. J'ai été obligé d'entrer moi aussi, avec la valise et le sac, sans quoi le gros m'aurait claqué la porte au nez.

« C'est qui, lui ? a dit la femme.

– C'est Tadoush ! C'est mon jeune fils Tadek qui est venu me rendre visite. Il vit en Amérique. Vous en dites quoi, les gros ? Regardez-moi ce beau gaillard ! Il a fait tout le chemin depuis l'Amérique rien que pour voir son père.

– Qu'est-ce que vous cherchez par ici ? a demandé Kurdupel.

– Rien. On passait, alors on s'est dit qu'on pourrait faire un saut chez vous. Juste un saut, on est en route pour mon village. Quand j'ai vu qu'on était dans le coin, j'ai proposé à Tadzio, mon fils adoré, de lui présenter mes deux vieux amis. »

Notre hôte malgré lui m'a serré la main sans le moindre enthousiasme.

« Enchanté », a-t-il marmonné.

Sa femme s'est contentée d'un léger hochement de tête à mon intention.

« Nous n'allons pas nous attarder, ai-je précisé.

– Et vous aurez un train ? a-t-elle demandé.

– On s'en fout d'avoir un train ! a claironné mon père.

– Vous ne pouvez pas dormir ici, a aussitôt prévenu le mari, qui a tout de suite compris. On héberge ici notre fils, sa femme et leurs trois enfants, alors on n'a pas du tout de place.

– On pourra toujours se débrouiller », s'est entêté mon père. Il a tiré son portefeuille de sa poche et en a sorti une liasse de billets qu'il a fourrés dans la main de Kurdupel. « Allez, va donc nous acheter de la vodka et du sauciflard ! »

Le gros a échangé un regard avec sa femme et s'est éclipsé. Mon père, lui, est entré dans le petit salon et s'est affalé sur le fauteuil. Nous l'avons suivi, elle et moi.

« Assieds-toi, assieds-toi, mon Tadzio. Ici, tu peux faire comme chez toi. »

La femme de Kurdupel est restée debout. Une porte s'est ouverte, en a émergé un jeune homme en slip et tricot de corps. Dans l'entrebâillement, j'ai vu une fille allongée sur le lit, vêtue d'une chemise de nuit transparente, les cheveux ébouriffés. Il a refermé derrière lui et est entré dans le salon.

« C'est qui ? a-t-il demandé à sa mère sans nous regarder.

– T'inquiète. Des invités. Quand est-ce que tu vas chercher les enfants ?

– Bientôt. » Il nous a lancé un rapide coup d'œil, m'a fait un signe de tête sans se départir de son expression fermée et a disparu dans les toilettes.

On est restés assis en silence, mon père se concentrait sur la cigarette qu'il essayait d'allumer et la femme était toujours debout à la même place. Elle avait l'air d'avoir envie de quitter les lieux mais de ne pas nous faire suffisamment confiance pour nous laisser seuls. On a entendu le bruit du jet d'urine de son fils qui tombait dans l'eau au fond de la cuvette, ensuite un soupir, puis la chasse d'eau. Il est ressorti et s'est glissé dans sa chambre. Quand il a rouvert la porte, la femme était toujours allongée sur le lit. C'est alors que pour la première fois nos regards se sont croisés – une seconde.

Après être arrivé à allumer sa cigarette, mon père s'est confortablement calé dans le fauteuil.

« T'aurais pas quelque chose pour s'humecter le gosier, en attendant ? a-t-il demandé.

– Non, a répondu la femme de Kurdupel.

– Bon, alors on va attendre. »

De nouveau le silence. Elle a ostensiblement soupiré, a posé les mains sur le bas de son dos puis, en traînant les pieds, elle s'est assise sur le canapé.

« Les temps sont durs, a-t-elle lâché.

– Quand est-ce que les temps n'ont pas été durs, hein ? a répliqué mon père. Quand ? Ce gouvernement de merde nous suce le sang depuis presque quarante ans, rien que des enfoirés. »

De la chambre du fils sont soudain montés des éclats de voix qui ont attiré l'attention de notre hôtesse. Mon père a sorti un mouchoir de sa poche et s'est bruyamment vidé le nez.

« Les temps sont durs, a-t-elle répété. Le fils a débarqué ici avec toute sa smala. Il a été licencié, alors on essaye de le faire entrer dans notre affaire.

– Leur affaire ! Tu entends ça, Tadzio ? Ils ont une "affaire" maintenant ! Ce bâtard de Kurdupel achète de l'alcool frelaté et le revend dans toute la région. Dieu seul sait combien de gens il a rendu aveugles. Fumier. Ils sont assis sur des tonneaux entiers de vodka bon marché, mais quoi ? Ils n'ont même pas un petit verre à t'offrir pour t'humidifier le gosier. »

La femme a marmonné quelque chose. Dans la chambre, la dispute s'envenimait. Il était hors de question qu'on passe la nuit ici.

« Vous avez un téléphone ? ai-je demandé.

– Il y en a un dans la rue, m'a-t-elle répondu.

– Pourquoi tu as besoin d'un téléphone ?

– Parce que. Si vous voulez bien m'excuser… »

Je me suis levé.

« Bien sûr, mon Tadzio, va donc téléphoner et reviens vite. Ne traîne pas. Le gros lard ne va pas tarder à arriver avec le saucisson et la vodka. »

J'ai trouvé la cabine publique dans la rue, comme indiqué. À l'intérieur, il y avait un bottin déchiré, attaché avec une chaîne. J'ai cherché les hôtels de Piława, il n'y en avait que deux : le premier n'a pas répondu et le second a refusé de nous accueillir. J'ai donc regardé les hôtels à Dęblin, la ville la plus proche, et puis, sur un coup de tête, j'ai décidé de ne pas nous y arrêter et d'aller directement à Lublin. Au pire, on prendrait un taxi. J'ai appelé plusieurs hôtels et le dernier a accepté de nous garder une chambre à condition qu'on arrive avant dix-neuf heures.

Je suis retourné chez les amis. Mon père était toujours assis dans le fauteuil et Kurdupel avait rejoint sa femme sur le canapé. Tous les trois fumaient, si bien que le salon était plongé dans un épais brouillard. Sur la table étaient posés une bouteille de vodka avec quatre verres, du pain, du beurre, du hareng, des tranches de saucisson et des oignons verts.

« Viens, viens trinquer avec nous ! » m'a lancé mon père dès qu'il m'a vu.

Il en a profité pour avaler sa boisson cul sec. Kurdupel a rempli les verres. Je me suis assis dans l'autre fauteuil et j'ai bu à contrecœur. La porte de la chambre du fils était ouverte et le lit vide.

« Ce gros radin plein de soupe ne sait pas rendre la monnaie, a déploré mon père. Il a pris mon pognon et a fait ses courses pour la semaine. Bon, pas grave. Madame vient de dire que les temps étaient durs. Que faire, si c'est dur, c'est dur ! Heureusement qu'il y a les amis, pas vrai ? »

Le couple m'a regardé sans commenter. L'homme a de nouveau rempli son verre et celui de mon père. C'était très désagréable de voir comme il le poussait à boire, sans doute voulait-il finir la bouteille le plus vite possible pour se débarrasser de nous.

« Je leur ai raconté que tu étais un écrivain très connu, là-bas en Amérique, et que tu gagnais beaucoup d'argent. »

La femme m'a offert son sourire répugnant : « Est-ce que vous me vendriez des dollars ? »

J'ai lorgné vers mon père. Il a hoché la tête.

J'ai donc accepté, j'avais de toute façon l'intention d'aller changer de l'argent : « Combien ?

– Vous en avez combien ? » Tout à coup, elle avait l'air très éveillée.

« Là n'est pas la question. Combien vous en voulez ?

– Cent cinquante ?

– Cent cinquante, c'est beaucoup.

– Vous n'en avez pas cent cinquante ?

– Je vous ai déjà dit que ça n'avait rien à voir.

– Alors cent. »

J'ai hésité. Cette affaire ne me disait rien de bon.

« C'est rare qu'on ait la visite de quelqu'un qui vient d'Amérique, s'est-elle justifiée en me reservant son sourire mielleux.

– Donne-lui ses cent biffetons à cette vieille truie », est intervenu mon père qui a de nouveau vidé son verre. Sa voix trahissait un état d'ébriété déjà bien avancé. « Ceux-là, ils vendraient leurs petits-enfants pour quelques dollars.

– D'accord. »

Elle s'est rapidement levée et, quand elle est sortie de la pièce, j'ai remarqué que le tour de reins qui la faisait soupirer à notre arrivée avait disparu comme par enchantement.

« Tu piges ? m'a dit mon père en tapant sur l'épaule de son ami. Ils disent que les temps sont durs. Chez eux, les temps sont toujours durs, mais sous le carrelage, ils entassent un gros paquet en liquide. »

Kurdupel, qui avait le visage et le double menton rougis par l'alcool, a répondu par un gloussement imbécile.

« Sacré numéro, va ! Et ton rejeton, en Amérique, il a réussi. Il est célèbre, c'est ça ? a-t-il marmonné, lui rendant sa tape sur l'épaule.

– En dollars ! a insisté mon père, précision qui a mis fin aux croassements de l'autre. Tu l'aurais imaginé, ça, qu'un jour mon fils débarquerait d'Amérique et nous vendrait des dollars, gros porc ? »

Les effluves de vodka, de hareng, de saucisson, d'oignons et de cigarettes se sont mélangés pour former des relents nauséabonds qui stagnaient dans la pièce. Kurdupel n'arrêtait pas de me fixer de ses petits yeux comme si j'étais un steak dans lequel il s'apprêtait à planter les dents. Sa femme est revenue avec, à la main, une épaisse liasse de billets. J'ai sorti de ma poche les dollars que les deux Polonais ont dévorés du regard, on aurait dit un couple de hyènes affamées. J'ai compté jusqu'à cent, elle a compté silencieusement en même temps que moi, me les a quasiment arrachés des mains pour les enfouir immédiatement dans une poche cachée de sa robe. Ce n'est qu'ensuite qu'elle m'a tendu les zlotys. Je les ai comptés et le total ne m'a pas paru suffisant.

« Quel est votre taux ?

– Mille quatre cents pour un dollar, a-t-elle dit en prenant un air innocent.

– C'est correct. »

J'ai fait le calcul et, en recomptant, j'ai découvert qu'elle ne m'avait pas donné assez.

« Un instant », a-t-elle dit.

Elle a lancé un coup d'œil à son mari puis a tiré de la poche de sa robe quelques billets supplémentaires qu'elle m'a tendus. Tout ce temps, mon père rayonnait de fierté. La seule chose qui l'intéressait, c'était que son fils était venu de l'Ouest et avait pu, en grand seigneur, exhiber des dollars devant ses deux escrocs d'amis.

« Buvons à l'heureuse transaction ! a-t-il lancé et Kurdupel s'est hâté de lui remplir son verre.

– C'est le dernier, l'ai-je prévenu.

– Comment ça, le dernier ? Il reste encore la moitié de la bouteille. *Na zdrowie !* a-t-il lancé avant de lever son verre.

– *Na zdrowie !* » ont répondu Kurdupel et sa femme.

On a tous trinqué, apparemment les devises étrangères leur avaient remonté le moral.

« On ne va pas tarder à partir, ai-je déclaré.

– Vous passez par où ? a demandé le gros.

– À condition qu'on ait encore un train, a marmonné mon père.

– Vous ne pouvez pas rester, je te l'ai déjà dit, on n'a pas de place.

– Tu me fais chier ! C'est quoi, cette histoire de place ? On va se débrouiller. On s'est toujours débrouillés. »

Devant tant d'entêtement, je suis intervenu sèchement : « Il est exclu qu'on reste dormir ici.

– Mais il n'y a plus de train.

– On va prendre un taxi jusqu'à Lublin. J'ai déjà réservé une chambre d'hôtel là-bas.

– Un taxi jusqu'à Lublin, mais ça coûte une fortune !

– Une fortune, a répété notre hôtesse tout bas en hochant la tête.

– Ne t'inquiète pas », ai-je dit à mon père. Kurdupel a levé la bouteille de vodka pour remplir les verres. « Et vous, arrêtez de le faire boire !

– Mais pourquoi ? Il tient très bien l'alcool ! » Et comme si je n'avais rien dit, il l'a servi.

Mon père a pris une gorgée de vodka en me défiant du regard, un vrai gamin. J'ai compris qu'il prévoyait de se saouler afin d'obliger le couple à nous héberger pour la nuit, je devais donc me dépêcher de lever le camp, sinon il serait effectivement trop ivre pour que je puisse le sortir de là. Pendant ce temps, Kurdupel, lui, accélérait le rythme des rasades pour boire le plus possible avant notre départ.

« Allez, Tadzio, mon chéri, montre-leur donc les photos que tu m'as apportées ! Que ces deux faces de grenouilles voient quelle magnifique famille j'ai en Occident. Allez, va, va prendre l'enveloppe de ton sac.

– On n'a pas le temps, papa.

– Qu'est-ce que tu racontes ? Il est encore tôt.

– Une dernière cigarette et on part », l'ai-je prévenu.

Je me suis levé et me suis mis à la fenêtre pour échapper à la puanteur de la pièce qui s'était pimentée d'une odeur supplémentaire : celle, âcre, de la sueur. En effet, plus Kurdupel buvait, plus il transpirait. De grandes auréoles humides s'étendaient sous ses aisselles et des gouttes de sueur tombaient de son large front. J'ai regardé dehors : à ma vue s'offrait la succession des toits gris d'une petite ville sans caractère. Mon père a profité de ce que j'avais le dos tourné pour faire remplir son verre.

« Je vous ai dit de ne plus le servir.

– Il sait boire, a marmonné Kurdupel avec un sourire immonde.

– Bon, on y va ! » J'ai écrasé ma cigarette dans le cendrier.

« Comment ça, on y va ? a lancé mon père d'un air exagérément déçu après avoir avalé sa vodka d'un trait. On vient d'arriver !

« – On y va. On doit être à l'hôtel de Lublin avant ce soir sept heures.

– C'est comme ça, en Amérique, a dit le gros. Chez eux, ils ont des règles strictes.

– Et le feu au cul ! »

Ils ont tous les deux éclaté de rire. Mon père a levé son verre vide, Kurdupel a levé la bouteille, je me suis rapidement avancé vers lui, il ne m'a pas vu mais sa femme si. Dans un geste effrayé, elle l'a empêché de servir : « Tu as entendu ce qu'il a dit. Arrête. »

Il m'a regardé et, devant mon expression, a sagement reposé la bouteille sur la table.

« On part. Maintenant ! » ai-je annoncé à mon père.

Je l'ai pris par la main et l'ai aidé à se lever. J'ai eu toutes les peines du monde à lui faire descendre l'escalier – il était saoul et ne contrôlait pas bien ses jambes. Arrivés en bas, je l'ai assis sur le perron, je suis remonté chercher la valise et le sac à dos que j'avais laissés devant la porte, je les ai posés à côté de lui et je suis allé chercher un taxi.

Une fois dans la voiture, nous avons roulé un certain temps sans rien dire jusqu'à ce qu'il brise le silence : « Tu sais quoi, il s'est conduit comme une saloperie.

– Oui. Je pense d'ailleurs que c'est une saloperie. Et sa femme aussi. »

Il a semblé un instant méditer ma sentence.

« Oui, ce sont deux belles saloperies. Dire qu'ils ont gardé la bouteille et qu'elle était à moitié remplie. Une bouteille que j'ai payée. Avec mes sous. Viens, on y retourne, je veux récupérer ce qui nous revient de droit !

– Hors de question.

– Tu parles d'amis ! » a-t-il susurré. Il a même failli cracher sur le sol du taxi, mais s'est retenu in extremis. « Bon, qu'est-ce que j'y peux ? On a vécu tellement de choses ensemble... » Il s'est perdu dans ses pensées puis a repris : « Quel fils de pute, ce gros lard ! Et sache qu'il a beau avoir l'air d'un mollusque, c'est une vraie pourriture. Tu vois ça ? » Il m'a montré une cicatrice, longue et épaisse, qui s'étirait sous son oreille. « C'est lui.

– Et tu es resté ami avec ce type malgré ça ?

– Pour sûr ! Pas le choix. C'est comme ça entre amis. Un jour, tu le baises, le lendemain, c'est lui qui te baise. Je me trompe ?

– Qu'est-ce que tu lui as fait ?

– C'est lui qui a commencé. Je venais de toucher ma pension et je suis allé direct me saouler chez eux, ce que je faisais souvent. On organisait de grandes fiestas. Ils savent s'amuser, ces deux enflures, ils savent très bien s'amuser. Ce soir-là, je me suis endormi sur place, je ne me souviens plus où exactement, et le matin en rentrant chez moi je découvre qu'ils m'ont fait les poches, ces salopards ! Qu'ils m'ont pris toute ma pension ! Alors je suis retourné chez eux, j'ai frappé, ils n'ont pas ouvert, alors j'ai enfoncé la porte et je les ai aussi défoncés, tous les deux, elle et lui ! Qu'est-ce qu'ils croyaient ? Que j'allais me laisser plumer sans réagir ? Je leur ai mis une de ces raclées, putain ! Lui, ce fumier, il a attendu quelques jours, a fait semblant de me pardonner. Il s'est même excusé, m'a invité chez lui, a ramené de la vodka, on a bu et il s'est arrangé pour bien me saouler. Quand je me suis endormi, il est allé chercher un couteau et hop, comme ça, il m'a planté sans pitié. À mon avis, il visait le cou mais il était trop ivre et la lame a dérapé.

– Et qu'est-ce que tu as fait ?

– Qu'est-ce que je pouvais faire ?

– Appeler la police.

– La police ? J'ai versé de la vodka sur la blessure pour la nettoyer. Elle a un peu gonflé et s'est quand même infectée, mais après c'est passé, à part que maintenant j'entends moins bien de cette oreille. La vérité, c'est que depuis ce jour-là, je le respecte. Avant, je le prenais pour un merdeux, une couille molle, et tout à coup, il ne s'est pas aplati et il s'est vengé. Parce que, quand même, je les avais sacrément tabassés, lui et sa femme, sans compter le bordel que j'avais foutu dans leur appartement.

– Parce qu'ils t'avaient piqué ton fric.

– C'est vrai qu'ils me l'avaient piqué... Entre amis ! »

4

« Tu vois, là-bas, le château ? m'a demandé mon père au moment où le taxi entrait dans Lublin. C'est un monument très célèbre ici. Pendant la guerre, la Gestapo y a établi son quartier général. C'est là que j'ai été torturé. Oui, pendant trois mois, ils m'ont torturé, ces fils de pute. » Il a ôté ses lunettes, a essuyé les verres avec son mouchoir, a vérifié leur propreté face à la fenêtre et les a de nouveau essuyés avant de les remettre sur son nez.

« C'est mieux comme ça, a-t-il dit, satisfait. Bon, alors, on fait comment, monsieur le chauffeur ? J'ai besoin de pisser et tu roules comme un escargot. Arrête-toi là, sur le côté, d'accord ?

— On arrive, monsieur.

— Alors donne-moi une bouteille vide. Tu en as une ?

— Non, monsieur.

— Franchement, papa, tu ne peux pas te retenir ?

— Quand tu auras mon âge, on verra si tu pourras te retenir ! Arrête-toi sur le côté, a-t-il redemandé au chauffeur. Comme si c'était la première fois que je pissais dans la rue à Lublin. Arrête-toi ! »

L'homme a obtempéré devant un petit square.

« Je vous en prie, allez-y. Il y a des buissons.

— Je vais t'aider, ai-je proposé.

« – Pas besoin. » Mon père a ouvert la portière, s'est extirpé de la voiture, a fait trois pas et a commencé à se soulager sur le trottoir.

« Voilà ! s'est-il écrié. Je pisse sur le château de la Gestapo. Viens pisser avec ton père sur le château de ces enculés de fumiers de porcs ! »

Je ne me suis pas joint à lui. Peut-être aurais-je dû. Lui et moi, debout dans une des rues principales de Lublin, à pisser ensemble sur le siège de la Gestapo – une belle image de communion entre père et fils... sauf qu'après notre visite chez les deux crapauds, Kurdupel et sa femme, je n'avais aucune envie de communier avec mon père. Il est remonté dans le taxi et m'a lancé un regard déçu. Moi, je m'appliquais à rester concentré sur le chauffeur, à qui j'ai demandé de redémarrer rapidement : la chambre d'hôtel ne nous serait gardée que jusqu'à sept heures, et ce délai était déjà dépassé de quelques minutes.

« Ne t'inquiète pas, mon Tadzio, c'est un hôtel, pas une salle de concert », a dit mon père lorsque nous nous sommes présentés à la réceptionniste, laquelle a réagi par un petit rire, avant de confirmer : « En fait, nous insistons sur cet horaire au cas où. À cause du couvre-feu. Puis-je avoir vos papiers ? »

Mon père lui a tendu sa carte d'identité et moi mon passeport.

« Ah, a-t-elle dit en les examinant, vous êtes père et fils. »

On s'est regardés tous les deux avec la même surprise et on a répondu oui en même temps, avec un glousse-ment embarrassé.

Elle a exigé le règlement de la nuit à l'avance : dix dollars pour le touriste, deux pour le citoyen polonais.

« Et pour dîner ? » ai-je demandé.

Elle a consulté son registre : « Désolée, nous sommes au complet. À cause du couvre-feu, tous nos hôtes prennent leur repas sur place.

– Vous ne pouvez pas nous dégoter une petite table ? On n'a pas d'autre possibilité et je suis avec une personne âgée », ai-je insisté.

Elle a de nouveau consulté son registre tandis que mon père ricanait dans son coin, et a fini par trouver une solution : « On va s'arranger, à condition que vous alliez tout de suite dans la salle de restaurant.

– Pays de trouillards, a maugréé mon père. Avant, quand on vivait vraiment sous un régime autoritaire, je comprends, mais aujourd'hui ? Tout part en couille, tu peux m'expliquer pourquoi les gens continuent à respecter le couvre-feu comme des moutons ? Qu'est-ce qu'on va me faire si je sors maintenant dans la rue ? Enfoirés ! Voilà le résultat de quarante ans de répression ! Tu sais, ça aurait pu se passer autrement ! »

Une serveuse est arrivée avec deux assiettes de soupe qu'elle a posées devant nous.

« Le hors-d'œuvre », a-t-elle précisé. Mon père lui a fait signe d'approcher, a chuchoté à son oreille, elle a secoué la tête en disant qu'elle était désolée mais qu'ils n'en avaient pas. Il a insisté, elle a répondu qu'ils ne servaient pas d'alcool mais il a ajouté encore quelque chose, toujours à voix basse, et là, elle a souri d'un air entendu puis a tourné les talons.

Il a soupiré, a passé la langue sur ses lèvres et a pris une cuillerée de soupe.

« Les Gorales, par exemple. Tu vois de qui il s'agit ? Eux, c'est des durs à cuire, putain ! Ils vivent dans les montagnes, boivent comme des trous et s'entre-tuent pour un rien. J'ai eu l'occasion de me balader dans leur coin, ils se bagarrent pour n'importe quelle connerie.

Chez eux, chaque mariage se termine par un meurtre qui enclenche vengeance et représailles. Alors pendant la guerre, ils leur en ont fait voir de toutes les couleurs, aux Allemands ! Pour sûr ! C'étaient des combattants sans peur et sans pitié, ils venaient de loin, descendaient de la montagne à ski pour des actions coup de poing contre l'occupant, va-t'en essayer de les attraper ! »

La serveuse est revenue et a posé devant mon père un verre de vodka qu'il a jaugé avant de lever les yeux vers elle, de lui faire de nouveau signe d'approcher pour lui murmurer encore une fois quelque chose à l'oreille. Elle a souri, il a continué, elle a éclaté de rire et est repartie.

« Eux, les Gorales, ils ont pour coutume de se regrouper le soir et de boire ensemble. Tout à coup, voilà qu'arrive le gouvernement militaire qui leur annonce l'instauration d'un couvre-feu. Comme ça leur a fait une belle jambe, des policiers ont été dépêchés sur place pour essayer de mettre de l'ordre, mais ils ont vite été chassés. Alors c'est un bataillon de l'armée qui a été envoyé. Et tu sais ce qu'ils ont fait, les Gorales ? Ils ont organisé leur résistance, ont ressorti les armes qu'ils avaient cachées après la guerre – et pas qu'un peu, crois-moi – et, une nuit, ils se sont introduits dans le camp militaire. Là, ils ont emprisonné les soldats, leur ont pris leurs fusils et leurs uniformes, les ont complètement dépouillés et les ont lâchés dans la neige. Tu penses que les autorités ont réagi ? Que dalle ! Ce n'est plus le régime d'autrefois. Tout se délite, personne n'a envie de s'emmerder avec eux, du coup on a préféré les laisser tranquilles. Des mauviettes, rien que des mauviettes. »

La serveuse nous a apporté le plat principal et s'est adressée à moi : « Après le repas, vous pourrez aller voir le responsable du restaurant. Il vous donnera ce que monsieur a demandé, m'a-t-elle dit tout bas.

– Je vous remercie infiniment, chère madame », a répondu mon père en m'adressant un sourire malin.

J'ai trouvé le fameux responsable assis dans un minuscule réduit à côté des toilettes. Je suis entré, me suis présenté et il a aussitôt ouvert une petite armoire d'où il a sorti une bouteille de vodka qu'il m'a donnée en refusant que je le paye. Une fois dans notre chambre, je me suis tourné vers mon père :

« Qu'est-ce que tu as bien pu raconter à la serveuse pour qu'ils nous offrent une bouteille ?

– Quelle importance ? Le principal, c'est qu'on ait cette bouteille et que le responsable continue à croire que tu es un haut gradé de notre police secrète. » Il était hilare.

« C'est ce que tu as raconté à la serveuse ? Alors pourquoi est-ce que ça l'a fait rire ?

– Mon Tadzio, il faut vivre sous un régime communiste pourri comme le nôtre pour savoir à quel point les employés haïssent leur hiérarchie. Oublie ce qu'on t'a appris à l'école. Ici, les prolétaires de tous les pays ne s'unissent pas. Au contraire. Alors mieux vaut en profiter. Pour obtenir de la vodka, par exemple. Si tu apportes les verres à dents de la salle de bains, on pourra s'envoyer quelque chose derrière la cravate. »

Il y avait une petite table contre le mur, il s'est assis dessus, nous a tous les deux servis, a lancé « *Na zdrowie !* », a tout avalé d'un trait et s'est aussitôt resservi.

« Qu'est-ce que tu aurais fait s'ils n'en avaient pas eu ?

– Ils en ont toujours.

– Et si jamais…

– J'ai des réserves dans ma valise. »

Il a pris une nouvelle gorgée.

« Tu bois combien par jour ?

– Tu crois que je compte ?

– À peu près ?

– À peu près deux bouteilles.

– Deux litres.

– Deux litres, si tu veux.

– Ça a toujours été comme ça ?

– Toujours, je ne sais pas, mais depuis longtemps, pour sûr ! Je suis passé par différentes phases, mais bon... En fait, ça date de la guerre, après Majdanek, quand j'ai commencé à faire le sale boulot. Je n'avais pas le choix. » Il a pris une autre gorgée. « Avant, je ne buvais pas autant. En plus, chez nous, on n'avait pas le droit de boire comme ça, sans raison. Celui qui buvait risquait même la peine de mort. Putain ! Avant de partir en opération, chacun recevait un verre, deux à tout casser. Mais se saouler sans raison pouvait te conduire devant le peloton d'exécution.

– Chez les partisans ?

– On ne peut pas dire juste comme ça "chez les partisans", parce qu'il y avait aussi les communistes. Est-ce que moi, je ressemble à ces merdes de communistes ? Moi, je faisais partie du ZWZ* jusqu'au moment où on a été intégrés à l'Armia Krajowa, l'Armée de l'intérieur. Oui, l'AK, c'était nous. Un de nos hauts gradés était même le cousin de ma mère. Un vrai dur, fallait pas faire le malin avec lui. Tu te saoulais pendant ton tour de garde – direct le peloton d'exécution. C'est en tout cas ce que disait la rumeur. On parlait d'au moins trois soldats qu'il avait passés par les armes uniquement parce qu'il les avait attrapés ivres. Complètement taré, ce mec.

* Initiales de *Związek Walki Zbrojnej*, le Bataillon des Paysans.

Alors on évitait de boire, surtout quand on le savait dans les parages. » Mon père a vidé son verre. « Après, à Majdanek, la vodka qu'on dégotait, on la gardait pour saouler le kapo et ces salopards de SS chaque fois qu'il le fallait. » Il a allumé une cigarette et l'a fumée, perdu dans ses pensées, sans pour autant me quitter des yeux. Et tout à coup, il a semblé se ressaisir.

« Mon Tadzio, a-t-il dit avec un sourire apaisé, jamais je n'aurais cru qu'on se retrouverait comme ça, assis, toi et moi, dans un hôtel de Lublin. Comme quoi, mon fils chéri et adoré, cette vie de merde nous réserve toujours des tas de surprises ! »

Il a essuyé les larmes qui avaient soudain inondé ses yeux, s'est levé, m'a dit qu'il allait pisser et s'est dirigé en chancelant vers la salle de bains. Un instant plus tard, je l'ai entendu pousser des cris émerveillés. Je suis allé voir ce qui se passait.

« Regarde, une baignoire ! Tu sais depuis combien de temps je n'ai pas vu de baignoire ? Dans la maison de retraite, on n'a qu'une douche dégueulasse, et dedans on m'oblige à m'asseoir sur une chaise en plastique.

– Alors prends un bain. »

Mon père a soupesé ma proposition tout en jaugeant la baignoire.

« Je n'arriverai pas à rentrer dedans.

– Je vais t'aider, ne t'inquiète pas. »

Il a réfléchi, a fini par me dire que ce n'était pas la peine, mais à son expression, j'ai vu qu'il hésitait.

« Tu es gêné ?

– Mais non. »

Il a émis un petit rire, a de nouveau examiné la baignoire, puis mon visage.

« D'accord, allons-y. »

Quand j'ai ouvert le robinet d'eau chaude, je n'ai obtenu que des grognements et des gémissements, puis quelques longs souffles d'air chaud et enfin un filet d'eau couleur rouille. Le jet s'est petit à petit renforcé et purifié, j'ai ouvert le robinet d'eau froide et attendu que les restes de la rouille disparaissent avant de mettre le bouchon accroché à une chaîne. La baignoire a commencé à se remplir, laissant s'échapper de la vapeur qui se condensait à cause de la différence de température. J'ai essayé d'allumer le chauffage électrique accroché au mur – il ne fonctionnait pas. Mon père ne disait rien, se contentait de suivre mes manipulations du regard, attendant patiemment que je sois disponible pour m'occuper de lui.

J'ai déboutonné sa chemise, je l'ai aidé à l'enlever, je me suis accroupi et j'ai défait ses lacets. Il s'est appuyé au lavabo, a levé un pied, j'ai ôté la chaussure puis la chaussette. Il a levé l'autre pied et j'ai fait la même chose, ensuite je me suis redressé et, face à lui, j'ai hésité à l'aider à enlever son maillot de corps, peut-être valait-il mieux qu'il se débrouille tout seul ? Il avait l'air de se poser la même question, du coup on a tendu la main en même temps et on s'est cognés. Ça nous a fait rire. Je l'ai laissé se débrouiller. Il a tiré le tissu vers le haut mais comme il est resté coincé à mi-chemin, avec le maillot sur sa tête, j'ai été obligé d'intervenir pour l'en débarrasser et je l'ai posé à côté de la chemise. Pendant ce temps, de ses doigts roides, il ouvrait sa ceinture. J'ai dû l'aider pour le bouton, la braguette et j'ai baissé le pantalon. Sur ses genoux sont apparues de grandes cicatrices, que je connaissais. Un jour, il nous avait raconté sa fuite de Majdanek, quand, avec quelques amis, il avait dû ramper dans une canalisation et que ça lui avait arraché la peau. Il a de nouveau pris appui au lavabo, a levé un pied puis l'autre. J'ai posé le pantalon sur ses autres habits. Restait le slip, nous avons tous les deux encore hésité et, finalement, c'est lui qui l'a baissé, laissé glisser le long de ses jambes, puis rebelote, il a pris appui sur le lavabo, a levé un pied, l'autre. J'ai ramassé le sous-vêtement et l'ai placé sur le tas.

Il avait honte. Pas de sa nudité, mais de sa vieillesse. De ce corps paternel si puissant qui semblait s'être vidé de l'intérieur et ratatiné. Nu, il paraissait si chétif, si fragile ! Il a posé les mains sur mes épaules, s'est penché en avant, j'ai soulevé une première jambe toute maigre et l'ai fait passer au-dessus du bord de la baignoire, j'ai recommencé avec l'autre et, quand je l'ai aidé à s'asseoir, j'ai découvert une cicatrice que je n'avais jamais vue, une marque longue et très large, qui remontait du milieu des fesses jusqu'aux reins.

« C'est quoi, ça ?

– La Gestapo m'a frappé jusqu'à me faire exploser le cul. »

Il s'est assis dans la baignoire puis s'est allongé dans l'eau chaude. Il a fermé les yeux, lâché quelques soupirs de satisfaction, et c'est là qu'il m'a parlé de la guerre.

5

« Ces fils de pute m'ont torturé pendant trois mois mais je n'ai rien dit. Rien. Pas un mot. Je n'ai dénoncé personne. J'étais enfermé au fin fond du château, dans un trou dégueulasse. Pas tout seul. Avec Antoni. Ils l'ont jeté dans ma cellule le jour de mon arrestation. Complètement cassé, le pauvre. C'est comme ça que j'ai fait sa connaissance, il était couché sur le ventre, parce qu'après les interrogatoires on ne pouvait pas se mettre sur le dos. Il gémissait et puis il a fini par s'endormir. Le lendemain matin, il allait un peu mieux. Entre nous deux, ça a tout de suite collé. Je lui ai proposé une cigarette. Il l'a prise et m'a conseillé d'éparpiller le tabac dans mes poches, sinon on me confisquerait mon paquet. Je l'ai fait. Il m'a dit que lui aussi était membre de l'AK, tombé dans un guet-apens. Salopards de fumiers. On n'a pas eu le temps de beaucoup parler, parce qu'ils sont venus me chercher et ils m'ont battu comme ils n'auraient même pas osé battre un chien. Ils ont frappé, frappé, frappé. Mais je ne leur ai rien dit, rien du tout. Je n'ai dénoncé personne. Et ça a continué, un jour, et encore un jour. Ils te laissent un petit répit et ils remettent ça. Pendant trois mois ! Et pendant trois mois, on est restés à plat ventre dans ce trou, Antoni et moi. On est vite devenus les meilleurs amis du monde. On ne se séparait que quand ils en emmenaient un pour interrogatoire, et là, on avait droit aux pires horreurs. Putain ! Mais ils avaient beau s'échiner sur moi, je n'ai rien lâché, pas un mot, pas un seul nom. Eux ils frappaient, frappaient et frappaient encore. Mon cul a fini par exploser ! Au bout d'un moment, je m'en foutais, qu'ils continuent à frapper, je n'étais plus moi. Je m'envolais et je montais vers le ciel, je voyais le village d'en haut, notre ferme, les champs. Ils me balançaient un seau d'eau pour me réveiller. À quoi bon s'acharner sur un homme évanoui, hein ? Fils de pute ! Quand je revenais à moi, je hurlais, je me déchaînais, mais je ne disais rien. Pas un mot. "Des noms, on veut des noms", qu'ils criaient. Ils frappaient, et pas que. Ils ont aussi fait d'autres choses, mais je ne veux pas en parler. Mieux vaut que tu ne saches pas. Ils avaient des instruments pour ça. Fumiers. Quand la douleur devenait trop forte, je m'envolais de nouveau. Je pensais à Antoni qui m'attendait en bas, je l'imaginais en pleine forme, pas dans notre cachot dégueulasse mais dehors, fusil à l'épaule, on allait ensemble éliminer quelques porcs d'Allemands dans la forêt. Antoni et moi, on s'est bien occupés l'un de l'autre. Quand l'un revenait avec les doigts écrasés, l'autre l'aidait à manger, à soulever les objets, même à se torcher le cul ! Quand l'un ne pouvait pas marcher, l'autre marchait à sa place. On a tenu comme ça, tout le temps ensemble. On voulait mourir. Notre vie ne tenait plus qu'à un fil. Mais on était tous les deux. Des fois, on restait allongés côte à côte et on respirait. Respirer, ça suffisait. Et pendant les temps de répit, quand on redevenait un peu des êtres humains, on essayait de se remonter le moral. On se racontait des blagues. Quand on riait, ça nous faisait encore plus mal, mais on s'en foutait. De toute façon, on était persuadés de ne pas en sortir vivants.

« Jusqu'au jour où, bizarrement, ils nous ont extraits de notre cellule. Moi, Antoni et quelques autres. On s'est retrouvés à marcher dans la rue, comme ça, l'un derrière l'autre, menottés. Trois mois que je n'avais pas vu le soleil. Ça m'a brûlé les yeux. Et puis de revoir soudain ces rues, les rues de Lublin, là où, à peine trois mois auparavant, je me baladais en toute liberté ! Je regardais autour de moi en me disant, tiens, ici j'ai bu de la vodka, ici j'ai mangé quelque chose, cette vendeuse-là je la connais, ce cocher-là aussi, tout comme cette femme et le magasin de fleurs avec la vieille debout à l'entrée. Mais c'était loin, loin. Une autre vie. Tous les gens continuaient leur routine de merde, comme si de rien n'était. Ils nous ignoraient. À croire que le triste cortège qui passait sous leurs yeux au milieu de leur saloperie de quotidien n'existait pas. Putain ! Tous les jours, des cortèges traversaient la ville, passaient de la gare au camp de Majdanek, des Juifs, des prisonniers de guerre, des droits-communs… Alors comment auraient-ils pu nous voir ?

« C'était une belle journée d'été, il faisait chaud, et moi, ça m'a complètement déprimé ! Le ciel me tombait sur la tête. Et surtout, en traversant comme un spectre la vie qui avait été la mienne à peine trois mois auparavant, j'ai compris à quel point j'étais dans la merde. Enfoirés ! S'il y a une chose de bien à retenir au sujet de l'enfer, c'est qu'il t'isole complètement, bouche tout et te fait instantanément oublier qu'il y a une autre réalité. C'est ce qui nous est arrivé dès qu'on s'est retrouvés au camp. Ils nous ont d'abord laissés pourrir entre deux barrières de barbelés. Toute une journée, debout, à brûler sous le soleil. Ils nous avaient placés à côté du secteur des Juifs.

Exprès. Pour nous faire croire que c'était le sort qu'ils nous réservaient. Peu importe. Après, on a été dirigés vers les hangars. Ils nous ont pris tous nos habits sauf nos ceintures et nous ont donné un pantalon et une veste avec un triangle rouge sur la poitrine, sur le dos, sur la jambe. Le signe des prisonniers politiques, pour éviter la confusion. Ça, c'était plutôt bien pour nous. Valait mieux être un prisonnier politique qu'un prisonnier de guerre russe ou un Juif. Putain ! Le problème, c'était quand ces vicelards de SS se saoulaient, parce que nos triangles rouges devenaient alors des cibles. Ils choisissaient un gars parmi nous, l'obligeaient à courir et tiraient au pistolet. Ils visaient son triangle rouge dans le dos. En général, ils étaient tellement ivres, ces porcs, qu'ils nous loupaient, on arrivait à se planquer très vite et on attendait en silence qu'ils retournent boire, dormir ou qu'ils s'en prennent à un autre.

« Que te dire ? En fin de compte, ça n'était pas si mal d'être un prisonnier politique à Majdanek, en comparaison. Enfin, ça, c'est vrai pour la première année. On ne travaillait pas. On pouvait recevoir des colis de l'extérieur, même s'ils nous en piquaient une partie. Il y avait un type qui possédait une charrette tirée par un cheval et qui travaillait au camp, surtout pour livrer et prendre des marchandises. C'est lui qui nous communiquait les consignes des chefs restés dehors et leur transmettait nos messages. Grâce à lui, on a réussi à les informer de ce qui se passait à l'intérieur et on n'a pas arrêté de leur demander de préparer un assaut pour nous délivrer. Ça aurait été possible. Il n'y avait pas tellement de soldats. Deux ou trois compagnies auraient suffi à neutraliser les gardes sur les miradors, couper les barbelés et hop, on aurait été libérés. Plusieurs plans ont été élaborés, mais aucun n'a été mis à exécution.

On nous a envoyé un pistolet, ça oui, en pièces détachées, mais il en manquait une, alors on n'a pas pu s'en servir. Enfoirés.

« J'étais dans le block 21, avec Antoni et quelques autres. On m'avait promu coiffeur du baraquement. Pas mal, non ? Je coupais les cheveux de tout le monde pareil. Comme ça, j'ai eu droit à des ciseaux, c'est-à-dire une arme, avec l'autorisation de la direction. Et ça, c'était en plus du cran d'arrêt que je m'étais dégoté. On en avait tous, des couteaux. Pour sûr. La plupart avaient été bricolés, peu importe pourvu qu'ils fassent le boulot. Et quand il y avait des contrôles surprise, on les faisait tomber et on les enfouissait avec nos chaussures dans la terre. L'hiver, c'était dans la boue et la neige. Après, chacun venait récupérer le sien. Évidemment, dès qu'il le fallait, on s'en servait. Avec nous, personne n'avait intérêt à faire le malin. Les traîtres, on les liquidait, on leur réglait leur compte en moins de deux, à ces ordures ! Quelques coups de couteau et hop, direct dans la fosse à merde… qui était vidée dès qu'un prisonnier manquait à l'appel, parce que les Allemands voulaient s'assurer qu'il ne s'agissait pas d'une évasion. Quand ils retrouvaient un cadavre, ça commençait : qui l'a tué ? Motus et bouche cousue. Pas nous. On s'est aussi occupés de plusieurs kapos, ceux qui étaient vraiment trop dégueulasses, on a pris les pires, crois bien que c'était toujours parce qu'on n'avait pas le choix. Eux aussi, un bon coup de couteau et direct dans la fosse à merde. Putains de SS. C'est eux qui nous ont appris la cruauté, eux qui nous ont montré comment tuer sans la moindre dignité, ni pour la victime, ni pour nous. Fumiers. Le premier homme que j'ai tué de mes mains, c'était au camp. Un jour, Antoni est rentré dans un sale état. Déjà avant ça il était

333

faible, à cause de la dysenterie. On chiait tous du sang, rien à faire, mais lui, il a failli en crever. Sans quoi il aurait été capable de se protéger, mais là, il tenait à peine sur ses jambes, il était à bout de forces. Dès que je l'ai vu, je lui ai demandé ce qui s'était passé et il m'a répondu : "C'est ce fils de pute de kapo qui s'en est pris à moi. Il m'a tabassé à mort." Là, pour moi, c'était trop. Pas Antoni. Il avait suffisamment souffert, Antoni, sale porc ! Je ne pouvais pas supporter qu'on brise comme ça un homme. Alors j'ai attendu la bonne occasion, j'ai chopé le fameux kapo dans un coin et je l'ai planté avec mon couteau et mes ciseaux. »

Mon père est resté un moment silencieux avant de reprendre :

« On n'oublie jamais le visage du premier homme qu'on a tué. Parce que même une ordure redevient un être humain juste avant de mourir. » Il a caressé la surface de l'eau. « Ce salopard-là méritait vraiment de crever, a-t-il marmonné en examinant ses jambes toutes maigres qui se détendaient, immobiles, dans le bain. Tu vois, mes guiboles avaient exactement cet aspect-là à partir de la deuxième année à Majdanek, quand ils nous ont mis au travail et ont supprimé nos colis de nourriture – rien que la peau sur les os. On crevait de faim, on était malades et cet hiver-là a été particulièrement rude, la neige n'arrêtait pas de tomber. Alors, tout à coup, par un jour maudit – ils te prennent toujours en traître, les jours maudits –, nos gardiens se sont saoulés, nous ont forcés à nous déshabiller intégralement, à courir nus dans la neige et voilà qu'ils nous annoncent que ceux qui tomberont seront abattus. Et ils rient, oui, ils se marrent, ces fils de pute ! Nous, on court, dans tous les sens, on a de la neige jusqu'aux genoux, on va mourir de froid et ce sagouin de kapo qui nous crie :

334

"Plus vite, plus vite !" Chaque fois qu'on passe devant lui, il nous frappe avec son gourdin. Sale chien ! Au bout d'un certain temps, les plus faibles commencent à tomber. Pas beaucoup, mais pas mal quand même. Le premier qui s'écroule, boum, direct, une balle dans la tête. Puis un autre, boum, une balle dans la tête. Ils tirent à tour de rôle sur ceux qui n'en peuvent plus, ils tirent et ils rient, qu'est-ce qu'ils rient ! Chiens, fils de pute ! Antoni, avec sa dysenterie, avait du mal à courir, mais il s'accrochait. Je le surveillais, j'étais inquiet, je sentais qu'il allait tomber d'un instant à l'autre. Et hop, il tombe. Épuisé. Cette saloperie de maladie l'avait entièrement bouffé de l'intérieur. Voilà, c'était sa fin et l'officier qui devait tirer était un gros tas de merde. Encore plus tordu que les autres tordus, ça ne lui suffisait pas, il en voulait plus. Pourquoi tirer bêtement une balle dans la tête d'un prisonnier ? Alors il nous oblige à relever Antoni, à l'attacher tout nu par les mains et les pieds entre deux poteaux. Et là... »

Mon père s'est mis à pleurer mais quelque chose le poussait à continuer.

« Là, il nous a forcés à remplir des seaux d'eau et à les verser sur lui. Il faisait si froid que ça gelait tout de suite sur son corps. C'est comme ça qu'il a rendu l'âme, dans d'horribles souffrances. Congelé à mort. »

Il avait de plus en plus de mal à articuler parce qu'il n'arrêtait pas de sangloter.

« Retiens ce nom : Antoni. Retiens-le bien. C'est mon ami. Il aurait dû rester auprès de moi toute ma vie. C'est pour ça que je t'ai raconté son histoire, alors que je m'étais juré de ne jamais en parler. Parce qu'en parler, c'est revivre ce que tu as enfin réussi à oublier. Même si cet instant est tout le temps présent dans ma tête et dans mon cœur. Cet instant oui, mais pas Antoni.

Lui, il est mort, alors qu'il n'aurait jamais dû mourir et certainement pas dans ces conditions-là, putain ! Tu te souviendras de lui, pas vrai ? Tu te souviendras d'Antoni, même quand moi je serai six pieds sous terre et qu'enfin je pourrai tout effacer. Il t'aurait plu. Pour sûr ! C'était un homme instruit, Antoni, pas un paysan attardé comme moi. Il avait même eu le temps de fréquenter l'université avant la guerre. Du coup, dans le château et aussi après, dans le camp, tant qu'il en a eu la force, il me racontait des histoires pour me distraire. Il en connaissait par cœur tout un tas. Peut-être qu'il brodait un peu... Quelle importance ? Il m'a raconté des légendes de la mythologie grecque, des épisodes de l'histoire de l'Empire romain qu'il avait découverts dans *Quo vadis ?* ou encore des événements marquants de l'histoire de la Pologne qu'il avait lus dans d'autres livres de Sienkiewicz. C'était un conteur-né. S'il était resté en vie, il serait devenu écrivain. Comme toi. Pour sûr. »

Mon père s'est tu et a laissé son corps s'enfoncer dans la baignoire jusqu'à ce que l'eau lui arrive au menton. Il a fermé les yeux et s'est frotté le visage.

« Pourquoi as-tu été arrêté ?

— Parce que j'ai un caractère de merde, mon Tadzio, un caractère qui m'a fait chier toute ma vie, a-t-il dit avant d'ajouter : Le bain s'est un peu refroidi.

— Je vais remettre de l'eau chaude. Mais raconte quand même. Pourquoi ?

— C'est une longue histoire. » Il m'a dévisagé. « Pourquoi ? Parce que j'étais jeune et arrogant. Un gros con de paysan. Voilà pourquoi. Parce que je n'ai pas vraiment compris face à quoi je me trouvais. On était tous comme ça, qu'est-ce que tu veux. On se cachait dans les forêts, on préparait des embuscades, on faisait sauter des rails. Rien n'était clair à l'époque, on se préparait pour une guerre de plusieurs années et une de mes missions était d'enrôler des jeunes paysans de la région, comme moi. Je me déplaçais beaucoup et j'avais toujours sur moi le texte du serment des partisans. Un texte important, avec des tas de mots religieux. Parce que, dans les campagnes, ces pauvres bougres étaient tous très croyants, et si tu les faisais jurer correctement sur la sainte Vierge et le Christ, ils te suivaient. Et moi aussi, quel imbécile j'étais ! Si j'avais été moins con, j'aurais appris par cœur le texte de ce serment et je me serais débarrassé de la feuille. Ça m'aurait peut-être sauvé.

« Bref, un jour, j'arrive à Morawica. Un village répugnant. Je devais y retrouver un type que je connaissais, un forgeron, on a un peu discuté et j'ai commencé à avoir faim, alors je lui ai dit que j'allais manger quelque chose à l'auberge. Il m'a déconseillé d'y aller : un salopard d'Ukrainien avait été tué, un homme important pour les Allemands et, du coup, ces fils de pute arrêtaient n'importe qui en représailles. Mais quoi, cette espèce de radin ne m'a rien proposé à me mettre sous la dent, et ses clous, je ne pouvais pas les manger. Putain ! J'ai laissé mon pistolet chez lui, au cas où, et je suis sorti, tranquille, l'air de rien, sur la grand-route, comme s'il n'y avait pas la guerre et pas de danger. Je ne sais pas ce qui m'est passé par la tête. Alors me voilà qui marche, je ne me dépêche même pas, et soudain j'entends des chevaux s'approcher, je me retourne et je vois des charrettes remplies de gens. Elles foncent dans ma direction. J'ai tout de suite compris que c'étaient les soldats qui avaient participé aux arrestations arbitraires. Un paysan n'aurait jamais roulé aussi vite avec une charrette pleine, inutile d'épuiser les bêtes. Alors moi, je continue à marcher comme si de rien n'était.

La première charrette me dépasse, pareil pour la deuxième et la troisième. Mais la dernière s'arrête et deux Allemands en jaillissent. "Mains en l'air !" qu'ils me crient. J'obéis et c'est là qu'un des deux me donne une gifle, salopard ! Il envoie valser mon chapeau que le vent pousse jusqu'à la barrière du moulin. Moi, je veux le récupérer mais ils ne me laissent pas. Au moment où ils m'embarquent dans la charrette, je me retourne pour voir où il est, mon putain de chapeau, je ne dis rien, j'attends qu'on passe le long d'un champ labouré et hop, je saute et je détale. L'un des deux Allemands tire et me loupe, ce fils de pute. L'autre bondit de la charrette et se lance à ma poursuite. Cloporte. Pour qui il se prend ? Tu crois qu'il sait courir dans un champ labouré, ce connard de citadin allemand ? Ben non ! Il se casse la gueule. Moi, dès que je me suis trouvé suffisamment loin, je leur ai fait un magnifique bras d'honneur. Après, direct, j'ai été récupérer mon chapeau près du moulin et j'ai décidé d'aller manger. Ben oui !

« J'entre dans l'auberge, je vois le patron, un vieux, qui porte un long manteau en cuir comme ceux des collabos. Il est à une table en train de discuter en allemand avec deux clients. Je lui dis bonjour, il me répond bonjour et me suit des yeux. Chien, fils de chien. Je m'assois. Bon, pour l'instant, pas d'inquiétude. Personne ne peut savoir qui je suis. Mais quand la jeune serveuse s'approche, je vois du coin de l'œil qu'il me montre du doigt en disant quelque chose. Enfoiré ! Ensuite, il va se placer derrière son comptoir et les deux clients, qui sont en fait des porcs de la Gestapo habillés en civil, viennent vers moi et me demandent de les suivre. Moi, je leur dis : "Attendez, messieurs, laissez-moi d'abord manger un morceau." Ils acceptent. Je mange. Je bois un verre, encore un. Je m'attarde à table et ils ne me pressent pas. Peut-être qu'ils voulaient éviter le grabuge. Peut-être qu'ils avaient peur que j'aie un pistolet sur moi et préféraient être prudents. Ils sont restés assis, sur le qui-vive, à me regarder. Le patron aussi, et lui, chaque fois que je lève les yeux, il se détourne. Gros porc. Une chance que j'aie laissé mon arme dans la forge, sauf que… Je suis vraiment un péquenot et j'avais oublié le papier avec le texte du serment.

« J'espérais qu'il arrive quelque chose pour que je puisse me tirer de cette situation, mais non. Alors je suis obligé de me lever, je vais au comptoir comme si je voulais payer, je me plante devant le patron et je lui chuchote : "Qu'est-ce que t'as fait, salaud ?" Et lui, qu'est-ce qu'il dit, ce fumier ? "C'est pas moi ! Ils t'ont remarqué tout seuls." Et quand je lui dis que je l'ai vu parler aux Allemands en me montrant du doigt, ce fils de pute me répond : "T'as des visions." Alors je m'approche encore plus et je lui murmure qu'il peut être certain que je survivrai à cette guerre et qu'il aura de mes nouvelles, ce sale chien galeux. Il se contente d'un sourire tordu et balaie mes paroles d'un revers de main car il est persuadé que je suis foutu. Salopard. Les deux Allemands m'attrapent, vérifient que j'ai pas d'arme et me passent les menottes qui me déchirent la peau tellement j'ai des grosses mains. Eux, ils s'en foutent et me poussent dans leur bagnole, direction le QG de la Gestapo ukrainienne. Là, on nous annonce que le commandant vient de sortir. Bon, alors on attend. Ils me laissent avec un garde ukrainien. Et moi, je suis vraiment un trou du cul, je ne fais toujours rien avec le texte du serment alors qu'il y avait là un poêle à charbon qui brûlait, j'aurais pu me débrouiller pour le lancer dedans, j'avais le temps, mais je ne m'en suis avisé qu'au moment où le commandant est rentré avec les deux ordures qui m'avaient arrêté. Ils ont commencé à m'interroger, m'ont déshabillé et ont découvert le fameux papier. Le commandant me demande ce que c'est, je réponds : "Rien, une feuille que j'ai trouvée, je collectionne les textes religieux, et ce qui est écrit dessus m'a plu." Je ne sais pas d'où m'est venue cette idée idiote, mais c'est la première qui m'est venue à l'esprit… D'ailleurs, il était sympathique, cet officier, il m'a parlé au lieu de me frapper et je suis resté là-bas toute la nuit. Mais le lendemain, ils m'ont transféré à la Gestapo de Lublin. Là, on m'a mis dans une cellule, je suis resté assis tranquillement, j'ai fumé une cigarette, je ne savais pas à quoi m'attendre… Jusqu'au moment où ils ont jeté Antoni dans ce trou, Antoni complètement cassé tellement ils l'avaient torturé, il saignait de partout, la peau du dos toute déchirée. Il s'est allongé sur le ventre. Tous des fils de pute. »

J'ai aidé mon père à se savonner. Il s'est cramponné au rebord de la baignoire pour s'asseoir bien droit et je lui ai lavé le dos avec une éponge. Il a soupiré d'aise.

« Tu ne dois pas me quitter, mon Tadzio, tu dois rester ici et t'occuper de moi. »

6

« Avec nous à Majdanek, il y avait un gars très sérieux, Paweł Dąbek, un communiste, d'ailleurs après la guerre il a fait une brillante carrière au service de l'État. On est toujours amis, lui et moi. Il est vieux et habite ici, à Lublin. C'est grâce à lui que j'ai obtenu une place dans la maison de retraite pour vétérans. Enfin bref. Il avait réfléchi à un plan d'évasion, un plan génial, selon lui. On devait dégoter des draps blancs pour s'en recouvrir et ramper, comme ça, de nuit, cachés par ce tissu qui se mêlerait à la neige, jusqu'aux barbelés. Là, il suffirait de creuser sous la première clôture, puis sous la seconde, de continuer un peu et de creuser sous la clôture extérieure pour arriver dehors. C'était une idée comme une autre. Même si ça nous laissait assez sceptiques, on s'est dit pourquoi pas, essayons. Ça marchera peut-être, et si ça ne marche pas, on se débrouillera... ou pas. Quelle importance, de toute façon on savait qu'on ne tiendrait pas une éternité dans ce camp.

« Donc, d'abord, se procurer des draps blancs. Pas trop compliqué parce qu'on travaillait aussi à la laverie des officiers. C'est là qu'on les a volés. Bon, et ensuite ? Il fallait attendre la nuit adéquate, sans lune et avec des nuages, ce qui n'était pas un problème, il y en avait plein. On n'a d'ailleurs pas attendu longtemps pour avoir droit à une nuit où il a bien neigé, avec du brouillard en prime, ce qui nous rendait encore plus difficilement repérables. Donc on se met en route, on rampe dans la neige, on s'approche des barbelés et là, tout à coup, ça tire. Affolés, on rentre aussi sec, au grand dam de Paweł qui nous a traités de trouillards. Il a crié que c'était juste un soldat qui avait tiré sur un mouvement suspect. Nous, on n'a pas discuté mais on a eu tellement peur qu'on n'a pas osé ressortir cette nuit-là. Lui, si. Il est sorti sans rien nous dire... et il a réussi, tout seul. Eh oui ! Ce bâtard a réussi ! Dès le lendemain, quand ils ont découvert qu'il manquait à l'appel, ils l'ont cherché dans le camp, en vain, ont vidé la fosse à merde, rien. Où est Paweł ? Parti ! Comment ? Personne ne parle, personne ne sait. Et puis finalement, un sale traître a révélé le stratagème aux Allemands. Fumier ! Celui-là, il s'est bien vite retrouvé dans la fosse à merde. Mais bon, pour nous, c'était foutu, on ne pouvait plus partir grâce à cette combine.

« Alors on a échafaudé un nouveau plan. Il y avait un ingénieur juif, un pouilleux qui était enfermé dans le camp depuis sa construction. Il avait posé les tuyaux d'évacuation dans le quartier des officiers et du haut commandement, si bien qu'il connaissait toutes les canalisations. Il travaillait au QG. Un connard, mais bon, peu importe. Gałasiński, un gars de notre baraquement, travaillait lui aussi au QG et le connaissait. Wladek Gałasiński. Lui, c'était quelqu'un de merveilleux. Intelligent. Après, il est devenu médecin ou chimiste, je ne sais plus. C'est lui qui nous a alertés sur le projet du Juif : s'enfuir par les canalisations qui passaient sous le camp et rejoignaient le réseau central de Lublin. Un jour, il nous en a parlé, à moi et à Robert Skrzypczak. Qui était Robert ? Un jeune homme, très beau, arrivé

342

à peine trois semaines auparavant de Pawiak, une des prisons de Varsovie, où il avait connu l'enfer. Robert était un partisan, membre de l'AK lui aussi, il avait deux ou trois ans de moins que moi mais en avait déjà beaucoup vu dans cette guerre. Je l'ai aussitôt adopté, je me suis occupé de lui comme un grand frère. Pour sûr. Il souffrait énormément. Ces salopards avaient réussi à le briser là-bas, à Pawiak, tellement ils l'avaient torturé, il avait perdu toute son assurance, alors il me suivait comme un poussin suit sa mère. Ce qui, au fond, n'était pas désagréable. Gałasiński a donc récupéré tous les plans – le Juif les lui a dessinés –, on a encore rassemblé quelques renseignements indispensables et on s'est dit que c'était faisable. À ce moment-là, j'ai demandé à Gałasiński : "Dis-moi, ton Juif, il est où ?" et il m'a répondu : "Disparu. Il s'est déjà fait la belle." En fait, on ne lui avait pas vraiment laissé le choix, à ce merdeux, il avait compris que de toute façon, si son corps ne le lâchait pas, c'était nous qui allions l'égorger. J'ai voulu savoir s'il avait suivi son plan et Gałasiński a dit que oui, que le gars lui avait dit que si on n'entendait pas parler d'un prisonnier rattrapé, ce serait le signe qu'il avait réussi. "Alors ? Tu as entendu parler de quelqu'un qu'ils ont rattrapé ?" je lui ai demandé et il m'a dit que non. Bref, ce bâtard avait réussi !

« On a révélé notre plan à Sarzyński, le papy. On l'appelait papy parce qu'il était vieux, il avait dans les quarante ans. Après le départ de Paweł, même s'il n'était pas devenu notre chef, il avait de l'expérience et de l'autorité. On a décidé de tout préparer avec soin et d'attendre que ce foutu hiver passe, sauf qu'il est arrivé un truc qui a précipité les choses. » Mon père s'est interrompu, soudain sombre, puis il a repris après quelques secondes de silence : « Peu importe quoi exactement,

tu liras ça dans le livre que je vais te donner, rappelle-
le-moi quand on sera rentrés à la maison de retraite. »

Au lieu de poursuivre, il s'est refermé sur lui-même
et n'a rien dit.

La petite salle de bains de cet hôtel de Lublin était
humide. La ventilation aurait dû aspirer les odeurs et
l'humidité mais elle ne marchait pas, la vapeur qui
montait de la baignoire stagnait dans l'air, le robinet
gouttait sur un rythme monotone. J'ai contemplé mon
père qui marinait dans une eau devenue glauque. Lui
aussi s'est regardé, il a passé ses grandes mains sur ses
cuisses, son ventre, son torse.

« J'ai vieilli, a-t-il remarqué. Regarde-moi ce corps. Il
fut un temps où il était athlétique. Mais qu'est-ce qu'il
a morflé, putain ! Beaucoup trop… Peu importe… Tu
pourras tout lire dans le bouquin que je te donnerai.

– Je ne veux pas lire ton histoire.

– Tu veux quoi alors ?

– Que tu continues à me raconter.

– Quoi ?

– Ce qui s'est passé après.

– On n'est pas au cinéma. C'est ma vie.

– Je sais bien. C'est pour ça que je veux savoir. »

Il est resté songeur puis m'a dit : « D'accord.
Qu'est-ce que tu veux savoir ?

– Par exemple, quand est-ce que vous vous êtes
évadés ?

– Quelques jours plus tard.

– Vous étiez quatre ?

– Pourquoi quatre ?

– Tu as mentionné quatre personnes.

– On était neuf, pas quatre. » Il m'a lancé un
regard oblique en me traitant de bureaucrate et je l'ai
vu esquisser un petit sourire. « Finalement, il y avait

344

moi, Sarzyński le papy, Gałasiński, Robert Skrzypczak, Czajka, un gars qui s'appelait Mikołaj Caban, Wiktor Piątkowski et enfin Stefan Iwanek qui était arrivé de Pawiak en même temps que Robert.

– Tu en as oublié un.

– Non.

– Si, tu ne m'as donné que huit noms.

– Il y en a un que je n'ai pas dit, exprès.

– Pourquoi ?

– Parce que c'était un fils de pute. Il ne mérite pas que quelqu'un se souvienne de son nom. Mieux vaut l'effacer. Mais bon, si tu y tiens, il s'appelait Henryk Srebrzycki-Silberspitz, un nom que je n'oublierai jamais. Un nom de youpin pour un gars de dix-sept ans à moitié juif. Son père était un notable juif de Cracovie et ils sont arrivés ensemble à Majdanek. Avant de se retrouver dans notre secteur, il avait déjà été kapo dans le secteur numéro trois. Un enfoiré ! Un sadique pervers. Il a pendu son propre père, de ses mains. Les SS avaient attaché une ceinture autour du cou du vieux et Henryk a grimpé sur le portail à l'entrée de leur secteur et a tiré, tiré, tiré. En plus, il riait, ce salopard, et il criait : "Allez, dépêche-toi de crever, sale chien, vieux dégueulasse ! T'es trop lourd, je peux plus te tenir !" Voilà ce qu'il criait pendant que son père succombait dans d'affreuses convulsions, pendu au portail. Maintenant, tu comprends ? Il y a des gens qu'il faut oublier.

– Alors pourquoi l'avoir pris avec vous ?

– On n'avait pas le choix. Lorsque le secteur trois, où il y avait surtout des Juifs, a été liquidé, ce type a été transféré chez nous. Les fumiers aimaient cet enculé et ils ne l'ont pas tué. Avec nous, il s'est tenu à carreau, et il s'efforçait de rester à sa place : on n'était pas juifs et il n'était plus kapo. On envisageait de se débarrasser de lui, à juste titre, mais manque de bol il nous a entendus parler de notre plan d'évasion et a dit qu'il venait avec nous. On n'avait pas le choix. Soit on l'emmenait, soit il nous dénonçait sur-le-champ et on aurait été pendus, parce qu'on n'avait plus le temps de l'éliminer. » Mon père s'est de nouveau perdu dans ses pensées. « Quel salaud ! Heureusement qu'il a souffert. Passer par les canalisations, ça a été le martyre et lui, dès qu'il est sorti, il a été abattu par un policier en civil. Il n'a pas eu le temps de jouir de sa liberté. Tu vois, il est mort en souffrant. Dans la douleur. Bien fait pour lui. On a tous souffert le martyre dans les putains de canalisations de Majdanek. Oui, on y a vécu l'enfer. »

Il a examiné ses mains, ses doigts, sa peau qui s'était plissée à force d'être restée dans le bain.

« J'ai froid.

– Je vais rajouter de l'eau chaude. »

Il n'a rien dit.

« Comment êtes-vous entrés dans les canalisations ?

– Par les bouches d'égout. Il y en avait plusieurs, faites pour les interventions techniques, fermées par des couvercles en métal, et en dessous il y avait une échelle avec des barreaux scellés dans le béton.

– Et vous avez rampé dans les conduits qui les reliaient ?

– Il y avait aussi des barreaux à l'intérieur, il a fallu les scier. C'est écrit dans le livre.

– Comment vous avez fait ?

– On avait une petite scie. Czajka travaillait à la menuiserie et il nous en a rapporté une.

– Vous avez rampé combien de mètres ?

– Beaucoup. Plusieurs centaines.

– Le conduit était étroit ?

346

– On passait à peine. Soixante centimètres, moins que la largeur de mes épaules. Et l'eau des égouts arrivait presque jusqu'en haut. Je veux sortir.

– Le bain est trop froid ?

– Non, mais je veux sortir. Qu'est-ce que tu cherches ?

– À savoir, c'est tout.

– Mais moi, je ne veux pas te raconter, d'accord ? Je ne veux pas. J'ai le droit de ne pas vouloir te raconter si je n'ai pas envie de raconter.

– Pardon, excuse-moi.

– Et en plus, il s'excuse ! Il veut savoir. Faut pas tout savoir, mais lui, c'est ça qu'il veut. Tu ne comprends pas qu'il y a des choses que tu ne peux pas savoir ? Qu'est-ce que ça va t'apporter si je te dis que ça puait là-dedans ? Tu crois que ça suffit pour que tu saches vraiment ? La puanteur était insoutenable, d'accord ? Ça t'apporte quelque chose ? Alors, d'accord, on a rampé dans le noir total. On a failli se noyer, on ne savait pas si on arriverait à sortir de là. La peau de nos coudes et de nos genoux s'est arrachée, on avançait sur des os à vif. Voilà comment c'était là-dedans. Mais tu ne peux pas réellement savoir. Tu ne peux pas savoir ce que c'est que de rester soudain coincé parce que tes épaules sont trop larges, et comme ton corps empêche l'eau de couler, le niveau monte et tu sens que tu vas te noyer. Une seconde de plus et je crevais sur place, dans cet enfer. C'est la main de Robert qui m'a tiré en arrière et ramené à la vie, mais quelle vie, au fond ? Rien que de l'obscurité, de la puanteur, et une douleur inimaginable dans tout le corps, les coudes et les genoux. Bon, mais au moins, je respirais. Et on a aussi eu droit à l'ingénieur juif. On l'a retrouvé. Dedans. Contre les barreaux. Le pauvre s'était noyé avant d'arriver à les scier. Son corps nous bloquait le passage. Alors celui qui était en tête l'a découpé, ça n'a pas été difficile, il était tellement pourri qu'il s'est facilement disloqué en morceaux suffisamment petits pour passer entre les barreaux. Sauf que s'en est échappée une odeur atroce, de cadavre pourri, et elle a vicié le peu d'air qu'on avait. Je ne veux plus en parler. Sors-moi du bain. Sors-moi de cette eau dégueulasse. Maintenant, tout de suite. Sors-moi de là tout de suite. »

Je me suis penché vers lui, j'ai attrapé ses mains et l'ai aidé à s'asseoir dans la baignoire.

« Je suis désolé, papa.

– Eh bah sors-moi de là au lieu d'être désolé. »

J'ai essayé de le tirer afin qu'il se mette debout, mais ses jambes étaient trop faibles pour soutenir son poids, alors j'ai dû le prendre sous les aisselles, le serrer contre moi et le soulever. J'ai bien failli me casser la figure, mais je suis parvenu à le redresser et à lui assurer un minimum d'équilibre. Ensuite je lui ai soulevé un pied que j'ai fait passer par-dessus bord, il s'est appuyé sur mes épaules et j'ai réussi à faire passer son autre pied. J'ai essuyé son vieux corps couvert de cicatrices, je l'ai enveloppé dans deux serviettes, je l'ai aidé à regagner la chambre, l'ai assis à côté de la table, lui ai tendu ses lunettes et j'ai monté le chauffage. Puis je lui ai versé un verre de vodka. Je me suis servi, moi aussi. J'ai allumé deux cigarettes, une pour lui et une pour moi. On a bu et fumé en silence.

7

Mon père semblait plus calme. Assis en face de moi, toujours drapé dans ses deux serviettes, il buvait sa vodka.

« Tu trouveras tout dans le livre, a-t-il répété. Tu pourras aussi lire comment on a échappé aux Allemands une fois dans la forêt.

– Vous vous êtes cachés dans les bois jusqu'à la fin de la guerre ?

– Bien sûr que non ! On s'est évadés fin mars 43, il restait encore plus d'un an et demi avant que ces fils de pute de bolcheviques débarquent. Qu'est-ce qu'on aurait pu faire si longtemps au milieu des arbres ? On n'est pas des singes ! Bien sûr que non ! On était des partisans et on est redevenus des partisans. Pour sûr ! Ils ont même voulu me nommer commandant d'une grande unité, mais j'ai refusé. Aucune envie de me foutre dans un tel bordel ! Une moitié de femmes, une moitié de gosses, une moitié de Juifs, un peu de Russes, plus quelques paysans débiles. Moi, commandant, tu m'as vu ? Et puis, ce dont ils avaient surtout besoin, ce n'était pas d'un chef, c'était d'une nounou. Très peu pour moi ! Alors d'accord, ils m'ont convoqué au QG central à Varsovie, et là, ils m'ont confié une nouvelle mission… » Mon père a levé vers moi des yeux songeurs. « Le chauffage

349

marche rudement bien, ici. Pas comme dans ma chambre glaciale de cette putain de maison de retraite. » Il s'est tu, a regardé autour de lui puis m'a dévisagé : « Dis-moi, tu as été dans leur armée ? L'armée des Juifs ?

– Évidemment.

– Ça alors ! s'est-il exclamé, admiratif. Il paraît qu'elle est excellente. C'est ce qu'on dit. Alors quoi, tu as combattu ?

– Pas vraiment. J'ai fait mon service militaire comme technicien dans l'armée de l'air. Je devais m'assurer que les avions volent correctement.

– C'est un rôle très important. Bravo. Des avions fabriqués par les Juifs ?

– Non. Par les Américains et les Français.

– Tant pis. Remarque, nos avions à nous sont bien fabriqués par ces putains de Soviétiques.

– Mais Robert, lui, il a vraiment combattu.

– Avec les Américains ?

– Non, avec les Israéliens. Avant qu'il émigre. Il était commandant de tank.

– Ça alors ! a exulté mon père. Robert, commandant de tank ! Incroyable ! Il a toujours eu des couilles, celui-là. Ça oui ! Donc tu dis qu'il a fait la guerre ? Sans blague ! La vraie guerre ?

– Oui. Peut-être même qu'il l'a trop faite. Ça lui a un peu bousillé le cerveau. Quelque chose s'est brisé en lui. Ça a été une guerre très dure, il a perdu beaucoup de camarades.

– Évidemment, c'est comme ça, les guerres. Tu crois que chez nous, c'était différent ? » Des yeux, il a suivi ses doigts qui se déplaçaient sur la table d'un coin à l'autre. « Ça lui a un peu bousillé le cerveau, tu dis ? Pas étonnant. Ce gosse, avec ses airs de voyou, au fond, il a le cœur tendre. C'est un fragile, Robert.

– Et toi ?

– Quoi, moi ?

– Il est comment, ton cœur ?

– Mon cœur ? Il est rempli de plomb, voilà ce qui lui est arrivé. Il a durci. J'en ai trop vu. J'en ai trop fait. Putain ! C'est pour ça qu'on m'a confié cette mission. Ils savaient à qui ils avaient affaire. Moi, au début, je ne me doutais pas qu'on pouvait tuer aussi facilement. Mais dès que tu t'y es habitué, tu n'as plus de problèmes, tu peux liquider n'importe qui. C'est juste une question d'habitude. Pour sûr ! Avant Majdanek, je n'avais jamais vraiment tué. J'en avais tabassé plein, ça oui, peut-être aussi que j'avais réussi à tuer un Allemand de loin, quand on s'exerçait à leur tirer dessus, mais rien de sérieux. Après, au camp, là, j'ai éliminé des gens, comme ça, à mains nues ou au couteau, je te l'ai déjà raconté, mais bon, à Majdanek, tout était différent. Là-bas, j'agissais comme un robot, sans penser. C'est ensuite que les sensations reviennent, que tout recommence à vivre. Bref. Ma nouvelle mission, c'était une autre paire de manches. Le genre de truc qu'on confie aux plus grands fils de pute que la terre ait portés. » J'ai senti que mon père hésitait à poursuivre, puis, à son expression, j'ai vu qu'il s'était décidé : « On m'a chargé des exécutions sommaires, c'est comme ça qu'ils appelaient ce genre d'opérations. Ma mission était d'éliminer les traîtres et les salopards de collabos. Parce que nos chefs, au QG, ils étaient intelligents, ils avaient compris qui j'étais, d'où je venais, ce que j'avais enduré, et peut-être aussi qu'ils avaient entendu parler de moi, qui sait ? Ils savaient que je serais un tueur impitoyable. J'avais appris dans le camp, à tuer et aussi à estimer la valeur d'une vie humaine : que dalle. De la poussière. Ceux qui m'ont appris à tuer,

351

ce sont ces chiens d'Allemands, oui, eux m'ont appris à le faire sans le moindre scrupule. Comme ça. Boum. Une balle dans la tête. Ils me l'ont appris, et moi j'ai retourné ça contre eux et contre ces fumiers de collabos qui étaient, sur beaucoup de plans, encore plus salauds qu'eux. Parce que les Allemands, au moins, croyaient servir leur putain de patrie. » Il s'est tu, mais secouait la tête en remuant les lèvres comme s'il continuait à parler tout seul. « Peu importe, c'était comme ça », a-t-il conclu en se resservant un verre de vodka.

C'était comme ça, me suis-je répété intérieurement. J'ai examiné le visage, de plus en plus dur et effrayant, de mon père le liquidateur – celui qui se chargeait des exécutions sommaires au service de son pays. Dire que moi, je l'avais toujours imaginé en partisan courageux, le genre commando, qui avait participé à des actions héroïques et s'était battu comme un lion contre l'envahisseur ! Qui avait sauvé ses amis blessés sous la mitraille. Qui avait réussi à atteindre les bunkers d'où les nazis les canardaient et avait lancé une grenade à l'intérieur. Comme dans les films. Je voulais d'un père héros hollywoodien. Voilà qu'une fois encore la réalité se salissait sous mes yeux, et plus je regardais celui qui était assis en face de moi, plus je le trouvais laid.

« Comment savais-tu qui éliminer ? La décision venait de toi ?

– Bien sûr que non ! s'est-il indigné. J'étais qui, moi, pour décider de la vie ou de la mort de qui que ce soit ? Je n'ai jamais tué de mon propre chef. C'est au QG de Varsovie qu'ils examinaient les dossiers, au cas par cas, et ce n'est que s'ils étaient convaincus de la culpabilité de la personne qu'ils m'envoyaient l'ordre de mission. Moi, je n'ai agi que sur ordre, jamais pris aucune initiative. Tout était organisé pendant cette guerre. Pour sûr ! Je recevais un ordre de mission avec le nom de ma cible, son adresse, ce qu'on lui reprochait et la sentence – qui était toujours la même en l'occurrence. Avec les voleurs, ça oui, c'était moi qui décidais de leur sort, j'avais été officiellement mandaté pour ça par les autorités de Varsovie. En pratique, nos gars les attrapaient – parfois grâce à la dénonciation d'une bande rivale – et m'appelaient. Quand j'arrivais, on me les offrait déjà ligotés, fin prêts. Et là, boum ! Une balle dans la tête. Boum ! Un de moins ! Sans problème. Pas de quartier !

– Tous les voleurs méritaient la mort ?

– Pour sûr ! Tu crois qu'ils avaient des états d'âme, ces cloportes qui pillaient et tuaient des citoyens innocents ? Qui, quand ils le pouvaient, violaient avant de tuer ? Et s'ils attrapaient un Juif, alors là, ils lui en faisaient baver, crois-moi ! Pas question d'en épargner un seul. Ils n'avaient pitié de personne, alors pourquoi j'aurais eu pitié d'eux ?

– Et les autres ?

– C'était un peu plus compliqué, a-t-il dit laconiquement.

– Je croyais que leur cas était soigneusement examiné avant qu'ils soient condamnés à mort.

– Pour sûr. Je n'ai pas tué d'individus qui ne le méritaient pas. Même si, vers la fin, certains ont essayé de prétendre le contraire. Putains d'enfoirés ! Dès qu'ils ont senti le vent tourner, ils ont tous commencé à clamer qu'ils étaient blancs comme neige, oubliant combien la guerre était une pourriture. Et moi, ceux que j'ai éliminés, crois bien que c'étaient les plus belles ordures. D'ailleurs, les tuer, ce n'était pas ça, le problème. Non, le problème, c'était leur femme et leurs enfants, puisque je venais chez eux les abattre. Ben oui, pour être sûr de pas me tromper de cible.

– Quoi ? Tu as tué des pères devant leurs enfants ?

– Oui, a-t-il admis. Des fois. D'ailleurs, c'est mieux de tuer un père sous les yeux de ses enfants que le contraire, de tuer des enfants sous les yeux de leur père, et ça, c'est ce qu'on faisait aux Juifs et aux Polonais qu'ils dénonçaient. Dégueulasse ! C'était comme ça pendant la guerre. Tu peux remercier le bon Dieu d'être né après de telles atrocités et de ne pas avoir eu à agir comme ton père.

– Excuse-moi, je suis désolé.

– Arrête de t'excuser à longueur de temps ! Aucune raison de t'excuser. C'était comme ça, et tu peux dire ce que tu veux sur ce sujet, ça n'y changera rien. »

Alors je n'ai plus rien dit. Qu'est-ce que j'aurais pu ajouter ? Je me suis resservi en vodka et j'ai aussi rempli son verre, il l'a soulevé pour prendre une petite gorgée et a dû aussitôt le reposer sur la table tant sa main tremblait.

« Je préférais accomplir ces missions tout seul, a-t-il repris, ça évitait les emmerdes. Quand tu travailles seul, tu n'as pas de mauvaises surprises. Mais on avait aussi quelques jeunes recrues sur lesquelles je savais que je pouvais compter et que j'appelais en cas de besoin. Oui, en général, je travaillais seul. J'arrivais au domicile du condamné, je faisais un état des lieux pour m'assurer qu'il n'y avait pas d'invités chez eux et que le propriétaire se trouvait bien là. Après, tu frappes à la porte. "Bonjour. Vous êtes bien monsieur Machin ?" Et dès qu'il a dit oui, tu le pousses à l'intérieur, tu fermes la porte et tu dégaines. Sauf que, comme je te l'ai dit, il y a un problème : la femme et les enfants. Les enfants n'y sont pour rien, eux. La femme un peu plus. Mais pas comme le mari. Alors des fois, quand je pouvais, j'attendais que les gosses sortent de la maison ou, au moins, je demandais à leur mère de les emmener dans une autre pièce, s'il y en avait une. Pas dehors, non, parce que sinon, ils auraient appelé de l'aide. Mais ce n'était pas toujours possible, je n'avais pas toujours le temps, les soldats allemands et ukrainiens rôdaient partout, sans compter bien sûr les traîtres, ça prolifère où que tu ailles, comme les rats. Et renoncer, c'était exclu, pourquoi laisser vivre des salopards qui méritaient la mort ? Leur faire grâce, ça signifiait qu'ils en dénonceraient d'autres. En plus, j'avais une mission, on comptait sur moi, et comment, si je foirais, regarder mes chefs en face ? À la guerre comme à la guerre, surtout à cette période-là. Alors bon, je me suis efforcé de préserver les enfants, mais je n'ai pas toujours pu. Difficile de voir ton père à genoux, qui tremble, qui pleure, qui implore d'avoir la vie sauve, qui pisse dans son froc. Difficile. Et je tenais à ce que ces fumiers avouent leurs crimes. Pour sûr ! Qu'ils me supplient, qu'ils implorent ma pitié et mon pardon exprès pour que je puisse les leur refuser, droit dans les yeux. Boum. Une balle dans la tête. Ça ne sert à rien de liquider quelqu'un qui n'a pas compris pourquoi, qui n'a pas souffert un peu. Il fallait lui rendre au moins une partie de ce qu'il avait infligé à des gens qui, eux, n'avaient rien fait de mal. "Je vous en supplie, monsieur, qu'ils gémissaient, vous le voyez vous-même, j'ai une famille, des enfants, pitié pour moi, pitié pour eux." Et moi je leur répondais : "Fils de pute, sale chien puant, salopard, ceux que tu as tués, ils n'avaient pas de famille, eux aussi ? Hein ? Espèce de fumier ! Pas d'enfants ? C'étaient eux-mêmes des enfants, bâtard !" Je revoyais tout ce qu'ils avaient fait dans le camp, tout ce qu'ils avaient fait aux Juifs dans le ghetto de Lublin. Ils les ont tellement torturés là-bas, tellement torturés. Dire que ça les faisait rire !

355

Enfin bref. Je voyais toutes ces atrocités. Je voyais le visage des gosses qu'ils avaient tués et les souffrances de ceux qu'ils avaient martyrisés. Et je pensais aussi à mes amis, morts à cause d'eux. Je revoyais mon père et mon Antoni en train de geler, je me revoyais, moi, dans le château de la Gestapo, qui gesticulais comme un porc qu'on égorge, je revoyais le visage de cette Juive qui courait dans le champ avec son bébé mort dans les bras et aussi le petit mort que j'ai décroché de la clôture dans notre village, le convoi de Juifs que j'avais vus passer et qui se sont tous fait massacrer dans la forêt. Comment tu crois qu'on les avait attrapés ? C'étaient ces traîtres-là qui les avaient dénoncés, l'enflure qui se traînait maintenant à mes pieds ! Des centaines d'enfants ont été assassinés ce jour-là, là-bas dans la forêt. Boum. Une balle dans la tête, boum, puis une autre, boum, des fois mon doigt n'arrivait pas à s'arrêter et le collabo se prenait tout le chargeur. S'il avait, lui, le droit de tuer, moi aussi. Bâtard, fils de bâtard. Qu'il brûle en enfer ! » Et tout à coup, mon père s'est écrié, bouleversé : « Dommage que tu sois déjà mort, parce que j'aurais été ravi de tuer une merde comme toi encore une fois et encore une fois et encore une fois ! » Il a pris une profonde inspiration. « Après, je plaquais le verdict du tribunal de la résistance sur sa poitrine et je dégageais. »

Aux aguets, il a regardé autour de lui en marmonnant des injures entre les dents. Il avait le visage figé, hermétique, avec ce regard de rapace d'habitude caché derrière les verres de ses lunettes mais qui, à présent, les transperçait.

« Celui qui veut être l'impitoyable liquidateur de salopards est obligé de haïr. La haine est plus forte que la pitié. C'est comme ça qu'on peut tuer facilement ceux qui le méritent. Mais bon, c'est là que j'ai commencé à boire. Beaucoup. Ça aide. Pour sûr ! Alors j'ai beaucoup bu. Et depuis, je continue. Je t'ai déjà expliqué que chez les partisans, on n'avait pas le droit de boire, mais moi, j'ai obtenu une dérogation spéciale. Ils avaient compris le problème. Éliminer un homme tous les deux, trois jours, voir son visage déformé, entendre ses lamentations et celles de sa famille, ça laisse des traces. Que tu ressens après coup, une fois l'effet de l'adrénaline évacué aux chiottes. Pas évident. En plus, j'étais en danger permanent. Chaque assassinat, c'était une nouvelle histoire, et impossible de savoir comment ça allait tourner. Putain de réalité, toujours imprévisible ! Alors tu agis à l'instinct, pas le choix, tu es obligé de ne compter que sur tes sens, comme une bête sauvage. Je me souviens d'un type, ils n'étaient pas certains de sa culpabilité au QG, et ils nous ont demandé de vérifier avant d'exécuter la sentence. Alors j'ai pris un des jeunes avec moi, un gars très fiable, il s'appelait Felix, un sacré fils de pute, sans pitié pour les salopards de mouchards depuis que son père avait été dénoncé. On s'est pointés, on a regardé ce qui se passait dans sa maison, on a vu qu'il était tout seul dans sa cuisine, en train de manger. On est tout de suite entrés, pistolet au poing. Et comment tu vérifies, dans ces cas-là ? En l'interrogeant. Tu commences par lui poser des questions, après tu frappes, fort. Si eux se le permettent, pourquoi pas nous ? Et là, ce type, que dalle, il n'avoue rien, peu importe combien il encaisse, il n'avoue pas. Il dérouille, le bâtard, au point que je commence à me dire que peut-être, effectivement, il est innocent. Je suis déjà prêt à envoyer un message au QG pour leur dire qu'après vérification, j'avais des doutes. Sauf qu'à ce moment-là sa fille déboule dans la pièce, elle venait de la remise et était restée tout ce temps planquée derrière la porte sans oser entrer. Elle bondit dans la cuisine, se précipite sur l'armoire, en tire une grande boîte métallique remplie de billets de banque et nous la donne pour qu'on laisse son père tranquille. La connerie à ne pas faire, cette idiote. Dès que j'ai vu une telle quantité d'argent, dont des marks allemands, j'ai compris d'où ça venait. Sans réfléchir, je lui ai tiré une balle dans la tête. Boum. Felix en a tiré une, lui aussi, au cas où. Avec la gamine, en revanche, j'étais bien embêté. Elle ne méritait pas de mourir. Alors on l'a ligotée à une chaise et on est partis. Je me souviens aussi de cette Polonaise qui travaillait comme femme de ménage chez une ordure de *Volksdeutscher*, un officier allemand de la Gestapo particulièrement cruel, un vicieux qui régnait en tyran sur Lublin et n'en faisait qu'à sa tête. Alors au QG, ils ont décidé de l'éliminer, et le plus rapidement possible. J'ai de nouveau pris Felix avec moi, on s'est introduits chez lui, fallait agir vite, il habitait dans un quartier truffé d'Allemands et d'Ukrainiens. On a réglé l'affaire sans poser de questions, il n'a pas eu le temps de comprendre ce qui lui arrivait. Le problème, c'est que sa femme de ménage était sur place. Une Polonaise. Et avec elle, comment savoir ? On ne pouvait pas lui faire confiance, mais on n'avait pas le temps de chercher quelque chose pour la ligoter. La tuer, évidemment, on ne voulait pas. C'est là que j'ai eu une idée géniale : je lui ai ordonné de se mettre à quatre pattes, j'ai pris un savon dans la salle de bains et je l'ai posé sur son dos. "C'est une grenade, que je lui ai dit, si vous bougez, elle explosera." On les a laissés comme ça, ces deux-là, l'Allemand à qui on avait explosé le crâne et la femme de ménage à quatre pattes à côté de lui, avec une savonnette sur le dos.

« Des images aussi laides, tu n'en vois qu'en temps de guerre. Et moi, j'ai absorbé trop d'horreurs, mieux vaut ne pas en parler. Elles continuent à vivre en moi, à l'intérieur de ma tête et c'est bien suffisant ! Quand cette tête arrêtera complètement de fonctionner, elles pourriront avec elle, dans la terre. J'ai fait ce que j'ai fait parce que c'était mon devoir. Mon devoir. Pour sûr ! Parce qu'ils se sont conduits comme ils se sont conduits. Alors j'ai été obligé d'agir, et rien qu'à cause de ça, ils méritaient de souffrir. Mais il ne faut pas tout raconter. Il y a des choses dont il vaut mieux ne pas parler, les laisser pourrir dans la terre. Là est leur place. Et le jour n'est pas loin où je m'en débarrasserai totalement. »

J'ai examiné, une fois de plus, le visage de mon père. J'étais, une fois de plus, assis en face d'un vieillard épuisé, ivre, qui arrivait à peine à tenir droit sur sa chaise, penché en avant, la tête presque sur la table, menaçant d'y atterrir.

Je l'ai aidé à se mettre debout et l'ai guidé jusqu'aux toilettes. Les serviettes sont tombées mais il s'en fichait. Il a pris appui contre le mur et a commencé à pisser, il avait du mal à bien viser, et moi, je le maintenais par-derrière de peur qu'il perde l'équilibre, ce qui m'a obligé à voir de près la cicatrice monstrueuse que la Gestapo lui avait faite en bas du dos, sorte de prologue à toutes ses épreuves à venir.

Ensuite, je l'ai soutenu jusqu'à notre lit double où je l'ai assis. J'ai ouvert sa valise, y ai trouvé son vieux pyjama à rayures. À côté, j'ai vu la bouteille de vodka qu'il avait veillé à emporter, au cas où, et le couteau de boucher dans son étui noir. J'ai refermé la valise et l'ai poussée sous le lit, puis je me suis tourné vers lui et l'ai aidé à enfiler le pyjama.

Il a fermé les yeux pour savourer mes soins dévoués. Un pied, l'autre, puis j'ai remonté le pantalon vers le haut. Un bras, l'autre, puis j'ai fermé les boutons un par un. Il m'a demandé un verre d'eau, histoire de couper un peu sa dernière vodka avant d'aller dormir. J'ai donc pris un des verres à dents, je l'ai rincé et rempli d'eau. Il a eu du mal à le tenir dans sa main tremblante, l'a plaqué contre ses lèvres et a bu à grandes gorgées.

« Tu en veux encore ?

– Non, merci, ça suffit, mon Tadzio. »

Je l'ai aidé à s'allonger. Je l'ai couvert, lui ai souhaité une bonne nuit et ai commencé les préparatifs pour me coucher. Je me suis lavé les dents, j'ai avalé trois verres d'eau et me suis assis sur les toilettes, à attendre que se calment mes brûlures d'estomac et ma sensation d'étouffement liée à la vodka, aux cigarettes et aux révélations de mon père. Il fallait que mon cerveau, sur lequel je peux toujours compter, mette de la distance entre moi et l'insupportable réalité, qu'il enferme les faits dans le bel emballage de la fiction. Émousser les sens, je ne vois pas comment subsister autrement, avec, peut-être, en guise de consolation, les merveilles de la vie, les instants du quotidien et la bonté – fragile enveloppe qui risque de craquer à tout moment, de voler en éclats à la moindre laideur.

Je me suis réconforté en me disant qu'il dormait sans doute déjà et je me suis dirigé vers le lit. Sauf que là, j'ai découvert qu'il était toujours éveillé, étendu sur le dos, les yeux grands ouverts. J'ai allumé la lampe de chevet et me suis allongé à côté de mon père l'assassin.

« Il y a un épisode dont je ne t'ai pas parlé mais qu'il faut raconter, m'a-t-il soudain dit tout bas. Pas parce que c'est très important, mais parce que c'est une question de justice morale et historique.

– Une histoire avant de faire dodo.

– Avant de faire dodo, voilà, c'est ça », a-t-il dit en riant un peu. Il s'est raclé la gorge à plusieurs reprises, très fort. « Après Majdanek, à partir du moment où je suis retourné chez les partisans, je n'ai pas cessé de chercher le fils de pute d'aubergiste qui m'avait donné. J'en avais parlé à tous ceux qui me connaissaient dans la région de Lublin, mais on aurait dit que la terre avait avalé ce bâtard. J'ai pensé qu'il avait peut-être fui, mort de trouille, ou qu'il avait été tué, ou encore que les Allemands l'avaient baisé et déporté, lui aussi. Impossible de savoir. Tellement de gens ont été tués pendant cette guerre. Et puis un beau jour débarque chez nous une fille que je connaissais. Jolie, qui traînait justement beaucoup à Lublin, reniflait pour nous à droite à gauche, posait des questions, flirtait s'il le fallait, et nous rapportait les informations qu'elle récoltait. Donc, ce jour-là, elle vient me dire qu'elle pense avoir trouvé mon bonhomme, qu'il a ouvert un restaurant, c'est ce qu'elle me raconte, un grand restaurant dans Lublin. Ce fils de pute était resté un peu caché à attendre que son putain de Troisième Reich soit démantelé, persuadé que ça suffisait pour qu'il puisse réapparaître comme une fleur. Elle m'a filé l'adresse. Je prends deux pistolets avec moi, au cas où un s'enraye, et j'y vais. J'entre. Derrière le bar je vois une jeune fille. Je lui demande où est le patron. Elle me dit : "Là-bas, assis avec des clients." Je regarde dans la direction et bingo, c'est bien ce fils de chien ! Je m'avance vers lui. Dès qu'il me voit, il comprend. Devient livide. Après, il bondit sur ses pieds et lance très fort : "Eh bien, mais c'est ce cher M. Stefan Zagourski qui vient de nous rejoindre !" Incroyable, non ? Il n'avait pas oublié comment je m'appelais, ce fumier ! Il a cru que je prendrais peur s'il disait mon nom tout fort, parce que les témoins auraient mon identité. Il fait quelques pas vers moi, me tend la main. Je le repousse : "Fils de pute ! Tu te souviens de ce que je t'avais promis ? Tu sais pourquoi je suis là ? Non ? Fils de pute !" J'ai sorti mes deux pistolets, il a encore eu le temps de crier "Messieurs, messieurs, il est devenu fou", et je l'ai abattu. J'ai vidé mes deux chargeurs sur lui. Le lendemain, la guerre était finie. »

8

Au loin, l'écho d'une démarche lourde, menaçante. Pieds qui traînent, talons qui heurtent le plancher puis glissent sur le sol en grinçant. Ça se rapproche, lentement. Un heurt, un glissement, un heurt, un glissement. Familiers. Je connais cet enchaînement de sons, leur intensité, leur rythme. Ce sont les pas de mon père. J'ouvre les yeux. Je suis allongé, mort de peur, et il fait noir. Mon oreiller est trempé de sueur. À côté de moi il y a un homme, allongé lui aussi. C'est mon père. On est tous les deux couchés dans le lit double de notre chambre d'hôtel à Lublin. Quand a-t-il eu le temps de revenir ? Où est-il allé ? Nulle part. J'ai rêvé. Pas de quoi me rassurer. Au contraire. Je comprends mieux, maintenant, pourquoi j'oublie mes rêves, et je préférerais ne pas commencer à m'en souvenir.

J'ai tendu l'oreille. À côté de moi, j'ai perçu un souffle court, saccadé – ça ne ressemblait pas à la respiration profonde de quelqu'un qui dort. Nous étions tous les deux allongés, éveillés, dans ce lit double que nous partagions à Lublin. Pourquoi ne dormait-il pas ? J'ai tenté de recoller les bribes de mon rêve, mais quel sens pouvais-je leur donner ? Il a un peu remué, mal à l'aise, puis est resté sur le dos, sans bouger. Et soudain un sanglot retenu est monté de sa gorge. Suivi d'un autre, puis d'un autre. Toute une série de sanglots étouffés.

« Tout va bien, papa ? »

Les sanglots ne se sont arrêtés qu'un instant, il n'est pas arrivé à se contenir.

« Papa ? Ça va ? »

Il a tenté de calmer sa respiration, en vain : c'était plus fort que lui. Un nouveau sanglot lui a échappé, il a pris une grande inspiration, mais elle s'est interrompue, provoquant un tremblement incontrôlé de ses cordes vocales. Deuxième tentative. Cette fois, il a tenu. Jusqu'au bout. Inspirer. Expirer. Inspirer.

« Je t'aime », a-t-il dit d'une voix chevrotante qui s'est aussitôt brisée. Il a recommencé à inspirer. Expirer. Inspirer. « Je t'aime. Je ne supporte pas l'idée que tu vas repartir et que je vais me retrouver seul. »

J'ai essayé de le réconforter, de lui expliquer que je reviendrais le voir, bien sûr que je reviendrais, à intervalles réguliers. Que de toute façon, maintenant, on resterait en contact. Que peut-être même j'arriverais à le ramener en Israël. Qu'il ne serait plus seul, que je n'étais pas venu pour disparaître, qu'il n'avait aucune raison d'être inquiet, vraiment aucune.

« D'accord, m'a-t-il concédé d'une voix qui semblait rassérénée, d'accord. D'ailleurs, je pensais que tu dormais, sinon je me serais retenu.

– Pas grave. Essayons de nous rendormir. »

Et dans l'obscurité de cette nuit polonaise, on s'est laissés aller tous les deux à croire à mes promesses. Mon père s'est rendormi. Pas moi. J'avais trop peur de réentendre les pas lourds, menaçants, de quelqu'un qui s'approchait de moi en traînant les pieds. Un heurt, un glissement, un heurt, un glissement. Les pas de mon père.

9

Il souriait, visiblement très satisfait : la serveuse lui avait apporté un verre de vodka au petit déjeuner sans qu'il ait eu à le demander. En prime, elle lui avait offert un visage des plus avenants. À part la vodka, il avait avalé quelques rondelles de saucisson polonais bien gras, rien d'autre.

« Tu sais, a-t-il dit, je crois que Paweł Dąbek habite ici, à Lublin, s'il est toujours vivant. Je pensais l'appeler et peut-être lui proposer de passer, hein ? Qu'est-ce que tu en penses ? Ça fait quelques années qu'on ne s'est pas vus, lui et moi.

– Bien sûr. On n'est pas pressés. Tu as son numéro de téléphone ? »

De la poche de son veston, il a sorti un petit carnet en lambeaux, a enlevé ses lunettes, l'a approché de ses yeux et l'a feuilleté lentement, de ses doigts maladroits.

« Le voilà ! s'est-il écrié. Dąbek ! Le général à la retraite Paweł Dąbek ! On va demander à passer un coup de fil après le petit déjeuner. »

Quand on est remontés dans la chambre, il était très excité : « Tu as vu, il va venir ! Pour me voir, moi ! C'est quelqu'un de très important, ce Dąbek, un haut fonctionnaire. Bon, faut dire qu'il est communiste. Mais tu pardonnes tout à ceux qui ont traversé la guerre avec toi. Chacun a ses raisons, et lui, au final, il s'est drôlement bien démerdé. »

Sur ces mots, il s'est enfermé longuement dans la salle de bains et en est ressorti coiffé et rasé.

« Ils ont appelé de la réception ? Pas grave. Il ne va pas tarder. Tu verras : il arrivera avec une écharpe ou un foulard rouge autour du cou. À cause de sa cicatrice. Là-bas, quand ils l'ont torturé dans les sous-sols du château de Lublin, il n'en pouvait plus, alors il a pris un morceau de ferraille qui traînait et s'est tranché la gorge. Mais il n'a pas réussi à mourir, le pauvre ! Ces enfoirés l'ont sauvé ! Depuis, cette cicatrice, c'est la honte de sa vie, et encore plus face à un type comme moi, qui a tenu le coup. Ce qu'il ne comprend pas, c'est que c'était juste une question de chance. Il y a eu des moments où, si j'avais eu sous la main un morceau de ferraille, crois bien que moi aussi je me serais tranché la gorge. Sans hésiter. Ça n'empêche qu'il a honte, qu'est-ce que tu veux. Il a honte. On a tous notre dignité, et lui c'est vraiment quelqu'un de bien, un homme de cœur. Aujourd'hui encore je me demande ce qu'il trouve à un gros tas de merde comme moi. Bon, ça vient sans doute de ce qu'on a surmonté ensemble à l'époque, ces choses-là restent éternellement, quoi qu'il arrive. »

Je suis entré dans la salle de bains et j'ai senti une légère odeur d'urine. J'ai pensé demander à mon père si son voisin de la maison de retraite venait aussi dans cet hôtel pisser sur le mur. J'ai entendu le téléphone sonner, il a décroché.

« Qu'il monte ! » a-t-il dit avant de reposer le combiné.

Quand j'ai réintégré la chambre, je l'ai trouvé assis à la petite table en train de boire, la bouteille de vodka que j'avais vue la veille dans sa valise posée à côté de lui.

On a frappé à la porte. Je me suis levé et j'ai ouvert. Face à moi, très droit, se tenait un vieil homme en costume brun, avec un visage impressionnant, une belle toison grise et, autour du cou, une écharpe. Il s'est présenté et m'a chaleureusement serré la main.

« C'est mon fils ! a lancé mon père de sa chaise. Il vient d'Israël pour me voir.

– D'Israël ? a répété Dąbek, et j'ai acquiescé de la tête, étonné moi-même d'entendre la vérité sortir de la bouche paternelle.

– C'est un écrivain, mon fils, un écrivain célèbre en Israël.

– Êtes-vous traduit en polonais ? m'a demandé le général.

– Pas encore, ai-je marmonné.

– Eh bien, espérons que c'est pour bientôt. Ravi de faire votre connaissance. » Il s'est approché de son ami et l'a empêché de bouger par des « C'est bon, reste assis, reste assis », mais le vieil entêté a tenu à se lever.

Ça lui a pris du temps, mais quand il s'est enfin trouvé debout, ils se sont serrés dans les bras, très fort. Ensuite, Paweł l'a aidé à se rasseoir et ils ont immédiatement commencé à parler tout bas.

Le général s'exprimait très bien, avec le vocabulaire élaboré des gens cultivés. Ses gestes délicats et son attitude aristocrate témoignaient qu'il n'avait rien de commun avec l'homme simple qui lui faisait face. Pourtant, cette différence de classe flagrante ne semblait entamer en rien l'intimité qui les liait, une sorte de fraternité si forte qu'elle l'emportait sur tout ce qui pouvait les séparer. De plus, en présence de son ami Paweł, mon père ne se curait pas le nez avec vulgarité, ne crachait pas par terre et ne jurait pas.

J'ai décidé de les laisser seuls. Il n'y avait pas de place pour moi entre eux. Ils étaient là, penchés l'un vers l'autre comme s'ils échangeaient des secrets, et leur relation avait envahi la pièce. Avant de m'éclipser, j'ai pris mon sac, j'en ai tiré l'enveloppe avec les photos que j'ai rapidement passées en revue. Je me suis arrêté sur la dernière : mon père debout sur la plage en maillot de bain de couleur sombre qui bombe le torse, bras épais et musclés, grandes mains posées avec arrogance sur les hanches. Il toise l'objectif et rayonne de cette assurance propre à la jeunesse. J'ai hésité mais, finalement, je l'ai remise dans l'enveloppe, je ne sais pas pourquoi. En revanche, j'ai aligné les autres clichés sur la table, devant lui.

« Je sors, l'ai-je prévenu, j'ai pensé que tu voudrais peut-être les montrer. »

Les yeux de mon père se sont levés vers moi puis fixés sur les photos.

« Parfait, merci, mon Tadzio », et il s'est aussitôt tourné vers Dąbek.

Je suis sorti de la chambre et de l'hôtel. J'ai marché dans les rues. Une petite bruine tombait sur Lublin, grise et déprimante. Sur les trottoirs, les passants avançaient vite, recroquevillés dans des imperméables sombres. Des files d'attente s'étaient formées devant plusieurs magasins : dans l'un on vendait du pain, dans l'autre du savon, et dans un troisième du chou mariné en bocal. Je suis entré dans un bistro sordide, j'ai commandé un café, allumé une cigarette et je n'ai pas été surpris de voir, un instant plus tard, deux individus à la mine patibulaire s'approcher de moi.

« Ces putains de Russes, les ai-je devancés.

— Oui, ces putains de Russes. »

Ils m'ont foutu la paix. Dans le cadre de la vitrine, le château de Lublin se dressait au sommet de la colline. Des écoliers en uniforme et en rang deux par deux sont passés devant le café, ont traversé la rue en direction du monument historique, fierté de la ville, où mon père avait été torturé pendant trois mois.

Vous devez lui pardonner, mes enfants. Il a terriblement souffert pendant la guerre. Voilà ce que notre mère aurait pu nous dire quand il se saoulait et nous tabassait. Vous devez lui pardonner parce que ce n'est pas sa faute.

« Certainement pas ! a-t-elle protesté avec agacement. C'est n'importe quoi ! Ça n'excuse rien ! Il n'est pas le seul à avoir souffert ! D'autres ont subi la même chose que lui, l'ont surmontée et sont devenus des gens très bien. Regarde par exemple ce Paweł Bąbek.

– Dąbek.

– Comme tu veux. Et je te lance ce nom uniquement parce que tu viens de le mentionner. J'en ai connu d'autres, beaucoup d'autres. Et moi ? Oui, moi, j'ai un diplôme officiel de rescapée de la Shoah, mais à part récupérer un peu d'argent des Allemands, je ne m'en suis jamais servie pour obtenir quoi que ce soit. C'est vrai, je n'ai pas été déportée à Majdanek. J'ai moins souffert que lui, on ne m'a pas torturée, mais moi aussi, j'ai morflé.

– Et tu ne crois pas qu'une partie de ce qui te handicape vient de là ?

– Bravo, maintenant il traite sa mère de handicapée ! Merci. Il veut pardonner à son père qui a souffert pendant la guerre, mais sa mère est une handicapée. Et ne fais pas cette tête-là, j'ai très bien compris ce que tu as voulu dire. En ce qui me concerne, ça s'appelle plutôt "sens du sacrifice" ou "pas le choix", mais si ça t'aide, tu peux continuer à considérer ta mère comme une handicapée. Je m'en fiche. Je refuse juste que tu accordes des circonstances atténuantes à cette ordure à cause de la guerre. Les choses qu'il nous a fait subir n'ont aucune justification. » Elle s'est interrompue pour respirer profondément et essayer de se calmer, puis elle a regardé sa montre. « Ça fait longtemps que tu es là.

– Tu veux que je m'en aille ?

– Non, pourquoi ? Je m'étonne, c'est tout. Je ne me souviens plus à quand remonte la dernière fois où tu es resté aussi longtemps avec moi. On va bientôt déjeuner, je nous ai préparé à manger. Quant à cette histoire d'exécutions sommaires, je ne sais pas quoi en penser.

– Il m'aurait menti ?

– Non, ton père n'est pas un menteur. Il gardait son baratin pour les autorités ou quand il voulait obtenir quelque chose de quelqu'un, surtout de la vodka.

– Il nous a pourtant caché son autre famille…

– Laisse tomber son autre famille, ça n'a rien à voir. Je ne lui ai rien demandé, alors il ne m'en a pas parlé. C'est pareil pour toutes les filles qu'il se tapait en douce, qu'est-ce que tu crois ? Je n'ai pas posé de questions, alors il n'a rien dit. Je te garantis qu'il m'aurait tout avoué en une seconde si je l'avais interrogé, il s'en fichait. À moi non plus, il n'a jamais posé de questions.

– Il aurait dû ?

– Je n'ai pas dit ça. Tout ce que je dis, c'est qu'il n'a pas posé de questions. Quant à toi, ce que ta mère a fait ou non ne te regarde pas. J'ai eu la vie que j'ai réussi à me construire, c'est tout. En la matière, crois bien que je n'arrive même pas à la cheville de ton géniteur. Personne ne peut y arriver. Quoi qu'il en soit, au sujet des exécutions sommaires, je ne sais pas.

« – Tu veux dire quoi, par là ?

– Qu'à moi, il n'en a jamais parlé, voilà ce que je veux dire. Certes, j'ai entendu quelques rumeurs par-ci par-là, mais à moi, il n'a rien raconté, et ce qu'il ne m'a pas raconté, je préfère ne pas le savoir. Je suis au courant de pas mal de choses, ça me suffit. Il y en a qu'il vaut mieux ignorer. C'est pour ça que sur cette histoire de liquidations, je ne sais pas quoi penser.

– Il n'y a rien à penser, puisqu'il m'a tout raconté.

– Il te l'a raconté, à toi. Pas à moi. Et j'en suis fort aise. »

J'ai regagné l'hôtel une heure plus tard et ai trouvé mon père assis à la petite table comme je l'avais laissé, avec sa bouteille de vodka. Paweł n'était plus là.

« Il est parti ?

– Oui.

– C'était bien ? »

Il n'a répondu qu'au bout d'un certain temps : « Ces adieux sont de plus en plus pénibles. Toi, tu es jeune, tu ne peux pas comprendre. Mais Paweł, par exemple, je sais que je ne le reverrai pas. On se sépare toujours comme si de rien n'était... Les gens, tu leur dis au revoir simplement, pourtant tu ne peux jamais savoir ce qui va se passer. Peut-être que demain, dans la rue, un piano te tombera sur la tête. Peut-être qu'un camion te renversera. Bon, ces exemples, c'est une question de chance ou plutôt de malchance. Alors que Paweł et moi, on va bientôt crever. Putain de destin qui n'a pitié de personne, qui fauche à tour de bras et finit par te faucher, toi aussi. Les uns un peu plus tôt, les autres un peu plus tard... Je me demande encore ce qui vaut mieux. »

Je me suis assis en face de lui et l'ai servi. Les deux vieux avaient réussi à descendre presque toute la bouteille de vodka. Mon père était perdu dans ses pensées. Il avait allumé une cigarette. Ses lunettes lui grossissaient les yeux et grossissaient en même temps la douleur qui s'en dégageait. Il ne cessait de s'humecter les lèvres. Il a bu une gorgée, a gardé le verre tout près de sa bouche, a bu encore une gorgée, a soupiré en me regardant et a esquissé un sourire qui n'est resté qu'un instant sur son visage avant de se dissiper.

10

Il se cramponnait à mon dos, dans sa position maintenant habituelle : genoux serrés autour de ma taille, main
gauche agrippée à mon épaule et main droite brandissant
la canne. Pour me soulager un peu, je lui avais accroché
mon sac sur le dos, si bien que je n'avais plus qu'à les
tenir, lui et sa valise. J'avançais, me frayant un chemin
entre les gens qui attendaient à la gare, et il y en avait
beaucoup. Le hall grouillait d'une foule dense et agitée.

« Quai numéro cinq, mon Tadzio. Il faut se dépêcher
si on ne veut pas le louper.

– Et les billets, papa ?

– Ne t'inquiète pas, on les achètera à bord. »

On a attrapé le train, on a trouvé des places libres
et on s'est installés.

« Si un contrôleur vient nous voir et nous demande
nos titres de transport, m'a-t-il alors chuchoté, je ferai
semblant de les avoir perdus, et toi, tu feras semblant
d'être très fâché contre moi. D'accord ?

– Tu as dit qu'on pouvait les acheter à bord.

– C'est vrai qu'on peut, mais il faut payer une
amende. Si tu te mets en colère, le contrôleur aura pitié
de moi, et au moins il renoncera à l'amende. »

La locomotive ne s'est ébranlée qu'au bout d'un certain temps. On est restés silencieux. Après le départ, j'ai

discrètement regardé le visage de mon père, ses traits marqués, son nez aquilin, son gros menton, et j'ai senti que sa silhouette familière s'éloignait de moi. Je me suis soudain retrouvé assis à côté d'un étranger. Non pas parce que ça faisait plus de vingt ans qu'on ne s'était pas vus, mais parce qu'il était mon père, rien que mon père, et qu'il parlait tout seul, perdu dans des pensées où je n'avais pas ma place. Je savais qu'il vagabondait à présent dans des mondes qui m'étaient inconnus, liés à toute une vie dont, pour l'essentiel, j'étais exclu. Alors j'ai détaillé le profil de cet homme, mon géniteur, à la fois étranger et familier. Que j'aimais et que je détestais. Oui, j'aimais ce père que je détestais.

Sur le trajet pour aller à la gare, un vaste champ s'était soudain révélé à nous par la fenêtre du taxi. Au milieu se dressaient une double clôture, des miradors, des baraquements et la cheminée d'un four crématoire.

« Tu vois ? a dit mon père. Majdanek. »

Oui, derrière la vitre, s'étalait la Shoah sur des carrés d'herbe verte.

« Qu'est-ce que tu en dis ? m'a-t-il demandé.

– De quoi ?

– On pourrait descendre.

– Pourquoi ?

– Pour aller à Majdanek.

– Qu'est-ce que tu veux y faire ?

– Te montrer le camp.

– Non.

– Pourquoi ?

– Parce que je refuse d'aller voir cet endroit.

– D'accord, a chuchoté mon père. Inutile de te fâcher. C'était juste une proposition. » Il s'est tourné vers le chauffeur : « On va directement à la gare. »

Il a suivi du regard le camp qui s'éloignait jusqu'à ce qu'il disparaisse derrière les immeubles de la ville.

Assis dans le train, j'ai regretté d'avoir refusé avec autant de détermination une visite du camp avec lui.

« On pourra aller à Majdanek sur le chemin du retour, lui ai-je dit.

– Non. Tu as raison. Il ne faut pas y retourner. C'est un endroit maudit. »

Une fois sortis de la ville, on a retrouvé le paysage familier des plaines polonaises qui s'étendaient à perte de vue, entrecoupées de champs cultivés et de forêts.

« Tu sais, a-t-il repris, depuis la guerre je suis passé par là des dizaines de fois, des dizaines de fois, et chaque fois c'est pareil, j'ai la gorge nouée en voyant ces forêts qui nous ont sauvé la vie mais nous en ont fait voir de toutes les couleurs. » Il a continué à regarder au-dehors. « Aujourd'hui on a du mal à s'en rendre compte, mais avant, il n'y avait aucun champ, rien que des arbres, partout. Ce que tu vois, ce n'est qu'un reste. Les communistes ont remodelé notre agriculture. Pour sûr ! Alors tu ne peux qu'imaginer comme c'était difficile, dans une telle forêt, de nous débusquer.

– Et c'est là que vous êtes arrivés en sortant des égouts ? »

Mon père a lâché un petit rire : « On est sortis des égouts à vingt mètres de la première maison de Lublin. La forêt, on ne la voyait pas du tout. Il neigeait et il y avait du brouillard. On ne voyait rien à part les maisons et quelques terres autour. De toute façon, on n'avait d'autre choix que de courir en direction de la ville. On était gelés parce qu'on avait laissé nos manteaux dans la canalisation, et on a tout de suite compris que si on voulait survivre, on devait trouver quelque chose à se mettre sur le dos.

– Vous aviez des manteaux en partant ?

– Les Allemands nous en avaient donné. Je t'ai déjà dit qu'on était des prisonniers politiques, pas des Juifs.

– Et pourquoi vous les avez laissés dans le boyau ?

– Pourquoi ? Parce qu'on en a eu envie. Parce qu'ils n'étaient pas assez à la mode et qu'on voulait se balader en ville habillés comme des acteurs de cinéma. Parce qu'on n'a pas eu le choix, qu'est-ce que tu crois ! Quand on a émergé à l'extérieur du camp, derrière toutes les clôtures, on est tombés sur les deux grosses bottes d'un enfoiré de garde allemand. Par miracle, il ne nous a pas entendus ouvrir le couvercle, alors on a fait demi-tour aussi sec et, dans la canalisation, on a dû scier d'autres barreaux pour continuer plus loin, sauf qu'on avait peur que ça fasse du bruit et qu'il capte quelque chose. Alors on n'a scié que les deux du milieu, tout doucement, et on a enlevé nos manteaux pour pouvoir passer. Voilà pourquoi on n'avait plus nos manteaux. On pensait que ce serait facile de dégoter des vêtements en ville puisqu'on était des partisans polonais, mais tout le monde s'est enfui en nous voyant.

– Pourquoi ?

– Faut les comprendre : on sortait des égouts, tu peux imaginer à quoi on ressemblait. Nous, notre allure nous paraissait presque normale, on avait tellement l'habitude d'être loqueteux qu'on ne se rendait pas compte… mais on avait l'air de fantômes ! Alors évidemment qu'on les a tous fait fuir. Rien que des portes claquées et des volets clos. Et nous, on n'a pas le temps, on doit disparaître dans la forêt au plus vite. Alors on court, oubliant que ça fait longtemps qu'on n'en est plus capables, on court et on frappe aux portes. Sans succès. Je ne les accuse pas. Et finalement, voilà que j'essaie la dernière maison, et là miracle, on m'ouvre. Le type, dès qu'il voit ma gueule, essaye de refermer, mais moi j'avais eu le temps de glisser un pied en avant et on s'est tous précipités à l'intérieur. Tous les neuf. On a vidé les armoires, chacun a réussi à trouver une nippe à se mettre pour cacher un peu sa tenue de prisonnier et se réchauffer. Après, dans la rue, on a croisé un jeune homme qui, lui, ne s'est pas affolé à notre vue et ne s'est pas enfui. Au contraire, il nous a volontiers montré le chemin de la forêt. Alors on a suivi ses indications sans savoir où on allait et ce n'est qu'en voyant la clôture de Majdanek qu'on a compris. Et que nous a réservé ce putain de sort ? Au moment précis où on approche, un Kommando de déportés rentre justement par-derrière. Et devine quoi ? C'est Anton Thumann en personne qui les accompagne. Thumann, c'était un chien sadique à la tête d'un groupe de SS aussi sadiques que lui. Putain ! Alors nous, on avance vers ce salopard de Thumann, fallait se tenir à carreau parce qu'il avait un instinct de fauve, une seule erreur de notre part et on était cuits, pour sûr ! Lui, il est là, sur son cheval, à surveiller les déportés qui rentrent, et nous, on ne peut ni s'arrêter, ni faire demi-tour sans attirer son attention. Au moindre affolement, il aurait compris que quelque chose clochait dans notre allure. Alors on continue à marcher, lentement, le visage baissé vers le sol. Est-ce qu'il va nous démasquer ? On s'en remet au Christ, à la Vierge et à tous les saints, faites juste qu'il ne nous reconnaisse pas. Et tout à coup, on le voit éperonner sa monture et partir au galop, mais pas dans notre direction, il fonce vers l'entrée principale du camp. C'est comme ça qu'on a été sauvés cette fois-là. On a encore un peu marché et on a fini par atteindre la forêt – celle que tu vois là-bas. Il en reste une partie, regarde comme c'est beau, on peut s'en rendre compte même d'ici, regarde comme les arbres sont hauts, majestueux. Tout ça, nous, à l'époque, on ne l'a pas vu. Il neigeait, le vent soufflait, on y voyait à peine à quelques mètres devant nous, et en plus on y est entrés au moment où la nuit tombait. Soudain, on a entendu les sirènes du camp. Ils venaient de découvrir qu'on s'était évadés. Pendant l'appel du soir. Et là, on peut dire que la météo nous a été favorable, parce que la neige avait recouvert nos traces. » Il s'est interrompu pour prendre une cigarette que je l'ai aidé à allumer. Son regard s'est remis à errer par la fenêtre.

« Et qu'est-ce que vous avez fait une fois dans la forêt ?

– Qu'est-ce qu'on pouvait faire à part fuir ? On a couru entre les arbres, dans la neige, et on a fini par arriver devant la cabane d'un pauvre paysan. Il nous a accueillis. Pas de son plein gré, on ne lui a pas laissé le choix. Mais il a été plutôt gentil avec nous. On s'est un peu réchauffés. Il nous a donné de quoi manger et nous vêtir, pas grand-chose, ce qu'il avait. Certains ont reçu un pantalon, d'autres ont dû se contenter de nouer des loques sur leurs déchirures aux genoux et aux coudes. On voulait rester, dormir un peu à côté d'un poêle, mais on devait s'éloigner le plus vite possible, et Czajka connaissait quelqu'un, Pan Maliszewski, qui habitait un village dans les environs, il nous a assuré que c'était un ami, un partisan lui aussi, et qu'on serait à l'abri là-bas. Le paysan nous a mis sur le chemin et on l'a suivi… enfin, on est plutôt passé par le sous-bois, pour ne pas se faire repérer, mais on n'a pas trop dévié non plus, pour éviter de se perdre. Alors voilà, on avance lentement, en gardant nos distances les uns des autres, fouettés par le vent froid et la neige qui passent entre les arbres, nos genoux blessés enflent et on a de plus en plus de mal à les bouger. Peu importe. Pas le choix, on doit continuer parce que les Allemands sont à nos trousses. Et ils sont fâchés. Très fâchés. Ils avaient planifié leur camp jusqu'au moindre détail, comme seuls les Allemands savent le faire, alors comment accepter que neuf Polonais, neufs dégénérés de Slaves, aient réussi à passer, comme ça, en une nuit, à travers tous les barbelés et les magnifiques miradors aryens qu'ils avaient construits ? Dès le lendemain matin, ils ont trouvé nos manteaux là où on les avait laissés dans la bouche d'égout et ils ont déployé des troupes qui ont cerné la région autour de Majdanek, ils ont emmené tous les habitants dans le camp, les ont gardés trois jours et les ont interrogés un par un, mais personne ne leur a rien révélé. »

Le train a ralenti et s'est arrêté dans une petite gare déserte.

« Ici ! s'est écrié mon père. C'est ici, le village. En train, ça va beaucoup plus vite.

– Quel village ?

– Celui de Pan Maliszewski, le copain de Czajka. Vingt minutes en train, mais nous, il nous a fallu une nuit et un jour pour l'atteindre. »

Un contrôleur est apparu sur le quai, a coulé un regard le long des wagons, et mon père, étonnamment, lui a souri et l'a même salué de la main. L'homme a souri et l'a salué en retour.

« Ne t'inquiète pas !

– Quoi, "ne t'inquiète pas" ? Maintenant, c'est sûr qu'il va nous demander nos billets.

– Mon Tadzio, la dernière chose qui intéresse le contrôleur, ce sont tes billets. Pourquoi devrait-il se faire chier ? Tout dépend de son humeur. S'il est énervé et qu'il a envie de baiser quelqu'un, ou si jamais il sait qu'il va y avoir des vérifications de sa hiérarchie, il passera

379

dans les wagons et contrôlera les billets des voyageurs un par un, mais s'il est de bonne humeur, qu'est-ce qu'il en a à foutre ? Et sache, pour ta gouverne et ton bonheur, qu'en l'occurrence notre contrôleur est ivre. Tout comme, probablement, notre conducteur. Alors sois tranquille, dès qu'on sera repartis, il va retourner dans la locomotive et les deux larrons continueront à boire ensemble. Aucun problème. »

Le train s'est ébranlé et mon père m'a regardé en souriant. Je lui ai rendu son sourire et j'ai repris : « Donc, vous êtes arrivés ici.

– Oui. On frappe à la porte de ce Pan Maliszewski, mais lui, cet enculé, dès qu'il nous voit, il tire une de ces tronches ! On n'a pas compris pourquoi, c'était un ami de Czajka, un partisan comme nous, et il voyait bien qu'on était au bout du rouleau. Nous, on est passés outre, on est entrés chez lui et on s'est aussitôt endormis, par terre, à côté du poêle. Très vite, toute sa maison s'est mise à puer la merde. Dans les égouts, nos tenues de prisonnier s'étaient imprégnées d'une eau dégueulasse. En sortant ça avait gelé, mais là, ça a dégelé... Bien fait pour sa gueule ! On a dormi peut-être quatre heures, on aurait pu dormir bien plus, mais cet enfoiré de Maliszewski nous a réveillés. Ça n'a pas été facile, alors lui, ce fils de pute, a posé sur le feu une casserole avec juste un fond de soupe et beaucoup d'eau, quelques pommes de terre, du navet et un peu de graisse de porc. Et nous, on avait tellement faim qu'on s'est précipités et on a mangé dans la casserole parce qu'il n'avait pas assez d'assiettes. On s'est brûlé la langue, mais quelle importance quand tu crèves de faim ? Lui, on le sent inquiet et on voit qu'il chuchote quelque chose à Czajka, l'air mécontent. Alors notre ami aussi s'énerve et proteste : "On pensait que

t'étais des nôtres !" et l'autre répond que oui, bien
sûr, il est des nôtres. Alors moi, je lui demande pourquoi il tire une gueule d'enterrement. "Parce que… y
a une rumeur qui circule – voilà ce qu'il nous dit –,
je n'y crois pas, mais c'est ce qu'on murmure et je
ne veux pas d'embrouilles." Alors Czajka s'étonne :
"Une rumeur, quelle rumeur ?" Eh ben, la rumeur,
c'était qu'on n'avait pas fui, mais que les Allemands
nous avaient envoyés. On a tout de suite compris.
Ces chiens de SS ont fait courir le bruit qu'on était
en réalité des fumiers de collabos qu'ils avaient, eux,
renvoyés exprès dans les rangs de la résistance pour
trahir leurs camarades. Pas cons ! Ils faisaient d'une
pierre deux coups : ils protégeaient leurs arrières en
évitant que quelqu'un croie qu'on pouvait s'évader de
Majdanek, et en même temps ils s'assuraient qu'on
n'aurait aucune aide des partisans, ce qui voulait dire
qu'on était foutus. Là, ça a été au tour de Sarzyński,
le papy, de s'énerver et de se mettre à crier : "Alors
elle vient d'où, cette odeur de merde de nos habits, si
on ne s'est pas évadés ? Elles viennent d'où, nos blessures ?" Le pisseux qui nous hébergeait s'est un peu
écarté, on a compris que c'était pour avoir sa veste à
portée de main – on savait qu'il y avait un pistolet dans
la poche – et il a répondu : "Je ne crois pas ce qu'on
raconte parce que moi, je connais Czajka. C'est juste
que ça me fout dans le pétrin. Que les Allemands s'en
prennent à moi, d'accord, qu'ils aillent au diable, mais
si maintenant les partisans s'y mettent ! Ils peuvent me
liquider en une seconde. J'ai une famille, une fille que
je vais très bientôt marier." Il a continué comme ça à
pleurnicher et Czajka a décidé de prendre sa défense.
Bon, peut-être qu'il avait peur et a voulu l'amadouer.
Alors, que faire ? On a terminé la soupe, on lui a dit

merci beaucoup et on s'est préparés à partir. Mais du coup, voilà ce Maliszewski qui insiste pour qu'on passe quand même la nuit chez lui. Apparemment, il avait mauvaise conscience. D'accord… Et le lendemain, il nous réveille à l'aube, nous sert du thé, nous donne deux miches de pain et un morceau de saucisson, et on repart. Tous les sept. Sans savoir où aller.

– Tous les neuf, ai-je rectifié.

– Quoi ?

– Vous étiez neuf. »

Il a soupiré.

« Non, on était sept. Deux nous avaient quittés. À Lublin, avant qu'on aille dans la forêt. On savait que Stefan Iwanek, le détenu de la prison de Varsovie qui était arrivé trois semaines avant qu'on s'évade, avait une sœur à Lublin et qu'il irait chez elle. Parfait. Bon débarras. Et après, on a profité de l'occasion pour se débarrasser de ce bâtard de kapo à moitié youpin, ce salopard de Srebrzycki. On ne pouvait pas lui faire confiance. Pas non plus lui pardonner ses crimes. Fallait en finir et on lui a même souhaité une mort rapide. C'est ce qu'on lui a dit, sauf que ce fumier a commencé à râler. Alors Czajka et le papy ont sorti leur couteau, il a tout de suite compris et a détalé. C'est en fuyant qu'il a été abattu par un flic en civil. Je te l'ai déjà raconté. Voilà comment ce tas de merde a été rayé de la surface de la terre. Regarde ! s'est-il soudain exclamé, les yeux brillants, en se redressant. Je n'ai plus une très bonne vue, mais ce chemin, je le reconnais, et là-bas. » Il a pointé le doigt vers quelques fermes au loin. « Là-bas, il y avait le moulin où j'ai rencontré ta mère.

– Il existe toujours ?

– Je ne sais pas.

– Tu vois, là pour le coup, je ferais bien le détour, lui ai-je dit et il a éclaté de rire.

– Romantique… espèce de bureaucrate romantique ! »
Le train ne s'est pas arrêté à cette gare.

11

« Écoute, je vais te donner un bon conseil, a déclaré mon père. En temps de guerre, si tu es en cavale et que tu as besoin d'aide, mieux vaut t'arrêter chez les pauvres, ceux qui habitent en bordure des villages. Les seuls qui seront prêts à te tendre la main, ce sera eux. Pas les rassasiés, ces fils de pute qui ne pensent qu'à leur intérêt. » Il m'a dévisagé et a soudain éclaté de rire. Je l'ai imité. « Ah ! je viens de te donner un sacré conseil, pas vrai ? Qui sait ? On a beau dire que le monde a changé et que plus jamais ça, c'est aussi ce qu'on pensait avant cette guerre. Sache que les êtres humains sont et resteront toujours les mêmes fumiers. Alors, on ne sait jamais.

– Je m'en souviendrai, papa, et je léguerai ce conseil à mon fils, qui le léguera à son fils. Tu peux dormir tranquille. »

Il a continué, toujours aussi réjoui.

« Tu sais, de manière générale, je pense qu'il vaut mieux faire confiance aux pauvres. C'est ce que Jésus a dit, et il savait de quoi il parlait. Lui était plutôt intelligent, comme mec. À ton avis, qui nous a aidés pendant la guerre ? Les riches ? Sûrement pas. Seuls les plus pauvres des pauvres l'ont fait. Nous, dès qu'on a compris ça, on ne s'est adressés qu'à eux. Pendant notre fuite, on est passés par des tas d'endroits, on a croisé des tas de visages. Certains étaient laids, d'autres plus beaux, avec le temps ils se sont presque tous mélangés dans ma mémoire, mais je me souviens d'une cabane misérable, entourée d'une clôture. Je me suis avancé en premier, j'ai essayé d'ouvrir le portail, pas de bol, il était verrouillé de l'intérieur. Je n'avais pas la force de passer par-dessus, c'était trop haut. Alors j'ai fait le tour et j'ai trouvé un endroit un peu plus facile à escalader, j'ai réussi à me hisser mais impossible de redescendre et je suis tombé. Droit sur la niche du chien ! Et lui, cet imbécile de clébard, a eu la bonne idée de se réveiller et de se jeter sur moi. Il était vieux et apparemment sourd, c'est pour ça qu'il ne nous avait pas entendus approcher. Il était attaché avec une chaîne que j'ai arrachée, alors il s'est enfui, comme ça, avec sa chaîne autour du cou. Ça a fait suffisamment de bruit pour réveiller le couple de vieux paysans qui habitaient là. Je me suis dépêché d'aller ouvrir le portail, et quand le bonhomme a débarqué avec son fusil, tout le groupe était déjà entré dans sa cour. On lui a expliqué qui on était et d'où on venait. Il nous a aussitôt ouvert sa maison. Comme je te l'ai dit, les pauvres n'ont rien à perdre. C'est un fait. Sa femme, une charmante petite vieille, nous a donné à manger, a désinfecté nos blessures avec de la vodka et a découpé un drap pour bander nos genoux et nos coudes. Elle nous a aussi donné un peu à boire, qu'on se réchauffe les entrailles. Aujourd'hui encore, je me souviens du goût de leur vodka dans cette cabane délabrée, avec le poêle qui nous a lentement dégelé les muscles et la carcasse. Que Dieu me garde, ces moments-là m'accompagnent toujours. Plus que les tortures, plus que la faim, plus que les humiliations. Justement ces moments-là. Peut-être que ça veut dire quelque chose sur cette putain de vie.

« C'était son mari qui la fabriquait, la vodka, avec de la farine, et il buvait trop, c'est ce qu'elle m'a raconté. Alors elle préférait la gaspiller en nous la donnant, parce que lui, quand il se saoulait, devenait un gros tas de merde, il l'insultait et la frappait. Cet enculé lui prenait toute sa farine pour fabriquer de la vodka. Une pauvre femme. C'est là aussi qu'on a enfin pu bien dormir. Et longtemps. Oh oui, qu'est-ce qu'on a dormi ! Le matin, quand on s'est réveillés, toute la maison puait la merde. On a ôté nos vêtements et on les a jetés dans leur poêle, bon débarras ! Le paysan est allé trouver le curé, un patriote polonais, et ce saint homme est passé de maison en maison pour collecter de quoi nous habiller. On savait que c'était dangereux, mais il fallait bien qu'on se mette quelque chose sur le dos. Le vieux est revenu avec des pantalons, des chemises, des manteaux, même des chaussures. Le risque en valait la chandelle. C'est ce qu'on lui a dit pendant qu'on s'habillait. Il nous a assuré que son curé savait à qui s'adresser et qu'on n'avait rien à craindre. On ne doutait pas de ses bonnes intentions, mais dans ce genre de situation tu finis toujours par tomber sur un salaud de mouchard, et très vite les Allemands ont débarqué. Par chance, le curé a eu le temps de nous prévenir, il a frappé à la porte, affolé, et nous a pressés de fuir. Il a dit que les soldats encerclaient déjà le village, que notre seule chance, c'était de passer par la rivière et qu'il allait nous y conduire. La femme nous a donné du pain, le peu qu'elle avait, vu que son mari lui piquait sa farine. On les a quittés avec des embrassades et on est partis, escortés par le curé. Il nous a menés jusqu'à la rivière par un étroit sentier, nous a souhaité bonne chance et a fait demi-tour. Alors, sans trop réfléchir, on a sauté dans l'eau, qui était tellement froide qu'on a eu la respiration coupée. On s'est laissé porter par le courant pour s'éloigner et on est ressortis sur l'autre rive. Impossible de rester longtemps dans cette eau glacée. Une fois dehors, nos vêtements ont gelé sur nous. Putain de rivière. Au moins, comme ça, les chiens de ces enculés de nazis n'ont pas pu flairer notre trace. Après, les responsables du ZWZ ont essayé de retrouver ce curé qui nous avait sauvé la vie, on voulait le remercier pour son acte héroïque, voir s'il avait besoin de quelque chose, et c'est là qu'on a appris que les Allemands, qui nous avaient cherchés dans tout le village, l'avaient arrêté et que, depuis, il avait disparu. Fumiers ! » Mon père a craché sur le sol du wagon et, cette fois, n'a pas pris la peine de mettre le pied sur son mollard. Il a encore lâché une bordée d'insultes puis s'est tu et a regardé par la fenêtre. « Voilà, on approche, on va bientôt arriver. Ça fait des années que je ne suis pas revenu à Chełm. » Il a sorti un mouchoir de la poche de son veston et s'est mouché. « Ah, mon Tadzio, a-t-il soupiré, qui aurait pu imaginer ? Putain de vie ! Mais c'est comme ça, tout t'explose à la gueule en un instant. Tu vis peinard, persuadé que certaines choses ne pourront jamais changer, mais cette réalité de merde te réserve bien des surprises ! »

Voyant qu'il ne semblait pas avoir l'intention de continuer, je lui ai demandé comment ça s'était terminé, leur fuite.

« Comment ? On a fini par atterrir chez le garde forestier, qui habitait une cabane pas très loin de ce village. Lui aussi, on ne peut pas dire que ça l'a réjoui de nous voir, mais pareil, on s'est passés de son avis. On lui a dit qui on était, d'où on venait, et qu'on avait besoin d'un traîneau parce qu'on n'en pouvait plus de marcher. Il a prétendu qu'il n'en avait pas sur place, mais qu'il pouvait s'en procurer un au village. On ne lui faisait pas confiance, mais on n'avait pas le choix. Et surtout, on n'avait plus de force, alors on lui a dit : "D'accord, vas-y et reviens vite." Il est parti. On s'est enfermés à l'intérieur et on s'est endormis.

« On a été réveillés par des coups violents à la porte. Quelqu'un criait en allemand et en polonais : "Ouvrez ! Ouvrez !" On a obéi, bien obligés, ils avaient encerclé la cabane, impossible de fuir, et la porte était facile à casser. On a ouvert, ils ont foncé à l'intérieur. Des Allemands en uniforme et armés. Chacun se jette sur l'un d'entre nous et on se retrouve tous avec un pistolet ou un fusil sur la tempe. Le garde forestier était avec eux. Sale merde ! Il nous avait dénoncés. Il est là, à nous regarder avec un petit sourire vicieux. Il allume une cigarette. Et eux ne perdent pas de temps, ne disent pas un mot, ni à nous, ni entre eux. Il n'y en a qu'un, on aurait dit leur commandant, qui parle polonais et crie : "En avant !" Les soldats nous poussent dehors de force, nous plaquent contre le mur, nous fouillent au corps, prennent nos couteaux. Ensuite, ils nous font asseoir par terre, dos au mur, et celui qui a l'air d'être le chef note nos noms. Le garde forestier sort, lui aussi, clope au bec, il s'arrête à côté de moi et ça me donne drôlement envie. Oui, j'avais plus envie de fumer que de l'insulter, alors je lui dis qu'au moins il pourrait m'en offrir une. Eh ben il a refusé, ce fils de pute. Il pouvait quand même faire ça, non ? »

J'ai pris une cigarette, l'ai allumée et la lui ai plantée entre les lèvres.

« Merci, mon Tadzio ! » Mon père a aussitôt tiré une bouffée avec un plaisir évident. « Et tout à coup, un des soldats allemands demande à un autre d'aller chercher les chevaux, mais il ne parle pas allemand, il utilise le polonais des paysans. Nous, on comprend tout de suite. Ils sont des nôtres. Des partisans. On est sauvés. Alors on sourit et l'un de nous leur dit : "C'est bon, on est avec vous, on vient de s'évader de Majdanek." Là, leur chef, tu sais ce qu'il nous répond ? "Majdanek, hein ? On a entendu parler de vous. Impossible qu'un groupe aussi nombreux puisse s'évader de Majdanek. On n'est plus du même bord, vous êtes venus nous baiser." Il bout de colère, le chef, persuadé d'avoir raison. Tous les autres pareil, ils sont furieux, il y en a même un qui propose de nous exécuter sur-le-champ. Pourquoi s'encombrer de traîtres ? Mais le commandant n'est pas d'accord. Une chose comme ça, il faut un supérieur pour le décider. Il faut procéder à des interrogatoires, clarifier ce qui peut l'être, on ne zigouille pas n'importe comment, juste parce qu'on en a envie. L'époque où chacun n'en faisait qu'à sa tête est révolue, voilà ce qu'il dit, le chef.

« Ils nous font monter sur deux traîneaux, et en avant ! On emprunte les chemins de traverse, à un moment on arrive à un embranchement où on croise des partisans déguisés en paysans qui viennent de faire deux prisonniers : deux pilotes allemands dont l'avion a été abattu. En voyant notre convoi, ces deux-là se sont réjouis, à cause des uniformes allemands. Mais quand on les a fait monter sur nos traîneaux, ils ont vite compris que ce n'était qu'un leurre. L'un d'eux était assis à côté de moi et il n'arrêtait pas de me demander, en allemand, d'une petite voix affolée : "Qu'est-ce qu'ils vont faire de nous ? Qu'est-ce qu'ils vont faire de nous ?" Il avait l'air d'un gosse terrorisé en salopette de pilote, ce fils de pute. Blond comme ça, avec de grands yeux bleus, un vrai fumier d'Aryen, alors pour finir je lui ai répondu avec le peu d'allemand que j'avais appris au camp : "Je ne sais pas ce qu'on va faire de moi, mais de toi, je sais." Ça lui a cloué le bec. On a roulé comme ça jusqu'à la tombée de la nuit. Pour dormir, ils nous ont fait entrer dans une espèce de grange. Personne ne nous a donné à manger. Au matin, ils sont venus chercher les deux Allemands et on a entendu des coups de feu. Ensuite, on est remontés dans les traîneaux, comme ça, sans les pilotes, et on a roulé toute la journée pour atteindre un village où il y avait des gardes partout, la zone était sécurisée par les partisans. Ils nous ont fait descendre devant une propriété qui avait appartenu au noble du coin, on est entrés dans une grande pièce où il y avait aussi pas mal de gardes. On s'est assis. Ils fumaient tous là-bas, et moi ça me donnait envie, alors j'en ai chopé un à qui j'ai demandé un peu de tabac. Il a refusé, ce sagouin ! » Mon père a tiré sur sa cigarette, m'a souri puis il a pris une nouvelle bouffée avant d'écraser le mégot dans le cendrier. « Leur commandant est entré en compagnie d'un autre homme et ils ont commencé à nous interroger. L'autre avait été prisonnier à Majdanek et se souvenait de tout un tas de détails, Dieu sait comment. Par exemple de la couleur de la porte d'un cabanon dans le secteur des ateliers, ou d'une inscription sur le mur d'un hangar. Le genre de trucs qu'on était censé savoir si on avait vécu là-bas, à Majdanek, mais qui pouvait prêter attention à de telles conneries ? Et à supposer que l'un d'entre nous y ait prêté attention, on était trop hagards, trop tendus, trop affamés et trop fatigués pour se souvenir de quoi que ce soit. Bref, on a compris qu'on n'était pas sortis de l'auberge, encore quelques questions comme ça et on allait y passer ! Sauf que quoi ? Pour une fois, ce putain de sort s'est mis de notre côté, et tout à coup, qui est entré dans la pièce ?

Paweł, Paweł Dąbek ! Ce bâtard s'était enfui avant nous avec son drap dans la neige, et déjà à cette époque il était très haut placé dans la hiérarchie militaire. Quelle émotion ! L'officier qui nous interrogeait et les gardes ont eu tellement honte qu'ils ont chié leur cœur par leur trou de balle ! Pour sûr. Ils se sont tous tirés, et nous, on s'est embrassés et embrassés et embrassés, et on riait, oh, qu'est-ce qu'on riait ! Ils nous ont apporté à manger, de l'eau, des cigarettes, et nous, on riait. On riait en pensant à tout ce temps où on avait bouffé de la merde ! Putain de vie, pas vrai, mon Tadzio ? La vie, c'est vraiment une sacrée enculée, mais c'est comme ça. Le principal, c'est qu'on a été sauvés. »

Le train a ralenti à l'approche de Chełm, son terminus, puis s'est arrêté. On est descendus sur le quai, mon père est monté sur mon dos sans rien dire. À la sortie de la gare, on a attrapé un taxi. On avait initialement prévu de continuer directement jusqu'à son village, mais à cause de sa rencontre avec son ami Paweł, on avait démarré tard de Lublin et l'après-midi était déjà bien entamé. J'ai décidé de ne poursuivre la route que le lendemain matin.

« Pouvez-vous nous conduire dans un bon hôtel, s'il vous plaît ? ai-je demandé au chauffeur.

– Pas la peine, est intervenu mon père, j'ai une adresse.

– Laquelle ?

– Celle d'Halina. Pourquoi aller à l'hôtel si on peut aller chez Halina ?

– Halina habite à Chełm ?

– Oui.

– Et qui te dit qu'elle a envie de nous accueillir ?

– Oh, toi, vivre en Occident ne te réussit pas ! Halina, c'est la famille.

– Et si elle n'est pas chez elle ?

– On attendra qu'elle rentre. »

Notre chauffeur ne connaissait pas l'adresse donnée par mon père, qui a aussitôt pris les choses en main : « Pas de problème, je vais t'indiquer le chemin. »

Sur ses directives, on a roulé à travers la ville dans laquelle je m'étais bien souvent promené, à l'époque où la grand-mère et la tante m'emmenaient avec elles faire des courses. À présent, les rues me paraissaient étroites, les places petites, les immeubles bas.

Au bout d'un certain temps, j'ai eu l'impression qu'on sortait de Chełm, il y avait des pavillons de banlieue entourés de jardin et, plus loin, des terres cultivées.

« Tu es sûr de savoir où on va ? ai-je demandé à mon père qui n'a pas daigné répondre.

– Voilà, c'est bon. Arrête-toi là ! On est arrivés. »

J'ai voulu le reprendre sur mon dos, mais là, il a refusé. J'ai ouvert le portail, l'ai laissé passer devant moi et il s'est dirigé à petits pas mal assurés vers une maison à un étage. Pour l'atteindre, il fallait traverser une grande cour où étaient garés une voiture, un tracteur et une moissonneuse-batteuse. Il y avait aussi une charrue, des pièces détachées de machines agricoles, des moteurs rouillés, une charrette sans roues, des carcasses de voitures désossées, des cartons, des pneus, un autre tracteur, vieux, une vache, des poules, un chien attaché à sa niche qui nous a ignorés et deux oies qui se sont mises à cacarder dès qu'elles nous ont aperçus.

Halina, je ne l'avais pas revue depuis notre départ de Pologne. On était cousins germains et amis. Chaque fois que je venais au village, on jouait ensemble et on s'entendait bien, elle et moi, parce qu'on avait presque le même âge. Et voilà que je me retrouvais devant chez elle, vingt ans plus tard. Imaginer cette rencontre m'émouvait profondément. On allait atteindre le perron et c'est le moment que mon père a choisi pour se reposer. Il s'est arrêté, a remis sa chemise dans son pantalon et s'est mouché.

« Vas-y, vas-y, je te rattraperai », a-t-il dit en voyant mon impatience.

J'ai frappé à la porte. Une fois, deux fois, puis j'ai entendu une voix féminine lancer, de loin : « Oui ? Entrez ! »

J'ai ouvert et j'ai vu un long couloir qui aboutissait à une cuisine. C'est de là qu'a émergé, au bout de quelques instants, une femme un peu négligée mais encore belle qui s'essuyait les mains dans un torchon. Halina. Elle s'est arrêtée sur le seuil et m'a regardé. Mais les mots sont restés coincés au fond de ma gorge. Je savais que je devais dire quelque chose, ça faisait plus de vingt ans qu'on ne s'était pas vus et mon visage était caché par une barbe de trois jours, mais je n'ai pas réussi à prononcer la moindre syllabe. Elle m'a examiné, cette fois avec méfiance, jusqu'à ce que, tout à coup, ses yeux s'illuminent.

« Tadek ! » s'est-elle écriée et elle a jeté son torchon par terre pour courir vers moi.

On s'est tombés dans les bras. Elle a sangloté un long moment serrée contre moi, comme si nous échangions les adieux dont la précipitation nous avait privés à l'époque.

12

Ce soir-là, Halina et son mari Adam ont invité Bolek, un ami d'enfance de mon père, qui habitait dans les environs de Chełm. Se revoir les a tellement bouleversés qu'ils ont commencé par s'insulter pendant plusieurs minutes. Bolek avait un visage ridé et des yeux agiles. Il m'a chaleureusement pris la main entre les siennes, grandes et fortes, rendues rugueuses par le travail quotidien dans les champs.

« Ah, Bolek, ah, mon salaud ! Au village, il a baisé tout ce qui bougeait ! a lancé mon père. Il s'est tapé les plus jolies filles, mais au final, il a épousé une guenon. Quand je l'ai vue, sa femme, j'ai compris pourquoi ce… ce type… – comment il s'appelle déjà ? – ce connard… peu importe, avait affirmé que l'humanité descendait du singe. Elle l'a attrapé par les couilles, celle-là, et ne l'a plus lâché. Mais quoi ? Son père avait beaucoup de terres autour de Chełm, tellement de terres que les communistes l'ont liquidé parmi les premiers. Ce cloporte de Bolek n'en a récupéré qu'une partie, le pauvre, mais c'était déjà pas mal. Petit malin, fils de pute ! Comment va ta guenon de femme, Bolek ? Elle joue toujours aux boules avec ta paire de joyaux ?

– Elle est morte il y a trois ans. Un cancer dans le ventre qui l'a tuée avant qu'on ait eu le temps de faire quoi que ce soit. »

Mon père est resté sans voix. Il nous a regardés les uns après les autres, moi, Halina, Adam, et de nouveau Bolek.

« Je suis désolé de l'apprendre, a-t-il murmuré. Je suis sûr qu'elle a trouvé le repos au paradis. » Il a eu l'air de s'assombrir un instant, mais rapidement, une expression malicieuse s'est glissée sur son visage. « Là-bas, dans le zoo du ciel, sûr qu'elle a une place de choix parmi les babouins. »

Il a éclaté de rire. Nous, on l'a fixé avec stupéfaction, quant à Bolek, il a eu un sourire gêné, a ouvert la bouche, mais mon père l'a tout de suite entraîné vers la cuisine en lui tapant avec affection sur l'épaule. On s'est tous assis pour le dîner autour de la table dressée où trônaient deux bouteilles de vodka. Un peu avant l'arrivée de leur invité, Adam, parfaitement conscient de la tournure que prendrait un repas auquel participaient ces deux vieux larrons, avait conduit les enfants chez ses parents, mais nous avions eu le temps de les voir : un garçon et une fille blonds aux yeux bleus, aux traits slaves. Ils s'étaient présentés, nous avaient poliment serré la main, à moi et à mon père – lequel s'était montré particulièrement gentil à leur endroit, comme si un détail dans leur comportement avait réussi à toucher une de ses cordes sensibles. Il les avait même suivis du regard et avait attendu plusieurs secondes après leur départ pour se retourner vers nous et déclarer : « Vous les avez très bien éduqués. » Et il avait ajouté, en me tapotant la nuque : « Ce ne sont pas des voyous comme les miens.

– D'après ce qu'on raconte, toi non plus, tu n'étais pas un enfant de chœur, m'étais-je défendu.

– J'étais un fils de paysan, qu'est-ce qu'on peut bien en attendre ?

– Et moi, j'étais ton fils, tu crois que c'est mieux ? »

Halina avait ri. Mon père, après m'avoir lancé un coup d'œil surpris, avait ri lui aussi. Quant à Adam, il s'était contenté de nous dire qu'il reviendrait directement après avoir déposé les enfants chez ses parents.

Le mari de ma cousine avait un corps massif et ne parlait pas beaucoup, juste le strict nécessaire. Il s'exprimait avec calme comme si, derrière chaque mot, il y en avait plein d'autres, précis et intelligents, qu'il préférait garder pour lui. Il était de ces gens qui vous donnent envie de les écouter, d'en savoir plus sur eux, d'attendre patiemment qu'ils veuillent bien vous dire ce qu'ils pensent. Il venait d'un village de la région et, même après s'être installé en ville, il continuait, avec sa femme, à travailler la terre.

Il avait aussi une autre activité : il construisait des machines agricoles à partir de pièces de récupération, une entreprise de longue haleine et qui expliquait pourquoi tant de vieilleries rouillées s'entassaient dans leur cour.

Pendant le repas, il buvait sa vodka avec modération et écoutait en silence, un léger sourire aux lèvres, mon père et Bolek évoquer, à grand renfort d'exclamations bruyantes, tout un tas de souvenirs communs datant de leur jeunesse. Sauf que chacun semblait avoir vécu une réalité différente.

« Ton père, c'était la terreur du village ! Qui ne tremblait pas devant lui ? Ça aussi, il va dire que c'est pas vrai ?

– Si, justement, ça, c'est vrai ! s'est rengorgé l'intéressé. À toi aussi, j'en ai mis, des coups !

– Pas vrai. Moi, tu ne m'as jamais touché. C'était ce salopard de Lionka, ça, lui, il ne se gênait pas pour me tabasser !

– Ta gueule, laisse Lionka tranquille !

– Sache, Tadek, qu'à treize ans ton père se battait déjà avec des adultes. C'était un sacré numéro. Et fort comme un Turc. Je l'ai vu, de mes yeux vu, soulever un cheval à bout de bras, il l'avait pris sous le ventre, comme ça, direct. Lui et son copain Lionka traînaient ensemble, inséparables, on aurait dit des jumeaux. Et ce Lionka était vraiment un fils de pute, un gros tas de merde.

– Laisse Lionka tranquille, je te dis !

– Ne t'inquiète pas, je n'ai pas même l'intention de l'égratigner… Qui oserait ?

– Tu lui lâches la grappe, à Lionka, oui ou merde ? s'est énervé mon père en élevant la voix.

– D'accord, Stefan, je lui lâche la grappe. »

Bolek s'est tourné vers moi : « Il lui reste fidèle comme s'il était encore parmi nous.

– Fils de pute, arrête ! Fous-lui la paix ! » s'est écrié mon père qui a donné un coup de poing sur la table, nous réduisant tous au silence.

Son ami a rempli les verres de vodka tandis que lui reportait son attention sur une cigarette qu'il essayait d'allumer. Adam souriait en fourrant sa pipe et Halina s'est levée et a débarrassé les assiettes.

« Faut quand même admettre que cet enculé de Bolek a été partisan, ça oui, a fini par lui concéder mon père. Même avant que les Allemands débarquent, à l'époque soviétique, il nous avait déjà rejoints.

– Je n'ai pas été partisan tout de suite, au début on ratissait les bois et les forêts pour les bolcheviques.

– Et alors, quel rapport ? Tu veux m'apprendre ce que c'était que les partisans ?

– Non, Stefan, pas à toi. Mais j'ai pensé que peut-être ton fils ne comprenait pas la différence.

– Eh ben si, il la comprend. Et comment qu'il la comprend ! »

Ce qui n'a pas empêché Bolek de m'expliquer : « C'était son père, ton grand-père, qui nous avait pris en charge.

– Vrai ! Quand ces putains de Russes ont débarqué, ils ont appris que mon père était le communiste du village – même si c'était un capitaliste, je te l'ai déjà dit. Mais comme on continuait à raconter qu'il s'était battu avec les rouges pendant leur révolution de merde, ça suffisait pour qu'ils lui fassent confiance. Quand la guerre a éclaté, ça a été un vrai bordel chez nous. Pour sûr ! Parce qu'on n'était pas loin de la frontière avec l'Ukraine, une frontière qui bougeait à chaque guerre, si bien que les Polonais et les Ukrainiens n'attendaient que l'occasion de pouvoir se taper sur la gueule. Bref, dès le début des hostilités, les éliminations ont recommencé, cette fois c'étaient les Ukrainiens qui faisaient des descentes dans nos villages. Résultat, il y a eu beaucoup de morts. »

Je me suis souvenu d'une femme, une voisine de la grand-mère, à qui les Ukrainiens avaient effectivement défoncé la tête à coups de hache, mais, étrangement, elle n'en était pas morte. Une partie de son crâne était devenue toute plate, comme une planche, sans cheveux, et quand elle voulait nous faire rire, elle posait dessus un verre de thé.

« Oui, bien sûr, a dit Bolek. Ça lui a quand même retourné le cerveau, cette affaire. Je ne me rappelle plus comment elle s'appelait. Les sauvages avaient eu envie de se payer un petit pogrom, ils étaient entrés dans la maison, avaient tué le mari à coups de hache et elle aussi, ils croyaient l'avoir tuée. Ils lui avaient arraché une partie de la tête. Une partie dont, apparemment,

elle n'avait pas besoin. Ça l'a laissée idiote et moche…
mais vivante.

– Maintenant, brusquement, ça le dérange qu'elle soit
moche, a maugréé mon père. Il se l'est tapée, elle aussi.

– Pas vrai.

– Si, tu l'as baisée ! Il n'y en a pas une, dans tout
le village, que tu n'as pas baisée. Surtout les veuves !
Elles, elles faisaient carrément la queue pour sa queue !

– Bon, d'accord, admettons que je l'ai baisée. Si
ça peut te faire plaisir ! Mais je ne vois pas le rapport.
D'ailleurs, comment on en est arrivés à parler d'elle ?

– À cause des Ukrainiens, lui ai-je rappelé. Vous
disiez tous les deux que les Soviétiques avaient voulu
en finir avec le bordel ambiant.

– Oui, ces putains de bolcheviques ont voulu organiser les choses. Alors ils sont allés voir mon père pour lui
demander de mettre sur pied un service qui ressemblerait
à une police locale. Ils ont fourni des armes et lui, il a
recruté des hommes, dont moi, Bolek et Lionka. Pour
faire quoi ? La chasse aux soldats polonais qui s'étaient
réfugiés dans les forêts et attaquaient les Russes. Pour
ceux qu'ils chopaient, c'était la Sibérie. Alors nous, on
faisait quoi ? On prévenait nos concitoyens à l'avance, et
après on jouait la comédie devant l'occupant. Pourquoi
qu'on aurait baisé nos frères polonais en l'honneur de
ces putains de bolcheviques et d'Ukrainiens ? Quelle
époque c'était, hein ? Personne ne se doutait de ce qui
viendrait ensuite.

– C'est bien vrai, ça ! a dit Bolek. Qu'est-ce
qu'on était naïfs ! Tout restait encore très simple à ce
moment-là. On y allait à combien ? Cinq, six ? Avec les
pistolets donnés par les Russes et qui ne valaient pas
un clou. Tu te souviens de ce mec, un vrai enfoiré…
comment il s'appelait, tu t'en souviens, Stefan ?

– Non, mais ça change quoi ? Il ne mérite pas qu'on retienne son nom.

– Ce n'était pas un mauvais bougre. Mais le genre énervant parce qu'il avait tout le temps quelque chose à redire, et ton père, a précisé Bolek à mon intention, ne le supportait pas.

– À juste titre que je ne le supportais pas !

– Un jour qu'on patrouillait dans la forêt, cet emmerdeur a lâché une connerie de trop, alors Stefan l'a attrapé et l'a interrompu : "Bon, maintenant ça suffit, t'es mort. Je te tue." Il a armé son pistolet, a visé le front de ce plouc et a appuyé sur la détente. La balle n'est pas partie. On n'y croyait pas. Alors qu'est-ce qu'il a fait, ton père ? Il a réarmé, a de nouveau pressé la détente, et de nouveau, rien. Nous, on n'en revenait encore moins. Mais lui, il a armé une troisième fois, a visé un peu au-dessus de la tête, a tiré et boum, la balle est partie et lui a presque égratigné le crâne. Alors quelqu'un s'est tourné vers toi et t'a dit : "T'es fou ? Qu'est-ce que tu fais ?" Tu te rappelles, Stefan ?

– Oh que oui ! Je connaissais ce pistolet. Il tirait toujours un coup sur trois. » Et les deux vieux copains d'éclater de rire et de s'envoyer une rasade de vodka.

Grâce à cette anecdote, ils avaient enfin retrouvé un langage et des souvenirs communs. Mon père était heureux. Il parlait avec enthousiasme, gesticulait, racontait des blagues, tapait sur l'épaule de Bolek ou sur celle d'Adam. Il affichait soudain une séduisante convivialité.

Et tout à coup, j'ai senti que j'étouffais, rien qu'à me le représenter ainsi, au milieu de ses copains, chaleureux, gentil, curieux, le clou de la soirée, tel qu'il était juste avant de se bourrer tellement la gueule que sa soif de violence le poussait à tabasser n'importe qui, puis, quand il rentrait à la maison, à nous tabasser nous aussi. Plus mon père brillait autour de cette table, plus j'avais du mal à respirer. Je me suis levé et je suis sorti dans la cour.

Une agréable fraîcheur m'a accueilli. La nuit pastorale, celle dont je m'étais langui pendant tant d'années, m'enveloppait enfin, avec son odeur champêtre, son vent léger, son ciel piqué d'étoiles. Certes on entendait le ronronnement de la ville, mais au loin. J'ai allumé une cigarette, retrouvé une respiration régulière et essayé de me concentrer sur autre chose, comme sur le fait que j'étais là, devant la maison d'Halina, que je fumais et que ça me paraissait totalement naturel. Jamais je n'aurais pu imaginer vivre un tel moment et pourtant, à présent, on aurait dit que c'était normal.

Ma cousine est venue me rejoindre. Elle aussi a allumé une cigarette. On est restés comme ça, sans rien dire, à fumer et à fixer la cour obscure. De l'intérieur nous parvenaient les voix bruyantes des deux vieux amis.

« C'était un vrai fils de pute, ton père », a-t-elle soudain déclaré comme si elle était sortie de la cuisine avec la même sensation d'étouffement que moi.

13

Je n'ai eu qu'un seul oncle, c'était le père d'Halina. Un homme délicat, doux, contemplatif. Très grand et qui se cachait sous une épaisse carapace de paysan. Il n'avait pas du tout le sens de l'agriculture, c'est pourquoi on l'avait écarté – pas officiellement, bien sûr – de la direction de la ferme où la tante et la grand-mère régnaient en maître. Vu qu'elles ne pouvaient pas totalement se débarrasser de lui, qu'elles avaient besoin de sa force physique et ne voulaient pas non plus froisser sa dignité en public, elles le présentaient tout de même comme le propriétaire.

Il avait le même prénom que mon père, Stefan, et aimait lui aussi boire et se saouler, mais c'étaient là leurs seuls points communs. L'oncle n'était pas violent. Les rares fois où il frappait sa femme, c'était par sentiment d'impuissance et il en souffrait beaucoup. C'est du moins l'impression que j'en ai gardé.

Il avait toujours voulu un fils, mais n'avait eu que des filles. Quatre. Alors, chaque fois que je venais au village, il m'emmenait avec lui dans les champs, moi, le fils qu'il aurait aimé avoir, et m'expliquait comment devenir un bon paysan. C'est lui qui m'a appris à conduire une charrette, à faucher, à bêcher, à garder les vaches et à les traire, à panser les chevaux, à les harnacher, à réparer la roue cassée d'un chariot, à dépiauter les lapins, à égorger les pigeons ou les poules. C'était sa manière de m'exprimer son affection, il n'en connaissait pas d'autre.

« N'aie pas peur, m'avait-il dit un jour où nous nous étions retrouvés tous les deux à traverser la forêt en carriole et que la nuit commençait à tomber. Si on t'appuie un pistolet chargé contre la tempe, là, tu peux avoir peur. Ça m'est arrivé pendant la guerre. Un jour, je suis entré dans la grange pour y prendre du foin et j'ai découvert une Juive cachée dedans. Je suis aussitôt ressorti. Je ne savais pas comment réagir, alors j'ai décidé de ne rien faire et de n'en parler à personne. C'était avant que je fasse la connaissance de ta tante. Je me suis contenté de déposer là-bas de quoi manger, fallait bien lui donner quelque chose. Deux jours plus tard, les Allemands ont débarqué et ils ont fouillé la grange. Ça, ça fait peur, avait-il insisté en plaquant un doigt contre ma tempe. Quand on te met un pistolet comme ça, sur la tête, et que tu sais que le nazi te tirera dessus si tu dis un mot de la Juive et pareil si tu ne dis rien ! Alors j'ai décidé de prendre le risque et de me la fermer. Mais comme elle était sûre que j'allais la dénoncer, cette pauvre fille s'est précipitée dehors et s'est mise à courir en direction de la forêt. Ils ont tiré et l'ont abattue. Ça, ça fait peur. Mais toi, maintenant, tu n'as aucune raison d'avoir peur. » Affichant une expression d'autosatisfaction, il m'avait gratifié d'un sourire paternel.

Dans sa sincère affection pour moi, il n'y avait qu'un bémol : mon père, qu'il connaissait et détestait. La seule personne qu'il supportait encore moins, c'était le boucher chargé de tuer les cochons, parce que l'oncle élevait les siens avec amour et avait compris que ces animaux-là étaient plus intelligents que les chiens, voire que de nombreux êtres humains. Alors, évidemment, il ne convoquait jamais le fameux boucher. Il cherchait même tous les moyens pour repousser sa venue. C'était donc la tante ou la grand-mère qui, le moment venu, se chargeaient d'appeler l'égorgeur. Ses protestations n'y faisaient rien, et elles lui répondaient en l'insultant : les cochons, on les élevait pour leur viande, pas pour leur cervelle.

Moi aussi, je détestais le boucher. Dès que cet homme grossier approchait de la porcherie, les cochons le sentaient et commençaient aussitôt à s'agiter, à pousser de terribles grognements. Ces jours-là, l'oncle se débrouillait pour ne pas être présent. Il ne pouvait pas entendre les condamnés à mort hurler de terreur, chose qui ne dérangeait ni la grand-mère ni la tante, et à chaque visite elles indiquaient sans états d'âme le cochon qui devait passer à la casserole. Le boucher l'attrapait, le traînait hors de la porcherie, maintenait entre ses bras puissants l'animal qui n'arrêtait pas de se tortiller et de couiner, imité par ses congénères qui se lamentaient comme si on les égorgeait eux aussi. Les cris montaient crescendo jusqu'au moment où la gorge était tranchée. D'un seul coup, un silence de mort s'abattait sur la ferme. Le boucher recevait son dû en même temps qu'un verre de vodka et s'en allait. Le cochon était débité en gros morceaux, on en gardait une petite quantité qu'on salait dans des tonneaux et on portait le reste de la viande toute fraîche en ville pour la vendre. Avec le sang, on faisait des saucisses.

La vente, c'était la mission de l'oncle. Il se rendait à Chełm et n'en revenait que tard le soir, complètement ivre, après avoir dépensé une partie de ses gains dans un bar. C'étaient les deux chevaux qui ramenaient la carriole, avec leur maître affalé dessus, en train de cuver sa vodka. La tante et la grand-mère attendaient le matin qu'il ait dessaoulé et l'accablaient d'insultes qu'il balayait d'un revers de main, faisant semblant de s'en ficher, alors que tout, dans son expression, indiquait le contraire.

Et puis, un jour, cet homme si robuste a été atteint d'un terrible mal qui l'a fait affreusement souffrir. Au lieu de s'occuper de lui ou au moins de lui témoigner un peu de compassion, les deux femmes ont réagi en râlant et en lui reprochant d'être devenu une bouche inutile. Réunissant ses dernières forces, il s'est traîné dans l'étable, est monté sur l'échelle jusqu'à atteindre une planche de bois sur laquelle était étalée de la paille, et il s'est allongé dessus. Pendant des semaines, il n'a plus quitté cette couche.

Il était dans un état ! Presque incapable de bouger, il souffrait le martyre, se sentait minable et, en plus, il était tellement crasseux qu'il empestait. Deux fois par jour, la tante, la grand-mère ou l'une de ses filles grimpait lui donner à manger, vidait le seau dont il se servait pour faire ses besoins, lui reprochait vertement sa paresse et s'en allait. C'est là que je l'ai vu pour la dernière fois. J'étais monté jusqu'à lui, je me suis assis à son chevet, mais il n'a pas réagi, il est resté allongé sur le dos, les yeux rivés au plafond – la douleur qu'ils exprimaient s'est gravée dans ma mémoire. Ensuite nous avons quitté la Pologne et je n'ai jamais su ce qu'il était devenu.

« Il a recouvré la santé, m'a raconté Halina au cours de cette conversation que nous avons eue, dehors, tandis que mon père, Bolek et Adam continuaient à boire dans la cuisine. Oui, je ne me souviens plus combien de temps ça a pris, mais finalement il s'en est sorti et il a tout à coup débarqué dans la maison, on aurait dit un fantôme. Il est allé directement se laver, sans parler à personne. Et puis est arrivé le jour où on a égorgé un cochon. Comme avant, il est parti vendre la viande à Chełm mais il en est revenu avec le regard dément. Il a arraché le manche de la carriole, est entré dans la maison et s'est vengé. Sur nous tous. Il nous a tabassées, moi, mes sœurs, la grand-mère, et n'a même pas eu pitié de ma mère, il lui a cassé les dents. Jamais je n'avais vu mon père dans un tel état. Il ne nous a jamais pardonné. Il avait trop souffert, là-haut sur sa planche dans l'étable, et aucune de nous ne l'avait aidé. »

Elle a allumé une nouvelle cigarette et en a tiré une grande bouffée dont elle a rempli ses poumons.

« Mais telle était la réalité au village. Pas de pitié. Mon père était un homme faible, trop sensible. À mon avis, il aurait dû être artiste, pas paysan. Sauf qu'il était né dans cette vie-là et il est mort comme ça, inadapté. C'est triste, mais c'est comme ça. »

On a entendu une espèce de meuglement hilare dans la maison et elle a tourné la tête vers la porte.

« Ton Stefan à toi, a-t-elle dit, lui, c'était une autre paire de manches. Un vrai fils de pute ! »

J'aurais bien aimé prendre la défense de mon père, mais je savais qu'elle disait vrai, même s'il avait de bonnes excuses. Tout le monde en a. Même moi. Je lui ai raconté comment j'avais découvert l'existence de son autre famille. Elle a souri parce qu'elle était au courant.

« Au bout d'un certain temps, vous étiez partis, et comme il ne vous rejoignait pas, il s'est mis à raconter toutes sortes de conneries. Il a dit que votre mère était morte, qu'elle avait immigré en Afrique et chopé la malaria. De vous non plus, il n'a pas eu pitié. À un moment, il a raconté que vous étiez tous morts en

Israël, pendant la guerre. Après, il a dit qu'elle avait épousé un vieux richard qui vous avait tous emmenés aux États-Unis, et une autre fois, il a dit que le vieux richard n'avait emmené que votre mère, si bien qu'elle vous avait abandonnés en Israël. Mais nous, on savait la vérité, parce que ta mère et la mienne sont restées en contact et s'écrivaient de loin en loin. Chaque fois que j'y pense, je n'en reviens pas : le vieux richard, passe encore, mais vous tuer tous ? Sans sourciller ? Et après, venir l'annoncer à la famille, à la grand-mère ! Juste pour cacher le fait qu'Eva l'avait quitté – et elle a eu bien raison ! Il venait chez nous à chaque Noël, et quand il était ici, entouré de la famille, il se languissait de vous, s'asseyait à l'écart devant le sapin et pleurait. C'est d'ailleurs comme ça qu'on a découvert l'existence de l'autre. Il était saoul et il nous a avoué qu'il avait une autre femme, mais que celle-là aussi l'avait quitté pour immigrer avec leurs enfants en Libye ou quelque part par là. Quand la grand-mère l'a entendu avouer qu'il avait des gosses de cette autre femme, elle l'a immédiatement mis à la porte, au milieu du repas de Noël. »

J'ai gardé le silence. Elle a attendu. Peut-être se demandait-elle si je voulais réagir, mais je n'avais rien à dire. Elle a fini par comprendre et m'a posé des questions sur ma vie en Israël, sur ma mère, mon frère, mes sœurs. Je lui ai répondu laconiquement, non pas parce que je ne voulais pas en parler, mais parce qu'on savait tous les deux que le temps nous était compté, que bientôt nous devrions retourner dans la cuisine, et aussi – on en avait pleinement conscience – que des instants d'une telle pureté peuvent facilement tomber dans le sentimentalisme ou se perdre dans des silences de plus en plus longs.

« Mon père connaît très bien ton adresse, lui ai-je dit. Il a guidé le chauffeur de taxi jusqu'ici sans se tromper. »

Elle a souri : « Il venait chez nous, pas très souvent, mais de temps en temps. C'était avant qu'il aille s'installer dans sa maison de retraite. Je pense que la famille lui manquait mais qu'il n'osait pas aller chez ma mère. Je n'ai pas non plus l'impression qu'il ait beaucoup été voir mes sœurs, mais avec moi, il se sentait bien. Peut-être parce que je l'ai toujours accepté tel qu'il était, sans poser de questions. Je l'aime bien, même si c'est vraiment un fils de pute. Peu importe ce qu'il est, il fait partie de ma vie. Petites, on le regardait avec admiration. On avait bien sûr entendu quelques-unes des histoires qui couraient sur son compte au village, mais les gens avaient beau le maudire, tous le respectaient et répétaient qu'il avait été un combattant courageux, qu'il avait réussi à s'évader de Majdanek, ce genre de choses. Et puis, quand il est de bonne humeur, c'est un plaisir d'être en sa compagnie. » Halina a fixé l'obscurité devant elle. « Il arrivait toujours par surprise et s'imposait en roi de la soirée. Avec lui, on ne pouvait jamais savoir comment ça se terminerait. Un jour, il est venu avec un accordéon et a organisé un bal. Une autre fois, il a débarqué avec un ami de son âge, très sympathique, un certain Mark. Sans prévenir. Ils se sont installés, deux charmants petits vieux, ils ont raconté des blagues, grignoté, bu de la vodka, se sont saoulés et puis ils sont allés se coucher. Je me souviens que pendant que je leur préparais la chambre d'amis, ton père est venu me dire que ce n'était pas la peine de salir deux paires de draps, qu'ils allaient dormir dans le même lit et qu'ils s'arrangeraient. Ça m'a bien fait marrer ! Un sacré personnage ! Impossible de savoir ce qu'il a dans le crâne. Bon, ce n'est pas à toi que je vais l'apprendre. »

L'écho du rire épais de mon père résonnait dans la maison. On s'est regardés et on n'a rien ajouté.

« Rentrons », ai-je dit.

14

De nouveau, au loin, l'écho d'une démarche lourde, menaçante. Pieds qui traînent, talons qui heurtent le plancher puis glissent sur le sol grinçant. Ça se rapproche, lentement. Un heurt, un glissement, un heurt, un glissement. Je tiens entre mes mains le visage d'un homme terrorisé. Sous mes doigts je vois des pupilles dilatées et des lèvres déformées d'où s'échappent des sanglots étouffés. Les pas lourds se rapprochent. J'ouvre les yeux, j'ai le cœur qui bat à cent à l'heure. Je suis en nage. Les rêves peuvent être un calvaire pour l'homme, et certainement pour l'homme que je suis.

De doux rais de lumière passaient entre les fentes du volet et coloraient les rideaux. Le jour naissant commençait à pénétrer dans la chambre. Mon père était éveillé : assis au bord de son lit, il tenait à la main une cigarette qu'il palpait pour trouver le filtre et il a dû s'y reprendre à plusieurs fois avant d'arriver à allumer le briquet avec son gros pouce. Il n'avait pas mis ses lunettes et gardait les yeux fermés. Ensuite, il a reposé les pieds sur le matelas, s'est adossé au mur et a fumé en silence, les yeux toujours clos.

J'en ai profité pour le détailler, cet homme qui était mon père, cet hédoniste polonais qui ne s'est pas gêné pour baiser, cogner, tuer. Le voilà donc, assis sur son lit, adossé contre le mur, cheveux ébouriffés, visage gris rongé par des poils de barbe. S'il était né dans un autre milieu, dans un autre pays, en un autre temps, il aurait pu être un libertin plein de panache, un ami du marquis de Sade… Mais là, ce n'était qu'un voyou polonais qui avait émergé des égouts de Majdanek pour atterrir dans la crasse des quartiers pauvres de Wrocław. L'aura de la liberté et du romantisme fracassée sur le sol d'une réalité viciée, sombre, nauséabonde. Il somnolait, avachi, en pyjama élimé, la bouche entrouverte, la cigarette qui se consumait entre les doigts. Vieux. Pitoyable. Mon père. Qui a baisé autant qu'il a pu, qui a bu jusqu'à plus soif, s'est enivré de musique, a dansé, frappé, tué sans scrupule. Comment ne pas rester pantois devant la capacité de jouissance absolue dont il avait fait preuve toute sa vie, sans jamais tenir compte de personne à part lui-même ? Pourtant, j'avais beau le regarder, je ne trouvais pas le moindre flamboiement dans le type minable qui somnolait sur le lit en face de moi.

Je me suis levé, j'ai enfilé mon pantalon, mon pull et mon manteau. Je me suis penché vers mon père, j'ai retiré d'entre les doigts la cigarette qui s'était éteinte et l'ai posée dans le cendrier. Il n'a pas réagi, a continué à ronfler légèrement. Sans bruit, je me suis faufilé dans la cuisine, j'ai bu un verre d'eau et je suis sorti.

Il faisait froid et encore sombre dans la cour de la maison d'Halina. Un voile de brume dense opacifiait l'atmosphère, une épaisse couche de rosée s'était déposée sur le sol. De toutes parts montait cette odeur d'herbe mouillée, pesante mais rafraîchissante, et si familière. Comme elle m'avait manqué, cette lourde humidité du petit jour ! L'aube européenne me revenait enfin, après des années d'hibernation.

Les pièces de ferraille d'Adam se dressaient tout autour de moi telles d'étranges sculptures métalliques, sortes de stèles à la mémoire de je ne savais quoi. Quelques pépiements ont retenti au loin, déchirant le silence de la nuit. Plus près, les animaux de la basse-cour ont commencé à se réveiller.

L'émotion que m'avait causée cette aube brumeuse s'est dissipée et j'ai été rattrapé par la déception qui m'avait déjà saisi dans la chambre d'amis. Je me fichais à présent de ce qu'il avait fait, de toutes les fois où il avait trompé ma mère et du nombre d'enfants qu'il avait eus avec d'autres femmes ou pas. Je me fichais des gens qu'il avait tués pendant la guerre de manière justifiée ou non, autant que de ceux qu'il avait tabassés par pur plaisir. Je me fichais de tout ça. La seule chose qui me désolait, c'était nous. Ma mère, Ola, Anka, Robert et moi. Toutes les années de souffrance qu'il nous avait infligées parce qu'il ne faisait qu'obéir à ses pulsions. Là, j'ai eu envie de tout plaquer et de m'en aller. De l'abandonner sur ce lit, à ronfler la bouche ouverte en exhalant son haleine putride de vieillard. Oui, j'ai eu envie de sauter dans le premier train, de rentrer à Varsovie, de retrouver Lydia et de me lover contre son corps tendre et consolateur.

J'ai tourné la tête, attiré par un bruit de pas lointain, j'ai vu une haute silhouette avancer vers moi dans le brouillard et j'ai reconnu Adam.

« Bonjour, m'a-t-il dit en tendant la main, le visage barré d'un grand sourire. Tu t'es levé tôt.

– Je n'aime pas dormir. »

Il a eu un hochement de tête entendu, est resté planté devant moi quelques instants et a regardé autour de lui en inspirant profondément.

« Ce sera une belle journée, a-t-il déclaré avant de s'excuser : Bon, je dois y aller. » Il a fait deux, trois pas, puis s'est retourné vers moi : « Et si tu m'accompagnais ? »

Je ne me le suis pas fait dire deux fois.

Il s'est installé sur le plus vieux des deux tracteurs de sa cour et je me suis placé derrière, debout sur le marchepied en fer qui relie les roues arrière. Il a mis le contact, le moteur a tremblé, toussoté puis lâché une série de grognements. Adam lui a affectueusement tapoté le flanc.

« Allez, mon vieux ! a-t-il crié et il a tourné la tête vers moi pour que je puisse l'entendre par-dessus le bruit du moteur : C'est moi qui l'ai retapé il y a quelques années. »

Nous avons roulé une vingtaine de mètres et, lorsque nous sommes arrivés devant le large portail en bois qui trouait le mur de pierres entourant la maison, j'ai sauté à terre sans qu'il ait besoin de me le demander et je suis allé ouvrir. Le tracteur est passé, je pensais qu'il apprécierait mon initiative mais non, il ne m'a même pas regardé. J'ai refermé les deux battants et j'ai sauté pour retrouver ma place à l'arrière du véhicule qui s'est engagé sur le chemin de terre.

« On va où ? ai-je crié.

– Quoi ? a-t-il crié en retour.

– On va où ? ai-je crié plus fort.

– Voir les cochons ! »

On a continué quelques minutes à travers champs. Il faisait de plus en plus jour, la brume s'estompait petit à petit et on est arrivés devant un grand bâtiment rectangulaire, entouré d'une haute clôture. Trois énormes chiens ont accueilli le tracteur, queue frétillante et jappements ravis. Adam a coupé le contact, le moteur s'est tu, mais dès qu'ils ont remarqué ma présence, les molosses m'ont aboyé dessus méchamment.

« Attends ici, m'a-t-il dit. Je vais les attacher, ils n'aiment pas les étrangers. »

Il est entré dans l'enclos, a emmené les chiens vers l'autre côté, puis est revenu et m'a invité à le rejoindre.

« Halina refuse qu'on élève nos cochons à proximité de la maison, a-t-il répondu à la question que je n'avais pas eu le temps de lui poser. Sous prétexte qu'ils puent et ne font que de la crasse. Ce qui est vrai. Mais c'est surtout à cause de son père qu'elle a un problème avec eux. »

Dès qu'il a ouvert la porte, une bande impressionnante de porcs se sont précipités dehors avec enthousiasme. Il m'a tendu une paire de bottes en caoutchouc et on s'est mis à travailler sans paroles inutiles, il se contentait de me donner les instructions nécessaires. On a nettoyé la porcherie, distribué à manger, rempli d'eau les abreuvoirs, on a calmé quelques petits anxieux tout roses en les prenant dans nos bras. Ils se tortillaient et poussaient exactement les mêmes cris que ceux que j'entendais au village chez la grand-mère, des cris dont je me souvenais parfaitement. J'ai travaillé avec des gestes précis, professionnels, sans hésitations, je tenais à ce qu'il voie que je connaissais le boulot, que sous mes vêtements de citadin se cachait une âme saine de paysan, mais Adam ne paraissait pas s'en rendre compte, à moins qu'il ait trouvé ça évident.

On a terminé, il a laissé la porte de la porcherie ouverte pour que les cochons puissent se promener dans tout l'enclos – il les ferait rentrer en fin de journée –, puis il m'a demandé d'aller l'attendre derrière la clôture. Il est allé libérer les chiens, a refermé le portail et on a marché jusqu'au tracteur.

Il a alors ouvert une caisse métallique d'où il a sorti un réchaud en cuivre. Il l'a secoué près de son oreille puis l'a posé sur le sol, il a pris une petite bouteille de combustible, en a versé quelques gouttes dans la soucoupe placée à la base du brûleur et a gratté une allumette. Il a attendu un instant, a tiré à plusieurs reprises sur le régulateur jusqu'à ce qu'apparaisse une grande flamme orange clair, dans un bruit de gaz comprimé, et enfin il a mis dessus une casserole remplie d'eau.

On est restés là à attendre, debout au-dessus du réchaud. Le jour était quasiment levé, les nuages commençaient à se séparer et à libérer des portions entières de ciel. On a fumé, Adam sa pipe, moi une cigarette.

« C'est un sacré zigoto, mon père, ai-je fini par dire et il m'a souri sans rien ajouter. Je suis très embêté parce que, hier soir, Halina et moi, on t'a laissé seul avec ces deux vieux ivrognes. Je te présente mes excuses, mais j'étouffais. J'avais besoin de prendre l'air. Bon, j'imagine que tu as entendu parler de lui. »

Adam a confirmé de la tête, s'est penché sur le réchaud, a versé du café et du sucre dans l'eau bouillante puis a mélangé avec un petit bâton qu'il avait trouvé par terre.

« J'ai fait tout le chemin depuis Israël pour arriver ici, et je me demande si j'ai eu raison. Peut-être que j'aurais mieux fait de l'oublier. Qu'est-ce que j'ai cru ? Qu'est-ce que ça me donne, d'avoir rouvert tout ça ? »

Toujours silencieux, il a versé le café dans deux tasses qu'il avait sorties de sa caisse avec le réchaud.

« Pardon de te bassiner avec mes affaires, ai-je continué, mais je me suis levé ce matin avec une boule dans la gorge. Allez, parlons d'autre chose. »

Adam a rallumé sa pipe, en a tiré plusieurs bouffées rapides, a soufflé la fumée autour de lui et a pris une

gorgée de café. Ce n'est qu'alors qu'il m'a répondu :
« Je te comprends. Mon père aussi était un fils de pute.
C'est comme ça. Je ne pouvais pas le supporter. Il a bousillé la vie de ma mère et il est mort jeune. L'alcool l'a tué, il était apparemment moins résistant que le tien. »
Après un instant de réflexion, il a repris : « Bien plus tard, j'ai constaté que, toute notre vie, nous cherchons à obtenir une sorte de reconnaissance de notre père mais que, pour ce que j'en ai compris – et je ne comprends sans doute pas grand-chose –, nous n'y arrivons quasiment jamais. Et peu importe que le père soit un fils de pute et un minable, on s'obstine, comme quand on était petit. » Sa pipe s'est de nouveau éteinte, il l'a cognée contre une pierre pour la vider. « Mais qui sait, peut-être que toi, tu y arriveras ? »

Il a remballé le réchaud, a rincé la casserole et a tout rangé dans la caisse. On est montés sur le tracteur, lui devant et moi debout derrière, comme à l'aller. Le moteur a lâché quelques grondements, a toussé, grogné encore un peu et on s'est mis à rouler sur le même chemin de terre qu'à l'aller.

« Et maintenant qu'il est mort, je me surprends de temps en temps à me languir de lui, a-t-il crié. Aucune raison pour qu'il me manque et pourtant, il me manque. »

Quand on est arrivés à la maison, il est descendu du tracteur, a pris sa voiture et a démarré sans rien ajouter.

Je suis rentré. Dans la chambre d'amis, j'ai trouvé mon père recroquevillé sur le lit, les bras autour de la tête.
« Papa ? »
Pas de réaction. Je me suis approché. Il tremblait, son tricot de corps était trempé de sueur. J'ai posé la main sur son épaule.

« Papa ? Qu'est-ce qui se passe ? lui ai-je demandé tandis que la frayeur coulait le long de mon échine. Papa ?

– Il me faut de la vodka, a-t-il enfin articulé.

– Pourquoi ? Qu'est-ce qui t'arrive ?

– J'ai besoin de vodka, voilà ce qui m'arrive. Si je ne bois pas dès le matin, j'ai la tête qui explose. C'est physique.

– Et tu n'en as pas ?

– Non. Je garde toujours une bouteille sur moi, au cas où. Toujours. Mais celle que j'avais, je l'ai bue avec Dąbek à l'hôtel de Lublin et j'ai oublié d'en acheter une autre. Maintenant je n'en ai plus. J'ai mal calculé. »

Je suis entré en trombe dans la cuisine, où j'ai trouvé Halina assise avec ses deux enfants pour le petit déjeuner.

« Tu as de la vodka chez toi ? »

Elle m'a lancé un regard inquiet.

« Ça va ? Tu es tout pâle. Quoi, toi aussi ? Comme ton père ?

– Mais non, bien sûr que non. C'est pour lui. Sa tête va exploser, il lui faut de la vodka.

– Je sais, il m'en a déjà demandé. Il a débarqué dans la cuisine, exactement comme toi, et m'a posé la même question. Quand il a compris qu'on n'en avait pas, il s'est énervé et est retourné dans la chambre. Mais je sais qu'il a toujours une bouteille en réserve.

– Eh bien non, pas aujourd'hui. Tu as peut-être quelque chose d'autre ?

– Non. On n'achète de l'alcool que si on a des invités. Adam a arrêté de boire après la mort de son père, et moi je n'ai jamais été une grande consommatrice. Hier, on avait deux bouteilles, que ton père et son Bolek ont bues comme si c'était de l'eau. Toi aussi, d'ailleurs,

417

tu les as bien aidés. Nous tous. Bref, il n'en reste plus une goutte.

– Où est-ce que je peux en trouver ? »

Elle a regardé sa montre.

« Au centre-ville, il y a un magasin de boissons qui est peut-être déjà ouvert, je ne sais pas. Tu as vu Adam ?

– Oui, il est parti en voiture.

– Alors il t'y emmènera à son retour.

– Quand, à ton avis ?

– Sûrement avant midi. »

Je suis retourné dans la chambre. Mon père était allongé, toujours dans la même position. J'ai essayé de ne pas être trop ébranlé par la vue de ce corps ratatiné et grelottant.

« Tu as apporté de la vodka ?

– Pas encore. Halina n'en a pas. »

Aucune réaction. Je me suis juste rendu compte qu'il avait la respiration de plus en plus courte et superficielle.

« Tu as peut-être besoin d'un médecin ?

– Fais pas chier. J'ai besoin de vodka, c'est tout.

– Tu peux tenir combien de temps ?

– Putain ! J'ai tenu trois mois dans les prisons de la Gestapo.

– Qu'est-ce qui se passe ? » a demandé Halina qui est apparue sur le seuil.

Je lui ai indiqué mon père et, dès qu'elle l'a vu, ses yeux se sont emplis de larmes.

« Tu crois qu'il est en danger ? me suis-je alarmé.

– Je ne sais pas.

– Et tes voisins, ils n'auraient pas quelque chose ?

– Je ne compterais pas sur eux.

– Je dois absolument lui trouver à boire.

– Je t'aurais passé la voiture, mais Adam l'a prise. »

Soudain, mon père s'est mis à tousser et a pressé les mains contre sa tête, chaque quinte lui arrachant un spasme de douleur.

« Je vais y aller en tracteur.

– Tu sais conduire ce genre d'engin ?

– Quand on est arrivés en Israël, on a vécu dans un kibboutz, et je m'en servais de temps en temps.

– Tu étais gamin.

– Ce n'est pas très compliqué de conduire un tracteur.

– D'accord, vas-y. La clé est dessus. Prends le nouveau. Je te déconseille le vieux, il est moins fiable. »

Je suis sorti et j'ai traversé la cour quasiment au pas de course.

« Papa ? »

Aucune réponse.

« Papa ? Ça va ? »

Aucune réponse.

Il est là, allongé sur son lit, tremblant, les yeux fermés, la respiration difficile.

« Papa ? »

Il marmonne. J'ôte la serviette humide qui recouvre son front, la replonge dans le récipient d'eau et la pose de nouveau sur son front brûlant. On est seuls à la maison, lui et moi, maman est allée chercher le docteur et c'est elle qui m'a dit de mouiller la serviette de temps en temps. Rien d'autre.

« Tu vas y arriver ? m'a-t-elle demandé avant de partir.

– Oui, maman. »

Juste au moment de sortir, elle a ajouté d'un ton chargé d'inquiétude que je ne devais surtout pas m'inquiéter. Elle est rapidement sortie de l'appartement, mais est aussitôt revenue parce que, dans sa panique, elle avait oublié de prendre son sac.

On est seuls, lui et moi. Je suis de plus en plus tendu. Et effrayé. Je m'approche avec crainte du grand corps frémissant de mon père. J'ai peur de le toucher et n'ai qu'une envie, me tirer. Et s'il arrivait quelque chose ? Oui, que faire si tout à coup il tombait dans le coma ? Ou se mettait à appeler à l'aide, à crier, à s'agiter ? Et s'il mourait, maintenant, sur son lit, alors qu'il n'y a que moi à ses côtés ?

« Papa ? » Aucune réponse. Une odeur âcre se dégage de lui. Son visage est blême. Il est inconscient.

Je porte le petit corps dans mes bras, le dépose sur un lit d'hôpital. On le déshabille, on lui désinfecte le dos, on va lui planter une aiguille fine et longue entre les lombaires. Ma femme sort de la chambre. Je reste avec lui, maintiens fermement ses bras pour qu'il ne bouge pas tandis que deux infirmières l'immobilisent, elles aussi, de chaque côté, au cas où. Il est pourtant trop étourdi et trop faible pour résister. La terrible grimace de frayeur qui a envahi son visage me poursuit aujourd'hui encore.

« Ne t'inquiète pas, papa est là », mais j'ai le cœur brisé à la vue de son corps malade, si menu, de son expression affolée. « Ne t'inquiète pas, papa est là. »

Tout ira bien, tout ira bien. Il ne mourra pas.

Je me suis assis sur le tracteur, j'ai pris une grande inspiration, allumé une cigarette. Ça avait l'air simple : la clé fichée dans la serrure pour démarrer, le changement de vitesses, l'embrayage, l'accélérateur et la pédale de frein. Je suis passé au point mort, j'ai mis le contact, le moteur a eu quelques éructations étranglées, j'ai appuyé sur l'accélérateur, les éructations se sont muées en un profond ronflement qui s'est renforcé à mesure que je donnais du gaz. J'ai pressé l'embrayage, suis passé en première et ai lentement relâché la pédale, avec précaution, puis j'ai poussé sur l'accélérateur. Le tracteur a sauté, toussé et calé. Rebelote. Point mort, starter, accélérateur, embrayage, première, lâcher la pédale, appuyer doucement sur l'accélérateur. Le véhicule a sursauté, toussé, calé. J'ai alors entendu une voix qui me lançait de loin : « Le frein à main ! » et j'ai vu Halina sur le seuil de la maison.

« Il est où ?

– À côté de ton pied droit. Une petite pédale. Enfonce-la complètement et elle lâchera. »

Point mort, starter, accélérateur, frein à main, embrayage, première, lâcher la pédale, appuyer doucement sur l'accélérateur. Le tracteur a démarré. De la main, j'ai dit au revoir à ma cousine, mais elle m'a fait signe d'attendre et a couru le long du mur de pierres jusqu'au portail qu'elle m'a ouvert.

« Bonne chance, a-t-elle lancé dans mon dos. Si le magasin est fermé, il y a un bar à côté qui sert dès le matin. Pour les gens comme ton père. Là-bas aussi, ils pourront t'en vendre. »

Arrivé sur la route, j'ai veillé à rester bien à droite. Je suis passé en seconde, en troisième, puis en quatrième, mais le tracteur roulait très lentement. Le moteur grognait comme si quelque chose l'entravait. En inspectant le changement de vitesses pour essayer de comprendre si j'avais fait une erreur, j'ai découvert une petite manette, juste à côté, et je me suis tout de suite souvenu quoi faire. J'ai ralenti et rétrogradé, troisième, seconde, première. J'ai tiré sur la manette, réenclenché les vitesses, le tracteur a enfin accéléré correctement et, avec lui, la sensation d'urgence s'est faite de plus en plus forte.

Mon père souffrait et je devais l'aider, il était allongé là-bas sur son lit, dans la chambre d'amis, à se tordre de douleur. Je ne pouvais pas supporter de le voir dans cet état. Je devais le protéger, pour être, moi aussi, protégé.

« Papa ? » Il est bouillant, couché sur le lit. Je mouille et remouille la serviette que je lui pose sur le front. Il marmonne et je ne comprends que des bribes de phrases. Il parle de la mort. De soldats nazis. D'exécutions de prisonniers de guerre allemands. Et soudain il ouvre les yeux. Des yeux injectés de sang, au regard terrifiant. Je recule. Il s'assied sur le lit, non, il ne faut pas, il n'a pas le droit ! Je dois l'obliger à se rallonger mais je n'ose pas le toucher et mes mots se coincent dans ma gorge.

« Je dois partir d'ici, ânonne-t-il lourdement. Merde ! Je me suis fait baiser par ces fils de pute de l'armée rouge ! Se sont mis à dégoiser à cause de quelques porcs nazis. Vite ! » Il essaie de se lever, dégringole et recommence à jurer. Brusquement, il perd de nouveau connaissance et cesse de bouger.

« Papa ? » Aucune réponse. Il est mort ? Je m'approche de lui lentement, j'ai peur que tout à coup il m'attrape par la jambe et me tire à lui. Sa poitrine se soulève et s'abaisse. Il respire, ouf. Je prends le récipient d'eau, y plonge la serviette qui est tombée par terre et la pose sur son front trempé de sueur. Il lâche un gémissement.

« Papa ! » gémit-il, allongé sur un lit d'hôpital, relié au goutte-à-goutte de la perfusion qui lui instille des antibiotiques en intraveineuse. Si fine, si délicate, sa veine. Ma femme est allée parler aux médecins, se faire expliquer le diagnostic, comprendre le pronostic et, sans doute aussi, donner ses instructions.

« À l'hôpital, si tu ne t'occupes pas toi-même de ton malade, personne ne le fera à ta place », m'avait-elle expliqué avant de sortir de la chambre tandis que je restais pour surveiller ce petit corps fragile. Il ferme les yeux. Je me lève et vais jusqu'à la fenêtre, contemple le paysage de collines boisées qui s'y dessine.

« Papa ! » s'écrie-t-il soudain, affolé.

Je me précipite vers lui : « Ne t'inquiète pas, papa est là. »

Parfois, la nuit, quand un cauchemar le réveillait, il m'appelait en criant : « Papa ! » et toute son impuissance résonnait dans ce cri, toute la vulnérabilité du lien qui le retenait au monde. Je ne pouvais pas être le père que j'aurais voulu être et je ne voulais pas être le père que j'étais. Mais lui n'en savait rien quand il se réveillait et m'appelait au milieu de la nuit.

Tel était mon rôle : être dans sa chambre en cas de besoin, m'asseoir à côté de lui sur une chaise ou m'allonger sur le tapis et m'endormir, peu importe, le principal, c'était que je sois dans les environs, papa gardien, prêt à défendre le château fort qui les abritait, lui et sa mère. C'était leur droit et mon devoir, sauf que mes capacités s'étaient tellement amenuisées au fil du temps que j'ai fini par cesser d'essayer. Bien sûr, j'étais l'homme, et je le serais toujours, celui qui ouvre les bocaux quand personne n'y arrive, qui sait déboucher le lavabo, qu'on réveille à deux heures du matin pour aller voir ce que sont ces bruits en provenance de la salle de bains, de la porte d'entrée ou du jardin. Mais ce n'est pas ce que je voulais. Oui, moi, j'avais espéré être autre chose.

Au commencement : allongée sur la table de travail, ma femme crie, hurle, se tortille, gesticule, hoquette, écarte les cuisses, tout est ouvert, là-bas en bas. De plus en plus ouvert. Tout est simple, total, là-bas en bas. La sage-femme vient se poster entre ses jambes. Elle lui attache un sachet à déchets sous les fesses. Des lambeaux de chair et de sang tombent dedans, éclaboussent le drap et l'intérieur des cuisses. Tout est simple, absolu, merveilleux, cruel, sans fioritures.

Oui, au commencement, il y avait une confiance absolue : on se tient les mains, elle et moi. Ensuite sont venus les cris, la gesticulation, le sang, presque comme dans un abattoir, sauf qu'ici on n'égorge rien, au contraire, la vie jaillit du néant. La sage-femme tient entre ses mains le petit corps mou qui vient d'être extirpé d'entre les jambes de ma femme. Il pendouille, désarticulé, pantin en caoutchouc bleu, visage en caoutchouc inexpressif, paupières en caoutchouc fermées, lèvres en caoutchouc violettes qui soudain s'ouvrent en grand et prennent une inspiration, la première. En un instant, le corps bleu devient rose, le caoutchouc disparaît du visage, les membres lâches remuent et un cri à peine audible sort de la bouche grande ouverte. C'est mon fils qui vient de recouvrer la vie. Qui a ressuscité sous mes yeux. Et moi, j'ai vu cet instant, sa première respiration, j'ai entendu les pleurs qui ont jailli de ses poumons fragiles. Un être minuscule est posé sur la poitrine dénudée de ma femme, trouve le mamelon et commence à téter.

Tout est simple, absolu, merveilleux. Tout est clair et logique. Devant cette vision, il n'y a plus de doutes, plus d'angoisses, plus d'hésitations. Je porte mon fils jusqu'à la salle de soins. Il se met à pleurer, j'approche mon visage du sien et je lui dis : « Ne t'inquiète pas, papa est là. » Il se calme et me fixe de ses grands yeux.

Oui, tout paraît simple, merveilleux, au début. Mais bien vite, je m'éloigne, repoussé, exilé un peu plus chaque jour, pour finir par me retrouver à errer sans but dans le jardin tandis qu'ils s'amusent à la maison. Ne me restent que les rares fois où elle s'absente. Alors on joue à la bagarre sur le tapis, lui et moi, comme je le faisais avec mon père. Il s'assied sur mon torse, me griffe les joues, me tape. C'était le seul moyen que j'avais de serrer mon fils dans mes bras, de sentir son odeur, son souffle. Lorsque ma femme arrivait, elle mettait fin à nos ébats en décrétant : « Se battre, ce n'est pas un jeu pour un petit. Tu veux en faire un voyou comme toi ? »

La vie évolue, se complique, s'altère. Les moments absolus, simples, ne reviennent plus, ils restent un souvenir dont on se languira en permanence jusqu'à ce que vienne une terrible panique ou la mort. Alors il s'écriera : « Papa ! » et je me précipiterai vers lui, le cœur serré : « Ne t'inquiète pas, papa est là. »

Petit visage blême. Il dort maintenant. J'examine chacun de ses traits et, bien que les médecins nous aient assuré qu'il n'était pas en danger de mort, je vérifie à intervalles réguliers qu'il est toujours en vie, je revois le visage bleu du noyé, Piotr, dans les bras de son père, et aussi celui du bébé mort, le fils du forgeron de la PGR, que j'avais à peine réussi à apercevoir dans son cercueil minuscule. L'air était étouffant dans la pièce, alourdi par des odeurs de transpiration, de cire brûlée et de braises éteintes. Le fourneau allumé en permanence s'était tu et restait froid, noir de suie. Tout autour, on avait allumé des cierges. Le cercueil était posé sur la table. Nous, on était entrés, tous les quatre, Ola, Anka, Robert et moi, parce qu'on voulait voir un bébé mort et c'est une atmosphère étouffante qui nous a accueillis. La femme du forgeron marchait de long en large, drapée dans un long gémissement qui n'était interrompu que par de rapides inspirations. Le forgeron était assis sur une chaise à l'écart, très pâle, et serrait les mains des visiteurs qui venaient lui présenter leurs condoléances, mais il ne regardait pas leur visage. Avec mes sœurs et mon frère, on a attendu que tout le monde soit parti, et alors seulement on s'est approchés du cercueil. D'abord Ola, ensuite Robert, Anka en troisième et moi en dernier.

« Vous êtes de bons petits, a soudain hoqueté la femme entre deux sanglots. De merveilleux enfants ! C'est tellement gentil à vous d'être venus voir mon bébé. »

Ola avait déjà regardé dans le cercueil, Robert aussi, Anka l'a fait après une légère hésitation, et, quand mon tour est finalement arrivé, je me suis rendu compte que je n'étais pas assez haut. La mère éplorée ne cessait de nous complimenter. Je l'ai regardée, puis j'ai regardé le visage pâle et triste de mon ami le forgeron, et j'ai été saisi d'un terrible sentiment de culpabilité : nous étions venus voir leur petit mort comme si c'était un phénomène de cirque ! Ma grande sœur m'a soulevé et j'ai eu le temps d'apercevoir un visage sans vie, mais ça a duré un quart de seconde parce que la femme s'est approchée et m'a scruté avec des yeux exorbités : « Vrai que s'il avait grandi, tu aurais joué avec lui ? m'a-t-elle demandé. Vous auriez été des amis, vrai ?

— Oui », ai-je bafouillé dans ma frayeur.

Elle a lâché un cri déchirant, s'est mise à taper des pieds et a recommencé à se lamenter.

Arrivé au centre-ville, je suis descendu du tracteur, j'ai demandé où était le magasin de boissons, un vieil homme m'a renseigné et a ajouté en regardant sa montre : « Essayez toujours, mais à mon avis, c'est fermé.

– Alors où est-ce que je peux trouver un bar ouvert ? »

Il m'a dévisagé, l'affolement dans ma voix ne correspondait ni à mon âge, ni à mon allure.

« C'est pour mon père, lui ai-je expliqué, et le soulagement s'est peint sur son visage.

– Il y en a un quelques mètres plus loin. Bonne chance ! »

Arrivé devant le magasin, j'ai trouvé porte close, et j'ai donc continué jusqu'au bar où on a accepté de me vendre une bouteille de vodka à un prix exorbitant.

« C'est pour mon père », ai-je précisé au barman et à deux vieux consommateurs assis là-bas qui m'examinaient avec curiosité au-dessus de leurs verres pleins à ras bord. Je me suis rapidement éclipsé.

Point mort, starter, accélérateur, frein à main, embrayage, première, lâcher la pédale, appuyer doucement sur l'accélérateur. Le tracteur a redémarré. Seconde, troisième, quatrième, rouler à droite. Me dépêcher, j'ai, à côté de moi, le remède miracle qui va sauver mon père.

À Wrocław, au moment où il était tombé par terre, dans la chambre à coucher, le corps secoué de frissons de fièvre, j'avais décidé d'aller chercher la voisine, Mme Lipska, mais lorsque j'ai ouvert la porte pour y aller, je me suis trouvé nez à nez avec le docteur et ma mère. Ils se sont précipités dans l'appartement et, unissant leurs efforts, ont soulevé mon père qui, une fois remis au lit, a eu droit à une piqûre. Il a recommencé à divaguer sur les prisonniers nazis morts, la prison, l'armée rouge, mais maman a rassuré le médecin, expliquant que ce n'était rien du tout, son mari délirait, et elle m'a envoyé jouer dehors avec mes petits copains.

Je suis descendu à contrecœur. Et si papa mourait ? Oui, s'il mourait ? Sauf qu'en me posant la question, je me suis rendu compte que je ne savais plus si cette pensée m'attristait ou me réjouissait. S'il mourait, il ne dépenserait plus tout notre argent. S'il mourait, il ne reviendrait plus ivre pour nous tabasser.

En roulant vers la maison d'Halina, j'ai repensé à sa méchanceté, à sa violence, à ses infidélités, à son autre famille, à l'hédonisme sadique qui coulait dans ses artères en même temps que les litres de vodka, et j'en suis arrivé à me dire : qu'il souffre, je m'en fous. Et puis, quand je suis entré dans la cuisine, je l'ai trouvé assis à table devant une bouteille. Il m'a accueilli avec un large sourire : « Mon Tadzio, tu étais où ?

– Je suis allé te chercher à boire. »

Halina est survenue sur ces entrefaites : « Ne te fâche pas, mais dix minutes après ton départ, Adam nous a apporté de la vodka. Il y a pensé tout seul. »

Mon père buvait avec une intense satisfaction tout en grignotant un morceau de saucisson.

« C'est un bon gars, son mari, a-t-il déclaré avant d'ajouter, sur un ton mielleux : Au moins, c'est quelqu'un sur qui on peut compter. Pour sûr ! »

J'ai posé devant lui la bouteille que j'avais achetée.

« Merci, mon Tadzio. Mais ici, on n'en a plus besoin, tu vois bien qu'Adam s'est occupé de moi. Alors va, va la ranger dans ma valise. Vraiment un type bien. Et il a de magnifiques enfants, éduqués, pas des voyous comme vous. »

QUATRIÈME PARTIE

1

Debout à côté de son lit, elle enlève son foulard, défait sa coiffure. Sa longue chevelure lisse, argentée, tombe en masse sur ses épaules et son dos. Elle prend un peigne sur la commode et commence à se coiffer énergiquement, mèche par mèche, on dirait qu'elle essaie de se débarrasser au plus vite de cette tâche. Les longs cheveux de la grand-mère sont totalement étrangers au rôle de paysanne endurcie qu'elle endosse du matin au soir. Il en émane une douceur qui ne lui correspond pas du tout.

Elle s'approche d'une malle en bois posée dans un coin de la pièce, l'ouvre et en sort deux petits rectangles en carton sur lesquels sont peintes des images pieuses. Elle me tend celui qui représente la Vierge Marie tenant dans les bras l'enfant Jésus et garde celui où on voit le Christ.

Nous nous agenouillons tous les deux au pied du lit, baissons la tête, fermons les yeux. « Notre Père qui êtes aux cieux, Que Votre nom soit sanctifié, Que Votre règne arrive, Que Votre volonté soit faite sur la terre comme au ciel, Donnez-nous aujourd'hui notre pain quotidien, Pardonnez-nous nos offenses comme nous pardonnons aussi à ceux qui nous ont offensés, Ne nous laissez pas succomber à la tentation mais délivrez-nous du mal, Ainsi soit-il. »

La grand-mère me retire le carton des mains. Elle se relève, s'approche de sa malle en bois, embrasse les deux icônes, les range et referme le couvercle. Pendant ce temps, je me glisse dans le lit et remonte la couverture, comme tous les soirs, quand la grand-mère et moi allons dormir.

Mon frère et mes sœurs, eux, couchent dans la grange. Je les y rejoindrai quand je serai plus grand. Là-bas règne une agréable odeur de blé, de paille et de foin, chaque élément entassé à l'endroit qui lui est réservé : les grains de blé au centre, à droite la paille, à gauche les bottes de foin contre lesquelles est appuyée une échelle qui permet de grimper. Une fois en haut, on étale une couverture, on s'allonge sur cette couche moelleuse et on s'endort baigné d'un frais parfum champêtre. Mais la grand-mère estimait que les petits ne pouvaient pas dormir dans la grange, et pendant mes premières vacances d'été, elle m'accueillait dans son lit.

Cette femme avait des yeux intelligents et parlait avec l'accent caractéristique de sa région natale. Elle ne savait ni lire ni écrire, mais avait hérité d'un bon sens fondamental qu'elle essayait de me transmettre, à moi aussi. Elle m'emmenait nourrir les animaux de la ferme, inspecter les champs ou rendre visite à ses amies.

Elle ne se gênait pas, lorsque, au milieu des terres, je confondais blé et orge, pour me traiter de « petit idiot de citadin » et pour ensuite en faire des gorges chaudes avec ses copines, rien que des femmes vêtues, comme elle, de longues robes sombres et d'un foulard sur la tête. Elles riaient de mon ignorance, gros ventres et doubles mentons tremblotants, jusqu'à ce que la grand-mère les fasse taire parce qu'elle se souvenait tout à coup qu'elle seule avait le droit de se moquer de son petit-fils venu de la ville.

Plus tard, j'ai remarqué que de nombreux paysans éprouvaient le besoin de railler l'ignorance des citadins. Est-ce là une manière de réagir aux images idylliques que ces derniers projettent sur le monde agricole ? En ville, on ne cesse de chanter les grands espaces inondés de soleil et la douceur d'une vie simple, saine, à la campagne, mais quel rapport entre ces envolées lyriques et le corps usé par le dur labeur, la peau brûlée, les années de sécheresse, la famine, l'épuisement moral, quel rapport entre la poésie d'asphalte et les querelles sans merci à cause d'une parcelle cultivable, les rivalités, la violence, l'alcoolisme, la vulgarité fruste et impitoyable ?

Je les vois encore, assises ensemble, ces vieilles-là. Elles rient de toutes leurs dents gâtées, la peau de leur visage ridé est tachée, elles sont assises et insultent en chœur leurs maris, leurs voisins, leurs enfants. Pourtant, que de fois ne se sont pas révélés, sous cette enveloppe grossière, une âme délicate et un cœur miséricordieux, comme chez la grand-mère !

Dans sa jeunesse, nous racontait-elle, elle sortait souvent courir dans les champs avec les chevaux, et quand elle était fatiguée, elle en attrapait un par la crinière, sautait sur son dos et montait à cru.

Un jour, on l'a vue lutter avec un cheval rétif qui la secouait dans tous les sens : « Je courais avec eux pieds nus, nous a-t-elle lancé, furieuse contre l'animal indomptable. Croyez bien que j'en ai vu d'autres ! »

Mais nous, mon frère et moi, on était tellement terrorisés qu'on ne cessait de la supplier de ne pas s'entêter.

Loin de nous écouter, la grand-mère a raffermi sa prise et, tout à coup, le cheval s'est dressé sur ses pattes arrière et l'a envoyée valser : le corps lourd drapé dans son éternelle longue robe a effectué, avec une incroyable légèreté, un vol plané et a été projeté contre la porte de la grange qui s'est effondrée sous son poids. La grand-mère a disparu à l'intérieur. Robert et moi sommes restés tétanisés. On était sûrs que le cheval l'avait tuée, mais au bout de quelques minutes elle est réapparue sur le seuil, tout ébouriffée, et a simplement secoué ses vêtements.

« Fils de pute ! » a-t-elle susurré avant de se ruer sur le cheval fou.

Telle était la grand-mère.

Le soir, lorsqu'elle se déshabillait pour aller dormir, ses bourrelets, libérés du carcan de la robe qui les maintenait pendant la journée, dégringolaient en cascade et se réorganisaient. De même, dès qu'elle enlevait la bande de tissu qui soutenait sa poitrine, ses deux gros seins tombaient et atterrissaient sur les plis de son ventre proéminent.

Avec ses longs cheveux défaits qui lui couvraient les épaules, les chairs libérées qui révélaient leur moelleuse abondance, la grand-mère n'avait plus du tout la même apparence. Elle restait en caleçon long jusqu'aux genoux et se couchait à côté de moi, douce et plantureuse. De sa peau montaient des odeurs de transpiration, de foin, de bouse de vache et de lait acide tandis que son corps dégageait chaleur et gentillesse, me procurant un sentiment de sécurité originelle que je n'ai jamais retrouvé ailleurs que dans son lit.

« Ce Janusz, quel enfoiré, marmonnait-elle, et l'autre, Wojtek, un sacré salaud aussi, il aurait pu s'excuser pour ce qu'il a fait à cette connasse de Teresa, même si elle, elle arrête pas d'exciter cet enfoiré de Janusz qui est venu chercher le lait en retard uniquement parce qu'il peut rien faire sans baiser cette greluche de Magdalena dès le matin. » Chaque soir avant de dormir, elle résumait ainsi sa journée, c'était comme une version du *Pater Noster* tirée de la vraie vie – Notre Père qui êtes sur terre. « Quant à cette pouffiasse d'Irena, elle en fait de moins en moins ces derniers temps. Même si c'est ma fille, c'est pas une raison, elle a des responsabilités, mais elle préfère papoter avec cette sale pute d'Halina, alors elle, c'est vraiment une bouche inutile, pendant que son mari se casse le cul, elle fait du gringue à ce trou du cul de Wojtek, s'en fiche qu'il vient d'épouser la Teresa. Quel merdier. » Et de reprendre après un instant de silence songeur et un soupir : « Bon, Roman, il vaut pas mieux, ce fumier. Et Maria, une salope, et Henryk, un gros couillon, qui augmente le prix des bottes en caoutchouc comme ça lui chante. Et Wladek, ce vaurien, combien de temps ça lui prend pour réparer une roue de charrette ? Sans compter qu'il m'a promis de me boucher le trou du seau pour le même prix, et j'ai toujours rien vu, le salaud. » J'éclatais de rire, incapable de me retenir. Elle se taisait alors, tournait la tête vers moi et me demandait, un peu énervée : « Quoi, t'es encore éveillé ? Allez, assez papoté, dors. » Et aussitôt, elle reprenait le résumé personnel de sa journée jusqu'à ce qu'elle aussi s'endorme.

« C'était quelqu'un, ma mère ! a déclaré mon père. Une femme au grand cœur, mais une dure à cuire, pour sûr ! Sacrément coriace. » Il s'est tu, a jeté un regard circulaire et a pris une grande inspiration. « Ah, comme ils m'ont manqué, ces relents infects ! Sache qu'ici, il y a une odeur particulière : l'odeur de notre village. Toi, tu penses certainement : les champs, l'air pur. Que dalle. Rien que la crasse et la puanteur, je te le dis, mais qu'est-ce que ça m'a manqué ! »

On avançait sur le chemin de terre, lentement, au rythme de ses pas mesurés. Tout autour s'arrondissaient de petites collines couvertes de champs et piquées de fermes ici et là.

J'avais attendu que mon père ait bu suffisamment pour redevenir lui-même, puis on s'était séparés d'Halina et d'Adam. Il avait encore traîné sur le pas de la porte pour les serrer tous les deux chaleureusement dans ses bras et n'avait pas arrêté de taper sur l'épaule du mari pour le remercier de l'avoir délivré des insupportables maux de tête qui l'avaient assailli tôt le matin. Moi, je l'attendais, déjà assis dans le taxi que ma cousine nous avait commandé.

Nous avons roulé pendant plusieurs kilomètres sans échanger un seul mot, j'aurais bien voulu surmonter ma vexation puérile, mais je n'y arrivais pas.

Le chauffeur a soudain freiné : « Je ne vais pas plus loin. Ces chemins ne sont praticables qu'en tracteur ou en charrette. »

J'ai essayé de parlementer, j'étais avec un vieil homme qui ne pouvait pas marcher, et puis cette route ne me paraissait pas pire que celle qui serpentait sur le coteau jusqu'à ma maison à Jérusalem, mais mon père a posé la main sur mon épaule. Ce contact m'a pétrifié, je ne voulais pas qu'il me touche.

« C'est bon, mon Tadzio, a-t-il déclaré en ôtant sa main, il a raison. De là, j'ai toujours continué à pied. Ce n'est qu'à cent mètres. »

On est sortis et le taxi a aussitôt fait demi-tour. Mon père est resté debout quelques instants, impossible de voir s'il était content ou inquiet. Je me suis alors placé devant lui pour le prendre sur mon dos, même si c'était la dernière chose dont j'avais envie. Il m'a doucement repoussé : « Non, mon Tadzio. Merci, mais je vais un peu marcher. On n'est pas pressés, n'est-ce pas ? »

Alors on a commencé à avancer. Lentement. De temps en temps, il s'arrêtait pour se reposer, s'appuyait sur sa canne, se vidait le nez dans son mouchoir dégoûtant et me lançait de tendres sourires gênés pour essayer de m'amadouer.

« Quand je regarde ces paysages, m'a-t-il dit après s'être arrêté pour reprendre des forces, je peux encore me représenter ma mère, avec sa robe et son fichu, qui approche à grands pas. Tu te souviens de la taille des pas de ta grand-mère ? Et de ses bottes ! »

Il espérait sans doute m'apaiser avec cette évocation censée dissiper le goût amer de ce qui s'était passé quelques heures auparavant. Et c'est juste avant de se remettre à marcher qu'il a conclu : « Une femme au grand cœur, mais une dure à cuire, pour sûr ! Sacrément coriace. Et têtue comme une mule, que le Christ la garde. On m'a raconté qu'à la fin de sa vie, elle s'est disputée avec Irena et a quitté le village. Pourquoi ? Parce qu'elle avait décidé de donner, de son vivant, une grande partie de ses terres à ses petites-filles, alors qu'Irena voulait toutes les récupérer pour les leur léguer elle-même. Avec ma mère, elles se sont tellement disputées que la vieille en a eu marre et qu'elle est carrément allée s'installer chez Halina. À Chełm. C'était la première fois qu'elle vivait en ville, ça l'a tuée. On aurait dit que, là-bas, elle avait perdu son instinct, sa force vitale. Pour sûr ! Tous les matins, elle sortait s'occuper de la ferme, elle travaillait dans les champs, son corps ne connaissait que ça. Et tout à coup, le voilà en ville. D'accord, ce n'était que Chełm, une petite ville mais une ville quand même. Ça l'a tuée. Et si tu me poses la question, elle se languissait de cette puanteur-là. Tu sens ? »

Mon père s'est de nouveau arrêté pour respirer à pleins poumons.

« Elle n'a pas eu la vie facile, ma mère. D'abord, il y a eu Sabina, ma sœur, qui est morte très jeune. Putain ! Un connard de cheval lui a donné un coup de sabot dans la tête. Il ne l'a pas tuée mais lui a bousillé un truc à l'intérieur, la gamine est devenue muette et complètement folle. Elle n'est morte que bien plus tard. On n'a pas été trop tristes d'ailleurs, sa vie était foutue et elle foutait la nôtre en l'air. Elle est enterrée dans le cimetière du village, pas très loin de mon père. Ma mère aussi y repose, et moi aussi, tu m'y mettras, mon Tadzio. » Il s'est tu, puis : « On s'en grille une ? »

J'ai sorti mon paquet de ma poche, j'ai allumé deux cigarettes et je lui en ai tendu une. Il a tiré quelques bouffées, les yeux dans le vague. Son visage s'était comme ratatiné.

« Longtemps, ma mère ne m'a pas aimé, a-t-il soudain déclaré. Ça a duré des années ! Et quand une mère cesse d'aimer son enfant, même s'il est déjà grand et qu'il a déjà ses propres enfants, ça casse quelque chose en dedans, quelque chose qu'on ne pourra plus jamais recoller. Elle me détestait. À juste titre. J'étais une brute, un voyou, un salopard de vaurien. Tant que j'étais gamin, ça ne la dérangeait pas vraiment. Elle se disait que je n'étais qu'un petit coquin, que ça me passerait en grandissant. Et pendant la guerre, alors là, elle a été fière de moi, ça oui ! Son fils était un partisan. Je t'ai déjà raconté comment elle s'est occupée de Robert et de moi chez ce paysan qui s'appelait Kuba. Je te l'ai raconté, non ? Bon, plus tard. Après, quand la guerre s'est terminée, on m'a accusé de tout un tas de trucs et j'ai été condamné à la peine capitale. Mon père était mort, on peut dire à cause de moi, alors que moi, j'étais vivant et je n'en faisais qu'à ma tête. Comment veux-tu que quelque chose ne se soit pas brisé, là, au fond de son cœur ? Parce que, même s'il était dur à l'extérieur, son cœur, il était tendre à l'intérieur. Oui, en fin de compte, elle avait bon cœur. » Il s'est tu, a passé la langue sur ses lèvres qui s'étaient desséchées, s'est penché sur le côté, et a vidé son nez par terre. « Mon plus grand péché, celui qu'elle a eu raison de ne jamais me pardonner, c'est que j'ai décidé tout seul de vendre une grande partie des terres de mon père et que j'ai gardé tout l'argent pour moi. Je me suis conduit en vrai salaud. Un fils de pute. Mais qu'est-ce que j'y peux ? Je l'ai fait. Ensuite, elle a pris parti pour ta mère, elle disait que je lui bousillais la vie, que je vous bousillais la vie, à vous, ses petits-enfants. Encore une fois, à juste titre. Vers la fin, on n'avait plus du tout de contact, elle me haïssait tellement qu'elle ne voulait plus entendre parler de moi. Mais moi, je l'ai aimée toute ma vie, et même aujourd'hui elle me manque. »

Il a jeté son mégot, l'a suivi des yeux et est resté debout comme ça, sans bouger, appuyé sur sa canne.

« Papa ? »

Il s'est approché. Sans un mot, il s'est placé derrière moi, s'est penché en avant, a posé les mains sur mes épaules, s'y est agrippé, mais tout à coup son corps s'est relâché et a commencé à s'affaisser, il s'est raccroché à moi et je l'ai tout de suite rattrapé par-derrière, sous les cuisses, pour le soulever sur mon dos. Il s'est plaqué contre moi et a serré les jambes autour de ma taille.

On a ainsi repris notre chemin vers la ferme de la tante. Il ne parlait plus, la joue nichée dans le creux de mon épaule, et je sentais sur mon cou sa respiration lourde qui empestait la vodka. Son corps, lui, m'a paru s'amenuiser encore, se ratatiner au point que j'ai eu l'impression, en le tenant ainsi contre mon dos, que lui et moi devenions une même masse compacte.

Impossible de mettre en doute la sincérité de ses propos, si bien que je ne pouvais plus lui en vouloir, malgré la grossièreté avec laquelle il exprimait sa douleur et tentait de m'apaiser. Alors, pour lui remonter le moral, je lui ai raconté une histoire, comme on le fait avec les enfants. Je n'essayais plus de lui pardonner.

L'histoire que je lui ai racontée, c'est celle du coq de la grand-mère. Chaque fois qu'il me voyait, ce coq, il me sautait dessus par-derrière, se mettait sur mes épaules, me picorait la tête et me frappait avec ses ailes jusqu'à ce que je tombe. J'avais quatre ans, il était plus fort que moi. Je n'en avais parlé à personne, pas même à mon frère, j'en avais fait mon combat personnel. Chaque matin, je me faufilais prudemment dehors et parfois j'arrivais à lui échapper. Parfois il me guettait et me prenait en traître, bondissait sur mes épaules et me donnait des coups de bec pour que je m'écroule. Un matin, la grand-mère a surpris son manège de la fenêtre. Elle est sortie et est allée chercher une hache. Dès que le coq l'a aperçue, il m'a lâché et s'est enfui. Elle n'a même pas pris la peine de le poursuivre, elle a juste lancé l'outil dans sa direction, l'a touché, et il est tombé raide mort. Ce midi-là, elle m'a servi un bouillon de poule avec un grand sourire.

Ça a amusé mon père qui s'est un peu redressé.

« Tous les soirs, quand j'étais petit, a-t-il dit, ma mère nous distribuait, à Irena, Sabina et moi, des images représentant Jésus, Marie et des saints, je ne me souviens plus lesquels exactement, peintes sur du parchemin. On s'agenouillait tous et elle récitait le *Notre Père*. Maintenant, écoute-moi bien, je vais t'avouer une chose, mon Tadzio, une chose que je n'ai jamais avouée à personne parce que j'ai quand même la foi, je respecte le Seigneur et chaque fois que j'entre dans une église, je me signe, comme tout le monde. Et je prie. Mais, malgré tout le respect que je Lui dois, et j'espère qu'Il me pardonnera pour ce que je vais te dire : je pense que Lui aussi, c'est un fils de pute. Et le *Notre Père*, si tu savais comme je le détestais quand j'étais gosse ! Et je la détesterai toujours, cette prière. Pour sûr ! Après tout ce qui est arrivé ? Après tout ce qu'Il m'a fait endurer sur cette putain de terre maudite !

« Notre Père qui êtes aux cieux ! a-t-il soudain crié en resserrant les cuisses autour de ma taille. Notre Père qui êtes aux cieux, fils de pute ! Que Votre nom soit sanctifié, que Votre règne arrive, que Votre volonté soit faite sur la terre comme au ciel, donnez-nous aujourd'hui notre pain quotidien, pardonnez-nous nos offenses comme nous pardonnons aussi à ceux qui nous ont offensés, les fumiers, ne nous laissez pas succomber à la tentation, notre Père qui êtes aux cieux, ne nous laissez pas succomber, mais délivrez-nous du mal. Du mal. Notre Père qui êtes aux cieux, délivrez-nous de ce terrible mal. Délivrez-nous, notre Père qui êtes aux cieux, fils de pute, délivrez-nous du mal. Ainsi soit-il. »

2

On s'est assis sur un banc en pierre, mon père et moi, à côté de la statue d'un saint qui, étrangement, avait été érigée au bord de ce chemin de terre, on s'est un peu reposés et on en a profité pour savourer les rayons du soleil, l'air pur. Il m'a demandé de lui donner de la vodka et j'ai ouvert sa valise, j'en ai sorti la bouteille apportée par Adam, elle était à moitié pleine, j'ai ouvert le bouchon pour lui, il l'a attrapée par le goulot, l'a portée à ses lèvres et a bu quelques gorgées : « Laisse-la ouverte. »

Je l'ai posée entre nous deux. Il a fermé les yeux, ses lèvres se sont étirées en un grand sourire : « Ah, quel merveilleux soleil ! »

Un ronflement de moteur a résonné dans le lointain, puis un tracteur est apparu, s'est approché, nous a dépassés et a poursuivi sa route vers Chełm. Le conducteur s'est révélé être une jeune paysanne qui nous a brièvement toisés de ses grands yeux bleus, d'abord mon père, puis moi. Un beau brin de fille, qui contemplait le monde avec l'assurance que lui donnaient ses charmes. Les déceptions viendraient plus tard.

Mon père l'a saluée de la main, moi je lui ai souri, elle m'a souri en retour et a salué de la main mon père qui suivait le tracteur du regard : « Drôlement bien roulée, si seulement j'étais plus jeune… Toi, en revanche, tu n'es qu'une cruche ! Une jolie fille passe devant toi, elle nous sourit, et tu restes assis à côté de moi, on dirait un de mes petits vieux de la maison de retraite ! Moi, quand j'avais ton âge, si elle m'avait souri comme ça, je n'aurais pas attendu une seconde. J'aurais couru derrière le tracteur, je te garantis qu'elle se serait arrêtée, et ma main à couper qu'on aurait baisé là-bas, entre les arbres, ou dans une grange. Toi aussi tu aurais pu, si tu avais eu des couilles. Et je suis sûr qu'elle aurait été ravie, je l'ai lu dans ses yeux.

– Mais pourquoi est-ce que je voudrais la baiser ? Uniquement parce qu'elle m'a souri ? Ton monde à toi ne se répartit qu'en baiseurs et baisés.

– Évidemment, soit on baise, soit on est baisé !

– En plus, je suis marié. »

Mon père m'a dévisagé d'un air ahuri.

« Tu sais à quel moment tu comprendras tout ce que tu as loupé dans la vie ? Au moment où tu ne pourras plus rien en tirer. Pour sûr ! C'est comme ça. Qu'est-ce que tu crois ? Que ta femme t'attend bien tranquillement pendant que toi tu t'agites, ici, en Pologne ? Moi, par exemple, tu sais à quoi il m'arrive de penser ? À la dernière fois que j'ai baisé une fille. Oui, j'y pense de temps en temps. À cette dernière fois. Et je ne me souviens même pas avec qui c'était. D'ailleurs, tu crois que je me doutais que ce serait la dernière fois ? Bien sûr que non ! Comment croire qu'elle viendrait, cette dernière fois ? Mais c'est comme ça. Putain ! L'être humain fait ce qu'il veut jusqu'à ce qu'un jour il ne puisse plus, et à partir de là, qu'est-ce qu'il fait ? Rien. Et qu'est-ce qui lui reste ? Ça : la vodka, les cigarettes, et l'air. Le soleil, respirer à pleins poumons. Mon fils assis à côté de moi. Peut-être les souvenirs aussi, du moins une partie. C'est tout. Parfois quelques fantasmes. Oui, parfois je fantasme sur tout ce que j'ai, un jour, pu faire.

— Comme courir après cette pauvre paysanne et la sauter dans les bois.

— Oui. Figure-toi que dans un village comme le mien, il arrive parfois des choses magnifiques. C'est une grande partie de jambes en l'air ici, pour sûr ! Les gens s'ennuient trop. Alors on travaille et on baise, on baise et on travaille. Comment tu as dit ? Il y a les baiseurs et les baisés. A fortiori par un si beau temps.

— On y va ?

— Pas tout de suite. Profitons encore un peu du soleil. Tu viens d'un pays où il y en a toute l'année, alors tu ne peux pas l'apprécier à sa juste valeur.

— J'ai quand même vécu ici quelques années.

— D'accord, mais tu as peut-être oublié ce que c'est que d'en être privé. En plus, moi, j'ai un rapport particulier avec ce putain de soleil, si tu savais comme il nous a manqué, durant les hivers de Majdanek. Et après aussi. Quand on se cachait dans la forêt, c'était ce qu'on attendait le plus : qu'un rayon de soleil vienne nous dégeler la carcasse et nous caresser le visage. À ce propos, je t'ai déjà parlé de notre cure de santé, à Robert et moi, chez un paysan nommé Kuba ?

— Justement, non.

— C'était bien après nos retrouvailles avec Dąbek... » Il est resté songeur un instant. « Ce qui est intéressant, dans l'histoire, c'est qu'à bien y réfléchir, en voulant nous baiser, ce salopard de garde forestier nous a sauvé la vie. Surtout dans notre état ! Parce que déjà avant de nous évader, on était tous très mal en point, alors ajoute à ça ce qu'on a dû subir à partir du moment où on est entrés dans la canalisation et jusqu'à ce que les partisans nous aient récupérés... Même un homme en bonne santé n'aurait pas tenu le coup ! Crois-moi, je ne comprends toujours pas comment des corps aussi malades et martyrisés que les nôtres ont survécu. Cela dit, on n'aurait pas pu continuer encore longtemps à fuir. Ce genre de situation absurde n'arrive qu'en temps de guerre. Bref, après avoir été sauvés par Paweł, on a tous eu droit à une cure de santé pour qu'on se retape, qu'on se repose et qu'on récupère nos forces. On a été répartis dans différents villages. Robert et moi, on s'est retrouvés chez un paysan nommé Kuba, qui avait perdu sa femme pendant la guerre, je ne me souviens plus comment, et qui aidait la résistance. Il s'est bien occupé de nous, avec les moyens qu'il avait. On a surtout passé notre temps à manger et à dormir, à dormir et à manger. Rien que de la nourriture simple. Il ne savait pas cuisiner. Et quelques jours après notre arrivée, voilà qu'il nous dit tout à coup qu'il doit se rendre dans un village à côté de Chełm. Et moi, dès que j'entends le nom de ce bled, je me souviens que j'ai un proche là-bas. Je lui donne l'adresse pour qu'il aille le voir et lui demande de prévenir mes parents, de leur dire que je suis vivant, qu'ils n'avaient pas à s'inquiéter. Eh ben, une semaine après, qui débarque ? Ma mère ! Tout de suite, elle se met aux fourneaux et commence à nous engraisser. Elle a aussi engraissé Kuba puisqu'il était avec nous. Et c'est là qu'elle m'a donné des nouvelles du père et m'a appris que la Gestapo l'avait torturé sous prétexte qu'il avait élevé un criminel – moi – et qu'il n'arrivait pas à s'en remettre. Qu'il avait du mal à marcher. Que ces salopards lui avaient déchiré quelque chose dans les intestins, qu'ils l'avaient tellement roué de coups de poing et de pied dans le ventre que ça lui avait bousillé le foie et les reins, que depuis, il avait du mal à digérer la nourriture qu'elle lui préparait. Putain ! Pourquoi aurait-il été responsable des délits de son fils ? Mon père était un homme bien. J'ai demandé à ma mère de rentrer à la maison et d'aller s'occuper de lui, elle n'avait rien à faire auprès de nous, mais elle m'a assuré que ma sœur s'en chargeait très bien et que c'était lui qui avait insisté pour qu'elle vienne ici. Enfin bref. Elle nous préparait à manger, ma mère, elle n'a pas arrêté. Toute la maison s'est remplie d'odeurs de cuisine, et Kuba, il en était tout remué parce que ça lui rappelait l'époque où sa femme était vivante. Paraît que c'était une excellente cuisinière, c'est ce qu'il nous a dit. Alors il a décidé d'égorger un de ses porcelets. Ma mère a passé deux semaines avec nous, à nous faire la cuisine. On s'est un peu requinqués et on a commencé à participer aux travaux de la ferme, histoire de ne pas rester les bras croisés.

« On allait vers le printemps. Ce putain de soleil qui nous avait abandonnés tout l'hiver s'en revenait enfin comme si de rien n'était, et nous, évidemment, on lui a tout pardonné. Il nous avait tellement manqué, surtout durant cet hiver-là, alors à son retour, on a oublié qu'on était en guerre : ma mère cuisinait, on travaillait dans les champs ou à la traite, on nourrissait les cochons, on s'allongeait dans l'herbe au soleil, on fermait les yeux et on se laissait aller à somnoler. Travailler, se reposer, manger. Le soir on s'asseyait ensemble autour d'une bouteille de vodka, on se racontait nos vies et on riait. On parlait aussi de la guerre, pour sûr, mais au passé, on évoquait quelques sales souvenirs liés à des événements qui s'étaient produits deux ou trois mois plus tôt comme s'ils dataient d'une autre vie. Mais cette période aussi a pris fin, en un quart de seconde. Combien de temps tu peux vivre en pleine guerre comme si de rien n'était ?

– Et qu'est-ce qui s'est passé ?

– Ils sont venus. Trois soldats de l'AK, et ils nous ont embarqués avec eux. En mission.

– Laquelle ?

– Quelque chose d'inoubliable. Après quatre heures de route en charrette avec des chevaux lancés à toute allure, on s'est arrêtés aux abords d'une école réquisitionnée pour loger de jeunes recrues allemandes, des bleus tout juste mobilisés qui ne connaissaient rien à rien. Quand on est arrivés, ils s'apprêtaient à aller dormir, jouaient aux cartes et buvaient de la vodka, affalés sur leur matelas en caleçon long et tricot de corps. Ils avaient rangé leurs armes loin d'eux, chacune bien posée sur son trépied. Quels cons ! Ils sont là à jouer, pas un ne se doute de ce qui va se passer la minute d'après. Et nous, vlan, on les a arrosés à la mitraillette. Et pas qu'un peu ! On a aussi lancé des grenades. Pris par surprise, ils n'ont rien pu faire. Un vrai carnage ! Ce n'était pas très beau à voir, alors on n'a pas vraiment regardé, mais ce qu'on a vu nous a suffi. Pour sûr ! Tu sais, ce que j'ai vu pendant cette guerre, personne ne peut se le représenter, même dans ses pires cauchemars. C'est à cause de ça que mes yeux fonctionnent si mal, ils en ont trop vu. Voilà. Allez, on y va. Donne-moi juste une gorgée avant de repartir. »

On s'est levés. Mon père a attendu que je le hisse sur mon dos et on a repris notre marche entre les champs et les fermes éparses. Plus on avançait, plus je reconnaissais le paysage. Enfin la vision familière de notre ferme, avec ses quatre bâtiments construits en fer à cheval en haut de la colline verdoyante, s'est offerte à nous et il a voulu descendre de mon dos. Nous avons recommencé à marcher lentement. Plus on approchait, plus le lieu paraissait abandonné. Les vaches, les chevaux, les cochons, les oies, les poules, les outils agricoles qui emplissaient la cour, tout avait disparu. Ce n'est qu'une fois devant qu'on a quand même aperçu quelques volailles et un chien.

« Où sont passés tous les animaux ? me suis-je étonné.

– Où ? Ils ont rejoint le paradis des bovins, pour sûr ! Comment veux-tu qu'une vieille femme seule puisse exploiter une ferme en activité ? »

On a poussé le portail. À droite se dressait la maison d'habitation qui, dans mon enfance, était encore en bois et que j'ai découverte en briques. À côté, il y avait la grange et le hangar, et ensuite, face à la maison, un long bâtiment rectangulaire qui abritait la porcherie, l'étable, le poulailler et l'écurie. Chacun des piquets de la clôture était coiffé d'un bocal retourné qui séchait et sur lequel se brisaient les rayons du soleil. À côté du puits, deux grands tapis prenaient l'air sur l'herbe.

« Irena ! a crié mon père au moment où nous avancions dans la cour. Irena ! Regarde qui est venu te rendre visite ! »

Aucune trace de la tante. Le chien s'est précipité sur nous en aboyant avec rage, je me suis arrêté, prêt à battre en retraite. Mon père, lui, ne s'est pas du tout laissé impressionner.

« Ta gueule ! lui a-t-il lancé. T'as pas honte, bâtard ? Pour qui tu te prends de m'aboyer dessus comme ça ? En plus, tu es nouveau ici, toi. » Le chien s'est rapidement calmé et, quelques instants plus tard, il trottinait entre nous comme si nous étions de vieilles connaissances.

Mon père était fatigué. Le réveil sans vodka et la longue marche jusqu'à la ferme l'avaient rudement éprouvé. Il est allé droit vers un des deux tapis étendus sur l'herbe, a ôté son veston, s'est assis dessus puis carrément couché de tout son long.

« Je vais me reposer un peu, pas longtemps, mon Tadzio. Je me lèverai dès que ma sœur arrivera. »

Il s'est mis sur le dos et s'est vite endormi. J'en ai profité pour visiter la ferme. Le portail en bois du bâtiment d'élevage était maintenu par un gros cadenas mal fermé et une longue tige métallique placée en diagonale que j'ai déplacée pour entrer. Dans l'obscurité, j'ai vu deux grands yeux tournés vers moi – ceux d'une vache, sans doute la seule et unique bête qui restait à la tante. J'ai refermé la porte, remis le cadenas, replacé la tige métallique et je suis allé dans la grange. L'intérieur n'avait pas changé depuis ma dernière visite, plus de vingt ans auparavant. Au centre, un tas de blé, sur la droite des bottes de paille, et sur la gauche une meule de foin, comme à l'époque où nous dormions dessus la nuit.

Ensuite, je suis entré dans le hangar où trônait un tracteur rutilant, qui avait l'air de n'avoir jamais servi. Parmi les vieilles carcasses qui jonchaient le sol, j'ai identifié un traîneau démantelé et un vélo rouillé, celui-là même dont je me servais quand je venais voir la grand-mère et qui n'était autre que le fameux vélo offert à mon père par son propre père pour qu'il arrête le violon.

Je suis ressorti dans la cour et j'ai marché jusqu'au puits. Il avait le même aspect que dans mon souvenir, mais autour de la poulie en bois la corde était à présent en nylon. En voyant mon père endormi sur le tapis à quelques mètres de là, j'ai pensé qu'il pouvait mourir maintenant, comme ça, dans la cour de la ferme où il était né. La tante ne revenant toujours pas, je suis descendu jusqu'aux berges où j'ai trouvé la rivière qui coulait entre les buissons de ronces exactement comme lorsque mon frère et moi allions y tremper les pieds. Je me suis assis sur une grosse pierre, j'ai sorti de mon sac à dos le recueil de poèmes de Zbigniew Herbert que j'avais acheté à Varsovie et dont je n'avais pas encore lu le moindre vers. Mais je n'ai pas mieux réussi. Il y a des gens qui ouvrent tous les soirs un livre dont ils lisent quelques pages pour s'aérer l'esprit et s'endormir plus facilement. Moi, j'ai besoin de calme autour de moi. Sans quoi je me sens agressé par les mots.

J'ai contemplé les quatre bâtiments qui composaient la ferme. De là où je me trouvais, je pouvais voir aussi mon père, cadavre inerte, allongé dans la cour. Peut-être aurait-il été content de mourir ainsi, dans son village, accompagné de son fils revenu de lointaines contrées étrangères pour le voir. Une mort aussi bucolique n'est pas donnée à tout le monde ! Je me suis demandé s'il méritait de finir ainsi. Puis je me suis dit que je ne voulais pas qu'il meure. Pas encore.

Une silhouette qui avançait vers la ferme s'est soudain dessinée sur le chemin, elle portait une robe claire, un fichu sur la tête, des bottes en caoutchouc. Avec ses grands pas déterminés, son allure rappelait celle de la grand-mère. Elle est entrée dans la cour. Quand elle a remarqué mon père sur le tapis, elle s'est arrêtée net.

Elle l'a observé longuement, sans bouger, puis elle s'est engouffrée dans la maison, est réapparue quelques instants plus tard et s'est de nouveau arrêtée pour le regarder. Ensuite, elle est allée dans la grange, en est ressortie avec une gerbe de foin sous le bras, a refermé la porte et s'est dirigée vers le bâtiment d'élevage. Là, elle a enlevé la tige métallique, défait le cadenas et est entrée retrouver sa seule et unique vache.

Elle n'a pas reparu avant un certain temps, portant un broc en fer qui, je l'ai compris à sa démarche, était rempli, sans doute de lait. Elle l'a posé par terre, a refermé porte et cadenas, a fixé la tige métallique en diagonale, a repris le broc et s'est remise en marche à pas lourds, le dos voûté. Elle est passée tout près de mon père, l'a observé un instant avant de continuer jusqu'au puits. Elle a fait descendre le seau à l'intérieur, puis a tourné la manivelle d'une main tout en veillant de l'autre à l'équilibre de la corde qui s'entortillait autour de l'axe en bois. Le seau une fois remonté, elle a versé son eau dans une grande casserole en émail qu'elle a soulevée à deux mains et transportée à l'ombre d'un arbre. Après quoi, elle est revenue chercher le broc et, en le tenant par l'anse, elle est allée le mettre dans la casserole d'eau fraîche. Bien que, de mon poste, je ne puisse pas la voir, je devinais précisément chacun de ses gestes. C'était ainsi qu'on refroidissait le lait dans mon enfance, quand je venais ici en vacances. Même méthode, même broc en fer-blanc, seule la casserole en émail avait été remplacée par une autre casserole en émail, elle aussi déjà bien amochée.

Lorsque la tante a commencé à lancer des grains aux poules, j'ai décidé qu'il était temps de la rejoindre et je me suis levé. Elle m'a vu approcher, s'est arrêtée au milieu de son geste et m'a scruté. À son expression, j'ai compris qu'elle ne me reconnaissait pas mais se disait sans doute que je n'étais pas un total étranger puisque j'étais là avec son frère.

« Tadek, me suis-je présenté lorsque je suis arrivé à sa hauteur. Le fils de Stefan et d'Eva.

– Tadek ! Ça alors ! Incroyable ! » Elle m'a pris par les épaules et m'a embrassé sur les joues.

Irena paraissait jeune pour son âge, mais la peau de son visage était brûlée, fatiguée, et ses cheveux blonds viraient déjà au gris. Elle a saisi ma main en souriant, j'ai senti le contact des siennes, calleuses et fissurées, aux ongles abîmés – les mains d'une paysanne qui travaillait du matin au soir.

« Fatigué ? m'a-t-elle demandé en indiquant mon père du regard.

– Oui.

– Viens. »

On s'est dirigés vers la maison. Elle m'a installé dans son salon et est allée préparer du thé. Des portraits de saints ornaient les murs. Un crucifix était posé sur le téléviseur, lui-même placé sous la fenêtre, si bien qu'on avait l'impression que le Christ se détachait de sa croix et volait, bras écartés, au-dessus du paysage champêtre que l'on apercevait en arrière-plan.

Elle est revenue dans le salon avec deux tasses et une théière sur un petit plateau.

« Je suis très embarrassée, je n'ai rien à vous offrir. La maison est vide. J'irai voir les voisins tout à l'heure et je nous rapporterai quelque chose. »

Elle a servi le thé, m'a demandé ce que je faisais en Pologne, comment j'allais, comment allait ma famille, et j'ai répondu à toutes ses questions.

« Pendant des années, ta mère est restée en contact avec nous par lettres, a dit la tante. Pas beaucoup, une fois par an, mais ça suffisait. C'est grâce à ça qu'on a compris que tout ce que ton père nous racontait sur vous était faux. Mais ensuite, elle n'a plus envoyé de nouvelles.

– Et toi, comment tu vas ?

– Je ne me plains pas, je termine ma vie ici. Ça va. C'est comme ça. Parfois les filles viennent me voir. Surtout Halina, qui n'habite pas loin. »

Elle s'est levée et s'est approchée de la fenêtre qui donnait sur la cour. Sans doute voulait-elle surveiller mon père. Je lui ai demandé quand elle l'avait vu pour la dernière fois.

« Je ne me souviens plus. Ça fait longtemps. Du vivant de notre mère, il venait à Noël, mais après, ça aussi, ça s'est arrêté. » Elle est restée un instant perdue dans ses pensées. « Quand on était mômes, étrangement, on s'entendait très bien, lui et moi. Mais après, il est devenu violent, comme tu sais. Bon, ça fait bien longtemps. Maintenant, on est des petits vieux. » Elle s'est tue. À son expression, j'ai compris qu'elle ne lui avait pas pardonné. Qu'elle n'avait pas tiré un trait sur le passé.

3

Janka Górska était une femme bien en chair, énergique et violente. Elle avait un rire grossier, un sens de
l'humour acéré et une inclination marquée pour l'argent.
Même s'ils possédaient pas mal de terres, elle et son
mari, par souci d'économie, avaient élu domicile dans
leur porcherie – ils avaient construit une séparation qui
partageait l'espace en deux, une moitié pour eux, une
moitié pour les cochons.

Janka aimait manger, danser la polka, et elle appré-
ciait aussi beaucoup les hommes. Quand l'envie lui
en prenait, elle s'envoyait en l'air sans s'embarrasser
de quoi que ce soit, et surtout pas de son mari Boris
qui, d'ailleurs, préférait ne rien savoir. Ce qu'il voulait,
lui, c'était qu'on le laisse mariner dans le bar du coin
après le travail et se saouler la gueule. Sauf que parfois
la rumeur se propageait et on lui soufflait, entre deux
gorgées de vodka : « Boris, on a vu ta femme partir
avec quelqu'un.

– Qui ? demandait-il et on lui donnait un nom.

– Putain de salope ! » tonnait-il alors, furieux. Tant
qu'il ne savait pas, il ne s'énervait pas, mais dès qu'il
était au courant, il fulminait. « Je vais y mettre un terme
une fois pour toutes ! Quand je rentre à la maison, je

prends ma hache et je lui explose le crâne ! » Cependant, la seule chose qu'il faisait, c'était de continuer à boire.

Pendant ce temps, ses menaces belliqueuses se propageaient du bar jusqu'aux oreilles de sa femme.

« Ne rentre pas chez toi, disait-on à cette dernière. Boris va te tuer.

– Lui ? Me tuer ? » Elle éclatait de rire, prenait un gros bâton en guise de massue, posait une chaise à l'entrée de chez eux, s'asseyait dessus et attendait. Si Boris, à son retour, était trop saoul pour arriver à la fuir, elle l'accueillait en lui assenant d'énergiques coups de bâton et l'enfermait avec les cochons. Bien fait pour lui, qu'il passe la nuit avec eux.

À part ça, Janka réussissait à se fâcher avec tous ses voisins, et elle laissait à son mari, d'un naturel plus raisonnable, le soin d'éteindre les incendies qu'elle allumait – ce genre de heurts étant partout, et a fortiori dans un village, la porte ouverte aux pires catastrophes. La grand-mère et la tante n'étaient pas épargnées par ses foudres, mais Boris gardait toujours de bonnes relations avec l'oncle. Bien des fois ils s'étaient retrouvés au bar tous les deux et s'étaient saoulés de concert, pestant contre leurs épouses respectives et se lamentant sur leur sort.

Avec nous, Janka était particulièrement avenante, parce qu'elle aimait les enfants, petites créatures qui ne la menaçaient pas. Leur compagnie lui offrait la possibilité d'une trêve dans la guerre permanente qu'elle livrait à l'humanité entière. C'est pourquoi, un jour, on avait débarqué chez elle tous les quatre, Ola, Anka, Robert et moi, et on lui avait dit qu'on voulait s'installer là parce que la grand-mère et la tante nous prenaient pour leurs esclaves. L'idée lui avait plu – ainsi elle pourrait jouir de notre compagnie et en même temps baiser ses voisines, lesquelles, étrangement, cet été-là, avaient décidé de nous faire trimer sous prétexte qu'on était des gosses pourris-gâtés et des bouches inutiles.

Janka nous a hébergés dans son grenier à foin. Tous les matins on l'aidait, on s'occupait des cochons, des poules, des oies et on allait travailler aux champs avec Boris. Là-bas, on croisait notre famille.

Je labourais le champ de Janka, de l'autre côté de la clôture, la tante labourait le sien, je terminais un tour pendant qu'elle en bouclait trois. Un jour, voyant que la jument ne m'écoutait pas et se rebiffait, Irena ne s'est pas gênée pour se moquer de moi : « Si c'est comme ça que tu bosses, mieux vaut que tu restes avec cette Janka Górska. »

J'ai fait la sourde oreille, je m'en fichais parce que, chez la voisine, quand la journée de travail était terminée et que Boris allait au bar, les festivités commençaient pour nous : on dansait, on se défoulait, on organisait des spectacles, le tout sous le rire contagieux et permanent de la maîtresse de maison, qui non seulement jouait avec nous comme si elle avait notre âge mais était immédiatement devenue la chef de bande. Sous ses encouragements, on se couvrait de draps blancs et on sortait la nuit pour effrayer les voisins. On est même allés rôder dans cet accoutrement autour de la maison de la tante. Au village, les gens avaient tous très peur des fantômes. Ma cousine Krystyna, par exemple, refusait de s'approcher du puits, parce qu'elle était persuadée qu'au fond la guettaient les fantômes de tous les hommes, femmes et enfants qui étaient tombés dedans ou y avaient été jetés depuis l'aube des temps. Jusqu'au soir où, en nous voyant, la grand-mère a ouvert la fenêtre : « Arrêtez, bande de chiens galeux ! Vous faites peur à mes filles ! »

La nuit, Janka nous chantait des chansons populaires ou des berceuses remontées de sa propre enfance et Boris rentrait en titubant. Il était ivre mais, à la différence de mon père, n'insultait ni ne frappait personne. Si, par hasard, il revenait d'une humeur massacrante et râlait, sa femme le menaçait aussitôt de l'enfermer avec les cochons.

Le matin, il se montrait tout gentillet. Il ne se rappelait jamais comment il s'était comporté la veille, alors, au cas où, il préférait être aux petits soins pour sa femme, elle en gloussait de satisfaction et nous envoyait parfois aux champs afin de le garder encore un peu avec elle à la maison. Mais en général il sortait avec nous et là-bas, après nous avoir distribué nos tâches, il s'allongeait à même la terre pour piquer un roupillon.

Un matin, il avait attelé la jument à ma charrue et était allé dormir, mais sans que je m'en rende compte, les rênes se sont prises dans la queue de la bête qui s'est arrêtée et, nerveuse, a refusé d'avancer malgré mes supplications.

« Hue, hue ! » ai-je crié en lui donnant des coups de fouet. Résultat, je n'ai réussi qu'à la braquer davantage, elle a rué et raclé la terre de ses sabots tandis que Boris dormait profondément. Janka, qui par hasard arrivait à ce moment-là, s'est précipitée vers moi, a libéré la queue des lanières, m'a arraché le fouet des mains et s'est approchée de son mari.

« Paresseux ! » Elle lui a balancé son pied dans les côtes, à deux reprises, en ajoutant : « Ordure ! »

Boris s'est réveillé en sursaut, et là, elle s'est mise à le fouetter de toutes ses forces. Il ne parvenait même pas à se relever, mais elle n'a pas arrêté, elle le fouettait et l'insultait. Plus il la suppliait d'arrêter, plus elle y allait fort, et elle a continué jusqu'à ce qu'il arrive enfin à se redresser et à s'enfuir.

« Cette nuit, tu dors avec les cochons », a-t-elle lancé dans son dos en crachant par terre. Après quoi, elle s'est tournée vers moi et m'a mitraillé de ses yeux brûlants. « Qu'est-ce que tu regardes ? Retourne au travail ! Tu veux aussi que je t'en colle une ? »

La voir dans un tel état, face à moi, le fouet à la main et le visage crispé dans une expression aussi féroce, m'a renvoyé à la violence incontrôlée de mon père, et j'ai regretté qu'il ne soit pas là à cet instant. J'ai abandonné la jument et sa charrue, pris mes jambes à mon cou et, en l'entendant crier dans mon dos que j'étais un fils de pute et que je devais revenir travailler immédiatement, je me suis imaginé la manière dont il allait l'écrabouiller et lui broyer les os. Pas comme ce lâche de Boris.

Ce jour-là, on a quitté la porcherie des Górska et on est tous rentrés chez la grand-mère.

Par la fenêtre du salon, j'ai regardé mon père. Il dormait toujours profondément, couché dans la même position. La tante est sortie faire quelques courses et essayer de récupérer un peu à manger et à boire chez les voisins. J'en ai profité pour aller me promener dans cette campagne qui m'avait tant manqué. Laissant la ferme derrière moi, je me suis engagé sur un sentier à la recherche d'images familières qui me rappelleraient l'époque où je passais ici mes vacances d'été, sans grand succès. J'ai marché jusqu'à la porcherie de Janka, mais à sa place avait émergé une immense ferme moderne, entourée d'une haute clôture et gardée par deux rottweillers qui ont commencé à aboyer dès que je me suis approché. J'ai fait demi-tour et suis rentré chez la tante.

À mon arrivée, j'ai vu de loin que mon père se réveillait. Il est resté allongé sur le tapis, a attendu un moment puis s'est tourné sur le côté et a poussé sur ses bras pour se redresser. Il a encore attendu quelques instants, assis, regardant autour de lui – peut-être me cherchait-il ? Je suis sûr qu'il se demandait comment il allait pouvoir se mettre debout sans mon aide. Il a fini par se résigner, a pris la canne, l'a plantée devant lui et a tenté de se hisser vers le haut en s'y accrochant. Ses bras tremblaient, il est tout de suite retombé en arrière et est resté comme ça, sur le dos, les quatre fers en l'air. Exprès, je ne me suis pas précipité à sa rescousse, au contraire, je me suis contenté de l'observer. Je lui en voulais toujours pour le regard méprisant qu'il m'avait lancé le matin même, quand j'étais arrivé comme les carabiniers avec ma bouteille de vodka. Qu'il souffre un peu ! Il a de nouveau essayé de se soulever et est reparti à la renverse.

« Tadzio ! a-t-il crié. Tadek ! »

Comme je ne répondais pas, il a appelé sa sœur puis, au bout de quelques tentatives infructueuses, il s'est tu, s'est retourné, s'est mis à genoux et a commencé à avancer à quatre pattes vers la maison. C'était laborieux, il devait s'arrêter à intervalles réguliers pour se reposer. Alors seulement je me suis approché et planté devant lui, les mains dans les poches.

« Tu étais où ? m'a-t-il demandé en levant les yeux vers moi.

– En balade.

– Je t'ai appelé.

– Je n'ai pas entendu.

– Bon, eh ben, vas-y !

– Vas-y quoi ?

– Aide-moi à me relever, qu'est-ce que tu attends ? »

Moi, j'avais une de ces envies de le pousser du pied et de l'envoyer bouler jusqu'en bas de la colline !

Il s'est assis et a tendu les bras vers moi, comme un petit enfant. Je n'ai pas sorti les mains de mes poches et l'ai regardé d'en haut.

« Allez ! » m'a-t-il répété, impatient.

Moi, j'avais tout mon temps.

Je me suis lentement penché en avant, j'ai sorti les mains de mes poches, les lui ai tendues, il les a attrapées… mais il m'a tiré énergiquement vers lui. J'ai perdu l'équilibre et suis tombé à genoux à côté de lui, nos têtes se sont presque cognées.

« Je t'ai déjà dit, a-t-il susurré en me fixant droit dans les yeux, que moi, sur mes guiboles, je ne vaux pas grand-chose, n'empêche qu'il me reste beaucoup de force dans les bras. Et si j'attrape quelqu'un, ce quelqu'un est foutu. »

On est restés collés, front contre front. Violemment agrippés l'un à l'autre, à nous défier du regard, jusqu'à ce que tout s'embrouille. On a attendu un instant, puis il a eu un petit rire et m'a lâché. Je me suis mis debout, l'ai saisi avec fermeté et l'ai relevé.

« Est-ce qu'elle est rentrée, Irena ? m'a-t-il demandé comme si de rien n'était.

– Oui, ai-je répondu comme si de rien n'était, alors que j'avais le cœur qui cognait.

– Elle est où ?

– Partie chercher à boire et à manger chez les voisins. Elle a dit qu'elle n'avait rien chez elle. »

Je lui ai apporté la canne et le veston qu'il avait laissés sur le tapis, on est entrés dans la maison et, à son retour, elle nous a trouvés assis dans son salon. Mon père s'est levé en son honneur. Pas vraiment d'émotion dans leurs retrouvailles, ils ont juste échangé un baiser.

La tante a mis la table, a posé dessus quelques tranches de pain, du beurre, du saucisson, des cornichons, de la vodka, on s'est assis et elle a rempli les verres.

« *Na zdrowie !* a-t-elle dit.

– *Na zdrowie !* » avons-nous répondu. »

Elle a rempli nos verres une nouvelle fois mais pas le sien. On a mangé sans rien dire. Mon père s'était replié sur lui-même et sa sœur mâchait sa tartine de pain au saucisson. Chacun se concentrait sur son assiette et aucun des deux ne semblait éprouver le besoin de regarder l'autre. C'était la première fois que je les voyais ensemble. Il y avait, dans leur silence, une violence qui avait envahi la pièce et m'empêchait de parler tant elle était pesante. Peut-être avait-il toujours affiché devant elle une telle dureté ? À moins qu'il ne soit redevenu un de ces paysans taiseux, qui ne perdent pas leur temps en d'inutiles propos ? Ne me restait qu'à les observer, le frère et la sœur, à détailler les traits rudes que l'âpre réalité avait gravés sur leur visage.

Le repas terminé, Irena est repartie vaquer à ses affaires. Mon père m'a demandé de lui sortir une chaise dans la cour. Il s'est assis, à siroter sa vodka et à fumer, laissant vagabonder ses pensées, face au paysage qui n'avait pas beaucoup changé depuis son enfance. J'étais fatigué, alourdi par l'alcool qu'on avait bu au cours du déjeuner. Je suis entré dans la grange, j'ai grimpé sur l'échelle appuyée à la meule de foin et je me suis allongé tout en haut, enveloppé par une fraîche odeur retrouvée.

Le grincement de la porte m'a tiré du sommeil, aussitôt suivi d'un bruit de pas sur le sol boueux et d'une sorte de grincement lancinant : la tante était entrée avec une brouette.

« Assis, le vieux. Qui parle tout seul. Chien galeux, marmonnait-elle. Poivrot sénile. Qu'est-ce qu'il vient

461

foutre ici maintenant ? » Elle a poussé sa brouette jusqu'au tas de foin, s'est saisie d'une fourche et a continué : « Que le Christ me protège, mais il est là pour combien de temps ? Il serait capable de rester, de refuser de partir. Qu'est-ce que je pourrais bien faire avec lui ? Même la télévision ne marche pas. » Avec sa fourche elle a pris une botte de foin qu'elle a lancée dans la brouette. « Assis, le vieux. Qui parle tout seul, poivrot sénile, chien galeux. Un mal de crâne, c'est tout ce qu'il m'a apporté. » Sur ces mots, elle est sortie et a refermé la porte derrière elle. J'ai attendu quelques instants, je suis descendu de la meule, j'ai jeté un coup d'œil dehors : elle devait être allée apporter le foin à sa vache. Je me suis faufilé à l'extérieur. Mon père était toujours assis sur sa chaise, il tanguait un peu et parlait tout seul en gesticulant. Je me suis approché, je l'ai aidé à se lever et on est entrés dans la maison. Il m'a indiqué où se trouvait la chambre d'amis, je l'ai allongé sur un des deux lits qui la meublaient, il avait trop bu.

Pour le dîner, Irena avait préparé une salade avec des légumes de son potager et des pommes de terre qu'elle nous a servies nappées de la crème fraîche fabriquée avec le lait de sa vache. Elle s'est encore excusée de ne rien avoir à nous offrir et a promis que le lendemain elle irait faire des courses, aujourd'hui elle n'avait pas eu le temps. Elle en a profité pour nous demander, l'air de rien, combien de temps nous comptions rester.

« L'idéal, ce serait deux nuits, ai-je répondu, si ça ne te dérange pas.

— Ça me va.

— Le voyage a été long. On a mis trois jours.

— On peut le faire en une seule journée.

— Oui, Halina me l'a dit aussi, elle m'a même promis d'organiser notre retour. »

On est passés à table. De nouveau, la sœur et le frère ont mangé en silence. Peut-être était-ce toujours ainsi, chez les paysans, peut-être ne parlait-on pas en mangeant ? Au bout d'un moment, elle est sortie de son mutisme et s'est adressée à moi : elle voulait savoir comment était la vie en Israël. J'ai un peu raconté. Le repas terminé, on est allés tous les trois au salon pour fumer.

« Bon, alors, et toi, qu'est-ce que tu deviens ? a-t-elle enfin demandé à mon père. Toujours à Varsovie ?

– Oui, toujours à Varsovie.

– Dans ta maison de vieux ?

– Oui, dans ma maison de vieux.

– Tu mourras là-bas ?

– Oui. »

Silence.

« Et toi ? a-t-il demandé à son tour.

– Comme tu vois.

– Les filles passent de temps en temps ?

– De temps en temps. Pour m'amener les petits-enfants.

– Et ici, au village ?

– Rien.

– Qu'est devenu Kabucki par exemple ?

– Mort.

– Vraiment ? s'est exclamé mon père, étonné. Mort ? Et Janek ?

– Mort.

– Janek aussi ? Putain ! Et Felix ?

– Mort.

– Mais c'est une hécatombe !

– C'est la vie. On vieillit. »

Silence.

« Et l'autre, là, comment il s'appelait déjà ? Un gars d'ici qui avait rejoint les partisans avec toi et qui est parti vivre à Varsovie ? a soudain demandé la tante.

– Qui ? Razpakowski ?

– Oui, Razpakowski.

– Ah, lui, il s'est construit une grande maison en ville et s'y est installé avec son fils. Mais ce fils, c'est un ivrogne qui tabasse son père à longueur de journée et refuse de s'en aller. Cloporte ! Il y a deux ans, ce Razpakowski est venu me voir et m'a demandé de le débarrasser de son sagouin de rejeton. Il pleurait, disait qu'il n'en pouvait plus, qu'il ne tiendrait pas le coup. J'ai hésité, je me disais, bon, j'ai perdu la main et j'ai du mal à marcher, mais je pourrais quand même aller jusque chez lui et abattre cette merde, par surprise, à travers mon manteau.

– Tu l'as fait ?

– Non.

– Bon, faut dire qu'à Varsovie, ce n'est pas comme ici, on ne peut pas liquider quelqu'un sans avoir d'ennuis, a-t-elle remarqué. Là-bas, ils en font tout un plat, non ?

– Pour sûr, bande d'enfoirés ! Là-bas, on ne te fout jamais la paix. »

Irena s'est levée et a annoncé qu'elle allait se coucher. Elle s'est de nouveau excusée, a expliqué qu'elle se levait tôt, qu'à cinq heures du matin elle devait déjà déposer ses brocs de lait sur la route pour que le tracteur les ramasse.

« Têtue comme une mule, ta tante, a dit mon père après le départ de sa sœur. Elle règne sur quarante hectares de terrain, quarante hectares ! Mais elle refuse de changer quoi que ce soit. On a démoli la maison en bois, qui a été vendue par petits bouts, et à la place on a construit une maison en briques, mais où sont les chiottes ? Dehors ! Pourquoi ? Comme ça. Aucune raison d'en mettre à l'intérieur si en hiver on peut sortir se les geler dehors ! On a voulu lui installer l'eau courante. Adam, le mari d'Halina, était prêt à le faire. Mais elle – non ! Sous prétexte qu'elle se débrouille très bien comme ça. Chaque fois qu'elle veut un verre de thé, elle doit se traîner jusqu'au puits sur ses vieilles guibolles. Têtue comme une mule. Elle aurait pu vendre depuis belle lurette, s'acheter une petite maison à Chełm, arrêter de travailler et en même temps préparer un très bel héritage pour ses filles. Mais bon, je t'ai déjà expliqué ce qui a tué ma mère. Elle est pareille, elle ne peut pas s'arrêter. Si tu lui enlèves cette vie-là, tu lui enlèves la vie tout court. »

Le verre de mon père était vide. Le mien aussi. La fatigue et l'alcool ayant un peu émoussé ma rancune, je lui ai proposé d'aller dormir. Il a accepté. Dans la chambre d'amis, je l'ai aidé à se déshabiller, à enfiler son pyjama – c'était devenu une routine entre nous –, puis à se mettre au lit.

« Mon Tadzio, m'a-t-il dit au moment où je le bordais, je voudrais te remercier de m'avoir amené ici. Il n'y a pas de mots pour exprimer combien je te suis reconnaissant. » Ses yeux se sont remplis de larmes qui ont commencé à rouler sur son vieux visage. « Si seulement je pouvais mourir cette nuit. Ici. Dans mon village, à côté de mon fils, que pourrais-je demander de plus au bon Dieu ?

– Non, pas tout de suite.

– Pourquoi ?

– Parce qu'on n'est pas encore allés au cimetière pour te choisir une tombe. »

Il a éclaté de rire et m'a tapoté les joues des deux mains. J'ai éteint la lumière et je me suis esquivé, je savais que je n'arriverais pas à trouver le sommeil. Je suis sorti de la maison, mais il faisait tellement froid que j'ai tout de suite fait demi-tour. Je me suis assis dans le salon, au milieu des icônes. Le Christ sur sa croix se dressait toujours au-dessus de la télévision en panne, derrière lui s'étendait à présent l'obscurité hermétique de la nuit où la pièce, qui se reflétait dans le carreau, apparaissait vaguement. Je m'y voyais aussi, un peu sur le côté – contours flous, silhouette à moitié transparente, mal coiffé, on aurait dit que mon fantôme était assis là, chez la tante Irena. Et soudain, j'ai été submergé par une immense vague de nostalgie pour ma maison, mon fils, ma femme, la vie qui avait été la mienne avant que tout ne déraille, je me suis affreusement langui du calme, du train-train quotidien si réconfortant qui avait duré jusqu'à ce qu'elle s'en aille avec notre fils et que je me retrouve paumé ici, au fin fond de la Pologne.

4

Au loin, l'écho d'une démarche lourde, menaçante. Pieds qui traînent, talons qui heurtent le plancher puis glissent sur le sol grinçant. Ça se rapproche, lentement. Un heurt, un glissement, un heurt, un glissement. Entre mes doigts s'échappent les gémissements d'un homme terrorisé. Un visage que je ne connais pas. Dont je vois les pupilles dilatées et les lèvres déformées. Les pas lourds se rapprochent. Je suis penché sur un corps étendu au sol. Mon genou lui écrase la poitrine, mes mains lui immobilisent la tête. Ses bras sont attachés dans le dos. Il se tortille, essaie de se dégager, mais je resserre ma prise. Il gémit, sanglote de peur, me réveille.

La pièce était plongée dans une totale obscurité. Il m'a fallu quelques instants pour comprendre où je me trouvais. Je ne voyais pas mon père tant il faisait noir, mais j'entendais très nettement ses ronflements. J'ai allumé le cadran de ma montre. Trois heures du matin. Trop tôt. Je ne pouvais pas encore me lever, mais pas non plus me laisser de nouveau prendre au piège du sommeil, là où m'attendaient ces pas lourds et cet inconnu qui sanglotait.

Dans l'espoir de me changer les idées et de calmer ma frayeur, j'ai décidé de planifier la journée du lendemain. Impossible de me concentrer. J'ai essayé de me raccrocher à tout un tas de choses sans intérêt, comme trouver des écrivains dont le nom commençait par telle ou telle lettre de l'alphabet, ou recenser les films que j'avais vus au cours de l'année. Mais les listes se délitaient dans ma tête, noyées sous ma respiration saccadée et mon cœur qui refusait de s'apaiser. J'ai cherché un autre moyen de distraire mon attention et j'ai entrepris de faire défiler sous mes yeux toutes celles avec qui j'avais couché : la putain de Wrocław, l'adolescente du kibboutz, toutes mes conquêtes avant ma femme. En fait, ce que je voulais, c'était en arriver à Lydia.

Un corps nu, opalin, qui s'offre à moi. Tout en courbes délicates, doux et velouté au toucher. Les yeux sont fermés, lèvres, menton, cou, clavicules, seins, ventre, pubis soyeux, cuisses. Je pose la tête sur sa poitrine, inspire profondément, m'emplis de l'odeur qui n'appartient qu'à elle, lèche sa peau salée. Elle transpire, il fait chaud sous les couvertures.

Ses mouvements lourds, précis, répondent à présent aux miens, à chaque effleurement, chaque geste. Ses yeux s'ouvrent, légèrement voilés de larmes, elle a le regard franc, confiant, candide mais pas naïf, le visage sérieux. Beau, tellement beau. Qui se plaque au mien. Mains qui me caressent, s'agrippent à ma peau, me caressent de nouveau. Respiration profonde. Yeux fermés, lèvres, menton, cou, clavicules, seins, ventre, pubis soyeux, cuisses qui se plaquent contre moi et m'entourent. Ma main tâtonne sur le sol et, au tout dernier moment, ramasse une chaussette, je la glisse sous ma couverture et j'éjacule dedans.

Un instant, j'ai eu honte, à cause de la présence de mon père, juste à côté. Mais la chambre était plongée dans l'obscurité et il dormait à poings fermés. Autour

468

de nous, le silence n'était perturbé que par les bruits de la nuit champêtre et la respiration silencieuse de Lydia qui m'invitait à la suivre dans les tréfonds d'un sommeil réparateur.

5

Le lendemain matin, la tante s'était parée de sa plus belle robe, avait attaché autour de sa tête un foulard à fleurs et troqué ses bottes en caoutchouc contre des bottines en cuir. Comme chaque dimanche, elle s'apprêtait à aller à l'église et nous a demandé si nous désirions l'accompagner. Idée séduisante : je me souvenais que ces jours-là, pendant les vacances d'été, l'oncle harnachait les chevaux, tapissait la charrette de paille sur laquelle il étalait des couvertures tandis que nous, les enfants, nous nous chargions de décorer l'attelage de rubans multicolores. Irena et son mari s'asseyaient devant et le reste de la famille s'installait derrière, sur les couvertures.

De toute la région, les paysans arrivaient en carrioles festonnées et s'arrêtaient sur le parvis, là où les Tsiganes organisaient un marché et où régnait une atmosphère de fête. Avant d'entrer dans l'église, on allait faire un tour au cimetière, juste à côté, pour se recueillir sur la tombe du grand-père. La tante et la grand-mère nettoyaient la pierre tombale et y déposaient souvent des fleurs. Son nom et la date de son décès étaient gravés sur une plaque de marbre noir avec, au-dessus, une grande croix, noire elle aussi, menaçante, sur laquelle était clouée la petite figurine argentée du Supplicié.

« Hors de question ! s'est exclamé mon père. On a des choses plus importantes à faire que d'aller dans ton église. Nous, on va au cimetière. Rendre visite à papa et maman. À Sabina. Et aussi voir qui est mort parmi les gens que je connais. Ensuite, on va me chercher une tombe.

– Et comment tu comptes y aller ? a demandé la tante. À ton allure, tu y arriveras dimanche prochain.

– On prendra la charrette, Irena, je me souviens encore comment guider un cheval.

– Je n'ai plus de cheval, Stefan. La charrette, je l'attache au tracteur.

– Eh bien, on prendra le tracteur.

– Certainement pas. On va y aller ensemble. Leszek et Blanka ne vont pas tarder à venir me chercher en charrette. De l'église, vous pourrez aller à pied jusqu'au cimetière.

– C'est qui, ces deux-là ? s'est méfié mon père.

– Tu ne les connais pas. Leszek est né après ton départ, c'est le fils de Piechociński.

– Encore un beau salaud.

– Sûr, mais là, ce n'est que le fils. »

J'ai aidé mon père à se hisser sur la charrette des Piechociński. On a fait le chemin tous les trois assis derrière et sans un mot. Lorsqu'on s'est arrêtés devant l'église, j'ai constaté qu'il n'y avait plus ni marché, ni Tsiganes, ni carrioles bigarrées sur le parvis. Ne restait pas la moindre trace de l'atmosphère festive dont je me souvenais. Les fidèles, surtout des personnes âgées, passaient le portail en silence, Irena nous a proposé une nouvelle fois de venir avec elle, mon père a eu l'air d'hésiter mais finalement il a commencé à claudiquer vers le cimetière et je l'ai rejoint après avoir attendu qu'elle pénètre dans le grand édifice.

À la fin de la messe, on les a retrouvés, elle et le couple Piechociński, et on est rentrés à la ferme. L'après-midi, on a eu la visite d'Halina et de sa famille.

« Ne croyez pas qu'ils viennent toutes les semaines, a jugé bon de préciser Irena, c'est en votre honneur qu'ils sont là. »

J'étais content de revoir ma cousine et son mari. Leur présence a aéré les pièces que le silence du frère et de la sœur rendait étouffantes, et leurs deux enfants y ont mis de la vie. Adam s'est approché de moi et m'a tendu deux rectangles de papier : « Halina m'a dit que vous partiez demain, alors je vous ai trouvé des billets. Vous prendrez le train le matin à Chełm et arriverez à Varsovie dans l'après-midi. Je viendrai vous chercher pour vous emmener à la gare. »

Je l'ai remercié et j'ai voulu le rembourser, mais il a catégoriquement refusé.

« Quand on viendra en Israël, tu nous inviteras », a-t-il dit.

On s'est installés pour déjeuner. La tante et sa fille ont apporté du saucisson fumé, du boudin noir, du żurek, cette fameuse soupe polonaise à la farine, des pierogi farcis à la viande, aux pommes de terre ou aux champignons, du sarrasin cuit dans de la graisse de porc avec des oignons frits et du concombre à la crème fraîche. À la vue de ce festin, mon père a failli éclater en sanglots.

« Merci ! s'est-il écrié, très ému. Merci à toi, ma chère sœur. Je pensais que je n'aurais jamais plus la chance de manger tous ces plats que notre mère t'a appris à cuisiner ! »

Après avoir fini de s'extasier sur la nourriture, il s'est de nouveau extasié sur les enfants de sa nièce – très polis, très bien élevés, pas comme les voyous qui avaient grandi sous son toit, a-t-il répété encore une fois et, à la fin du repas, il a tiré son portefeuille de la poche de son pantalon, en a sorti deux pièces de vingt zlotys, a appelé le fils et la fille d'Halina et en a donné une à chacun. La petite révérence qu'ils lui ont faite pour le remercier l'a comblé.

On s'est levés de table. Les enfants sont sortis jouer dans la cour, Adam a décidé de réparer la télévision, mon père est allé se reposer, de même que la tante. Halina et moi sommes sortis nous promener. Le soleil brillait. Le ciel était limpide mais l'air frais. On a enfilé nos manteaux et on a longé un chemin de terre qui nous a menés jusqu'à l'exploitation la plus proche : là, il y avait des animaux et des machines agricoles un peu partout dans la cour – c'était ainsi que je me souvenais de notre ferme.

« Je n'y peux rien, m'a expliqué ma cousine, elle refuse toute amélioration. Le travail est dur, surtout pour une femme de son âge, mais impossible de la faire bouger de sa routine quotidienne. Elle déteste tout le monde ici et s'est bagarrée avec la majorité de ses voisins. Sa meilleure amie, c'est sa vieille vache, toute percluse de rhumatismes. C'est avec elle qu'elle discute le plus. Pour la soulager, mes sœurs et moi, on s'est cotisées et on lui a acheté un nouveau tracteur. On pensait qu'elle accepterait d'apprendre à le conduire, ce n'est pas compliqué de conduire un tracteur. Eh bien, elle refuse. Alors il est là-bas, dans le hangar, et elle se contente de le briquer. Parfois, elle paye un ouvrier pour qu'il travaille avec dans ses champs, au moment du labour ou de la récolte. La voir si seule me fend le cœur. Alors je viens autant que je peux, mais ça ne suffit pas. Elle ne se plaint jamais, elle dit que c'est la vie. Elle a sans doute raison. C'est juste dommage que ça se passe ainsi. »

On a continué à marcher encore un peu et on est tombés sur la ferme que j'avais vue la veille, celle qui était entourée d'une haute clôture.

« Dis-moi, ce n'est pas là que se trouvait la porcherie de Boris et Janka Górska ? ai-je demandé.

– Si, et elle y est toujours. Sauf qu'ils en ont fait l'exploitation la plus prospère de la région. Boris est mort il y a des années, certains affirment même que c'est elle qui l'a tué. Je n'y crois pas. Mais peut-être que de vivre aux côtés d'une mégère pareille a précipité sa fin, va savoir ? Quoi qu'il en soit, elle a volé des terres à tout le monde, y compris à maman. C'est comme ça qu'elle s'est bâti un empire. Et si quelqu'un a le malheur de rouspéter, elle le tabasse à mort, même les hommes. Elle n'a peur de personne, et ses deux fils sont de vraies terreurs, ils n'hésitent pas à la défendre en cas de besoin. Tout le village tremble devant elle, personne n'ose lui chercher des poux. Maman aussi a pris des coups.

– Peut-être qu'il faudrait suggérer à mon père de lui faire sa fête ! ai-je dit en riant.

– Figure-toi qu'on y a pensé à un moment. Mais il est déjà vieux, il marche à peine. Et ma mère n'a pas cessé de nous répéter que pour rien au monde elle ne voulait le mêler à ses affaires.

– Il m'a emmené au cimetière, m'a montré l'endroit où le grand-père et la grand-mère sont enterrés. Je me souvenais de la tombe noire du grand-père, elle me faisait peur quand j'étais gosse. Celle de la grand-mère, c'était la première fois que je la voyais.

– Elle est morte très âgée. À quatre-vingt-six ans. Elle a vécu chez nous les trois dernières années, après sa dispute avec maman, et s'est éteinte tout doucement. Mais ce qui est drôle, c'est que, bizarrement, tous les jours, elle parlait de toi. Vers la fin, même quand elle

ne comprenait plus ce qui lui arrivait, elle demandait :
"Où est Tadek ?"

– Et qu'est-ce que vous lui répondiez ?

– À ce stade-là, on ne lui répondait plus. À quoi bon ? »

Nous longions un champ qui n'avait pas encore été labouré après la moisson et sur lequel traînaient, oubliés ici et là, quelques épis de blé desséchés.

« Ensuite, on est allés sur la tombe de Sabina, ai-je repris, que je n'avais jamais vue non plus. Toutes les fois où je suis entré dans ce cimetière, c'était uniquement pour visiter celle du grand-père. Quand j'ai interrogé mon père, il a dit que cette putain de famille préférait ne pas se souvenir d'elle, que ça avait été une trop grande tragédie. D'ailleurs, sa tombe est tout abîmée, on peut à peine voir le nom gravé dessus.

– Il a raison. Tout le monde a effectivement préféré l'oublier. Ma mère n'en parle jamais. Quand je voulais en savoir un peu plus sur elle, comment elle était avant l'accident de cheval, à quoi elle ressemblait, ce genre de choses, elle me priait sèchement de lui foutre la paix. Alors j'ai arrêté de la questionner. Une fois seulement, j'habitais encore au village, je me souviens d'avoir vu maman debout devant sa tombe au cimetière, tête baissée. »

On s'est écartés du sentier. Halina m'a laissé choisir la direction. On s'est retrouvés sur un chemin qui menait je ne savais plus où, mais quelques dizaines de mètres plus loin, quand on a réussi à dépasser les joncs et les buissons de ronces, on a débouché sur les marais – les « étangs » de notre enfance, là où nous nagions et où le petit Piotr s'était noyé.

« Je revois encore le père à genoux, qui tient entre ses bras son fils mort comme on tient un bébé, et qui regarde le ciel en criant : "Lève-toi, lève-toi !"

– C'est terrible, a dit Halina. Il y a tellement d'enfants qui meurent comme ça, pour rien. Et quand nous étions gosses ? Que le Christ nous préserve, je m'étonne parfois qu'on soit tous en vie. »

Elle a pris une cigarette, m'a demandé si j'avais du feu, j'ai sorti mon paquet pour en prendre une moi aussi et j'ai allumé les deux avec mon briquet.

« Vous en manquez toujours ?

– Ces putains de Russes, a-t-elle dit.

– Oui, ces putains de Russes. »

On est restés là à contempler nos étangs en silence. Le ciel, à présent presque sans nuages, donnait à l'eau un reflet bleu foncé et, au milieu, quelques canards nageaient. Sur les bords, d'autres oiseaux des marais tendaient lentement leurs longues pattes et, à grandes enjambées, cherchaient de la nourriture. La majorité de leurs congénères avaient déjà migré vers le sud et ils les suivraient bientôt, avant que l'hiver ne gèle.

« Après, on est allés jusqu'à la tombe de Lionka », ai-je repris.

Mon père s'était arrêté et avait contemplé la pierre tombale. En silence, sans jurer ni râler. Il s'était assis dessus et l'avait un peu nettoyée du plat de la main.

« C'était un bon ami, ce Lionka, avait-il murmuré tout bas. Regarde comme il est mort jeune. Ces fils de pute l'ont tué. » Il s'était interrompu un court instant. « On a dit tellement de choses sur lui ! On le traitait de voyou, de barbare, de truand, de mafieux... Des conneries, putain ! Rien que des jaloux. Ils avaient tous la trouille. Bon, ça, il savait donner des coups, pour sûr ! Il défendait son honneur et celui de ses amis. On ne va pas le lui reprocher ! Il savait toujours quoi faire, et pendant la guerre, je te garantis qu'il n'y a pas eu beaucoup de partisans qui se sont révélés aussi héroïques que lui. Peut-être qu'il a fait quelques bêtises, et alors ? C'était un ami fidèle. Impossible d'oublier les soirées que tu passais avec lui. Tous les enfoirés qui ont dit du mal de lui, c'est juste parce qu'ils n'ont pas eu la chance de compter parmi ses amis, c'est tout. Sûr qu'il n'en avait pas des masses, des amis, vu qu'il les triait sur le volet. » Il s'est de nouveau tu et a essuyé une larme qu'il n'avait pas pu retenir. « Lui et moi, on était ensemble depuis l'enfance, comme les deux doigts de la main. Et cette amitié-là, elle était censée durer toute la vie, mais ces fils de pute me l'ont enlevée. Tu peux me faire confiance, ces salopards ne sont plus de ce monde. Mais en quoi ça m'aide ? » Il a regardé autour de lui : « Mon Tadzio, va, va prendre quelques fleurs de la tombe là-bas, et ramène-les-moi. On va les donner à Lionka. Il n'a personne pour s'occuper de lui dans ce putain de village. »

Je lui ai apporté celles qu'il m'avait désignées, il les a posées sur la tombe, puis il a plaqué ses deux mains dessus, a baissé la tête et s'est mis à marmonner tout bas, pour lui-même. J'ai attendu un moment avant de me rappeler à lui : « Papa ?

– Une seconde. » Il est encore resté un instant les yeux clos. « Je dois lui dire adieu. C'est la dernière fois qu'on se voit comme ça, lui et moi. La prochaine, ce sera sous la terre, quand tu m'y déposeras. » Il a tapoté la pierre tombale comme si c'était une épaule fraternelle et m'a demandé de l'aider à se mettre debout. « Viens, partons, a-t-il dit tout bas, ça me suffit.

– Et ta tombe ?

– Je suis fatigué, mets-moi là-bas, à côté de mon père et de ma mère, quelle différence ? Je te fais confiance, je suis sûr que tu te débrouilleras très bien. Viens, partons. »

La messe se terminait lorsqu'on avait rejoint le parvis de l'église, mon père avait hésité un instant et, après un soupir, il s'était décidé à entrer pour allumer un cierge à la mémoire de son ami Lionka.

« À ce qu'on raconte, leur duo semait la terreur dans le village, m'a dit Halina. Apparemment, ils avaient pas mal de points communs. Ils se bagarraient, se saoulaient et se partageaient les filles. Il paraît que ce Lionka était pire que Stefan parce que c'était lui le meneur. On dit aussi qu'une amitié profonde les liait. Certains insinuent que ça allait même plus loin, mais bon, on ne peut pas savoir, tu connais la valeur des racontars de villageois désœuvrés. Quoi qu'il en soit, c'était sans doute l'amour de sa vie, à ton père. J'ai l'impression qu'il le pleure encore aujourd'hui. Chaque fois qu'il l'a évoqué devant moi, je me suis fait la réflexion que je ne l'ai jamais entendu parler ainsi de qui que ce soit d'autre. »

Les paroles d'Halina ont lentement fait leur chemin dans mon esprit.

« Je suis désolée, s'est-elle excusée en voyant que je tirais une drôle de tête. Je n'aurais peut-être rien dû te dire.

– Au contraire. C'est très bien.

– Tu n'as pas l'air content. »

Je n'ai rien dit. J'avais vécu trop de choses au cours de cette semaine. Le visage de mon père ne cessait de se remodeler sous mes yeux et, chaque fois, une nouvelle trahison venait s'ajouter à la précédente. Non seulement il buvait tout notre argent, non seulement il nous battait à mort, non seulement il disparaissait dès que l'envie lui en prenait, non seulement il avait une autre famille, d'autres enfants et des maîtresses, mais, cerise sur le gâteau, il avait Lionka ! Lionka le voyou, le barbare, le truand, le mafieux, Lionka qui avait été l'amour de sa vie. On a si souvent bouffé de la merde à cause de lui, nous, sa famille… Dire que le peu de tendresse dont il était capable, le peu de compassion, de chagrin et de fidélité, il l'avait gardé pour un putain d'ami d'enfance mort.

« Ça fait beaucoup pour toi, toutes ces découvertes en si peu de temps », a dit Halina.

J'ai acquiescé et lui ai souri. On est rentrés chez la tante.

Juste avant de pousser la porte, elle s'est tournée vers moi, a scruté mon visage et m'a demandé : « Ça ira ? »

Dans la cuisine, on a trouvé les trois adultes qu'on avait laissés assis autour de la table. Ils buvaient du thé mais, à côté de la tasse de mon père, il y avait un verre de vodka.

« Vous étiez où ? » a-t-il immédiatement exigé de savoir.

Je n'ai pas répondu. Je ne voulais plus être là. Je me suis adossé au mur, m'efforçant de masquer la tempête qui grondait en moi.

« J'étais justement en train d'expliquer à quel point ta visite me rendait heureux », a continué mon père, les yeux brillants. Il s'était apparemment réveillé d'humeur sentimentale. « Et en plus, me retrouver ici, au village avec toi, avoir revu ma sœur Irena, ma charmante nièce Halina, son gentil mari et leurs deux enfants si bien éduqués ! D'ailleurs… ils sont où ?

– Dans la cour, j'imagine, a répondu leur mère.

– Je pensais qu'ils étaient avec vous, lui a-t-il dit d'un ton un peu songeur avant de recommencer à s'épancher. Je n'aurais jamais imaginé avoir encore cette chance, j'étais sûr que je pourrirais là-bas, dans ma maison de retraite, jusqu'à la fin.

– Tu vas effectivement pourrir là-bas, a tenu à préciser la tante, sans se départir de l'expression inquiète qu'elle arborait depuis un moment.

– Qui sait, ma chère sœur… »

L'inquiétude qui avait pointé sur le visage de la tante s'est renforcée. Pas de doute sur la nature de ce qui la tracassait.

« La vie est toujours pleine de surprises, non ? » Il s'est tu et a reporté son attention sur la cigarette qu'il venait de tirer de son paquet.

J'en ai pris une, moi aussi. Quand je l'ai allumée, j'ai constaté que ma main tremblait. Halina s'en est rendu compte. Mon père a avalé son verre de vodka et a regardé autour de lui avec un large sourire. Il était bien le seul à sourire dans cette pièce.

« Incroyable qu'on soit assis, comme ça, ensemble, ici ! Une famille ! » s'est-il extasié. Soudain, son visage s'est rembruni. « Où sont les enfants ?

– Elle te l'a déjà dit, a répondu la tante, agacée. Ils jouent dans la cour.

– Si gentils, ces petits !

– Depuis quand est-ce que tu t'intéresses aux enfants ? a-t-elle continué, cette fois furieuse, en tapant sur la table. Quand est-ce qu'il s'est intéressé à quelqu'un, celui-là ? »

Il a dû prendre sur lui pour émettre un bref éclat de rire. Halina m'a lancé un regard soucieux. J'ai essayé de faire bonne figure.

« C'est bon, est intervenu Adam. Les enfants vont bien. Ils jouent sûrement dans la grange. Ils connaissent la ferme, aucun danger.

– D'accord, a fini par concéder mon père, je ne m'en mêle pas, ce sont vos enfants. Si bien élevés. C'est juste que c'est agréable d'être avec eux. »

Ses yeux ont croisé les miens et se sont aussitôt rabattus sur la bouteille de vodka qu'il a attrapée de ses lourdes mains malhabiles. Il a attendu un instant, espérant sans doute que quelqu'un vienne l'aider, mais voyant que personne n'en avait l'intention, il s'est servi tout seul, lentement et avec précaution.

« Vous voulez du thé ? a demandé la tante.

– Je vais nous chercher des tasses », a dit sa fille en se dirigeant vers le placard. Soudain, elle a éclaté en sanglots. Adam s'est approché d'elle. « Je suis désolée, je ne sais pas ce qui m'arrive. »

Dans le silence total qui s'était instauré, on n'entendait que ses reniflements. Elle a posé deux tasses sur la table, est allée jusqu'à la bassine dans laquelle flottait un pichet en fer-blanc, a versé un peu d'eau sur ses mains et s'est rincé le visage. Pendant ce temps, sa mère nous a servi du thé.

Mon père a repris comme si de rien n'était : « Quand vous n'étiez pas là, j'ai parlé à Irena et à Adam de tous les petits-enfants que j'avais. De Michel, l'angelot de Tadek, et aussi des autres. Je leur ai dit que tu m'avais apporté des photos et je me suis rendu compte que j'avais oublié de les leur montrer quand on était à Chełm. Va donc les chercher, je suis sûr qu'Halina et Irena voudront les voir. »

J'ai avancé vers la table, j'ai écrasé ma cigarette et, dans le regard que m'a lancé ma cousine, j'ai de nouveau vu sa question : Ça ira ? En guise de réponse, j'ai hoché la tête et, à contrecœur, je suis allé dans la chambre.

J'ai sorti l'enveloppe de mon sac à dos, je suis revenu dans la cuisine et je l'ai lancée sur la table. Mon père n'a pas moufté, à part un bref clin d'œil dans ma direction. Halina l'a aidé à extirper les photos et il les a étalées sur la table : d'abord celles de ma famille heureuse, puis celles des familles de mon frère et de mes sœurs, puis celle de ma mère avec sa voiture et enfin la sienne, datant de sa jeunesse, celle que j'avais volée à la grand-mère avant notre départ.

« C'est lui, ton fils, n'est-ce pas ? m'a demandé Halina en pointant la bonne photo. Et elle, c'est ta femme ?

– Et ça, c'est quoi ? » s'est écrié mon père. De ses doigts grossiers il n'arrivait pas à attraper sa propre photo et il a posé sa paume dessus, l'a fait glisser jusqu'au bord de la table et l'a prise. « Où est-ce que tu as dégoté ça ? »

Je n'ai pas répondu.

Il a relevé ses lunettes sur son front et a approché le cliché de ses yeux : debout sur la plage en maillot de bain sombre. Torse bombé. Bras épais et musclés. Grandes mains plaquées avec arrogance sur les hanches. Il est jeune et toise l'objectif de l'appareil.

Il a passé la photo à Halina.

« Stefan, quel bel homme tu étais, a-t-elle déclaré avec un sourire forcé.

– Pour sûr ! J'étais jeune. Incroyable ! J'avais oublié cette photo. Elle a été prise sur une plage de la mer Baltique, on y était allés avec Lionka un été, je ne sais plus en quelle année. Putain ! Ça a été une de ces expéditions ! Six cent cinquante kilomètres. Mais on était jeunes, pour sûr, ça se passait avant la guerre. On a attendu la fin des moissons, qu'il y ait moins de travail, on a pris la carriole de ses parents avec leur vieux cheval et on est partis. On dormait dans les champs, on chassait la perdrix et le faisan avec un pistolet que j'avais piqué à mon père, et comme on n'attrapait rien, on volait des poules. C'était une sacrée époque. On est arrivés dans un petit village de pêcheurs, Karwia, où Lionka avait de la famille. Ils nous ont hébergés… On ne leur a pas vraiment laissé le choix ! C'était la première fois qu'on voyait la mer. On est allés pêcher, on a nagé. La famille nous a tellement gavés de poissons que, depuis, je ne peux plus en voir. Oui, une sacrée époque ! »

Halina a passé la photo à sa mère, qui l'a ensuite passée à Adam.

« C'est qui, le petit ? a tout à coup demandé ce dernier.

— Quel petit ?

— Le petit qui est assis, à côté de toi. »

Sur la photo, il y a effectivement un enfant assis sur un plot en bois, vêtu d'une espèce de peignoir court à rayures et d'un slip de bain. Il se tient très droit, les mains sur les cuisses, fixant lui aussi l'objectif avec une expression sérieuse. Son corps se tourne un peu vers l'extérieur, vers quelqu'un hors cadre. Au début de notre installation en Israël, j'ai beaucoup regardé cette image volée à la grand-mère, j'en connaissais tous les détails. J'ai donc tout de suite compris de qui il s'agissait. Je me suis tant de fois demandé ce qu'était devenu ce gamin !

Je montrais souvent la photo à mes camarades du kibboutz, pour frimer, pour qu'ils voient, tous, combien mon père était costaud. J'ajoutais qu'il allait bientôt nous rejoindre et qu'il m'emmènerait avec lui, qu'il ne me laisserait pas au kibboutz. Et parfois, surtout la nuit dans mon lit, quand je me languissais de choses que je n'avais jamais eues, je le regardais et me consolais avec son regard aimant – tel était le père dont j'avais toujours rêvé. À présent, voilà qu'on me privait de ça aussi.

Adam a rendu la photo à mon père qui a de nouveau remonté ses lunettes sur son front pour l'examiner de près.

« Je ne sais pas qui c'est. Juste un gosse. Mais ce plot servait à enrouler la corde de la barque pour la tirer sur le rivage.

– C'est bien ce que je pensais », a dit Adam.

Halina a eu un petit rire.

« Elle vient d'où, cette photo ? » a demandé mon père.

Je n'ai pas répondu. J'étais incapable de parler. Il m'a regardé et a décidé de me laisser tranquille. Halina, pour sa part, me surveillait du coin de l'œil.

« Bon, eh bien, c'est une belle histoire, a remarqué son mari.

– Pour sûr ! Parce que c'était une belle époque. Avant la guerre, tout était encore simple. On ne savait rien. » Son visage s'est assombri. « Ce putain de destin passe son temps à nous préparer des surprises, il ne faut surtout pas lui tourner le dos. Vous me voyez, là, sur cette photo ! Je ne savais rien de rien. Ça fait mal au cœur. Lionka et moi, à la plage. Le bonheur.

– Et là, ce sont tous tes petits-enfants, a dit Halina qui avait décidé de changer de sujet.

– Oui. Ce sont tous mes petits-enfants. Que Dieu les protège, les protège tous. » Et soudain, il s'est tourné vers sa nièce. « Ils ne sont toujours pas rentrés.

– On t'a déjà dit de ne pas t'inquiéter, a répondu Adam. Ils jouent dehors.

– On ne les entend pas.

– Peut-être qu'ils se sont un peu éloignés », a suggéré Halina.

C'était plus que je ne pouvais en supporter. Depuis quand tu t'inquiètes pour les enfants ? J'avais envie de crier, de hurler, de l'attraper par le collet et de le rouer de coups, sans pitié, comme il avait agi si souvent avec nous. Depuis quand s'intéressait-il à son entourage ? Je n'ai rien dit, mais tous les regards étaient braqués sur moi, comme si je l'avais fait.

Je me suis esquivé dehors et j'ai été rattrapé par un lot de sensations physiques trop familières. Muscles douloureux, mâchoires crispées, cœur qui cogne dans la poitrine et dans les tempes. Arrivé derrière le hangar, j'ai vu une hache qui attendait sur un large rondin et un tas de bûches. J'en ai pris une que j'ai posée sur le rondin, j'ai levé la hache et je l'ai abattue le plus fort possible. La bûche s'est fendue, des copeaux ont volé dans tous les sens, j'ai recommencé, abattu la hache et fendu la bûche, puis j'en ai pris une autre que j'ai fendue à son tour.

J'entends ma femme crier : « Vas-y, frappe-moi ! » et j'explose une bûche, puis une autre. « Frappe-moi, je vois que tu en meurs d'envie, alors vas-y ! » J'abats la hache encore et encore, je prends une nouvelle bûche, puis une autre, sans arriver à me calmer. « Frappe, puisque c'est ce que tu fais de mieux ! Puisque c'est comme ça qu'on t'a élevé ! Allez, frappe-moi, comme ton père ! Ça vaut mieux que ton silence. Que le regard assassin dans tes yeux. » Elle me pousse en arrière, me laboure la poitrine de coups de poing, me gifle, encore et encore. « Mais vas-y, frappe-moi ! hurle-t-elle en éclatant en sanglots. Frappe-moi. Ne reste pas muet et ne me regarde pas comme ça. Frappe-moi ! Sinon tu vas exploser et ce sera la catastrophe. Allez, vas-y ! Vas-y ! Frappe, je t'en supplie, fais-le pour moi. » Elle se lamente. « Fais-le pour nous. Pour ton fils ! » Elle s'agrippe à mes épaules, plante ses ongles dans mes joues. Je la repousse violemment, elle se cogne contre le mur et s'écroule à terre. Comme ma mère, lorsque mon père l'envoyait valser. De tout mon corps, je veux me jeter sur elle, rien que pour ça, elle mérite une raclée, rien que pour ce qu'elle vient de m'obliger à faire. Voilà pourquoi je fuis la maison en pleine nuit. Je fonce sur la colline, remonte au pas de course la route qui serpente, j'arrive au sommet, les feux de circulation clignotent, chaussée et trottoirs sont déserts. Je continue à courir sur un chemin de traverse, j'ai du mal à respirer. Devant Yad Vashem, je m'effondre, presque sans connaissance. Je suis allongé sur l'asphalte, incapable de reprendre mon souffle. Au-dessus de moi se dresse le portail fermé, avec ses fioritures en fer forgé, on dirait des épines menaçantes, des piques de barbelés, des canines de bête fauve.

6

Au loin, l'écho d'une démarche lourde, menaçante. Pieds qui traînent, talons qui heurtent le plancher puis glissent sur le sol grinçant. Ça se rapproche, lentement. Un heurt, un glissement, un heurt, un glissement. Entre mes doigts s'échappent les gémissements d'un homme terrorisé. Un visage que je ne connais pas. Dont je vois les pupilles dilatées et les lèvres déformées. Les pas lourds se rapprochent. Je suis penché sur un corps étendu au sol. Mon genou lui écrase la poitrine, mes mains lui immobilisent la tête. Ses bras sont attachés dans le dos. Il se tortille, essaie de se dégager, mais je resserre ma prise. Il gémit, sanglote de peur, je presse encore davantage son visage pour étouffer ses couinements.

Les pas s'arrêtent sur le seuil et dans l'encadrement de la porte se dessine la silhouette de mon père. Gigantesque. Il n'a pas ses lunettes, son expression est figée et ses yeux, ses yeux de rapace, balaient la pièce. Dans la main, il tient son grand couteau.

Il recommence à s'approcher. Le corps que je maintiens à terre se remet à gesticuler et m'oblige à exercer une pression encore plus forte. Mon père avance à pas lourds, une main s'appuie sur la canne, l'autre tient le couteau. Il braque sur nous son regard effrayant, sur

487

moi et sur l'inconnu dont le visage est caché par ma main qui le réduit au silence.

Il s'arrête devant nous, les tortillements cessent. Sous moi, l'homme se met à trembler. Pisse dans son froc. Voudrait supplier qu'on lui laisse la vie sauve mais n'arrive pas à transformer ses halètements et ses hoquètements en mots. Mon père s'agenouille à côté de moi, pose son couteau, me pousse, s'allonge sur l'homme terrorisé qu'il immobilise de tout le poids de son corps et de toute la force de ses mains. Il m'indique le couteau, je le lui tends mais il refuse de le prendre et me défie en silence.

Ils sont maintenant tous les deux à ma merci. J'ai le pouvoir de décider qui va vivre et qui va mourir. Je lève la lame, et à cet instant je sens un léger coup dans ma poitrine, suivi d'une immense vague libératrice. Je plante et je replante le couteau dans le torse devant moi. Le sang gicle. J'entends des râles, puis c'est le silence.

Mon père a le visage couvert de sang. Il gît à côté du cadavre et ne bouge pas. Est-il mort ? Je me baisse pour voir s'il respire et ne sais pas à quoi m'en tenir. Est-il mort ?

Il soulève la main, la pose de tout son poids sur ma nuque et me fixe. Je cherche sur son visage l'expression que j'ai espérée toute ma vie, mais il ne fait que me sourire d'un petit air mauvais. Il lâche le cadavre, se traîne à quatre pattes jusqu'à la chaise la plus proche, s'y hisse, s'assied et ferme les yeux.

Que de sang dans un être humain, que de sang ! Il y en a partout, sur la chaise, sur le cadavre plein de trous qui se noie dans sa flaque rouge. Au-dessus, mon père est assis, immobile, moi, je suis installé sur ses genoux, il me tient par les aisselles, ma tête tombe en arrière. Nous sommes tous les deux couverts de sang. Le visage, les vêtements, la peau. Il soulève sa chemise, redresse ma tête, l'approche de sa poitrine et me donne la tétée.

7

La nuit, on est au lit, je serre le petit corps de mon fils contre moi. Ma femme est sortie avec ses copines. Elle rentrera tard. On est restés rien que tous les deux. Il a dîné d'un gâteau et on a fait l'impasse sur la douche. Je l'ai laissé avec moi dans le salon bien après son heure de coucher habituelle. On n'a pas fait grand-chose, juste regardé les infos ensemble – on a eu droit à l'explosion d'une mine au Sud-Liban, la catastrophe nucléaire de Tchernobyl, la disparition inquiétante d'un enfant, un meurtre et un accident de voiture. Il est trop petit pour comprendre, il n'a que trois ans, alors il en a eu marre et a voulu que je lui lise une histoire. Je l'ai fait. Il en a réclamé encore une. Je l'ai fait. Il m'a dit qu'il était fatigué et avait envie de dormir. Alors je l'ai porté et, à sa grande surprise, je l'ai déposé dans notre lit. Il s'y est allongé, ravi. J'ai éteint la lumière. Il m'a demandé de lui chanter une berceuse. Je lui ai chanté une berceuse en polonais. Elle ne lui a pas plu. Il m'en a demandé une autre, alors j'en ai choisi une que ma femme lui chante souvent. Après, il s'est retourné, s'est mis en boule et je l'ai serré dans mes bras pour le protéger de la terre entière.

« Qu'est-ce que je pouvais faire ? m'a dit ma mère. Tu ne crois pas que si j'avais pu… C'est juste que je n'avais pas de quoi vous offrir un palais doré – même si un palais doré, pas sûr que ça règle grand-chose, mais supposons. Moi, je devais aller travailler, c'est tout. Tu penses bien que si j'avais pu… Parce que j'en ai fait, moi aussi, des crises d'angoisse chaque fois que je songeais à ce que vous enduriez à traîner dans la rue. Mais bon, finalement, vous vous êtes bien débrouillés.

– C'est exactement ce qu'il a dit.

– Ton père ?

– Oui. Quand Halina est partie avec sa famille.

– Elle a l'air d'être vraiment quelqu'un de bien, ta cousine.

– Oui, on s'est retrouvés comme si on était toujours restés en contact.

– Donc, ils sont partis…

– Oui, ils sont rentrés chez eux et Irena est allée dormir. Elle fulminait contre papa et n'a plus voulu lui adresser la parole. »

On était encore dans la cuisine quand la tante m'a dit qu'elle allait se coucher tôt et elle a ajouté : « Il a fait ça exprès pour emmerder Halina ! Et pour t'emmerder toi aussi. Je le connais et j'en suis désolée. J'aurais été ravie de passer la soirée avec toi, tu es un bon garçon, ce n'est pas de ta faute s'il est ton père. Pas de ma faute non plus s'il est mon frère. On n'y peut rien, c'est comme ça. »

Elle m'a caressé la joue de sa main calleuse, aussi rugueuse que du papier de verre.

Je suis retourné dans le salon. Il était assis là avec sa vodka, les cheveux ébouriffés et une expression furieuse sur le visage.

« C'est quoi, cette histoire ? s'est-il écrié dès qu'il m'a vu. Putain ! Tout le monde est contre moi aujourd'hui !

– Tu l'as dignement mérité.

– Qu'est-ce que j'ai dit ? Et toi, tu as l'intention de rester longtemps comme ça, à tout retenir à l'intérieur ? À force, tu vas t'exploser les intestins. Pourquoi tu ne te vides pas un peu, hein ?

– Parce que je ne veux pas te ressembler. »

Il n'a rien répondu mais ses lèvres remuaient comme s'il parlait tout seul.

« Et depuis quand tu t'intéresses aux enfants d'Halina ? ai-je continué.

– Depuis que je m'intéresse à eux, voilà ! Je vieillis, d'accord ? Leur regard m'a brisé le cœur. En quoi ça te concerne ?

– Ça me concerne parce que tu ne t'es jamais intéressé à tes propres enfants.

– Foutaises ! Bien sûr que si ! Ton frère, sans les coups que je lui ai donnés, il aurait très mal tourné.

– Donc c'est ta manière de prouver ton intérêt.

– Je n'ai rien à prouver, ni à toi, ni à personne. Pourquoi je devrais rendre des comptes ?

– Tu étais notre père et tu nous as abandonnés là-bas, tu nous as laissés traîner dans les rues de Wrocław comme des chiens.

– Vous vous êtes bien débrouillés. »

« C'est vrai que vous vous êtes bien débrouillés, a rebondi ma mère. C'est peut-être tragique, mais vous vous êtes bien débrouillés. Quant à Robert, il y avait effectivement de quoi être inquiet pour lui, sauf que les coups de Stefan n'ont fait qu'aggraver les choses. D'ailleurs, quand on l'a envoyé au séminaire, c'était uniquement pour le sortir des bandes de voyous dont il faisait partie. » Elle a soudain éclaté de rire. « Jusqu'au jour où il a pissé sur le tapis en pleine messe ! Et pas sur n'importe quel tapis, sur le plus précieux ! Il n'a pas réussi à se retenir, le pauvre, bon, on ne savait pas encore qu'il avait des problèmes de vessie. » Le sourire de ma mère s'est éteint et elle m'a demandé, de nouveau sérieuse : « Qu'est-ce qui s'est passé ensuite ?

– Où ? Chez la tante ? Rien. J'ai bu un coup et je suis sorti, malgré le froid. J'ai fumé une cigarette, et quand je suis rentré, il n'était plus dans le salon. J'ai jeté un œil dans la chambre et j'ai vu qu'il arrivait à se déshabiller tout seul, malgré son air fatigué et contrarié. Alors je suis retourné au salon, j'ai allumé la télé qu'Adam avait réparée et j'ai fixé l'écran jusqu'au milieu de la nuit, histoire de me vider la tête. »

Ma mère paraissait préoccupée mais n'a rien dit. Elle s'est levée, est allée aux toilettes, est revenue et a repris : « Parce que tu crois que j'étais sioniste, moi ? Que c'est de gaieté de cœur que j'ai tout quitté pour débarquer ici sans rien ? Je l'ai fait pour vous. Moi, je m'en serais sortie. Même avec ton père, je m'en serais sortie. Mais j'étais inquiète pour vous. Je voulais vous offrir un meilleur avenir, alors dès que l'occasion s'est présentée, je l'ai saisie. Je ne pouvais pas vous offrir de palais doré mais j'ai quand même réussi à vous sortir de là-bas. Et ça aussi, c'est quelque chose. »

Passer d'un quartier défavorisé de Wrocław à un quartier défavorisé près de Haïfa, la seule différence étant qu'en Israël, il n'y avait pas d'ivrognes dans les rues et pas de violence non plus, en tout cas pas celle qu'on connaissait. Quant à la pauvreté, on s'y est facilement adaptés.

Un jour, ma mère nous avait réunis pour nous annoncer qu'on n'avait plus d'argent : « Les enfants, regardez, ce sont nos dix dernières lires. Avec cette somme, on peut tenir une semaine, mais il va vraiment falloir se serrer la ceinture et je n'ai pas envie de passer une semaine à me serrer la ceinture. Je vous propose d'aller au restaurant, de nous amuser et de claquer ce qui nous reste en une seule soirée. Mais si on le fait, on le fait à fond. En sachant que demain, on n'aura peut-être rien à manger. Je ne veux entendre personne se plaindre, d'accord ? En plus, je suis persuadée qu'on va se débrouiller. »

On s'était débrouillés. Ma mère a éclaté de rire.

« J'avais oublié cet épisode. Ce dont je me souviens en revanche, c'est de nos premières soirées en Israël, les nuits, le calme. Sans ton père, Seigneur, quel soulagement. C'est à ce moment-là que j'ai compris dans quel état de stress on vivait à Wrocław. Tu te souviens que vous alliez lui préparer son lit dans l'espoir qu'il aille se coucher tout de suite en rentrant ? Rien que d'y penser, même à présent, ça me fend le cœur. Tu étais petit, tu avais l'âge de ton fils. Impossible d'imaginer ton fils endurer ce que toi, tu as enduré. À l'époque, ça paraissait normal. Ce petit visage si sérieux que tu avais, le visage d'un enfant avec l'expression d'un adulte. Stop. Si je parle encore, je vais finir par pleurer, et je n'ai pas envie de pleurer maintenant. Donne-moi une clope. »

Assis devant la télé dans le salon de la tante, j'ai continué à boire. Elle avait acheté deux bouteilles de vodka, Halina et Adam en avaient aussi apporté deux, tout le monde s'était assuré que mon père ait sa dose. J'ai donc bu en regardant des émissions de la chaîne officielle de la République populaire de Pologne agonisante, et quand j'ai entendu l'hymne national polonais qui signifiait la fin des programmes, j'ai compris que j'avais eu le temps de boire beaucoup. J'ai ouvert la fenêtre pour aérer la pièce, j'ai mis la bouteille dans la poche de mon manteau et je suis sorti pisser en titubant. Il tombait une petite bruine, mais j'ai pissé tranquillement, sans me presser. Tout m'était égal. Ensuite, j'ai été me planter sous un vieil auvent destiné à protéger des intempéries quelque chose qui n'était plus là, je me suis assis sur une grosse bûche. Je n'avais toujours pas envie d'aller dormir. J'étais arrivé à un stade d'ébriété où on a l'impression d'avoir un tas de trucs à régler mais où on ne va rien faire à part continuer de boire.

Je ne voulais pas penser. Je me suis forcé à savourer les odeurs qui montaient de la pluie – le bois mouillé, l'herbe, la paille, la terre abreuvée – et le bruit des gouttes qui tombaient sur les toits, la tôle, le chemin boueux, les flaques d'eau. De plus en plus écœuré par la terre entière, j'ai continué et continué à boire jusqu'à ce que je me mette à vomir sur ce monde de merde, et après je lui ai de nouveau pissé dessus. Puis je suis allé me coucher dans mes vêtements trempés et me suis noyé dans le sommeil.

La nuit. On est au lit, je serre le petit corps de mon fils contre moi. Me revient la prière des enfants qu'on nous avait apprise au catéchisme, le dimanche, et qu'on était obligés de réciter tous les soirs : « Bonsoir, Ange divin, mon ange gardien, veille sur moi, je t'aime de tout mon cœur, veille à mes côtés durant cette nuit pour illuminer mon chemin. Ainsi soit-il. »

8

Le matin, c'est avec son tracteur, auquel il avait accroché une petite charrette pour nous transporter, qu'Adam est venu nous chercher pour nous emmener à la gare de Chełm. Il n'est pas entré dans la maison, a préféré attendre dehors en fumant tranquillement sa pipe. La tante est sortie avec nous. Elle m'a embrassé sur les deux joues, je l'ai remerciée pour son accueil et lui ai promis de revenir, puis je suis allé charger la valise de mon père et mon sac à dos dans la charrette. Les deux vieux se sont dit au revoir en collant leurs joues d'un côté, de l'autre, puis ils sont restés là, face à face.

« Je suppose qu'on ne se reverra pas, a dit Irena.

– On ne peut jamais savoir, a répondu mon père. Mais c'est probable. »

Ils se regardaient sans savoir quoi dire. Finalement, il s'est tourné vers la charrette, nous a demandé, à Adam et à moi, de l'aider à monter, et on est partis.

La tante a agité la main, nous aussi. Mon père et elle ont continué jusqu'à ce qu'elle disparaisse après un tournant et il s'est alors laissé happer par ses pensées. Moi, je sentais encore les effets déplorables de toute la vodka que j'avais ingurgitée la veille – la nausée, une terrible migraine, des douleurs dans tout le corps et le souvenir tenace de mon rêve. J'étais toujours dans cet état quand nous sommes arrivés à la gare. Nous avons avancé lentement et, une fois sur le quai, avons pris congé d'Adam.

Nous nous sommes installés à nos places dans le wagon.

Le trajet jusqu'à Varsovie a duré cinq heures. On ne s'est presque pas parlé. Mon père paraissait triste. Rien dans ce voyage ne s'était déroulé comme il l'avait prévu : Kurdupel et sa femme avaient refusé de se saouler avec lui et de nous héberger, je n'avais pas voulu aller à Majdanek, et sa sœur l'avait accueilli en faisant la gueule. Peut-être avait-il espéré qu'elle lui proposerait de rester avec elle au village, de ne pas rentrer dans sa maison de retraite, alors qu'au contraire, tout ce qu'elle avait attendu, c'était qu'il s'en aille le plus vite possible.

On s'est endormis. Quand je me suis réveillé, j'avais la tête posée sur son épaule. Comme il dormait toujours, je n'ai pas osé bouger. En nous regardant, une femme qui avançait dans la travée entre les sièges a souri. Sans doute avait-elle été touchée par l'image que j'aurais tant aimé voir, moi aussi : celle d'un père et de son fils.

Arrivés à Varsovie, je l'ai porté sur mon dos jusqu'à la sortie de la gare. Là, j'ai hélé un taxi et on a roulé vers la maison de retraite. Par la fenêtre, on a remarqué des files d'attente devant certains magasins.

« Qu'est-ce qui se passe ? ai-je demandé au chauffeur.

— Les allumettes sont revenues, m'a-t-il joyeusement annoncé.

— Putains de… », a marmonné mon père.

Le taxi s'est arrêté devant le bâtiment. On est descendus, il a examiné la façade grise et a soupiré avant de se diriger vers la porte en trottinant.

Les employés à la réception l'ont salué. Dans le couloir, Wojtek s'est aussitôt approché de lui.

« Fous-moi la paix ! » l'a-t-il rabroué sans même prendre la peine d'ajouter une insulte.

On est entrés dans sa chambre, il s'est assis, m'a demandé de sortir la bouteille de vodka de sa valise et de lui apporter un verre. Il en a profité pour allumer une cigarette.

Il a pris plusieurs gorgées d'alcool en me dévisageant sans parler, et puis soudain il a dit : « Ne t'habitue pas à être jeune, parce que ça passe drôlement vite. »

J'ai souri. Lui aussi.

« Tu trinques avec moi ? a-t-il demandé.

– Je me traîne une gueule de bois carabinée depuis hier.

– Qu'est-ce que je devrais dire, moi qui me traîne une gueule de bois permanente ! Si tu en reprends, ça passera. »

Je suis allé me chercher un verre qu'il a rempli et il a levé le sien.

« Comment vous dites, vous, les Juifs ?

– *Léhaïm*.

– *Léhaïm !* »

On a trinqué avec cette eau-de-vie bon marché, tiède et infecte, à laquelle j'avais fini par m'habituer. Il s'est resservi, a orienté la bouteille vers moi mais l'a reposée sur la table après mon refus.

Il s'est bien calé sur sa chaise et a passé la langue sur ses lèvres.

« Qu'est-ce que je peux te dire, mon Tadzio. Une sacrée expédition.

– Oui, papa, une sacrée expédition. »

Silence.

Et tout à coup, il s'est secoué : « Avant que j'oublie, va ouvrir l'armoire, la porte du haut, tu verras, il y a trois exemplaires du livre dont je t'ai parlé. Tout est vrai là-dedans, à part la fin. Quand la guerre s'est terminée, les communistes ont eu un problème avec le fait qu'on venait tous de l'AK, alors il a fallu changer la fin. Pas grave. Ils nous ont rassemblés, c'était au début des années soixante, et on a signé comme quoi tous les détails mentionnés dans le livre étaient véridiques, y compris la fin, pour ne pas avoir d'ennuis. Passe-m'en un, je vais écrire une dédicace pour ton fils, Michel. Quand il grandira, il saura qui était son grand-père. »

Il a ouvert l'exemplaire que je lui ai tendu, a pris un stylo sur la table et a écrit une phrase. Lentement. Chose faite, il m'a rendu le livre d'un air satisfait. Il avait écrit : « *Pour mon intelligent et merveilleux petit-fils, en souvenir de ton grand-père Stefan Zagourski, Varsovie, 1988.* »

J'ai posé la main sur le livre.

« Quoi qu'on en dise, il est bien, ce bouquin, a-t-il précisé, même avec cette fin-là. Parce que, après, ce qu'ils nous ont fait subir en vrai, ces salopards, c'était impossible de le publier.

– Qu'est-ce qu'ils vous ont fait ?

– Ils m'ont accusé d'avoir assassiné des innocents, voilà ce qu'ils ont fait. Quand les communistes ont pris le pouvoir, ils ont envoyé en prison tous les nationalistes, les membres de l'AK, du Bataillon des Paysans et d'autres organisations encore. Pas de quartier pour ceux qui, après la guerre, se sont battus contre l'armée rouge et les partisans communistes. Direct en taule. Avec certains, comme moi, même s'ils n'avaient aucune preuve contre nous, ils ont essayé par tous les moyens de nous exécuter. Moi, ils m'ont accusé d'avoir assassiné des innocents. Il y a eu un procès. Une femme est venue témoigner que j'avais tué son mari sans raison, qu'il était innocent. Puis une autre est venue, et elle, je l'ai reconnue. Je me suis souvenu qu'elle s'était agenouillée à mes pieds, qu'elle m'avait donné de l'argent en couinant : "Monsieur, monsieur, pitié pour mon homme, monsieur !" Mais moi, je n'avais pas flanché : "Parce que lui, il a eu pitié de tous les gens qui sont morts par sa faute, peut-être ?" Là, elle m'avait attrapé les jambes, et son ordure de mari en avait profité pour essayer de s'échapper, alors moi, je lui avais foutu un coup de pied, "Pousse-toi, serpillière !" et j'avais tiré plusieurs balles dans le dos du fuyard. Au procès, voilà qu'elle me montre du doigt : "C'est lui, l'assassin, lui !" Elle raconte que je lui ai donné des coups de pied, que je l'ai traitée de serpillière, ce qui était vrai. En plus, elle n'a pas été la seule, d'autres sont venues au tribunal pour me salir. Voilà comment ces juges bolcheviques de la Pologne libre ont pu me condamner à mort. Moi, condamné à mort, tu piges ? Pendant la guerre, ce sont les Allemands qui ont voulu me tuer, mais au final, qui me condamne ? Les Polonais, ceux pour qui j'ai sacrifié ma vie. Putain ! Ils s'en foutaient. Ils en ont tué tellement, alors un de plus, un de moins… »

On a entendu un léger coup à la porte restée ouverte, et Wojtek est entré.

« Qu'est-ce que tu veux, babouin ? a râlé mon père.

— Te dire bonjour, Stefan, et te demander comment tu vas.

— Mal. La seule chose que je voulais pendant tout ce voyage, c'était revenir ici. Me voilà revenu. Et toi, comment tu vas ?

— Bien. Tu m'as un peu manqué.

— Fais pas chier et laisse-nous tranquilles, moi et mon fils. Tu ne vois pas qu'on est en train de discuter ? »

Wojtek m'a lancé un sourire embarrassé et est sorti de la chambre.

« Me demander comment je vais, non mais tu l'as entendue, cette couille de chameau ? Va vite vérifier qu'on n'a pas forcé la serrure de mon placard. »

J'ai obtempéré.

« C'est fermé à clé, papa.

– Tant mieux. Ça m'étonne que personne n'ait encore essayé de la forcer. Ici, si tu n'enfermes pas ta vodka à double tour, il suffit que tu regardes ailleurs un quart de seconde pour que quelqu'un te la pique. Pour sûr, putain ! Qu'est-ce que tu crois ? Qu'il venait prendre de mes nouvelles ? Que dalle, cette bite de rat riquiqui voulait un coup de vodka, c'est tout », et mon père a continué à marmonner des insultes et à boire. Ensuite, il a pris le livre que j'avais posé sur la table, l'a rouvert, a relevé ses lunettes sur son front, a approché la page de ses yeux… pour se rendre compte qu'il n'arrivait plus à lire les caractères.

« Trop petits, a-t-il pesté. Bah, peu importe. » Il a refermé le livre et l'a reposé sur la table. Un instant il m'a fixé puis s'est tourné vers le plafond, le regard vide.

« Et donc, tu vois, je suis resté longtemps dans la cellule des condamnés à mort. C'est ce que j'allais te raconter avant que cet emmerdeur de Wojtek vienne nous déranger. On était plusieurs à croupir là-dedans, en attendant qu'ils exécutent la sentence. Eux, ils n'étaient pas pressés. Même si, en fait, ils devaient sûrement être là à n'attendre que ça, comme nous. Peu importe. La bureaucratie. Faut faire la queue pour passer sur le gibet, Dieu sait pourquoi. Jusqu'au jour où ils nous en mettent un de plus dans la cellule. Et qu'est-ce qu'on découvre ? Que ce gars-là avait dénoncé aux Allemands plus de cent Polonais pendant la guerre. Plus de cent ! Putain ! Alors on a décidé de ne pas attendre que ces messieurs daignent le zigouiller, de s'en occuper ici et maintenant. À un tel chien, tu n'as pas le droit de faire des concessions, pour sûr ! J'ai été choisi pour accomplir la besogne, avec un autre type. On le chope, on lui demande s'il a dénoncé des Polonais, et lui, il sourit. On le tabasse. "T'as dénoncé des Polonais ?" Il tombe par terre. Je lui flanque un coup de pied. "Combien t'en as dénoncé ?" – et vlan – "cent ?" – et vlan – "cinq cents ?" – et encore vlan ! Dehors, ils l'ont entendu crier, alors ils nous ont mis à l'isolement, moi et mon pote. Et c'est quoi, chez eux, l'isolement ? Une courette à côté de l'entrée, sans toit, sans fenêtre, rien que des barreaux, tout est gelé et la neige te tombe sur la gueule. On était obligés de rester debout, mais combien de temps tu peux tenir comme ça ? On a fini par s'asseoir. Après, on s'est couchés, chacun recroquevillé sur lui-même. On n'avait plus de forces et il faisait froid. On se demandait ce qu'ils avaient l'intention de nous faire, on n'aurait pas tenu une journée entière dans ces conditions, et certainement pas une nuit. Mais quoi ? De nouveau, ce putain de destin est venu à ma rescousse, parce que ce jour-là, par hasard, la fille du commandant de la prison a décidé de rendre visite à son père. Arrivée devant l'entrée, elle nous voit allongés comme ça dans la courette, presque immobiles, recouverts d'un peu de neige. Et elle, c'était une jeune fille naïve. Elle se précipite chez son père et lui dit : "Papa, il y a des messieurs allongés dans la neige." Elle le traîne dehors et lui montre. Que faire, il était bien embêté, il avait honte devant la petite, alors il nous a sortis de là. On a eu droit à des matelas et des couvertures, et ils nous ont envoyés dans une autre cellule. Mais là, rebelote, qui est-ce qu'on croise en y allant ? Ce fils de pute qui avait dénoncé cent Polonais ! Lui aussi avec un matelas et des couvertures, qui change de cellule et qui nous sourit. Je n'ai pas réfléchi, deux coups de poing et je l'ai envoyé à terre, après je lui ai cogné la tête contre le sol, comme ça, plusieurs fois, et on s'est tirés. Ceux qui nous ont vus ont très vite oublié qu'ils nous avaient vus. Pour sûr ! Le lendemain, on a appris qu'il était mort. Bien fait pour sa gueule. »

Wojtek a de nouveau pointé le nez, mais cette fois il n'a pas osé entrer, il est passé, a fait demi-tour, s'est éloigné lentement, est revenu, s'est arrêté, a essayé d'entendre de quoi nous parlions, ses yeux ne cessaient de suivre la bouteille de vodka que mon père avait prise pour se resservir. Je lui ai fait signe de s'en aller et il a continué son chemin.

« Après, quand mon chef, Paweł Dąbek, a découvert ce qui m'arrivait, il est aussitôt intervenu. Lui, il était communiste, alors après la guerre il a tout de suite eu un bon poste, à l'époque il était secrétaire du Parti pour la région de Lublin. Il est allé trouver un camarade encore plus haut placé que lui, un ancien partisan aussi, et tous les deux ont exigé ma grâce. Ils n'avaient pas oublié que je n'avais dénoncé personne sous la torture, que je n'avais pas donné un seul nom. Ils m'ont sorti de là et je suis redevenu un homme libre. Un homme libre dans un pays où il n'y avait plus la guerre. C'était quelque chose ! Sauf que ces charognes d'autorités ne m'ont jamais demandé pardon pour ce que j'avais subi, jamais ! On ne m'a pas non plus aidé à retrouver du travail. Et qui voudrait embaucher un ancien repris de justice ? Jusqu'au jour où j'ai rencontré un officier supérieur de la police, par hasard, dans la rue. Lui aussi, je l'avais connu chez les partisans. On s'est tombés dans les bras. Il a voulu savoir ce que je devenais, et quand je lui ai raconté mes déboires, il m'a dégoté du boulot dans une petite ville à côté de Chełm. Mais moi, je n'ai rien oublié de tout ça. Putain ! J'ai donné mon âme pour défendre ma patrie, tous mes rêves. Ne me restent que les cauchemars. J'ai payé le prix fort, j'ai malheureusement aussi fait payer tous ceux qui étaient autour de moi… et on a voulu m'exécuter ? En plus, maintenant, à quoi ça me sert ? Qu'est-ce que j'y ai gagné ? Que dalle. Je suis seul et je n'ai rien. Bon, je suis vivant. Ça oui, quand même, je suis vivant. Et je remercie Dieu. Je me suis marié, j'ai eu des enfants. Je remercie Dieu. Je crois en Lui. Impossible qu'il n'y ait personne là-haut, je sais qu'un jour viendra où je me présenterai devant le Créateur. Pour sûr. Ça ne me fait pas peur, j'ai suffisamment vu de choses. Et je sais aussi qu'Il s'en fout assez. Tu vois, je n'ai rien construit, j'ai été un homme merdique, un père merdique, mais je ne regrette aucun des salopards que j'ai tués. Même si, parfois, leurs putains d'âmes viennent me rendre visite en rêve. »

Je suis resté auprès de lui encore un long moment, j'avais du mal à le quitter et il ne voulait pas que je parte. Mon vol de retour pour Israël était fixé au lendemain vers midi, nous savions que bientôt nous allions devoir nous séparer.

Comme à son habitude, il a continué à boire, chaque gorgée le rendant un peu plus sentimental. Il était clair qu'à ce rythme, le drame qui se préparait n'allait qu'empirer, je lui ai donc annoncé que je partais. Il a essayé de me retenir : « Alors on fait quoi, pour les photos ?

– J'ai promis à maman de lui rapporter celles qu'elle m'a données.

– Tu n'as qu'à dire que tu les as oubliées. Et tu pourras les récupérer la prochaine fois qu'on se verra. »

J'ai cédé. J'ai ressorti l'enveloppe de mon sac à dos et la lui ai tendue. Il l'a posée sur la table, s'est levé, on s'est serrés très fort dans les bras, longtemps, puis il s'est écarté pour bien me regarder.

« Tu es un bon garçon, mon Tadzio, a-t-il dit les larmes aux yeux, tu as été gentil avec moi. Rentre chez toi retrouver ta maison, ta femme, ton fils, et vis ta vie du mieux que tu peux. Sans concessions. Parce qu'elle passe trop vite, la vie. » Il s'est tu un instant. « Moi, quand j'ai eu mes enfants, en particulier tes grandes sœurs, je n'étais qu'un gamin, pas prêt du tout. D'ailleurs, peut-être que je suis resté un gamin, que je n'ai pas réussi à évoluer. Et ce qui me fait chier, c'est que je mourrai comme ça, sans savoir qui je suis. »

Je lui ai demandé de rester encore un peu parmi nous parce que j'avais l'intention de revenir. Il a souri et a dit qu'il essaierait, pour moi. On s'est séparés, je lui ai tourné le dos et la tristesse m'a submergé. Plus j'avançais le long du couloir, plus j'avais l'impression de l'abandonner, comme si je laissais un petit orphelin dans une institution pour vieux, et soudain, j'ai été saisi d'un besoin impérieux de retourner le chercher et de l'emmener avec moi.

« Wojtek ! l'ai-je alors entendu hurler de sa chambre. Wojtek, putain, tu es où ? Tu ne veux pas que je te raconte le voyage que j'ai fait avec mon fils américain ? Allez, rapplique, bite d'asticot, viens voir comme j'étais beau quand j'étais jeune. J'ai de la vodka, viens, on va fêter ça ! »

J'ai hélé un taxi et me suis assis derrière le chauffeur pour éviter qu'il entame la conversation. C'était bientôt l'heure du couvre-feu, les trottoirs se vidaient et, sur la chaussée, les voitures de plus en plus rares roulaient à côté de tramways à moitié vides. Seuls les magasins qui vendaient les allumettes attiraient encore les acheteurs. Mon père avait raison. On avait fait une sacrée expédition ensemble. J'ai regardé défiler par la vitre ces rues étrangères et je me suis souvenu du jour de mon arrivée, de mon obstination à vouloir me sentir de retour chez moi.

Je suis descendu du taxi devant la pension de la tante Nella. Le réceptionniste m'a tout de suite reconnu et m'a souhaité la bienvenue. Je l'ai remercié, lui ai demandé où se trouvait Lydia et il m'a répondu que ça faisait longtemps qu'elle avait terminé son service. Je n'ai rien dit, me suis tourné vers l'escalier en colimaçon et j'allais commencer à monter lorsqu'il a soulevé le combiné du téléphone.

Au bout d'une vingtaine de minutes, j'ai entendu qu'on frappait, ma porte s'est ouverte et Lydia est entrée. Elle portait une robe de chambre à fleurs et s'est excusée : elle s'apprêtait à se mettre au lit et ignorait que je revenais ce soir. Ses fins cheveux blonds étaient négligemment attachés en chignon, quelques mèches s'en étaient libérées et tombaient sur ses joues, sa nuque.

« C'était comment ? » m'a-t-elle demandé.

Je ne savais pas quoi répondre, alors j'ai souri. Je lui ai proposé de trinquer avec moi. J'avais toujours la bouteille de whisky achetée pour mon père, celle qu'il avait repoussée avec dégoût. Ma proposition lui convenait, je suis donc allé chercher les verres à dents sur le lavabo et je les ai remplis.

« *Na zdrowie*, ai-je dit.

– *Na zdrowie !* »

Elle a bu quelques gorgées avec satisfaction et a dit qu'elle arriverait peut-être, finalement, à s'habituer à la vie en Occident. J'ai eu une seconde de panique qu'elle a balayée d'un petit rire, m'a demandé que je lui raconte mon voyage au village et s'est assise en face de moi. Sa robe de chambre fleurie s'est entrouverte, en dessous elle ne portait qu'une fine chemise de nuit. Je n'avais pas très envie de parler. Son corps, penché en avant, attendait que je le touche, tout comme j'attendais qu'elle me touche, mais on avait besoin de boire encore un peu. J'ai cherché des anecdotes amusantes à lui raconter sur mon père et moi, mais j'avais du mal à trouver mes mots et la conversation s'est interrompue. Elle m'a regardé avec une expression sérieuse tandis que nos deux corps s'écartaient légèrement. J'ai de nouveau essayé de parler, et de nouveau les phrases m'ont fait faux bond.

« Je comprends, tu n'es pas obligé. »

J'ai rempli nos deux verres.

« Je ne sais pas quoi te dire, ça s'est terminé si vite.

– Moi non plus, je ne sais pas quoi te dire, m'a-t-elle répondu.

– Tu n'es pas obligée de me dire quelque chose. »

On est restés un instant silencieux.

« *Na zdrowie*, ai-je répété.

– *Na zdrowie.* »

On a trinqué. On a ri. On a retrinqué.

Sa coiffure a continué à se défaire et sa chevelure a fini par tomber en cascade autour de son beau visage. Je me suis approché d'elle, tout près, j'étais suffisamment ivre pour chercher le réconfort de son corps, même si j'avais déjà compris que c'était en vain : nous étions deux étrangers qui tentaient de se consoler dans les bras l'un de l'autre tout en sachant pertinemment que ce ne serait pas là, pas sur ce lit, que nous trouverions notre salut.

9

Peut-être nous reverrons-nous, Lydia, si je reviens un de ces jours. Tu t'es éclipsée sans que je m'en rende compte. En général, je me lève tôt, avant les oiseaux. Mais cette fois, j'ai bien dormi, d'un sommeil profond, et je me suis réveillé tard. Peut-être grâce au whisky, au contact de ton corps, peut-être les deux. Je sens encore ton odeur sur l'oreiller, sur le drap et au creux de mes mains.

Je n'ai pas écrit de lettre à une fille depuis des années. La dernière fois, c'était à ma femme, au début de notre relation. J'ai l'impression que j'ai cessé d'écrire peu de temps après la naissance de notre fils. C'est d'ailleurs à ce moment-là que notre fin s'est annoncée, que le silence a commencé à s'installer.

« Tu ne m'écris plus », m'avait-elle fait remarquer à l'époque et moi, ça m'avait énervé, j'avais pris ses mots pour un reproche, sans déceler la nuance de nostalgie dans sa voix.

« Toi non plus ! avais-je rétorqué.

– Moi, je sais parler.

– La question est de savoir ce que tu dis quand tu parles.

– Je dis que tu ne m'écris plus, c'est tout. »

Je ne suis qu'un imbécile, Lydia. Je n'ai pas compris, alors, ce qu'elle ressentait, persuadé que j'étais de l'avoir déjà beaucoup gâtée avec mes lettres d'amour ! Rares sont les femmes qui en ont reçu de telles.

« Je t'ai trop gâtée.

– Tu n'es qu'un imbécile. »

C'est bien ce que je t'ai dit, Lydia. Je ne suis qu'un imbécile, et elle, elle est intelligente. Efficace. La preuve, elle a toujours raison. Mais justement, c'est quand on n'a pas raison qu'on peut laisser la porte ouverte aux émotions complexes et bouleversantes, de celles qui emportent et secouent, de celles qui peuvent aussi tout détruire sur leur passage.

Mes lettres nous avaient gardés vivants, avaient enjolivé notre quotidien, chassé la routine et transformé tout ce qui se répétait et se rerépétait en événement particulier. Mais les années ont passé. Et c'est peut-être tant mieux si j'ai cessé d'écrire, la vérité a pu enfin éclater. Remettre les choses en ordre dans nos vies, et nous éloigner l'un de l'autre.

Je suis allongé sur mon lit dans la pension de la tante Nella à Varsovie, vingt-quatre ans après avoir quitté la Pologne, et j'essaie de formuler ce que je n'ai pas réussi à te dire au cours de cette nuit. Je vois à nouveau se dessiner le profil de cet étranger qui est mon père, je mesure l'ampleur du gâchis, mais je comprends aussi qu'il était inévitable. Mon voyage était foutu d'avance, même si nous n'y sommes pour rien. Les pères et les fils peuvent essayer de se cramponner les uns aux autres, ils resteront à jamais des étrangers, quant à cette reconnaissance que les fils s'échinent à obtenir de leurs pères, elle restera toujours hors de portée.

Les limbes du sommeil se sont tendrement dissipés, mais je n'ai pas encore oublié le contact de ta peau, ton odeur, les choses que tu as dites, et j'ai soudain ressenti le besoin – un besoin que j'avais cru perdu – de t'écrire tout ça. Sauf que, à la différence de l'époque exaltée d'alors, je ne le ferai pas. À quoi bon.

10

Seul le regard ne change pas. Le corps pousse, s'étire, se muscle, se couvre de poils. Le visage forcit, la mâchoire se façonne, le nez s'allonge, les sourcils s'épaississent, la barbe envahit les joues, le menton. Des rides se forment, des rides de rire au coin des yeux, d'étonnement sur le front, de colère entre les sourcils. La barbe devient grise. Des poils dépassent des oreilles et du nez, les sillons se creusent, s'élargissent, mais le regard ne change pas : c'est toujours celui d'un enfant, à présent fiché dans un visage d'adulte. Et c'est lui que me renvoie le miroir.

Tout s'est passé si vite. Le trajet de la pension jusqu'à l'aéroport de Varsovie, le vol de retour en Israël, le taxi collectif qui m'a ramené à Jérusalem. J'étais le dernier à descendre et, lorsqu'il a dû s'engager sur le chemin de terre, le chauffeur a râlé parce que sa voiture était neuve. Je suis arrivé chez moi tard dans la nuit. La maison était vide et j'ai tout de suite compris que je n'avais nulle part où revenir.

Je me suis mis à tourner en rond entre mes quatre murs. Pendant mon absence, ma femme était venue avec un camion de déménagement et avait quasiment tout embarqué. C'est ce dont nous étions convenus à l'avance, mais ça m'était complètement sorti de la tête.

Les pièces vides n'ont fait qu'aiguiser ce que je savais déjà. Mon séjour en Pologne et mes retrouvailles avec mon père avaient anéanti tous les prétextes auxquels je m'étais raccroché jusque-là : le départ de ma femme, l'absence soudaine de mon fils et les préparatifs du voyage. Je me retrouvais à présent confronté à ma vérité, évidente. Je suis allé me doucher.

Et puis j'ai pensé à mon père.

« Tout le trajet, j'ai essayé de comprendre comment il en était arrivé là, comment il avait pu rater sa vie, ai-je expliqué à ma mère.

– Laisse-le tomber. Et toi, où en es-tu, toi ?

– Moi ? »

Je ne voulais pas prononcer les mots que j'avais au bord des lèvres et je ne pouvais pas taper du poing sur la table comme mon père, lui qui aurait répondu d'une voix forte : « L'homme agit comme il agit, et moi, ce que j'ai fait, je l'ai fait. »

Ma mère a scruté mon visage avec attention. Elle aurait facilement pu m'encourager avec des phrases de mère, du genre « Il n'est pas trop tard » ou « On peut toujours changer », mais elle n'a rien dit.

On était assis à table, face à face dans sa cuisine, chacun devant son assiette. Elle avait dérogé à ses habitudes et préparé un déjeuner en l'honneur de mon retour de Pologne – enfin, elle avait surtout réchauffé un rôti dans une espèce de sauce jusqu'à ce qu'il rende l'âme. Elle ne s'était pas servie et me regardait manger en fumant une cigarette.

« Comment est la viande ?

– Tendre. Exactement ce qu'on sert aux vieux dans la maison de retraite de papa. »

Elle a éclaté de rire.

« Et toi, tu ne manges pas ?

– Je n'ai pas faim. Peut-être tout à l'heure. »

J'ai continué à mastiquer et elle à fumer. En silence.
Je me suis demandé si elle attendait que je lui parle.

« Un coup de vodka ? a-t-elle soudain proposé.

– Pourquoi pas ? À condition que tu trinques avec
moi. »

Elle s'est approchée du placard, a sorti une bouteille
et en a rempli deux shots.

« Tu es déjà allé voir ton fils ?

– Bien sûr. Lui et sa mère. Je m'étais imaginé qu'il
s'élancerait vers moi, que je le soulèverais, le ferais tournoyer et le serrerais dans mes bras, comme au cinéma…
mais lui, il était tellement ému que j'ai senti qu'il avait
honte, alors je me suis abstenu. »

La première chose que j'avais dite à ma femme,
c'était qu'ils m'avaient manqué.

« Tu lui as manqué à lui aussi, m'avait-elle répondu.

– Toi aussi, tu m'as manqué.

– Moi, j'étais surtout inquiète pour toi. Mais je vois
que tu vas bien.

– Oui.

– Tu me raconteras ?

– Bien sûr. »

Je me suis penché vers mon fils et j'ai sorti les
cadeaux que j'avais achetés pour lui : un petit camion,
un manège de chevaux qui tournait sur un ressort en
jouant de la musique, une boîte en fer sur laquelle étaient
dessinés des ouvriers d'usine, des ouvriers agricoles et
des ouvriers du BTP. Après, je lui ai tendu le livre dédi-
cacé par mon père. En voyant la couverture, ma femme
a tout de suite réagi avec méfiance : « C'est quoi ?

– Ne t'inquiète pas, il ne peut pas comprendre. »

Je me suis penché vers le petit pour lui expliquer que ça racontait l'histoire héroïque de son grand-père qui vivait en Pologne. Je lui ai aussi montré la dédicace.

« Lis-en un peu », m'a-t-il dit.

J'ai ouvert une page au hasard et j'ai baragouiné n'importe quoi. Ensuite, je lui ai demandé s'il acceptait de me le prêter et il a dit oui.

Ils ne sont pas restés très longtemps, ma femme était pressée, elle devait aller le déposer à son cours de judo. Elle m'a paru distante et étrangère, comme si nous n'avions pas vécu ensemble pendant toutes ces années, comme si je ne connaissais pas chaque centimètre de sa peau, son odeur, son goût, ses sautes d'humeur et son sens de l'humour, ce qu'elle haïssait et ce qu'elle aimait, ses fous rires, ses soupirs, les zones sensibles de son corps, ses bizarreries et ses faiblesses, tant de choses dont j'avais été le seul témoin. Et c'était justement parce que sa présence m'avait été si familière qu'elle m'a paru terriblement distante, indifférente, étrangère, bien plus étrangère que le premier venu. Et quand nous nous sommes séparés dans une étreinte, nous avons tous les deux été gênés.

On avait quand même profité de ce court laps de temps, mon fils et moi, pour convenir de notre prochaine rencontre. Je l'emmènerais au zoo, au cinéma ou en promenade, on déciderait, le principal étant que je vienne le chercher. Je lui avais promis que dès que j'aurais arrangé la maison, il viendrait aussi dormir chez moi.

« Fais-le vraiment, m'a dit ma mère. Et vite. Ne le déçois pas.

– Bien sûr que non.

– Bien sûr, a-t-elle soupiré. Chez toi, rien n'est sûr. »

Elle a levé sa vodka : « *Na zdrowie !*

– *Na zdrowie !* » On a entrechoqué nos verres et on a bu d'un trait.

« Quand ta vie se vide de sens, ai-je brusquement déclaré, tout devient plus clair. »

Le regard avait beau ne pas avoir changé, être celui d'un enfant dans un visage d'adulte caché derrière une courte barbe, l'adulte avait beau, après sa douche, se tenir nu devant le miroir, nu avec ce corps-là dans sa maison vide, ce qu'il voyait soudain, c'était une pâle copie de son père.

Eh bien, cet homme-là, je ne voulais plus le voir. Je l'avais trop vu, pendant trop d'années. Je me suis rasé. A surgi alors le visage qui était resté caché très long-temps. Enfin, il paraissait propre, lisse, et aussi un peu étranger. Seul le regard n'avait pas changé, et les yeux de l'enfant que j'avais été se sont levés, inquisiteurs, accusateurs, vers l'adulte que j'étais devenu.

Je suis sorti de la salle de bains. Nu et glabre, j'ai erré d'une pièce à l'autre à travers une maison déserte, silencieuse. Et puis, lentement, j'ai été gagné par une douce sérénité. Les couches de poussière et de suie qui s'étaient accumulées pendant des années se sont évaporées. Tout est devenu limpide, simple, accessible. Je suis allé dans la cuisine, j'ai attrapé une bière dans le frigo et je suis sorti comme ça dans le jardin. La nuit m'a pris dans ses bras. Je me suis assis sous le ciel piqué d'étoiles scintillantes, et j'ai eu l'impression d'être heureux.

Les yeux de ma mère se sont embués.

« Je te revois encore, tout petit, qui trottines, seul dans la cour de la PGR. Tu t'éloignes de moi à pas minuscules. J'avais le cœur serré chaque fois. Tellement petit, à devoir te frayer un chemin dans l'immensité du monde. »

Après le repas, on est allés prendre le thé au salon, et ensuite je lui ai dit que je devais partir.

« Déjà ?

– Je suis ici depuis ce matin.

– C'est vrai. Mais le temps est passé vite. »

Elle s'est levée, m'a embrassé sur chaque joue et m'a raccompagné à la porte. Avant de sortir, je me suis retourné une dernière fois. Elle se tenait au milieu de la pièce, et dans ses yeux j'ai surpris un regard que je ne lui connaissais pas, un regard plein d'amour, qui arrivait tout à coup, avec trente-six ans de retard. Je me suis attardé un instant sur le seuil, je lui ai souri, puis j'ai refermé la porte derrière moi. Parvenu en bas de l'immeuble, je me suis assis sur les marches du perron et j'ai éclaté en sanglots.

Remerciements

Merci à Ami Drozd qui m'a raconté ses souvenirs, m'a autorisé à les utiliser pour écrire ce livre et m'a laissé, ce qui est tout aussi important, en faire ce que je voulais. À Maya Feldman pour ses judicieux conseils et son aide précieuse. À Uri, mon père, pour toutes les explications qu'il m'a données sur la Pologne. À Yaara, ma mère, et à mon fidèle ami Amnon Schwarz, pour leur relecture et leurs commentaires. À Leanne, la femme que j'aime et dont l'intelligence a accompagné mon travail sur ce livre.

RÉALISATION : NORD COMPO À VILLENEUVE-D'ASCQ
IMPRESSION : CPI FRANCE
DÉPÔT LÉGAL : AVRIL 2020. N° 141090-2 (3039262)
IMPRIMÉ EN FRANCE

Éditions Points